Second Edition
Handbook of **Surgery**

삼성서울병원
외과 매뉴얼

성균관대학교의과대학
삼성서울병원 외과

 SAMSUNG MEDICAL CENTER

Handbook of Surgery

첫째판 1쇄 발행 │ 2011년 11월 10일
둘째판 1쇄 인쇄 │ 2018년 10월 10일
둘째판 1쇄 발행 │ 2018년 10월 15일
둘째판 2쇄 발행 │ 2022년 5월 20일

지 은 이 성균관대학교 의과대학 삼성서울병원 외과
발 행 인 장주연
출 판 기 획 이상훈
기 획 편 집 박미연
편집디자인 조원배
표지디자인 김재욱
제 작 담 당 신상현
발 행 처 군자출판사(주)
　　　　　등록 제4-139호(1991. 6. 24)
　　　　　본사 (10881) **파주출판단지** 경기도 파주시 회동길 338(서패동 474-1)
　　　　　전화 (031) 943-1888　　　팩스 (031) 955-9545
　　　　　홈페이지 │ www.koonja.co.kr

ISBN 979-11-5955-339-4

정가 40,000원

Second Edition
Handbook of
Surgery

삼성서울병원
외과 매뉴얼

집필진 ※소속: 성균관대학교 의과대학 삼성서울병원

길은미 교수 외과
김 성 교수 위장관외과
김동익 교수 혈관외과
김민지 교수 내분비외과
김석원 교수 유방외과
김성주 교수 이식외과
김정한 교수 내분비외과
김종만 교수 이식외과
김지수 교수 내분비외과
김희철 교수 대장항문외과
남석진 교수 유방외과
박양진 교수 혈관외과
박윤아 교수 대장항문외과
박재범 교수 이식외과
박치민 교수 외과
배재문 교수 위장관외과
서정민 교수 소아외과
손태성 교수 위장관외과
신정경 교수 대장항문외과
안지영 교수 위장관외과
유재민 교수 유방외과
유종한 교수 유방외과
윤성현 교수 대장항문외과
이교원 교수 이식외과
이상훈 교수 소아외과

이석구 교수 소아외과
이세경 교수 유방외과
이우용 교수 대장항문외과
이정언 교수 유방외과
이준호 교수 위장관외과
조용범 교수 대장항문외과
조재원 교수 이식외과
최규성 교수 이식외과
최동욱 교수 간담췌외과
최민규 교수 위장관외과
최성호 교수 간담췌외과
최준호 교수 내분비외과
한인웅 교수 간담췌외과
허선희 교수 혈관외과
허정욱 교수 대장항문외과
허진석 교수 간담췌외과
김유나 임상강사 위장관외과
김이삭 임상강사 유방외과
김재명 임상강사 유방외과
박대준 임상강사 간담췌외과
서정은 임상강사 위장관외과
정영재 임상강사 이식외과
조찬우 임상강사 이식외과
최희준 임상강사 유방외과
허나윤 임상강사 내분비외과

머리말

환자를 대하는 진료현장에서 전공의들이 편리하게 이용하여 진료에 도움을 받을 수 있도록 "Handbook of Surgery"의 제 1판은 2011년도 1월에 출간되었습니다.

그러나 시간이 지날수록 더욱 새로워지고 발전하는 외과학 지식과 수술적 치료법들이 많아지면서 수정, 보완할 필요성을 느끼게 되었습니다.

개정판에서는 이러한 점들을 고려하여 더욱 개선되고, 효율적인 치료 지침서가 되도록 만들어 보았습니다. 이 책의 개정에 많은 조언과 지침을 주신 삼성서울병원 외과 교수님들과 실무적인 도움에 헌신적인 노력을 해주신 외과 임상강사 그리고 전공의들께 감사의 말씀을 드립니다.

수련 중인 전공의, 의과대학생, 그리고 진료 일선에서 환자를 접하는 모든 의료인분들에게 없어서 안 될 유용한 책이 되길 바라며, 진료 현장에서 손쉽게 찾아보고 공부할 수 있는 길잡이가 되기를 바랍니다. 앞으로도 **변화**하는 의료 환경에 맞추어 지속적으로 수정, 보완하여 본 지침서가 선생님들께서 담당하시는 진료에 늘 현재형으로 도움이 되도록 노력하겠습니다.

2018년 6월
성균관대학교 의과대학 삼성서울병원 외과
주임교수·과장 손 태 성

Handbook of Surgery

목차

Chapter 01

수액, 전해질 및 산염기 대사

I. 수액요법

수분은 연령과 성별, 몸의 구성성분에 따라 약간의 차이는 있지만 대략 체중의 60%를 차지한다. 환자들은 다양한 양상의 수액불균형 상태에 놓이게 되는데, 질병의 병태생리에 따른 수액불균형 상태를 파악하여 적절한 수액치료를 시행해야 한다. 수액을 선택할 때에는 다양한 수액의 생리적, 물리적, 화학적 성질을 잘 이해하고 혈류의 흐름, 혈관벽의 긴밀성, 지혈 및 염증세포의 기능, 투여한 수액이 체내에서 얼마나 오랫동안 혈장량을 증가시킬 수 있는지 등을 고려하여야 한다.

1 체액의 구성

체중에 대한 체액의 비율은 연령과 성별에 따라 조금씩 다르다.

연령에 따른 총 체액과 세포외액 (몸무게%)			
구분	**총 체액(%)**	**세포외액(%)**	**혈액량(%)**
신생아	80	45	9
6개월	70	35	
5세	65	25	8
성인 남성	50	20	7
성인 여성	50	20	7
노인	50	20	

총 체액은 세포내액과 세포외액으로 나누어지고, 세포외액은 수액투여 시 평형을 이루기 위해 역동적으로 움직이는 부분과 저류되어 있는 부분으로 나누어진다. 역동적으로 반응하는 혈관내액과 사이질액을 더한 것을 기능적 세포외액이라고 한다. 혈관내액은 다시 혈장과 당질층하액(subglycocalyx fluid)으로 나누어지는데, 혈관내피세포(vascular endothelium) 위를 덮고있는 당질층(glycocalyx)의 역할이 알려지면서 당질층과 혈관내피 사이에 존재하는 수분이 혈관내액과 사이질 간의 수분 및 물질 이동에 중요한 역할을 하는 것으로 알려지고 있다. 총 체액의 구성비율은 아래 그림과 같다.

② 체액조절

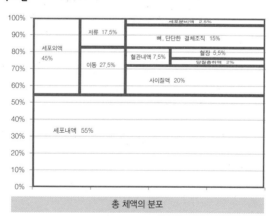

총 체액의 분포

정상 성인의 경우 음식물을 통해 하루 약 2,100ml의 수분을 섭취하고, 탄수화물 대사를 통해 약 200ml의 수분이 발생하여 하루 약 2,300ml의 수분이 체내에 생겨난다. 수분의 배출은 호흡기와 피부를 통하여 약 700ml, 대변을 통해 약 100ml가량 배출하고, 나머지는 땀과 소변을 통해 배출된다. 수분과 전해질 균형을 위해서는 신장의 역할이 중요하고, 수분배출량의 60%가 신장을 통해 배설된다.

혈장과 사이질액 간의 체액분포는 정수압(hydrostatic pressure)과 삼투압(osmotic pressure)에 의해 결정되고, 세포내액과 세포외액 간의 체액분포는 나트륨과 염소등에 의해 발생하는 삼투압에 의해 결정된다. 특히 나트륨은 세포외액의 삼투압과 용적을 결정하는 주요 요소이다.

세포외액의 삼투압 변화는 시상하부의 삼투압수용기를 자극하고 혈관용적의 변화는 중심정맥과 우심방, 경동맥동, 대동맥궁 등에 분포하는 압수용기를 자극한다. 이러한 체액의 상태에 대한 정보는 시상하부에서 취합된 후 항이뇨호르몬(ADH, antidiuretic hormone)의 분비를 통해 체액의 균형을 유지하게 된다. 수술이나 외상에 의한 스트레스 등에 의해서 항이뇨호르몬 분비가 자극되어 SIADH (Syndrome of Inappropriate secretion of ADH)가 일시적으로 유발되기도 한다.

3 수액의 종류

수액은 녹아있는 용질의 크기에 따라 모세혈관벽을 자유롭게 통과하여 혈장과 사이질액에 자유롭게 분포할 수 있는 적은 분자량의 물직이 녹아있는 결정질용액(crystalloid)과 이를 통과하기 어려운 큰 분자량을 갖는 물질이 녹아있는 콜로이드액(colloid)으로 구분한다.

수액	MEq/L						pH	삼투압 (mOsm/L)
	Na⁺	Cl⁻	K⁺	Ca⁺⁺	Mg⁺⁺	Buffer		
혈장	140	103	4	4	2	25 (HCO3−)	7.4	290
0.9%식염수	154	154	−	−	−	−	5.7	308
7.5%식염수	1,283	1,283	−	−	−	−	5.7	2,567
링거젖산액	130	109	4	3	−	28 (Lactate)	6.4	273
Normosol Plasma-Lyte	140	98	5	−	3	27 (Acetate) 23 (Gluconate)	7.4	295

수액	분자량 (kD)	삼투압 (mmHg)	증가혈장량/투여량	지속시간 (hr)
5% 알부민	69	20	0.7–1.3	12
25% 알부민	69	70	3.0–4.0	12
6% Hetastarch	450	30	1.0–1.3	24
10% Dextran–40	260	40	1.0–1.5	6

3 -1 **결정질용액**(Crystalloids)

일반적으로 삼투성에서 주요 active particle인 sodium을 포함한 용액. Crystalloids는 상대적으로 저렴하고, 체액을 증가시키고 주사투여를 유지하며 전해질 장애를 교정하는데 유용

1) 등장액(isotonic solution) (e.g., Plasmalyte, RL solution, 0.9% NaCl)

- 균등하게 세포외액 구역에 분포
- 1시간 경과한 후에는 총 투여한 양의 약 25%만이 혈관내에 존재
- Plasmalyte와 lactated Ringer's solution은 세포외액을 모방하여 만들어졌으며 균형 잡힌 salt solution임. HCO₃⁻ 를 공급하며 위장관 손실과 세포외액이 부족한 경우에 유용하게 사용
- Plasmalyte와 같은 balanced solution의 경우 농축적혈구를 희석하기 위해 사용할 수 있고(Ca⁺⁺ free), 생리식염수를 다량 투여시 발생 할 수 있는 hyperchloremic metabolic acidosis를 예방할 수

있어 패혈성 쇼크 혹은 출혈로 인한 저혈량성 쇼크환자의 소생 (resuscitation)을 위한 대량 수액 정주 시 사용됨

2) 고장액(hypertonic solution) (e.g., 3% or 7% Saline)
- 삼투압이 세포외액보다 높아 저혈량이 동반된 뇌손상 환자에서 뇌부종을 감소시키기 위해 주로 사용된다. 또한 과거 삼투압이 높아 혈장 증량 효과가 우수하여 외상환자의 출혈성 쇼크에서 사용되었으나, 이 경우 생존율에 이점이 없는것으로 밝혀져 현재는 쓰이지 않는다.
- hypertonic solution의 가능한 부작용으로는 hypernatremia, hyperosmolality, hyperchloremia, hypokalemia 그리고 급속히 투여했을 경우에 생기는 central pontine demyelination이 있음

3) 저장액(Hypotonic solution) (D5W, 0.45% NaCl)
총 신체수분 구획에 걸쳐 분포하며 투여했을 경우 10%보다 적은 양이 혈관내 구획에 남게 됨. 이러한 이유로, 저장액은 volume expander로 사용하지 않으며 free water 손실을 보충하는 용도로 사용됨

❸ -2 콜로이드액(Colloids)

콜로이드액은 분자량이 큰 물질이 등장성 경질용액에 균등히 녹아있는 것으로 다양한 분자량의 반합성 물질, 혹은 인체혈장 파생물인 알부민이 녹아있는 것이다. 콜로이드 삼투압이 20-30mmHg일 때 등삼투압(iso-oncotic)액이며 투여한 양만큼 혈장량이 증가한다. 콜로이드액은 혈류 유동학에 영향을 주는데 혈액희석에 의해 혈액의 점도를 감소시키고 적혈구 응집을 방해하여 혈류 흐름을 증가시킨다. 다량의 반합성 콜로이드물질은 면역체계나 혈액응고, 신기능에 유해한 영향을 미친다는 보고가 축적되고 있어 특히 중환자에게 투여할 때 주의를 요한다.

1) Albumin
- 혈장의 콜로이드 삼투압을 결정하는 대표적인 운반단백질이다. 항산화 효과가 있고 혈소판 응고를 억제하여 혈액의 유동성이 유지될 수 있게 한다.
- 5%알부민 용액은 콜로이드삼투압 20mmHg로 보통 250ml씩 포

장되어 있고, 투여한 양만큼 혈장량을 증가시킨다. 혈장증량효과
는 6시간 이후 감소하기 시작하여 12시간 후에는 사라진다.

- 25% albumin용액인 콜로이드 삼투압이 70mmHg인 고장성 액으
  로, 사이질액의 혈장 내 이동을 유도하여 투여량의 3-4배 정도 혈
  장을 증량한다. 저알부민혈증에 의한 사이질부종과 함께 저혈량
  상태일 때 투여한다. 혈장증량효과는 주로 사이질액의 이동에 의
  한것이므로 출혈에 의한 혈장량 감소한 경우 투여는 적절하지 않
  으며, 고속으로 정주할 경우 혈관내 당질층(glycocalyx)의 손상으
  로 인한 유출이 증가하는 부작용이 있다.

- albumin의 리터당 비용은 다른 콜로이드액이나 결정질용액에 비
  해 고가이므로, 가격 대비 효용성을 고려해 투여한다.

2) 수산화에틸전분 (HES, Hydroxyethyl Starch)

HES는 합성콜로이드로 생리식염수나 링거젖산액에 화학처리된 다
당류 전분을 6-10%로 녹여서 사용한다. 분자량과 하이드로실기의
치환 정도에 따라 각 콜로이드액을 구분한다.

수산화에틸전분 (HES)의 종류			
이름	농토	분자량(kD)	하이드록실기/포도당
Hetastarch	6%	450	0.7
Hexastarch	6%	200	0.6
Pentastarch	6%, 10%	200	0.5
Tetrastarch	6%	130	0.4

아밀라에제에 의해 가수분해되며 50kD 이하로 쪼개지면 신장을 통
해 배설되므로 분자량이 클수록 작용시간이 길다. 하이드록실기의
치환 정도가 높을수록 체내에 머무르는 기간이 길고 HES에 의한 응
고장애의 위험이 증가한다.

HES는 혈액응고인자 VII과 von Willebrand factor를 억제하고, 혈소
판 응집을 방해하여 혈액 응고를 방해할 수 있다. HES의 높은 콜로
이드삼투압은 신손상과 관련이 있는 것으로 알려져 있고, 정확한 기

전은 아직 밝혀지지 않았으나 HES관련 신손상은 대부분 패혈증이나 쇼크환자에서 발생하고 있다. 이 때문에 HES의 경우 출혈, 패혈증과 관련한 중환자에서 사용을 권하지 않는다.

❹ 수액요법

수액 요구량은 환자에 따라 몸무게, 동반질환 등의 영향으로 개인차가 매우 크며, 한 환자에서도 상황에 따라 변화하는 동적인 개념으로 판단해야 한다. 체중의 50-60%가 수분임을 고려할 때 외과환자에서 수술 후 급격한 체중의 증가는 수액과다 상태로 판단하는 것이 옳다. 당연히 탈수나 출혈 등으로 체액이 부족한 경우 소실된 만큼 보충해 주어야 할 것이며 이때 투여의 기준은 여러 가지 혈역학 지수를 고려해야한다.

- 금식기간 중 보충해야 할 수액의 유지 용량은 다음과 같이 몸무게를 기초로 하는 방법이 있다.

    ~10kg ; 4ml/kg/hr (100mm/kg/day)

    10~20kg ; 2ml/kg/hr (50ml/kg/day)

    20kg~ ; 1ml/kg/hr (20ml/kg/day)

    Ex) 60kg 성인 = 40 + 20 + 40 = 100ml/hr

- 유지용액의 전해질은 일반적으로 Na^+ 1-2mEq/kg/day, K^+ 0.5-1mEq/kg/day로 계산하여 0.45% 식염수 1L를 기본으로 KCl을 20-30mEq를 추가하여 주입한다. (SMC 처방코드; X5DNK1 or X5DNK2) 하지만 수술 후 SIADH가 발생한 경우 저나트륨혈증이 동반될 수 있으므로 이 경우 0.9% 식염수, 혹은 링거젖산액을 유지용액으로 고려한다. (SMC 처방코드; XNS or XHS or X5DS or XHD)

- 수술 중 필요한 수액은 수술 시간 동안 필요한 유지용액과 출혈 및 제3구역으로의 소실(thirdspace loss)이 포함된다. 급성출혈의 경우 3-4배 정도의 결정질액(crystalloid)이나 같은 양의 수혈로 보충할 수 있다. 수술 중 불감성 소실이나 3구역으로의 소실은 창상절개 크기, 조직 손상의 정도, 절제의 범위 등에 따라 달라지며, 적정량의 등장액을 공급한다.

    Minor procedure. ex. 서혜부탈장 ; 1-3ml/kg/hr

Moderate procedure. Ex.에스결장 절제술 ; 3-7ml/kg/hr

Major procedure. Ex. 췌십이지장절제술 ; 9-11ml/kg/hr

세포외액의 수술부위로의 격리는 수술 후 12시간 이상 지속될 수 있다. 소변량을 잘 관찰하여 0.5-1ml/kg/hr 정도로 유지할 수 있도록 혈관내 용적을 보충해 주어야 한다. 3구역으로의 수분소실에 대한 평형은 수술 후 2-3일에 일어난다. 환자의 용적상태를 평가하고 수분과잉의 경우 필요시 이뇨제 사용을 고려한다.

II. 전해질 장애

Source	Volume (mL/day)	Na⁺ (mmol/L)	K⁺ (mmol/L)	Cl⁻ (mmol/L)	HCO₃ (mmol/L)
타액	1,500 (500~2,000)	10 (2~10)	26 (20~30)	10 (8~18)	30
위	1,500 (100~4,000)	60 (9~116)	10 (0~32)	130 (8~154)	0
십이지장	(100~2,000)	140	5	80	0
회장	3,000	140 (80~150)	5 (2~8)	104 (43~137)	30
결장	(100~9,000)	60	30	40	0
췌장	(100~800)	140 (113~185)	5 (3~7)	75 (54~95)	115
쓸개즙	(50~800)	145 (131~164)	5 (312)	100 (89~180)	35

1 Sodium

1) Physiology

(1) Na⁺ loss: sweat, urine, GI secretion 등

(2) Na⁺ 농도가 plasma osmolality (Posm)의 대부분을 결정

(3) Posm (mOsm/L) = $2 \times$ serum[Na⁺(mmol/L) + K⁺(mmol/L)] + glucose/18 + BUN/2.8

(4) 보통은 hypotonicity-hyponatremia, hypertonicity-hypernatremia 가 각각 동시에 일어남

2) Hyponatremia

(1) 원인과 진단

저나트륨혈증을 평가하기 위해서는 serum osmolality를 측정하고
이에 따라 분류

① 등장성 저나트륨혈증

② 고장성 저나트륨혈증

　　a. 고혈당

　　　: fluid가 intracellular → extracellular ☞ serum Na^+ 희석시킴

③ 저장성 저나트륨혈증: extracellular fluid volume에 따라 분류

　　a. 저혈량성 저장성 저나트륨혈증(hypovolemic hypotonic
　　　 hyponatremia)

　　　: sodium-rich fluid loss (예: GI tract, lung 등)에 대해 불충분
　　　 한 양의 hypotonic fluid (D5W, 0.45% NaCl)로 보충할 때
　　　 종종 생김

　　b. 고혈량성 저장성 저나트륨혈증(hypervolemic hypotonic
　　　 hyponatremia)

　　　: CHF, liver disease, nephrosis 등에 의한 edematous state

　　c. 등혈량성 저장성 저나트륨혈증(isovolemic hypotonic
　　　 hyponatremia)

　　　• water intoxication: primary polydipsia

　　　• K^+ loss

　　　• reset osmostat: 몇몇 chronic disease (예: Tbc, LC 등)에서
　　　　　　　　　　　　 나타나며 ADH 분비 이상으로 free water
　　　　　　　　　　　　 excretion이 억제

　　　• SIADH: plasma osmolality ↓ (<280 mOsm/L), hyponatremia,
　　　　　　　 low urine output with concentrated urine, urine Na^+ ↑,
　　　　　　　 clinical euvolemia

(2) 증상

① Posm ↓ → ICF influx, intracellular vol. ↑ → cerebral edema

② lethargy, confusion, N/V, seizure, coma 등등

③ Sx 발생가능성 - hyponatremia 정도와 발생 속도가 빠를수록 ↑

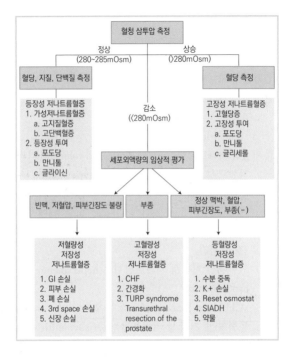

혈청 삼투압 측정

정상 (280~285mOsm) / 상승 ()280mOsm) / 감소 (<<280mOsm)

혈당, 지질, 단백질 측정

등장성 저나트륨혈증
1. 가성저나트륨혈증
   a. 고지질혈증
   b. 고단백혈증
2. 등장성 투여
   a. 포도당
   b. 만니톨
   c. 글라이신

혈당 측정

고장성 저나트륨혈증
1. 고혈당증
2. 고장성 투여
   a. 포도당
   b. 만니톨
   c. 글리세롤

세포외액량의 임상적 평가

빈맥, 저혈압, 피부긴장도 불량 / 부종 / 정상 맥박, 혈압, 피부긴장도, 부종(-)

저혈량성 저장성 저나트륨혈증
1. GI 손실
2. 피부 손실
3. 폐 손실
4. 3rd space 손실
5. 신장 손실

고혈량성 저장성 저나트륨혈증
1. CHF
2. 간경화
3. TURP syndrome Transurethral resection of the prostate

등혈량성 저장성 저나트륨혈증
1. 수분 중독
2. K+ 손실
3. Reset osmostat
4. SIADH
5. 약물

(3) 치료

① isotonic and hypertonic hyponatremia: underlying disorder 교정

② hypovolemic hyponatremia: volume deficit 교정 (0.9% NaCl)+ ongoing loss를 replace

③ water intoxication: fluid restriction (1,000ml/day)

④ SIADH: water restriction, loop diuretics (furosemide) or osmotic diuretics (mannitol)

⑤ hypervolemic hyponatremia: water restriction

- severe CHF: Na^+ correction과 함께 cardiac performance 정상화
- edematous hyponatremia: loop diuretics (furosemide, 20~200mg IV q 6 hrs)+3% NaCl로 urinary Na^+ loss replace
- hypertonic saline 주입은 하지 말아야 함

- synthetic brain natriuretic peptide (BNP): acute heart failure 시 Na^+ 재흡수 방해

⑥ extreme hyponatremia (Na^+<110mmol/L) or 증상이 있을 경우 3% NaCl으로 교정 → 목표는 Na^+≒120 mmol/L (3% NaCl 1L는 513 mmol의 Na^+ 제공)

$$Na^+ \text{ defect (mmol)} = 0.6 \times \text{lean Bwt (kg)} \times [120 - \text{serum } Na^+ \text{ (mmol)}]$$

주의) 하루 12 mmol/L 이상 교정해서는 안 됨

※ Na^+가 120 mmol/L 이상이고 Sx 없어지면 hypertonic saline은 stop

3) Hypernatremia

(1) 진단

extracellular fluid volume state에 따라 분류

세포외액량 임상적 평가									
감소			정상			증가			
저혈량성 고나트륨혈증			등혈량성 고나트륨혈증			고혈량성 고나트륨혈증			
수분 + Na^+ 손실 (H_2O 손실 > Na+)			수분 손실			수분 + Na^+ 획득 (Na+ 손실 > H_2O)			
원인	BUN/Creat	Urinary (Na^+) Osm		원인	BUN/Creat	Urinary (Na^+) Osm		원인	BUN/Creat	Urinary (Na^+) Osm	
Renal					요붕증					의인성	V	↑, (V) V
이뇨제	↑↑/↑	↑	↓	Central	↑/N	N	↑	Mineralocorticoid excess			
Glycosuria	↑/N, ↑	↑	↓	Nephrogenic	↑/N	N	↓	1차성 aldosteronism	N	N	V
Urea diuresis	↑↑/N, ↑	↑	↓	Reset osmostat	N/N	N	V				
급/만성 신부전	↑↑/↑↑	↑	↓	피부 손실	↑/N	↓	↑	쿠싱 증후군	N	N	V
부분 폐색	↑↑/↑	↑	↓	의인성	N/N	V	↑	선천성 부신 과다형성	N	N	V
Adrenal									외인성	N	N	V
선천성 또는 후천성 결손	↑↑/↑	↑	± ↑								
GI 손실	↑↑/↑	↓	↑								
호흡기 손실	↑↑/↑	↓	↑								
피부 손실	↑↑/↑	↓	↑								

① 저혈량성 고나트륨혈증(hypovolemic hypernatremia)

    a. hypotonic fluid의 loss

    b. diuretics, GI, respiratory, cutaneous fluid loss

    c. CRF

② 고혈량성 고나트륨혈증(hypervolemic hypernatremia)

    hyertonic solution의 공급으로 인한 iatrogenic이 대부분

③ 등혈량성 고나트륨혈증(isovolemic hypernatremia)

  a. hypotonic losses

- skin, respiratory tract으로부터의 evaporative loss, ongoing urinary free water loss가 원인 → afebrile patient에게 parenterally 750ml/day of electrolyte free water (e.g., D5W)이 필요(isotonic fluid로 hypotonic loss를 replace 시 주로 isovolemic hypernatremia 발생)

  b. diabetes inspidus

- hypotonic urine (urine osmolality <200 mOsm/kg or a specific gravity of <1.005) & high plasma osmolality (>287 mOsm/kg)

    - central DI (CDI): hypothalamus에서 ADH 분비↓ head trauma, hypophysectomy, intracranial tumor 등

    - nephrogenic DI (NDI): ADH분비는 정상 but, renal insensitivity 원인은 familial 또는 drugs (lithium, demeclocycline, methoxyflurane, glyburidy 등) 또는 hypokalemia, hypercalcemia, Intrinsic renal diease. CDI와 NDI가 임상적으로 감별이 어려울 땐 dehydration test를 해야 함

④ therapeutic hypertonic saline 주입 시 발생

(2) 증상

neurologic Sx: lethargy, weakness, irritability, seizure, coma 등

(3) 치료

① water deficit

water deficit (L) = $0.6 \times$ total Bwt (kg) $\times$ [serum Na$^+$ in mmol/L/140-1]

주의) 급격한 교정은 cerebral edema와 영구적인 brain damage를 일으킬 수 있으므로 water deficit의 1/2을 24시간에 걸쳐 교정하고, 나머지는 2~3 일에 걸쳐 교정. 또한 이외에도 insensible loss를 고려하여 교정

oral intake가 불가능한 경우라면 D5W 또는 D5/0.45NaCl로 주입할 수 있음

② DI

a. CDI: desmopressin acetate intranasally 0.1 ~ 0.4 mcg/day or IV, SC 2 ~ 4 mcg/day

b. NDI: underlying disorder 교정

→ 불가능할 경우 dietary sodium 제한, thiazide diuretics

❷ Potassium

1) Physiology

(1) K⁺은 세포내 major 양이온

(2) 정상치: 3.3~4.9 mmol/L

(3) 하루에 약 50~100 mmol의 K⁺이 소화되고 흡수

(4) 99%의 K⁺은 kidney로 배설되고, 나머지는 stool로 제거

2) Hypokalemia

(1) 원인

GI losses (diarrhea, vomiting, NG suction 등), renal loss (이뇨제, amphotericin B 등), cutaneous (burn), TPN 시작 후의 malnourished 환자 (re-feeding syndrome)

(2) 증상

mild hypokalemia (K^+>3mmol/L)는 대개 무증상 K^+<3mmol/L일 때 EKG변화부터 생김

(ectopy, T-wave depression, prominent U wave)

(3) 치료

mild hypokalemia는 oral replacement

: 40~100 mmol (156~390mg) KCl orally parenteral therapy

① severe depletion, significant Sx, 경구투여 불가능할 때

② IV fluid의 K^+농도는 40 mmol/L를 넘어서는 안 됨

③ 투여 속도가 20 mmol/L/hr를 넘어서도 안 됨 (단, cardiac arrhythmia, DKA일때는 예외)

④ 보통 hypomagnesemia도 동반되므로 같이 교정

3) Hyperkalemia

(1) 원인과 진단

① pseudohyperkalemia: coagulation 중 leukocyte와 platelet에서 방출된 K^+으로 인한 laboratory abnormality

② K^+이 세포내에서 세포외로의 비정상적 재분포: insulin deficiency, adrenergic receptor blockade, acute acidemia, rhabdomyolysis, cell lysis (after chemotherapy), digitalis intoxication, reperfusion of ischemic limbs, succinylcholine administration일 때 나타날 수 있음

(2) 임상 양상

① mild hyperkalemia (K^+=5~6 mmlol/L): 대개 무증상

② severe hyperkalemia (K^+>6.5 mmol/L): EKG 변화 (symmetric peaking of T wave, reduced P-wave voltage, QRS widening)

(3) 치료

① mild hyperkalemia
: K^+ intake 감량, loop diuretics (furosemide) 등으로 치료

② severe hyperkalemia

ⓐ temporizing measure: K^+을 extracellular → intracellular로

- $NaHCO_3$: 1mmol/kg or 1~2 ampules (50mL) of 8.4% $NaHCO_3$를 IV로 3~5분에 걸쳐 정주 → EKG 이상이 지속되면 10-15분 후 다시 주입
- dextrose 25g + RI 6-10 units: serum K^+을 일시적으로 낮춤
- inhaled-β agonists (e.g., albuterol sulfate, 2~4 mL of 0.5% solution via nebulizer): 약 2시간 동안 plasma K^+농도를 낮춤
- calcium gluconate 10% (5~10 mL IV 2분간 정주): digitalis preparation을 하지 않은 저명한 EKG변화가 있는 환자에게 반드시 주어야 함

ⓑ therapeutic measure: K^+ 배설↑

- sodium polystyrene sulfonate (kayexalate)
  - Na^+-K^+ exchange resin

- oral: 20% sorbitol 100~200mL에 20~50g을 mix해서 4시
  간마다
- rectal: water 100~200mL+70% sorbitol 50mL+resin 50g
  처음엔 1~2시간마다 투여하다가 6시간마다 투여
- hydration: 0.9% NaCl+loop diuretics (furosemide, 20~100mg)
- dialysis: severe, refractory or life-threatening hyperkalemia

❸ Calcium

1) Physiology

(1) serum calcium

= ionized (45%)+protein bound (40%)+complex form (15%)

(2) free ionized Ca^{2+} (4.6~5.1 mg/dL)가 physiologically active

(3) calcium의 대사는 PTH와 vitamin D 영향을 받음

(4) PTH: bone과 kidney에서 Ca^{2+} 재흡수 증가

(5) vitamin D: intestinal tract에서 Ca^{2+} 흡수 증가시킴

2) Hypocalcemia

(1) 원인과 진단

① calcium sequestration: acute pancreatitis, rhadomyolysis, 급격한
  수혈

② surgery: total thyroidectomy, parathyroidectomy

③ acute alkalemia (e.g., bicarbonate주입, hyperventilation): serum
  calcium 농도는 정상이지만 ionized calcium 저하로 임상적
  hypocalcemia

④ hypoalbuminemia: albumin에 결합된 form이 40%이므로 동반됨
  albumin 1g/dL 감소 → Ca^{2+} 0.8 mg/dL 감소 그러나 ionized
  Ca^{2+}에는 영향이 없음

(2) 임상양상

① tetany: major clinical finding, Chvostek's sign

② perioral numbness, tingling

③ QT interval prolongation, ventricular arrhythmia

(3) 치료

① parenteral Tx: moderate hypocalcemia (6~7mg/dL)라도 무증상
이면 parenteral Tx는 필요치 않음

Ix: tetany, laryngeal spasm, seizure 등의 증상이 있을 때

초기에 calcium bolus 주입(10% calcium gluconate 10~20ml 10
분간 주입)

a. 이후에 시간당 1~2 mg/kg elemental calcium로 유지

※ elemental calcium은 10% calcium choloride 1앰플에 272 mg (13.6 mEq)
10% calcium gluconate 1앰플에 90 mg (4.6mEq)

b. 보통 6~12시간 후면 serum calcium은 정상화

c. 유지 용량을 0.3~0.5 mg/kg/hr로 낮춤

② oral Tx: calcium salt가 적당(calcium carbonate, calcium
gluconate)

※ elemental calcium: calcium carbonate 1,250mg에 500mg (25.4mEq)
calcium gluconate 1,000mg에 90mg (4.6 mEq)

a. chronic hypocalcemia (Ca^{2+}>7.6mg/dL): 하루에
1,000~2,000mg의 elemental calcium 필요

b. hypocalcemia가 severe하다면 vitamin D 투여도 고려

3) Hypercalcemia

(1) 원인과 진단

malignancy, hyperparathyroidism, hyperthyroidism, vitamin D
intoxication, immobilization, long-term TPN, thiazide diuretics,
granulomatous disease

PTH ⇧→ hyperparathyroidism

PTH 정상 또는 ⇩→ 위에 열거한 질환을 생각해야 함

(2) 임상 양상

① mild hypercalcemia (Ca^{2+}<12 mg/dL): 보통 무증상

② hyperparathyoidism이 원인일 경우 bone disease, nephrolithiasis

③ severe hypercalcemia: altered mentality, diffuse weakness, dehydration, adynamic ileus, N/V, severe constipation, QT-interval shortening

(3) 치료

① mild hypercalcemia (Ca^{2+}<12mg/dL): calcium 섭취제한, underlying disease 치료

② severe hypercalcemia

  a. NaCl 0.9% & loop diuretics

    : 0.9% NaCl (250~500mL/hr)+furosemide (20mg IV q 4~6 hr) 투여 속도와 용량은 시간당 소변량이 200~300mL를 유지되도록 조절 fluid 1L당 KCl (20 mmol)과 $MgSO_4$ (8~16 mEq or 1~2g)를 섞어 주어 hypokalemia와 hypomagnesemia를 방지

  b. salmon clacitonin

    : malignancy와 hyperparathyroidism에 관련된 경우 skin test 후 SC 또는 IM injection 4 IU/kg q 12 hrs

    → 보통 6~10시간 후면 hypocalcemic effect가 나타나지만

    → 48시간 뒤에도 지속되면 용량을 두 배로 증량 (maximum dose는 8IU/kg q 6 hrs)

  c. pamidronate disodium

    : malignancy와 관련된 hypercalcemia인 경우

    moderate hypercalcemia (12~13.5mg/dL): 0.45%, 0.9% NaCl 또는 D5W1L에 pamidronate 60mg mix해서 24 hr 이상 동안 투여.

    - severe hypercalcemia: pamidronate를 90 mg mix, 만일 hypercalcemia가 재발하면 7일 뒤에 다시 투여

  d. plicamycin

    : malignancy와 관련된 hypercalcemia인 경우 하루에 plicamycin 25mg/kg를 0.9% NaCl 또는 D5W 1L에 mix해서 4~6시간 동안 3~4일간 투여

4 **Phosphate**

1) Physiology

  (1) phosphorus balance는 calcium 대사를 조절하는 hormone의 영향을 받으므로 calcium 이상과 동반되는 경우가 많음

  (2) 하루 평균 800~1,000mg을 소비하며 신장으로 배설됨

2) Hypophosphatemia

  (1) 원인

    ① intestinal absorption ↓

      : vitamin D 결핍, malabsorption, phosphate binder 사용 (e.g., aluminum-, magnesium-, calcium-, iron-containing compounds)

    ② renal phosphate loss

      : acidosis, alkalosis, 이뇨제 치료 (특히 acetazolamide), ATN에서 회복될 때, hyperglycemia

    ③ phosphorus redistribution

      a. respiratory alkalosis나 glucose 투여 시 세포외 → 세포내

        : 일시적 현상으로 임상적으로 크게 중요치 않음

      b. malnourished 환자에서 TPN시작 후 (refeeding syndrome)

        : 임상적으로 중요

    ④ burn 환자

      : fluid mobilization 시 excessive phosphaturia wound healing 시 new tissue로 이동하기 때문

  (2) 임상 양상

    severe hypophosphatemia (<1 mg/dL or 0.32 mmol): respiratory muscle dysfunction, diffuse weakness, flaccid paralysis

(3) 치료

Phosphorus 농도	체중 40~60kg	체중 61~80kg	체중 81~120kg
〈 1mg/dL 1~1.7mg/dL 1.8~2.2 mg/dL	30 mmol Phos IV 20 mmol Phos IV 10 mmol Phos IV	40 mmol Phos IV 30 mmol Phos IV 15 mmol Phos IV	50 mmol Phos IV 40 mmol Phos IV 20 mmol Phos IV
If K+〈 4 → potassium phosphorus 사용 If K+〉4 → sodium phosphorus 사용			

① IV Tx의 side effect

: hyperphosphatemia, hypocalcemia, hypotension, hyperkalemia, hypomagnesemia, hyperosmolality, metastatic calcification, renal failure

② 5~7일간 투여하며 serum phosphorus>2mg/dL이면 oral Tx로 바꿈

③ oral Tx: sodium-potassium phosphate salt

(e.g., Neutra-Phos, 250~500mg 하루 4번 경구 투여)

3) Hyperphosphatemia

(1) 원인

impaired renal excretion, 세포내 → 세포외로 이동 (e.g., tissue trauma, tumor lysis, insulin deficiency, acidosis), 수술 후 hypoparathyroidism 시에도 간혹 생김

(2) 임상 양상

① hypocalcemia와 tetany가 동반된 경우는 일시적

② soft tissue calcification, secondary hyperparathyroidism과 관련된 경우는 만성적

(3) 치료

: phosphorus source 제거와 hypocalcemia 교정도 같이 해야 함

① dietary phosphorus 제한

② urinary 배설 ↑ : hydration (0.9% NaCl 250~500 mL/hr)과 이뇨제 (acetazolamide, 500mg q 6 hr IV 또는 orally)

③ phosphate binders (aluminum hydroxide, 30~120 mL orally q 6 hrs) : intestinal 흡수 억제

⑤ **Magnesium**

1) Phsiology

: intracellular cation

renal excretion과 retension됨

Mg^{2+}는 직접적으로 hormone에 영향을 받지 않음

2) Hypomagnesemia

(1) 원인

① excessive GI loss: diarrhea, malabsorption, vomiting, biliary fistula

② urinary loss: marked diuresis, primary hyperaldosteronism, renal tubular dysfunction, chronic alcoholism, drug side effect (e.g., loop diuretics, cyclosporine, amphotericin B, aminoglycosides, cisplatin)

③ 세포외→세포내 이동: AMI, alcohol withdrawal, glucose-containing solution

④ parathyroidectomy d/t hyperparathyroidism: bone으로 Ca^{2+}, Mg^{2+} 이동 → dramatic hypocalcemia and hypomagnesemia 발생

(2) 임상 양상

① neuromuscular Sx

: severe depletion, altered mentality, tremors, hyperreflexia, tetany

② cardiovascular Sx

: T-wave & QRS-complex broadening, PR & QT interval prolongation, ventricular arrhythmia

(3) 치료

① parenteral Tx

: Mg^{2+} <1mEq/L or 0.5 mmol/L이거나 Sx 있을 때

a. life-threatening arrhythmia: $MgSO_4$ 1~2g (8~16mEq)을 5분 간 투여

→ 1~2g/hr continuous infusion 수 시간 동안 → 0.5~1g/hr

로 유지

    b. mild hypomagnesemia (1.1~1.4mEq/L) in asymptomatic

      : 하루에 50~100mEq (6~12g): $MgSO_4$ → 3~4일 후 경구 제

      제로 교체

② oral Tx

    a. magnesium oxide: 400mg 1Tab에 241mg (20mEq)의 Mg^{2+}

      함유

    b. magnesium gluconate: 500mg 1Tab에 27mg (2.3mEq)의

      Mg^{2+} 함유

    c. magnesium chloride: 535mg 1Tab에 64mg (5.5mEq)의

      Mg^{2+} 함유 d. oral Tx는 하루에 20~80 mEq의 Mg^{2+} 두 번

      투여

      * 치료 동안 반드시 serum Mg^{2+} 농도를 monitoring 해야 함

3) Hypermagnesemia

  (1) 원인: 드물며, 대부분 iatrogenic

  (2) 임상 양상

    ① severe hypermagnesemia (Mg^{2+}> 8 mEq): depression of deep

      tendon reflex, paralysis of voluntary muscle, hypotension, sinus

      bradycardia, prolongation of PR, QRS, QT interval

  (3) 치료

    ① Mg^{2+} 투여 중지

    ② life-threatening Sx: calcium gluconate 10% (10~20mL 10분간 투여)

      → 0.9% NaCl (250~500mL/hr) & loop diuretics (furosemide,

      20mg 4~6시간마다)

1 진단적 접근

1) 기본개념

일반적으로 용액내의 산은 해리되면 양이온인 수소이온(H^+)과 음이온(A^-)을 생성하며 용액 내에서 H^+을 받는 것을 염기(base)라 정의한다. 용액에 산이나 염기성 물질을 넣었을 때에 용액 내의 H^+의 변화를 최소화하기 위해 이들과 반응하는 물질을 완충제(buffer)라 부르며 체내의 헤모글로빈, 단백질 등이 이에 해당되고, 완충용액은 약산 혹은 약산의 염으로 구성된다.

(1) acid-base homeostasis
① H^+의 농도, parition pressure of CO_2 (PCO_2), 그리고 HCO_3^- 사이의 평형을 나타냄
② 임상적으로 H^+ 농도가 pH로 표현됨

(2) normal pH
① 7.35~7.45
② acidemia: <7.35
③ alkalemia: >7.45

(3) acidosis and alkalosis
① acid 또는 alkali 축적을 일으키는 과정을 묘사한 것
② acidosis와 academia, alkalosis와 alkalemia 용어는 서로 바꾸어 사용할 수 있으나 이런 사용은 부정확한 것임

(4) laboratory studies
① acid-base disturbances의 초기 평가를 위해서는 arterial pH, arterial PCO_2 ($PaCO_2$) (normal 35~45 mmHg), serum electrolyte [HCO_3^- (normal 22~31 mmol/L)] 가 필요
② 비록 base-excess 또는 base-deficit 계산이 될 수 있어도, 이런 정보는 실질적으로 evaluation에 추가할 수 없음

2) 보상반응

(1) 초기에 $PaCO_2$의 변화가 생기는 질환은 respiratory acidosis 또는

alkalosis

(2) 초기에 plasma HCO_3^- 농도에 영향을 받는 질환은 metabolic acidosis 또는 alkalosis

(3) primary metabolic disorders는 PCO_2 대 HCO_3^-의 비율을 정상 (normal pH)으로 회복시키는 respiratory response를 자극하며 primary respiratory disturbances는 pH를 정상적으로 만들도록 하는 countervailing metabolic response를 유도

(4) 이러한 보상변화는 primary disturbance에 대한 secondary, respiratory 또는 metabolic compensation이라는 용어를 사용

(5) 대사성 산증의 원인 표에서 보여주는 것처럼 primary respiratory 또는 metabolic disorder를 이용하여 amount of compensation을 예측할 수 있음

(6) 이러한 예측된 values로부터 벗어나는 것은 mixed acid-base disturbance 가 존재함을 의미

단순한 산-염기 장애에 대한 예기된 보상			
일차성 장애	초기 변화	보상성 반응	예기된 보상
대사성 산증	HCO_3^- 감소	PCO_2 감소	PCO_2 감소 = 1.2× ΔHCO^-
대사성 알칼리증	HCO_3^- 증가	PCO_2 증가	PCO_2 증가 = 0.7× ΔHCO^-
호흡 산증	PCO^2 증가	HCO_3^- 증가	Acute: HCO_3^- 증가 = 0.1× ΔPCO_2 Chronic: HCO_3^- 증가 = 0.35× ΔPCO_2
호흡 알칼리증	PCO^2 감소	HCO_3^- 감소	Acute: HCO_3^- 감소 = 0.2× ΔPCO_2 Chronic: HCO_3^- 감소 = 0.5× ΔPCO_2

② l차성 대사성 장애(Primary metabolic disorders)

1) 대사성 산증(Metabolic acidosis)

- 비휘발성 acids의 축적, renal acid excretion 또는 loss of alkali가 원인
- most common cause는 다음의 표에 정리
- few specific signs
- 적절한 진단은 clinical setting과 laboratory tests에 달려 있음

(1) anion gap (AG; normal = 12 ± 2mmol/L)

① AG (mmol/L) = Na$^+$ (mmol/L) − [Cl (mmol/L) + HCO$_3^-$ (mmol/L)]

② metabolic acidosis를 AG가 증가하거나 정상인 경우로 분류

    a. increased AG metabolic acidosis

    b. normal AG (hyperchloremic) metabolic acidosis

대사성 산증의 원인
Anion gap 증가
산 생산 증가
Ketoacidosis
당뇨성
알콜성
굶주림
Lactic acidosis
독성 섭취 (salicylates, ethylene glycol, methanol)
신부전
Anion gap 정상 (hyperchloremic)
신세뇨관 기능장애
신신세뇨관증
저알도스테론증
Potassium-sparing diuretics
알칼리 손실
설사
요관에스결장이음술
Carbonic anhydrase inhibitors
HCl 투여 (ammonium chloride, cationic amino acids)

(2) Treatment of metabolic acidosis

① 치료는 첫째로 acid-base disturbance의 원인에 대해 시행

② bicarbonate therapy는 moderate to severe metabolic acidosis에서 근본 원인에 대한 치료가 착수된 환자에서 사용을 고려해 볼 수 있음

③ HCO$_3^-$ deficit (mmol/L)은 다음 공식을 통해 구할 수 있음

HCO$_3^-$ deficit (mmol/L) = body weight (kg) × 0.4 × [(desired HCO$_3^-$ [mmol/L]) − (measured HCO$_3$ [mmol/L])]

④ 이 공식은 HCO$_3^-$ distribution의 volume과 지속되는 H$^+$ 생산 rate 가 variable 하기 때문에 대략의 측정치를 보여줌

a. rate of HCO₃₋ replacement

- 비응급적인 상황에서는 측정된 HCO_3^- deficit을 4~8시간 동안 continue IV infusion하여 교정할 수 있음 [8.4% NaHCO₃ solution (provides 50mmol HCO_3^-)한 앰플 (50 mL)을 D5W 1L 또는 0.45% NaCl에 섞어서 사용 가능]
- 응급적인 상황에서는, entire deficit을 수분에 걸쳐 bolus로 투여
- HCO_3^- 치료의 목표: arterial blood pH>7.2, HCO_3^- 농도
- >10 mmol/L
- bicarbonate 치료의 위험성 (예: hypernatremia, hypercapnia, cerebrospinal fluid acidosis 또는 overshoot alkalosis)의 증가 문제로 bicarbonate만을 가지고 pH를 정상화해서는 안 됨
- HCO_3^- 치료의 반응을 평가하기 위해서 serial arterial blood gases와 serum electrolyte 검사가 필요함

b. lactic acidosis

- underlying disease를 교정하는 것이 lactic acidosis의 첫 번째 치료
- circulatory failure, hypoxemia 또는 sepsis 등의 상황이 역전이 되면 lactate 생산이 감소되고 lactate의 제거를 촉진
- lactic acidosis 때에 NaHCO₃의 사용은 controversial하기 때문에 확실하게 추천할 수는 없음

2) 대사성 알칼리증(Metabolic alkalosis)

대사성 알칼리증의 원인
세포외액량(chloride) 결손과 연관
구토 또는 위 배액
이뇨제 치료
Posthypercapnic alkalosis
Mineralocorticoid 과다와 연관
쿠싱 증후군
일차성 알도스테론증
바터 증후군
심한 K^+ 결손
과다한 알칼리 섭취

(1) Causes

① chloride-responsive metabolic alkalosis

a. 수술 환자에 있어서 extracellular fluid volume deficits와 연관

b. the most common cause: inadequate fluid resuscitation, diuretic therapy (e.g., contract alkalosis), GI secretions를 통한 acid loss(e.g., nasogastric suctioning, vomiting), exogenous administration of HCO_3^- or HCO_3^- precursor (e.g., citrate in blood)

c. chronic respiratory acidosis를 급히 교정한 후 post hypercapnic metabolic alkalosis가 발생

d. 정상적인 상태에서 초과된 bicarbonate는 신속히 소변으로 배출

e. impairment of renal HCO_3^- excretion은 metabolic alkalosis를 지속시키며, 주로 volume과 chloride depletion이 원인이 됨

f. 이러한 상황에서는 Cl^- 보충이 metabolic alkalosis를 교정하기 때문에, Cl^--responsive metabolic alkalosis로 분류

② chloride-unresponsive metabolic alkalosis

a. 수술 환자에서는 흔하지 않으며 일반적으로 mineralocorticoid excess로 기인함

b. hyperaldosteronism, marked hypokalemia, renal failure, renal tubular Cl^- wasting (Bartter syndrome), chronic edematous states 등이 이와 연관이 있음

(2) Diagnosis

① urinary chloride concentration 측정이 이 질환을 감별하는 데 도움

② urinary chloride concentration<15 mmol/L

: inadequate fluid resuscitation, ongoing GI loss from emesis or nasogastric suctioning, diuretic administration, posthypercapnia

③ urinary chloride concentration>20 mmol/L

: mineralocorticoid excess, alkali loading, concurrent diuretic administration, presence of severe hypokalemia

(3) Treatment principle

a. indentifying and removing underlying causes, discontinuing exogenous alkali, repairing Cl^-, K^+ and volume deficits

b. 일반적으로 metabolic alkalosis는 tolerable하기 때문에 급속한 교정은 필요 없음

① initial therapy

a. correction of volume deficits (with 0.9% NaCl) and hypokalemia

b. vomiting이나 nasogastric suctioning하는 환자에게는 H^{2-} receptor antagonist나 다른 acid-suppressing medications이 도움이 되기도 함

② edematous patients

a. chloride 투여가 줄어든 effective arterial blood volume을 교정하지 못하기 때문에 HCO_3^- 배출을 촉진하지 못함

b. acetazolamide (5 mg/kg/day intravenously or orally)는 renal HCO_3^- reabsorption이 줄어드는 동안 fluid mobilizatoin을 촉진. 그러나 2~3일 후에 내성이 생김

③ severe alkalemia (HCO_3^- > 40 mmol/L)

a. 특별히 증상이 있는 경우에는 더욱 aggressive correction이 필요

b. acidic solutions 투여가 적응이 되는 경우

　: severe refractory metabolic alkalosis, chloride loss (일 반적으로 massive nasogastric drainage 또는 complete prepyloric obstruction)

c. ammonium chloride (NH_4Cl)는 urea와 HCl로 hepatically convert 되며, 다음과 같은 공식에 의해 필요량을 계산

　: NH_4Cl (mmol) = 0.2 × weight (kg) × [103-serum Cl^- (mmol/ L)] d. d, NH_4Cl은 500~1,000mL의 0.9% NaCl 에 100 또는 200 mmol (20 to 40 mL of the 26.75% NH_4Cl concentrate)를 첨가하여 준비하고 투여 속도는 5ml/minute을 초과해서는 안됨

e. 대략 계산된 NH_4Cl의 절반을 투여한 후에는 다시 acid-base status와 Cl^- concentrate를 검사하여 추가 치료 여부 를 결정

f. NH_4Cl 투여의 contraindicatin은 hepatic failure

④ HCl [0.1 N (normal), administered intravenously]

a. metabolic alkalsos를 보다 빨리 교정할 수 있음

b. 투여하는 H^+의 양은 다음의 공식을 이용

　: $H+$ (mmol) = 0.5 × weight (kg) × [103-serum Cl^- (mmol/L)]

c. 0.1 N HCl을 만들기 위해선 1L의 sterile water에 HCl 100mmol 섞음

d. 반드시 central venous catheter를 통해 24시간 이상에 걸 쳐 투여

e. HCO_3 농도는 12~24시간 이상에 걸쳐 8~12mmol/L까지 안전하게 감소할 수 있음

⑤ dialysis

renal failure가 있는 volume overload 환자와 intractable metabolic alkalosis 환자에서 고려

③ |차성 호흡성 장애 (Primary respiratory disorders)

1) 호흡성 산증 (Respiratory acidosis)

  (1) alveolar ventilation이 불충분하여 대사로 생산된 CO_2 배출의 문제가 있을 경우 발생

  (2) 수술 환자에 있어서 common cause

    : respiratory center depression (e.g., drugs, organic disease), neuromuscular disorder, cardiopulmonary arrest

  (3) chronic emphysema나 bronchitis 등의 폐질환 환자에서 chronic respiratory acidosis가 발생할 수 있음

  (4) chronic hypercapnia는 primary alveolar hypoventilation, extreme obesity와 연관된 alveolar hypoventilation (e.g., Pickwickian syndrome) 또는 thoracic skeletal abnormality에 의해 생길 수 있음

  (5) acute respiratory acidosis의 진단은 clinical situation 특히, respiration이 depression 되어 있을 때 명백함

  (6) 적당한 치료는 underlying disorder를 교정하는 것

  (7) acute respiratory acidosis 시에 $NaHCO_3$의 투여는 적응이 안 됨

2) 호흡성 알칼리증 (Respiratory alkalosis)

  (1) acute 또는 chronic hyperventilation으로 인해 발생

  (2) 원인

    - hypoxia (e.g., pneumonia, pneumothorax, pulmonary edema, bronchospasm)

    - chronic hypoxia (e.g., cyanotic heart disease, anemia)

    - respiratory center stimulation (e.g., anxiety, fever, gram-negative sepsis, salicylate intoxication, central nervous system disease, cirrhosis, pregnancy)

  (3) 인공호흡기를 사용하는 환자에 있어서 과도한 ventilation은 respiratory alkalosis의 원인이 될 수 있음

  (4) hyperventilation은 임상적으로 명백하거나 그렇지 않을 수도 있으며 clinical finding도 nonspecific 함

  (5) 유일하게 효과적인 치료는 underlying disorder를 교정하는 것

4 혼합성 산-염기 장애 (Mixed acid-base disorders)

1) 2개 또는 3개의 primary acid-base disturbances가 동시에 발생하였을 때를 말함

2) 표에 요약되어 있듯이, simple primary disorder에 대한 respiratory 또는 metabolic compensation은 predictable pattern을 따름

3) 이러한 pattern으로부터 의미 있게 벗어나는 것은 mixed disorder가 존 재한다는 것을 암시

4) 오른쪽 표는 mixed acid-base disorders의 common causes를 보여줌

5) 진단은 원칙적으로 evaluation of the clinical setting과 acid-base patterns의 해석에 달려 있음

6) 그러나 normal acid-base patterns일지라도 mixed disorder가 숨겨져 있을 가능성이 있을 수 있음

혼합산염기장애의 흔한 원인
대사성 산증 & 호흡 산증
Cardiopulmonary arrest
Severe pulmonary edema
Salicylate and sedative overdose
Pulmonary disease with superimposed renal failure or sepsis
대사성 산증 & 호흡
알칼리증 Salicylate
overdose Sepsis
Combined hepatic and renal insufficiency
대사성 알칼리증 & 호흡 산증
Chronic pulmonary disease with superimposed:
Diuretic therapy
Steroid therapy
Vomiting
대사성 알칼리증 & 호흡 알칼리증
Pregnancy with vomiting
Chronic liver disease treated with diuretic therapy
Cardiopulmonary arrest treats with bicarbonate therapy and mechanical ventilation
대사성 산증 & 알칼리증
Vomiting superimposed on
Renal failure
Diabetic ketoacidosis
Alcoholic ketoacidosis

Chapter 02

지혈 과정 및 수혈 요법

1 병력 청취

- 발치, 편도선절제술, 경미한 상처를 입은 후에 출혈이 지속되었는가?
- 분명한 손상 없이 멍이 든 적이 있는가?
- 입술이나 혀를 깨물었을 때 출혈이 지속되거나 심하게 부은 적이 있는가?
- 친족 중에 출혈 문제를 가진 사람이 있는가?
- 월경 시 과도한 출혈이 있었는가?
- 10일 이내에 아스피린이나 두통약을 복용한 적이 있는가?
- 와파린을 사용하고 있거나 헤파린 사용 후 부작용이 나타난 적이 있는가?

2 신체 검사

- mucosal bleeding
- Cutaneous bleeding : petechial, ecchymosis
- Laboratory test

❸ 환자가 출혈 기왕력을 보이면 platelet count, prothrombin time (PT), partial thromboplastin time (PTT)등을 측정하는 것이 필요함

❹ 혈액 검사(laboratory evaluation)

1) 혈소판 수

(1) 혈소판 감소증은 외과환자에서 나타나는 지혈작용 문제 중 가장 흔한 것

(2) 혈소판 기능이 정상이라면 자연 출혈은 혈소판이 $50,000/mm^3$ 이상에서는 잘 일어나지 않음

(3) 혈소판 수가 $10,000/mm^3$ 이하일 때에는 심각한 자발성 출혈이 발생 가능

(4) 검사 결과 혈소판 수가 정상이 아닐 때에는 혈액 도말 표본 검사에서 확진하는 것이 중요

2) 혈소판 기능

(1) 여러 가지 검사가 있지만 민감도가 낮아 혈소판 기능 이상을 선별하는 검사로 쓸 수는 없음. 수술 중 출혈의 위험성을 확실하게 판단할 수는 없음

(2) 출혈시간(bleeding time, BT) (2.5~9 minutes)
손상된 혈관과 혈소판 사이의 상호작용과 혈소판 마개 형성 기능에 대한 검사. 귓볼(ear lobe)의 가장 아래 부분을 찔러 출혈이 멈출 때 까지의 시간을 측정한다(Duke 방법). 혈소판의 질적 (qualitative) 이상, Von Willebrand disease (vWD), vasculitides, 결체조직 이상 등에서도 출혈 시간이 연장

‖. 혈소판 이상 (platelet disorders)

❶ 혈소판 감소증 (thrombocytopenia)

1) definition :

• Normal : $(150,000~450,000/mm^3)$

- Thrombocytopenia : 대개 150,000/mm^3 이하로 정의

혈소판 수	출혈 경향
10만 이상	없음
5만~10만	Major trauma나 major 수술 시
2만~5만	Minor trauma나 minor 수술 시
1만 이하	Spontaneous bleeding risk 높음

2) 약에 의한 혈소판 감소증(drug-induced thrombocytopenia, HIT)

많은 약들이 혈소판 생성에 영향을 주거나 혈소판을 파괴하여 출혈을 일으킴. 혈소판 감소증이 진단되면 중요하지 않은 약은 투약을 중지해야 함. 약에 의한 혈소판 감소증은 보통 약을 끊은 지 7~10일 정도 지나면 호전. prednisone (1mg/kg/day orally)을 복용하는 것이 혈소판 수의 회복을 촉진시킴

3) 헤파린에 의한 혈소판 감소증(heparin-induced thrombocytopenia)

- HIT type I: 비면역성 헤파린 유발성 저혈소판증.

  주로 헤파린 치료 시작 4일 이내 발생.

  d/t platelet clamping or transit sequestration of platelet

- HIT type II: 헤파린 의존성 항혈소판 항체에 의해 발생.

  d/t heparin –associated aniplatelet antibodies (PF4)

4) dilutional thrombocytopenia

대량 출혈로 인해 빠르게 수혈할 경우 발생. 이런 상황에서는 혈소판이 얼마나 필요한지 정학히 알 수 있는 지표는 없어서 혈소판 수를 자주 검사 해보고 필요한 만큼 혈소판 수혈을 하면 됨. 계속 진행되고 있는 출혈인 경우 경험적으로 혈소판 수혈을 하는 것이 적절

5) other causes of thrombocytopenia

disseminated intravascular coagulation (DIC), sepsis, immune thrombocytopenic purpura (ITP), hemolytic uremic syndrome (HUS), dialysis, hematopoietic disorders

2 혈소판 증가증

(1) > 600,000/mm^3

(2) 본질적인 thrombocytosis는 척수증식성 (myeloproliferative) 질환에 의해 발생. 아스피린(81 mg/day orally)이 척수증식성 환자에서 혈전 형성 발생을 줄여주고, 임산부에서 태아사망을 줄이는 데 유용하게 쓰임

(3) 2차적인 thrombocytosis는 비장절제, 철분부족, 악성종양, 만성염증 성 질환에서 발생. 이차적인 thrombocytosis는 혈전형성을 증가시키는 위험성과 관계없으며 보통 특별한 치료가 필요하지 않음

3 Qualitative platelet dysfunction

(1) Medications

aspirin, clopidogrel, glycoprotein IIb/IIIa inhibitors, dextran, NSAID, hetastarch

(2) Other acquired defects of platelets

uremia, liver disease, cardiopulmonary bypass에서 발생할 수 있음

Ⅲ. 혈소판 수혈

1 적응증

(1) < 10,000/mm^3: 자연 출혈을 막기 위해

(2) < 50,000/mm^3: minor surgery 예정인 환자

(3) < 100,000/mm^3: 현재 출혈 중이거나 major 수술 예정인 환자

2 혈소판 수혈에 따른 합병증

(1) Alloimmunization

(2) Posttransfusion purpura

1 과거력과 신체검사

- 응고장애가 있는 환자는 전형적으로 손상 후 연부조직에 뒤늦게 혈종이 나타난다거나 관절 내에 출혈이 발생하기도 함
- 와파린과 헤파린이 응고에 영향을 미치는 흔한 약제
- vitamin K 부족과 같은 영양학적인 문제도 응고 장애를 일으킴

2 혈액학적 검사

1) Prothrombin time (PT) (11~14 seconds)

   (1) citrated plasma에 thromboplastin, phospholipid, 칼슘을 넣고 응고시간을 측정한 것

   (2) 검사 시약이 와파린에 의한 항응고에 대해 다양한 결과를 보여서 검사실에 따라 결과를 규격화하기 위해 international normalized ratio (INR)를 이용하여 결과를 보고. 소량의 헤파린에 의해서도 응고시간이 길어질 수 있지만 혈관삽입관의 개통을 유지하기 위해서 사용하는 헤파린 용량은 검사 결과에 의미 있는 영향을 미치지 않음

2) Partial thromboplastin time (PTT) (26~36 seconds)

   (1) 혈액응고의 내인성 경로(intrinsic pathway)에서 일어나는 응고속도를 측정한 것

   (2) 항응고제 사용, 헤파린 주입 시 검사 결과에 영향을 미침. 혈관 삽입관의 개통을 유지하기 위해서 사용하는 헤파린 용량에도 영향을 받을 수 있음

3) Activated clotting time (ACT) (150~180 seconds)

   (1) 전혈의 응고시간을 측정한 것

   (2) 혈관수술, 심혈관 중재술(percutaneous coronary intervention), 심폐 우회술(cardiopulmonary bypass)을 시행하는 동안 헤파린이 필요한 환자에서 응고상태를 알아보는 데 쓰임

   (3) 시술 중 target value는 심우회수술(cardiac bypass) 시에는 300~500

초, 심혈관 이외의 혈관수술 시에는 250~350초임

4) Thrombin time (TT) (11~18 seconds)

   (1) fibrinogen 수치가 100 mg/dl 이하인 경우나 비정상적인 fibrinogen을 가진 환자에서 연장. fibrinogen 파괴 물질(FDPs)이나 헤파린도 TT를 연장시킴

   (2) 헤파린에 의한 연장은 시료에 protamine sulfate를 넣어서 정상 소견을 보이면 확진할 수 있음

5) Factor assay

   (1) fibrinogen 수치는 기능적 또는 면역학적 정량분석에 의해 직접 측정할 수 있음

   (2) FDP 수치의 상승은 DIC, thromboembolic events, fibrinolytic 치료를 받고 있는 환자에서 발생하는 fibrinogen 전환율 증가에 의해 발생

   (3) D-dimer 수치는 fibrinolysis를 반영하고 폐혈전증 환자들의 외래 추적 관찰에 유용

❸ 응고장애

1) 후천성 인자결핍(acquired factor deficiencies)

   : 수술환자에서는 영양 결핍이나 간부전과 파종혈관내응고(DIC) 같은 문제가 주로 나타남

   (1) vitamin K 결핍

   ① factor II, VII, IX, X, prothrombin, protein C와 S 형성에 관여

   ② 1주 동안 금식한 환자, 담도폐쇄증, 흡수장애, 항생제 및 와파린 투여환자에서 나타남

   ③ 간기능 저하증이 없는 경우 vitamin K 투여, 간기능 저하증이 심하거나, 급격한 교정이 필요한 경우 신선냉동혈장 투여

   (2) 패혈증

   : 응고에 관련된 경로를 활성화시키는 반면, protein C, protein S, antithrombin III 같은 항응고에 관련된 인자는 감소. 이것은 지혈 작용의 불균형을 나타내는 것으로 미세 혈관에 혈전을 형성

하는 원인. 이 혈전들이 손상을 더 증대시키고 말초조직의 허혈 및 저산소증을 일으킴

(3) 간기능 저하

① 간은 섬유소용해와 응고요소 정화 작용과 prothrombin factor 를 생성한다. 간기능 저하 시 혈청내 섬유소원 저하, PT 연장을 일으킴

② 간경화증, 쇼크, 간손상을 동반한 심한 간기능 저하증에 의한 출혈 시, 지혈될 때까지 2시간마다 신선냉동혈장 2 units 이상 의 수혈이 필요함

(4) 파종혈관내응고(disseminated intravascular coagulation)

① 원인: 용혈 대량수혈, 양수색전증, 태반조기박리(placenta abruptio), 패혈증, 요독증, 화상, 압궤손상, 심한 조직 파괴, 백혈병, 전이성 종양, 간질환

② 발생기전

a. 전응고인자(procoagulant) 활성화로 인해 외인성 경로의 factor VII을 활성화

b. 혈중 응고인자의 활성화로 미세혈관내 혈전응고와 섬유소 생성으로 end organ failure를 일으킴

c. 형성된 섬유소의 분해가 생기면서 섬유소 분해산물(FDP) 을 형성하고 이 섬유소 분해산물은 섬유소 중합작용 (polymerization)을 지연시키는 출혈유발기능을 나타내고, 혈소판 기능을 억제해 출혈을 더 일으킴

③ 혈액검사: 혈핵검사상 혈소판 감소증(thrombocytopenia), 저피 브린 혈증(hypofibrinogenemia), FDP 증가, PT와 PTT 연장 소 견을 나타냄

④ 치료

a. 원인질환의 교정

- 패혈증 및 감염원인 부위 교정 및 산과적 원인 시 조기 분 만이 매우 중요

b. 부족된 응고인자 공급

- 신선 냉동혈장, 혈소판
c. 헤파린 투여
- 출혈성 질환에 출혈유발인자인 헤파린을 사용하는 것이 역설적인 듯 하나, 초기 혈액응고 과정을 감소시켜 응고인자의 계속적인 소실을 방지하면 조절된 투여 헤파린에 의한 출혈보다 더욱 강력한 출혈유발인자인 섬유소의 섬유소 분해산물(FDP) 생성을 억제할 수 있음. 헤파린 투여 시기는 DIC 환자에서 6-8시간 동안의 대증적 치료에 효과 없는 경우 헤파린을 4-6시간 간격으로 80~100u/kg 용량으로 투여
d. 항트롬빈 농축액 (antithrombin concentrate)투여
- 헤파린의 치료가 효과가 없는 경우 항트롬빈 III를 정상치의 125%까지 유지하게 투여
e. 섬유소원 (fibrinogen) 투여
- 섬유소원 감소 시 헤파린 전처치 없이 섬유소원 단독 투여는 심한 혈관내 응고를 일으키므로 단독 사용은 하지 않음
f. 섬유소 용해제 투여
- 출혈이 섬유소 용해에 의한 경우 투여
2) 혈우병 (hemophilia)
유전되는 것으로 hemophilia A (factor VIII) 또는 hemophilia B, Christmas disease (factor IX)가 있음

4 항응고제
1) 작용기전 및 적응증
(1) 항응고제는 thrombosis와 thromboembolic events를 막기 위해 사용
(2) 적응증: atrial fibrillation, mechanical prosthetic heart valves, venous thromboembolsim, stroke 예방, acute arterial or graft occlusion
2) Heparin
(1) unfractionaled heparin (MW 10,000~20,000)

① 작용기전: antithrombin III와 결합해서 factor Xa, thrombin, 다른 coagulation proteases의 활성화를 차단

② 투여: 피하 혹은 정맥으로 투여하고 aPTT를 투여 전, 처음 bolus 준 후부터 6시간 간격으로 측정. therapeutic aPTT는 정상의 1.5~2.5 배가 되도록(대략 50~80초) 용량을 조절. heparin의 유지 용량이 결정될때까지 혈소판 수치를 매일 측정하고 용량이 맞춰지면 주기적으로 측정

③ 합병증: 출혈과 HIT (heparin-induced thrombocytopenia)가 발생할 수 있음. 출혈이 발생하면, 즉시 heparin을 중단하고 PT, aPTT, CBC를 검사해야 함. HIT는 흔치 않지만 심각한 합병증을 유발할 수 있기 때문에 초기에 진단이 내려져야 함

④ heparin 반감기: 반감기는 약 90분이고, 반전은 정맥 주사로 protamine sulfate을 투여해서 더 빠르게 이뤄질 수 있음. 1 mg protamin sulfate는 100 unit의 heparin을 반전할 수 있고 aPTT과 ACT가 측정되어야 함. protamine-insulin (neutral protamine Hagedorn (NPH)) preparation을 투여받는 당뇨병 환자에서 과민 반응을 일으킬 수 있음

(2) LMWH preparations (enoxaparin, dalteparin, tinzaparin)

항응고 효과는 주로 factor Xa 불활성화를 시키는 데 있고, unfractionated heparin보다 thrombin 불활성화 작용이 적음. 장점으로는 항응고 효과를 더 잘 예측할 수 있고, 혈소판과의 상호작용이 적으며 반감기가 더 깊. 용량 조절은 체중에 기초를 두고 결정이 되고 monitoring 은 별도로 필요가 없음. LMWH은 경구 항응고제 제제가 금기증인 환자들(예: 임산부)에서 사용될 수 있음. 또한 반감기가 길고 효과적인 antidote가 없기 때문에 수술 환자와 출혈 소인이 있는 환자에서 신중히 사용되어야 함

3) Direct thrombin inhibitors

: free 형태 혹은 fibrin에 결합되어 있는 thrombin에 결합할 수 있는 제제로서 응고인자들 중에 thrombin 활성, fibrin 형성, platelet aggregation을 방해

(1) hirudin

거머리에서 추출된 항응고제로 thrombin에 비가역적으로 결합해서 효과적인 항응고제 활성을 보임. 이 약은 HIT환자에서 사용이 승인되었으나 다른 심각한 응고장애가 있는 환자에서는 신중하게 투여되어야 됨. lepirudin은 신장에서 변형되지 않은 상태로 제거가 되기 때문에 신장기능이 저하되어 있는 환자에서는 용량을 조절해야 함. monitoring 은 aPTT로 함

(2) bivalirudin

thrombin의 active site에만 결합하는 recombinant hirudin의 truncated 형태이고 FDA 승인을 받았고 coronary angioplasty와 stenting 중에 사용될 수 있음

(3) argatroban

HIT의 치료제로 승인받은 합성 thrombin inhibitor임. monitoring 은 aPTT로 함. 간에서 제거가 되기 때문에 간기능이 좋지 않은 환자에서 주의 깊게 사용되어야 함

4) Warfarin

(1) 투여

warfarin은 초기에 loading 용량으로 5~10 mg/day를 2일간 투여. 그 후로 날마다 INR 결과를 보면서 용량을 조절. 간기능이 좋지 않은 노령의 환자나 정맥영양을 공급받고 있는 환자나 광범위 항생제가 투여되는 환자들에게서는 warfarin의 초기 용량을 낮춰야 함

① 치료적 항응고 효과를 보이기 위해 필요한 용량은 2~15mg/day. INR은 대부분 2~3mg/day이면 therapeutic 효과를 보이지만, prosthetic heart valves를 가진 환자에서는 2.5~3.5mg/day로 유지시키는 게 좋음

② 일단 INR이 일정해지면, 2주에 한 번 혹은 한 달에 한 번 INR을 monitor할 수 있음

(2) 부작용

warfarin 치료를 받는 환자들에게서 출혈 발생 위험도는 일 년에 약 10% 정도로 추정. 출혈 소인은 직접적으로 INR과 관련 있음

① warfarin-induced skin necrosis: dermal venous thrombosis에 의해 일어나는 것으로 warfarin therapy가 이미 항응고제 치료가 이루어지지 않은 환자에서 초기에 시작될 때 protein C 부족에 의해 hypercoagulability가 생기면서 드물게 발생하는 경우를 말함

② 상당한 출생 기형과 태아사망을 유발하기 때문에 임신 중에는 금기 사항

(3) warfarin-induced anticoagulation 반전을 위해서는 약을 끊고 1주일을 기다려야 함

① vitamin K를 투여하면, 1~2일간 warfarin anticoagulation을 반전할 수 있으나, 그 효과는 1주일 이상 더 연장시킬 수 있음

② 적절한 vitamin K 용량은 INR에 따라 정해짐. 출혈이 있거나, 극도의 높은 INR (>10) 환자에게서는 10mg의 vitamin K를 정맥으로 투여하고, 6시간마다 INR을 follow up해야 함. ongoing bleeding이 있는 환자에서는 신선냉동혈장을 주입

③ 생명을 위협할 만한 출혈이 있을 경우에는 recombinant human factor VIIa를 100g/kg정도 주입할 수 있음

5) Indirect factor Xa inhibitors (fondaparinux)

: small, synthetic, heparin같은 분자로 factor Xa의 AT-mediated inhibition을 촉진. fondaparinux는 hip과 knee replacement 후에 DVT 를 예방하는데 효과적으로 사용됨. 출혈이 생기면 약을 중단하여야 하고 임상적 상태에 따라 FFP가 투여. 특정한 antidote가 없음

5 Transfusion products for coagulopathy

1) FFP는 모든 coagulation factor들을 다 함유하고 있음

(1) factor V와 VIII는 해동과정에서 불안정하여 FFP에서 쉽게 회수될 수 없음

(2) 다른 coagulation factor 결핍 있는 coagulopathies를 교정하는 데 사용될 수 있고, 특히 간질환이나 대량수혈을 했을 경우와 같이 multiple factor deficiencies에 의한 coagulopathies를 교정하는 데

사용될 수 있음

(3) FFP 효과는 즉각적이고 약 6시간 동안 지속. factor VIII와 IX 결핍은 특정 factor concentrates을 사용해서 치료하는 것이 효과적임

2) Cryoprecipitate

: fresh plasma의 cold-insoluble precipitate이고 fibrinogen, fibronectin, factor XIII 뿐만 아니라 factor VIII와 vWF까지 풍부. cryoprecipitate 는 vWD나 hemophilia에서 2차적 치료로 사용될 수 있으나, 가장 흔하게는 DIC나 대량 수혈에서 fibrinogen 결핍에 사용됨

3) Recombinant human factor VIIIa (rhFVIIIa)

: 일차적으로 hemophilia나 factor VIII inhibitors가 있는 환자의 치료에 사용됨

(1) 권장 용량은 100g/kg이며, 필요하면 1~2시간 간격으로 사용할 수 있음

(2) 약의 효과를 보기 위해 PT가 사용됨. 대량 수혈이 필요한 외상 환자에서는 rhFVIIIa의 사용이 전반적으로 출혈의 필요성을 감소시키는 것으로 보여 왔음

(3) 이 제제를 사용함으로써 multiple system organ failure와 respiratory distress syndrome의 빈도가 감소되는 경향이 있음 (Crit Care 2006;10:R178, J Trauma 2006;60:242)

V. 빈혈 (anemia)

1 평가

- 빈혈은 circulating RBC mass의 감소를 뜻하고 여자에서는 hemoglobin level이 12 g/dL 이하로, 남자에서는 14 g/dL 이하로 정의함. 병력 청취와 신체 검사가 빈혈의 원인을 밝힐 수 있음

- 초기의 혈액학적 검사로는 CBC이나, peripheral blood smear, reticulocyte count, mean cellular volume이 빈혈의 원인을 밝히는 데 도움을 줄 수 있음

- blood smear를 통해 RBCs, WBCs, platelets의 이상을 밝힐 수 있음
- reticulocyte count는 빈혈에 대한 bone marrow 반응을 평가할 수 있음
- 빈혈이 있을 때 normal 혹은 low reticulocyte count는 비적절한 bone marrow response를 뜻함

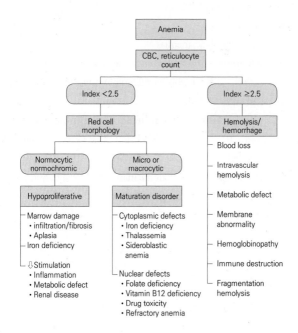

2 Anemias associated with RBC loss or increased RBC destruction

1) 출혈은 RBC 파괴의 가장 흔한 원인

- 대부분의 수술 후 환자들은 혈액 손실이 있음. 그러나 occult bleeding 의 원인으로는 GI tract, uterus, urinary tract과 retroperitoneum에 있을 수 있음
- hematocrit는 급성 출혈 후에 혈액 손실을 알아보는 데 믿을 만한

방법이 아님. 왜냐하면 환자들은 RBCs뿐만 아니라 plasma도 잃기 때문임

2) 패혈증

빈혈은 패혈증에서 흔한데 이는 부분적으로 erythropoietin gene의 expression이 감소되었기 때문. 그렇다고 recombinant erythropoietin 으로 치료를 한다고 해서 생존율의 향상이 있는 것은 아님

3) Hemolytic anemias

(1) acquired hemolytic anemias

① autoimmune disorders, medications 혹은 외상에 의해 일어날 수 있음. 직접 Coomb's test로 autoimmune hemolytic anemia를 진단 내릴 수 있음

② idiosyncratic drug-induced hemolytic anemia는 거의 medications 때문에 일어나지 않으나 cefotetan에 의한 hemolysis는 그 빈도와 중증도 때문에 주목할 필요가 있음

③ trauma에 의한 hemolytic anemias는 종종 작동오류의 prosthetic heart valves나 vascular grafts에 의해 생길 수 있음

(2) hereditary hemolytic anemias

① sickle cell disesase의 hemoglobinopathy를 포함하고 있음

② 이는 oxygen tension이 감소된 환경 아래에서 polymerize되는 비정상적인 hemoglobin에 의해 생김

③ sickling을 막기 위해서는 탈수와 저산소증을 피해야 하며, 이것은 전신마취를 하는 환자에서 중요함

④ 다른 hereditary hemolytic anemias로 는 RBC membrane abnormalities (예: 유전성 spherocytosis)와 RBC enzymopathies (예: glucose-6-phosphate dehydrogenase deficiency)가 있음

③ **Anemias associated with decreased RBC production**

1) Iron-deficiency anemia

(1) menstrual bleeding이나 occult GI blood loss에 의해 가장 흔하게 생김

(2) GI blood loss의 원인으로는 gastritis, peptic ulcer disease, angiodys-plasia, hemorrhoids, colon adenocarcinoma 등이 있음

(3) 남자와 철분 결핍 anemia가 있는 폐경 여성에서는 혈액 손실의 잠재적인 원인을 밝히기 위해 완벽한 GI 검사가 강력하게 추천. 철분 필요량은 임산부에서는 철분이 태아에게 전달되기 때문에 증가

(4) 위절제술을 받거나, 무산증, 만성 설사, 장내 흡수 불량증이 있는 환자들에서는 장내 철분의 흡수가 감소되어 있을 가능성이 있음

(5) 진단은 hypochromic microcytic anemia, low serum iron levels (<60 ug/dL), increased total iron-binding capacity (>360 ug/dL), Low serum ferritin levels (<14ng/L)일 때 내릴 수 있음. iron therapy에 반응을 보일 때도 진단을 내릴 수 있음

(6) 경구로 iron을 섭취시키면(하루에 3번, 경구로 ferrous sulfate 325mg) 대개는 충분한 치료방법

(7) 일반적으로 docusate sodium과 같은 변완화제를 변비를 방지하기 위해 함께 복용. 흡수장애, poor compliance, 경구제제를 잘 복용하기 힘든 환자들을 대상으로 iron dextran은 근육으로(100mg/day) 혹은 single-dose로 정맥으로 (1~2g을 3~6시간에 걸쳐) 주기도 함

2) Megaloblastic anemias

(1) cobalamin 결핍(vitamin B12) 혹은 folic acid 결핍과 관련 있음. 이러한 결핍은 모든 세포들, 주로는 hematopoietic tissue에서 DNA 합성 감소의 원인이 됨

(2) cobalamin, 주로 육류, 유제품에 존재하며, 흡수가 되기 위해서는 intrinsic factor (IF)가 반드시 있어야 함

(3) IF는 위의 parietal cells에 의해 생산이 되며, IF-cobalamin complex는 terminal ileum에서 흡수

(4) pernicious anemia에서 anti-IF antibodies가 만들어지면 환자는 위험. 게다가 위 절제 혹은 ileum 절제, ileitis, 장내 기생충, bacterial overgrowth 환자에서는 vitamin B12 결핍이 발생할 수 있고, vita-

min B12 결핍이 명백해지기까지는 여러 해가 걸림

(5) vitamin B12 결핍은 anemia 뿐만 아니라, neuropathy (특히 pares-thesias), weakness, ataxis, poor coordination의 원인이 될 수 있음

(6) vitamin B12 결핍과 달리 folic acid 결핍은 섭취가 감소되거나(al-cohol 남용), 흡수장애, 이용의 증가(예: 임신 또는 hemolysis), 수 주 내에 일어날 수 있음

(7) clinical suspicion과 serum vitamin B12 혹은 folate level이 진단의 기준이 됨. vitamin B12 결핍에 대한 치료로는 cyanocobalamin (1mg/day intramuscularly for 7 days, then weekly for 2 months, then monthly)을 투여하는 것. folic acid는 결핍이 교정될 때까지 경구로 하루에 1mg씩 복용. 치료에 대한 불완전한 반응은 환자의 1/3에서 철분 결핍이 동반되어 나타날 수 있음

3) RBC production의 감소

(1) 이와 관련 있는 다른 anemias로는 renal insufficiency, 만성 질환, chemotherapy, thalassemias 등이 있음

(2) aplastic anemia는 후천적으로 획득된 bone marrow stem cells의 결핍으로 발생하고 pancytopenia와 관련. 대부분의 환자에서 id-iopathic 혹은 autoimmune의 원인으로 발생하지만, 대략 20%에 서는 약과 관련(즉 gold, benzene, chemotherapeutics, anticonvul-sants, sulfonamides, chloramphenicol)

(3) 일부는 예전의 viral infection과 관련

(4) bone marrow biopsy가 진단에 도움을 줄 수 있음

Ⅵ. 수혈 요법

1 Indications

- RBC transfusions은 blood의 산소운반능력을 향상시키기 위해 ane-mia를 치료하는 데 사용
- 환자의 연령, 심혈관계 상태, 호흡기 상태, volume 상태, transfusion

type (즉 homologous 대 autologous)과 앞으로의 blood loss 치에 따라 transfusion이 결정되어야 함

2 Preparation

1) RBCs는 가장 흔하게 packed RBCs형태로 주입. 가능하면 recent hemorrhage (즉 GI bleeding, major surgery or trauma)가 있을 때는 whole blood로 blood volume 보충을 위해 쓰임

2) 수혈하기 전에는 donor blood와 recipient blood를 transfusion reactions을 줄이기 위해서 test해야 함

3) blood typing은 recipient의 RBCs를 antigens (A, B, Rh)에 대해 test 해서 known RBC antigens에 대한 antibodies의 존재를 screen해야 함. 각각의 unit은 미리 형성되어 있는 donor's RBCs antigens에 대한 antibodies check를 위해 recipient's serum에 대해 cross-match를 시행

4) 응급상황에서는 reactive antibodies에 대해 prescreened O/Rh-negative blood를 blood typing과 cross-matching 전에 투여될 수 있음

5) blood typing이 끝나면, type-specific blood가 주입될 수 있음

3 Administration

1) packed RBCs는 standard filter (170~260um)와 18-gauge나 더 큰 IV catheter를 사용해서 주입되어야 함. packed RBC 1 unit은 hemoglobin을 대략 1g/dL, hematocrit을 대략 3%로 올림. 수혈 속도는 임상적 상황에 따라 결정. 그러나, 전형적으로 각각 1 unit은 혈액은 4시간내에 투여

2) 환자는 수혈 처음 5~10분 동안에는 adverse 반응을 보이기 위해 monitor 해야 함. 만성적인 transfusion therapy가 필요하고 organ transplant 환자들에게는 leukocyte-depleted blood가 필요. 면역억제된 환자들과 first- degree relatives에서 수혈받은 환자들은 GVHD를 막기 위해 방사선조사된 blood가 투여되어야 함

④ Complications of transfusions

  1) Infections

- hepatitis B의 전파율은 수혈한 205,000 unit 중에 1의 비율로 발생
- HIV나 hepatitis C의 전파율은 수혈한 1~2백만 unit 중에 1의 비율로 발생. 2003년도에 west nile virus에 대한 PCR testing이 시작됨
- CMV 전파는 CMV negative인 면역억제 환자에서 위험도가 높고 leuckocyte-depleted 혹은 CMV-negative blood products를 사용함으로써 낮출 수 있음
- bacteria와 endotoxins은 실온에서 보관된 혈소판에서 특히 blood products infusion 시 함께 전파될 수 있음
- parasitic infections은 드물지만 역시 수혈을 통해 전파될 수 있음

  2) Transfusion reactions

  (1) allergic reactions

① 수혈 시 발생한 반응의 가장 흔한 형태이고 환자가 혈액내에 들어 있는 단백질에 반응할 때 발생

② 증상으로는 가려움증 혹은 발진으로 항히스타민 제제로 치료될 수 있음

③ 전에 allergic 반응을 보인 병력이 있는 환자는 수혈전에 예방적으로 benadryl과 prednisone 투여를 고려할 수 있음. 드물게는 심각한 반응으로 기관지 연축 등을 일으킬 수 있는데, 이때는 수혈을 바로 중단하고 steroids와 피하로 epinephrine을 주입할 수 있음

  (2) febrile nonhemolytic reactions

① 수혈한 지 24시간 내에 고열이 발생하는 것으로 이는 수혈된 혈액 의 백혈구에 있는 항원에 의해 발생

② 전신적인 근육통, 오한, 오심, 두통이 열과 수반되어 나타날 수 있음

③ 더 심각한 수혈 부작용의 첫 번째 증상으로 열이 발생할 수 있기 때문에 신속하게 상황에 판단. 전에 발열반응을 보였던 환자들은 leukoreduced 혈액물을 투여받아야 함

(3) acute immune hemolytic reactions

① 가장 심각한 수혈 부작용으로 환자의 혈액중 antibodies가 수혈된 혈액의 RBC antigens과 반응해서 적혈구의 혈관 내 파괴가 일어남

② 부작용은 특히 ABO 혹은 Rh 부적합성 등에 의해 발생. 증상으로는 오심, 오한, 불안, 홍조, 가슴 혹은 등의 통증으로 나타남

③ 마취가 되거나 혼수 상태에 있는 환자들은 과도한 incisional bleeding을 보이거나 mucous membraens에서 계속해서 oozing이 됨. 이러한 반응은 쇼크나 혈색소뇨증으로 인해 신부전으로 진행

④ 수혈 부작용이 의심되면 곧바로 수혈을 중지하고, 수혈 전후의 혈액 검사물을 비교 검사 - CBC, coagulation studies, 혈청 bilirubin과 함께 반복해서 cross-match을 다시 시행

⑤ 치료로는 intravascular volume을 유지하고, 필요하면 hemodynamic support를 하고 renal function을 보존하는 것

⑥ 일단 resuscitation이 이뤄지면 volume resuscitation이나 이뇨제를 사용해서라도 소변량을 시간당 100mL 이상으로 유지

⑦ 중탄산염을 IV fluids (D5W 1,000 mL 수액에 7.5% 중탄산염 2-3 amples을 mix)에 첨가해서 urine의 pH를 7.5 이상으로 해서 알칼리화를 시키는 것이 hemoglobin이 renal tubules에 침착하는 것을 예방하는 데 도움

(4) delayed hemolytic reactions

① recipient가 전에 exposed된 ABO antigens외에 다른 antigens에 대한 antibody response 때문에 생기는 것

② 수혈된 혈액의 세포가 수혈 후에 hemolysis 되는 데는 수일에서 수 주가 걸림

③ 전형적으로 RBC count가 감소되거나 bilirubin 수치가 증가되는 것 외에는 증상이 없음

④ 특정한 치료는 거의 필요 없으며, 심각한 경우에는 acute hemolytic reactions과 똑같이 치료(즉 volume support와 urine output의 유지)될 수 있음

(5) transfusion-related acute lung injury (TRALI)

① 수혈 후 1-2시간 내에 전형적으로 일어나는 심각한 합병증이고, 6 시간까지 일어날 수 있음

② 환자들은 호흡곤란과 발열이 생길 수 있음

③ 치료는 호흡 기능 보조를 할 수 있음. 대부분의 경우는 저절로 회복이 되지만, 심각한 경우에서는 치명적일 수도 있음

(6) graft versus host disease (GVHD)

① immunocompetent T cells을 immunocompromised recipients 나 human leukocyte antigen-identical family members에게 투여했을 때 발생

② GVHD는 발진, LFT 상승, pancytopenia로 발현이 되고 80% 이상의 사망률과 관련

③ 면역 억제된 환자들을 위해서 immunocompetent 환자들의 일촌으로부터 받은 donor blood와 모든 혈액제제는 이런 합병증을 예방하도록 처리되어야 함

3) Volume overload after blood transfusion

(1) 심장 혹은 신장 기능이 나쁜 환자들에게서 발생

(2) volume 상태를 주의 깊게 monitoring하고 이뇨제의 신중한 투여가 이런 합병증의 위험을 낮출 수 있음

4) 대량 수혈

① 정의상 24시간 내에 환자의 정상 혈액량보다 많은 양의 혈액을 수혈하는 것으로 몇 가지 위험을 내포하고 있음. 혈소판 혹은 응고인자 결핍으로 응고장애가 일어날 수 있음. 혈소판, 신선냉동혈장, 동결침전물의 수혈은 임상적 상태나 Lab 결과에 바탕을 두고 결정되어야 함

② 차가운 혈액이 다량으로 수혈되었을 때 저체온증이 발생할 수 있고 심부정맥과 혈액응고 장애를 유발할 수 있는데 이는 blood warmers를 통해 예방할 수 있음

③ 저칼슘증은 10% calcium gluconate을 정맥주사함으로써 치료. 산

혈증 및 고칼륨증을 포함해서 전해질 이상은 특히 이미 고칼륨증이 있던 환자에서 대량 수혈 후에 드물게 발생될 수 있음

④ 수술 중에 needle punctures, vascular suture lines 혹은 과도한 tissue dissection한 areas에서 생긴 출혈을 막는 데 도움이 됨

⑤ anastomotic bleeding은 대개는 국소 지압이나 simple suture로 지혈될 수 있음

⑥ local hemostatic agents는 thrombus 혈성을 위한 matrix를 제공함으로써 지혈을 촉진할 수 있음

1) Gelatin sponge (e.g., Gelfoam®)
2) Oxidized cellulose (e.g., Surgicel®)
3) Collagen sponge (e.g., Helistat®)
4) Microfibrillar collagen (e.g., Aviten®, Hemotene®)
5) Topical thrombin
6) Gelatin matrices (e.g., Floseal®)

Chapter 03

창상 치유와 관리

① Physiology of the acute wound

- 정상적인 창상치유에 영향을 주는 인자
  : 손상 정도, 조직 종류, 동반 질환의 존재 유무
- 상처 치유의 단계: 초기, 중기, 후기로 분류

1) Early wound healing

    (1) 지혈 단계(손상 당일)

        ① 손상 발생, 혈관 손상, 출혈, 혈관을 싸고 있는 평활근(smooth muscle)의 수 분내 수축, 혈액 응고 시작, 피브린(fibrin) 생성

- 피브린
  - 조기 창상 치유를 위해 초기 기질(matrix)을 형성
  - 후기 창상 치유 단계에서 세포 부착과 이동을 촉진
  - 사이토카인의 저장고
  - 활성화된 혈소판과 결합하고 clot를 형성하기 위한 fibrin lattice에서 aggregate

---

    (2) 염증 단계(손상 후 1-4일)

        ① 손상을 받은 피부에서는 발적(rubor), 열감(calor), 부종(tumor), 통증(dolor)의 소견이 나타나고 이는 미세 순환 변화를 일으킴

② 지혈이 시작되면 leukocytes가 내피세포(endothelial cells) 사이의 격벽을 통해 이동하여 provisional wound matrix에 결합

> • PMNs (Polymorphonuclear leukocytes)
> –손상 후 첫 24~48시간의 주된 염증 세포
> –세균, 이물질, 손상받은 조직을 포식
> –fibroblasts와 keratinocytes를 자극하는 사이토카인을 방출함

a. 염증 단계는 순환하는 monocytes의 침윤으로 시작됨

> • Monocytes
> –모세혈관 사이의 혈관 외 공간을 통해 이동하고 사이토카인과 fibronectin의 영향을 받아 대식세포로 분화함
>
> • Macrophages
> –여러 사이토카인에 의해 활성화되고, 치유 과정을 coordination하기 때문에 창상치유에 필수 요소
> –세균과 손상된 조직을 포식
> –조직과 세포 외 기질(ECM)을 분해하는 효소 분비
> –염증 세포를 recruitment하고 fibroblast 분화에 필요한 사이토카인을 방출

b. 염증 단계는 1차 봉합 창상에서 약 4일간 지속, 2차 혹은 3차 봉합의 경우는 피부의 완전 상피화가 일어날 때까지 불확실하게 지속

2) Intermediate wound healing

(1) 중간엽(mesenchymal) 세포의 이동과 분화, 혈관 생성, 상피화에 관여

① 상처 발생 후 2~4일에 화학 주성(chemotactic) 사이토카인은 섬유 아세포(fibroblast)가 손상받은 조직으로부터 창상으로 이동하도록 시킴. 세포 이동은 피브린, fibronectin, vitronectin으로 구성된 ECM에서 발생

② 창상에 중간엽(mesenchymal) 세포가 붙어서 손상된 혈관 조직을 재건하기 위한 혈관 생성을 시작

③ 상피화

a. 창상과 외부 환경 사이의 경계벽을 재건하는 것

b. 창상의 edge와 외피 부속기에 존재하는 외피세포 이동을 통

해서 상피화가 일어남

    c. 외피세포의 이동은 깨끗한 개방 창상에서 1mm/일의 속도로 발생

    d. 1차 봉합 창상은 24~48시간에 모든 상피화가 완성됨

3) Late wound healing

: 콜라겐과 다른 기질 단백질의 침착과 창상 수축에 관여

- Fibroblast
  - 일차적 기능은 단백질 합성
  - 콜라겐, fibronectin, proteogycan을 함유한 세포외 기질의 구성 요소가 되는 단백질을 생성
    * glucocorticoid: fibroblast에 의한 단백질 합성을 저해함

---

(1) 콜라겐

    ① fibroblast가 분비하는 주요 단백질

    ② 장력과 구조물을 제공하고 창상에서 세포이동을 촉진

    ③ 2~4주 동안 빠르게 생성되고 창상의 tensile strength에 크게 기여함

    ④ 산소, 비타민 C, α-ketogluconate, 철분은 콜라겐 섬유의 cross-linking에 중요한 성분이고 이들이 없으면 창상 치유가 잘 안 됨

(2) 창상 수축

    ① 존재하는 조직 구성 요소의 개수 증가 없이 창상의 크기가 감소

    ② myofibroblast의 활성화를 통해 창상의 edge가 중심부로 이동

    ③ 상처를 입은 후 4~5일부터 일어나기 시작하여 12~15일 혹은 그 이상까지 계속됨

4) Scar formation & remodeling

(1) 상처를 입은 후 약 21일째부터 발생

(2) scar remodeling이 시작되면 콜라겐 합성과 창상의 세포가 감소

(3) scar remodeling 동안 콜라겐은 파괴되어 좀 더 치밀한 콜라겐으로 대체되고 창상 부위를 따라서 organized 됨

(4) 6개월가량 지나면 상처를 입지 않은 조직 bursting strength의

80%에 도달하나 잘 나은 상처일지라도 손상을 받지 않은 조직의 장력에는 결코 도달하지 못함

(5) 12-18개월에 plateau를 이룸

II. Chronic wound healing

1) Physiology of the chronic wound

- 만성 창상은 창상의 원인, 위치, 조직 형태에 따라 합당한 충분한 시간이 지났음에도 낫지 않는 창상을 말함
- 해부학적, 기능적으로 좋지 않은 결과를 초래하는 지연되고 불완전한 창상 치유는 급성 창상 치유의 정상적인 과정이 파괴된 결과임
- 대부분의 만성 창상은 염증 혹은 분화 단계에서 지연되거나 정지되어 있고 그 결과 기질 metalloproteinases의 양이 크게 증가

> • 기질 metalloproteinases
> 창상 표면에서 여러 가지 사이토카인과 성장 인자의 결합 혹은 분해를 유발

- 창상 치유를 방해하는 환자의 기저질환에 대한 치료도 함께 이루어져야 함

1) Intrinsic or local factors
- 이물질, 괴사조직, 반복적인 외상, 산소결핍/허혈, 정맥 손상, 감염, 성장인자 결핍, 과도한 기질 단백질의 파괴, 방사능
- 외과의사에 의해 조절 가능한 인자는 창상으로의 혈액 공급, 창상 환경의 온도, 감염, 혈종, seroma의 제거, 국소조직 손상의 양, 창상 봉합에 쓰이는 봉합사의 종류와 봉합법 등이 있다.

(1) ischemia와 hypoxia
① 창상치유를 저해하는 흔한 원인
② 외상이나 혈관염으로 인한 동맥경화나 혈관의 국소 손상은 2차적으로 창상에 산소 결핍과 허혈을 유발
③ 산소결핍 → 콜라겐 합성을 손상, fibroblast의 이동을 방해 →

창상 감염의 위험성 증가

④ 정상적인 창상 치유에 필수적인 산소는 콜라겐 fibers의 결합을 위한 수소화를 위해 필요

⑤ 산소는 병원균을 죽이는 방어력에 관여

⑥ sickle cell anemia → 혈관폐쇄 → 허혈과 조직 궤양을 유발

⑦ 국소적인 창상 부종 → 작은 혈관의 혈액 공급을 제한 → 산소 부족과 perfusion 장애를 유발

⑧ 국소적인 창상의 산소량은 TCOM (tissue concentration of oxygen measurement)으로 측정 가능 → 고압 산소 요법의 필요성, 피하 혈관 성형술, 혈관우회술, 전신적인 심폐 손상 등을 결정하는 데 진단법으로 사용 가능

(2) infection

① 배양에서 세균이 105organisms/g 이상 나오면 감염으로 간주

② 감염에 대한 감수성을 결정하는 인자는 organisms 수, virulence, 숙주 저항력

③ 숙주 저항력은 당뇨, 영양 결핍, 악성 신생물, 스테로이드, 면역억 제제에 의해 손상 가능

④ 감염은 조직 파괴를 증가시키고 창상치유에서 사이토카인의 효과를 바꿈

⑤ 감염의 소견: pyrexia, 홍반, 부종, purulence

⑥ 감염의 치료: 배액, 국소 괴사조직 절제(debridement), 항생제

⑦ 진단과 치료를 위한 균 배양

(3) foreign body와 necrotic tissue

① 감염을 조장하고 창상 치유를 지연시킴

② 감염과 괴사 조직이 공존하면 괴사 조직을 절제(debridement)하여 제거

③ 혈종, seroma, 혈액 공급이 안 되는 뼈는 창상 감염에 대한 감수성을 증가시킴

(4) chronic venous insufficiency

① 지속적인 정맥압 상승과 하지의 지속적인 부종을 유발

② 모세혈관 주위의 섬유화, 조직 허혈, superoxide radicals의 방출 등을 일으켜 창상 치유를 지연시킴

(5) ionizing radiation

① 초기 변화: 홍반, 부종, 과색소 침착

② 후기 변화: 조직허혈, 위축, 섬유화는 방사능에 노출된 창상이 만성적으로 되는 것을 유발

(6) edema

① 급성 부종 특히 관절 주위의 부종은 피부 breakdown, 피부 전층 소실을 유발

② 감염은 림프 배액을 폐쇄하여 만성적인 악화를 유발

③ limb elevation, external compression, 부종의 내과적 치료가 필요

(7) chronic wound의 microenvironment

① 손상된 창상 치유는 성장인자의 부족을 유발

② 세포 외 기질 단백질의 합성과 분해 사이의 불균형은 만성적인 창상의 형성에 주요 원인임 → 부적절한 세포외 기질 단백질의 합성, 분해 효소의 증가, 분해 효소에 대한 조절 감소, 이러한 모든 원인의 결합을 통해 발생함

2) Extrinsic or systemic factors

(1) malnutrition

① 비타민과 미네랄 결핍으로 인한 직 · 간접 효과에 의해 정상적인 창상 치유를 방해

② 비타민 C 결핍증인 괴혈병(scurvy): 부적절하게 가수화 콜라겐(hydroxylated collagen)을 생성하여 창상이 약해짐

(2) DM

① 창상 치유 과정의 모든 단계에서 나쁜 영향을 줌.

② 인슐린 부족, 고혈당(염증 세포의 이동과 대식 기능 및 섬유아 세포(fibroblast)와 내피세포의 분화에 나쁜 영향을 줌), 신경병증, 창상 치유를 방해하는 혈관병증이 창상 치유에 나쁜 결과를 초래

(3) steroids와 antineoplastic drugs

① 창상 치유 속도를 현저히 감소시킴

② 스테로이드의 방해 기전은 다 밝혀지지 않음

③ 비타민 A는 창상 치유에 대한 스테로이드의 악영향을 부분적으로 완화시킴

④ 항암제는 중간엽(mesenchymal) 세포의 분화를 감소시키고 창상 치유에 작용하는 염증 세포를 감소시키는 백혈구 감소 상태를 유도하여 방해함

⑤ AIDS나 다른 면역 질환이 창상 치유의 여러 단계에 영향을 줌

(4) smoking

: 피부 혈관 수축, 헤모글로빈의 산소 운반력 감소, 동맥 경화를 유발하여 창상 치유를 방해함

(5) collagen vascular disease

① 창상치유가 시작되기 전에 조절되어야 하는 혈관염을 자주 동반

② 콜라겐 혈관병에 쓰이는 약물일 세포이동과 콜라겐 침착을 손상시킬 수 있어 적정한 양의 약물을 사용

(6) cleansing agents

: 클로르헥시딘 글루코네이트(hibiclens) 혹은 베타딘 혹은 화학 물질이 세포 이동에 영향을 주어 창상 치유를 방해함

(7) repetitive trauma

(8) renal & liver disease

: 만성적인 단백질 부족과 단백질 생성력의 감소 때문

(9) hematopoietic disorders

: ankle wound의 높은 발생률과 leukoclastic, granulomatous 과정을 동반한 sickle cell disease, 진균증이 창상 치유를 방해함

❷ Evaluation & management of the chronic wound

1) History & physical examination

(1) history

① 병력 청취를 통해 새로운 창상인지 만성, 재발성, 지속된 기간, 발현 방법, 발달 속도, 호전 혹은 악화 여부를 파악

② 동반기저질환 여부를 파악, 면역억제 상태(HIV, 스테로이드, 항암 치료 등) 여부, 당뇨, 말초혈관병증, 관상동맥질환, 류마티스 질환, 방사선 노출 여부, 음주력을 파악

(2) physical examination

① 손상된 창상과 병변의 크기, 깊이, 위치를 파악

② 감염소견 여부(홍반, 고름, 압통, 열감, 팽대, 배액, 냄새)

③ 검사자가 찾아낸 압통뿐만 아니라, 환자가 호소하는 통증의 원인을 찾고 치료해야 함

④ 혈액화학검사(blood chemistry)는 당뇨, 간질환, 신장질환 파악에 유용

⑤ CBC에서의 WBC 증가 여부

⑥ 기저의 bony abnormality를 파악하는 데 영상의학 검사가 유용

⑦ 동맥 이상이 의심되면 사지에 대한 도플러 검사를 실시

2) Management

(1) adequate nutrition

: 충분한 열량, 단백질, 비타민, 미네랄과 수분이 필요

(2) underlying factors

: 항암제, 스테로이드, 음주, 흡연, 혈당의 교정

(3) effective local wound care

: 감염 제거, aggressive debridement, 창상의 농양 배액 등이 local control에 중요

(4) antibiotics

: 봉와직염(cellulitis) 등에는 전신적인 항생제 치료가 유용하고 세균 수가 적을 때는 연고 도포가 효과적임

(5) proper dressing

① frequent wet-to-dry dressing은 감염이 있는 창상이나 배액을 주 목적으로 할 때 사용

② 건강한 육아조직이 자라면 dressing은 창상 치유를 촉진시키기 위한 적절한 보호벽과 수분을 제공

③ 삼출물이 있는 창상은 dressing을 하여 축축한 환경으로부터 창

상 주위를 보호함

(6) edema control

① 정맥 이상으로 인한 사지의 창상에 필요

② 탄력밴드를 하고 사지를 올리는 것은 부종과 정맥압을 감소시킴

③ Unna boot, jobst compression garment, pneumatic compression devices 이용 가능

(7) surgical therapy

① 만성 창상 치유에 필요

② 감염되었거나 괴사된 조직의 수술적 제거, 육아조직의 건강한 기초 위에 피부 이식-혈액 공급을 위해 재관류 수술이 필요

❸ Special categories of chronic wounds

- 당뇨, 욕창, 방사선 치료와 연관

1) Diabetic foot ulcers

(1) differential diagnosis

① 하지에 발생하는 궤양의 가장 흔한 원인은 동맥 이상, 정맥 저류, 당뇨임

② 정맥 저류로 인한 궤양은 환자의 하지나 발목의 medial aspect 에 발생하고 만성 부종, 과색소 침착을 보임

③ 동맥 이상으로 인한 궤양은 환자의 원위부인 발가락의 tip에 주로 발생하나 외측 복사뼈(lateral malleolus) 근처에 발생하기도 함. 대개 주변 피부가 얇고 밝고 털이 없고 파행(claudication)이나 rest pain과 연관되며 말초의 맥이 감소되었거나 없음

④ 당뇨병성 궤양은 이차적으로 심한 신경병증이나 그보다는 덜한 혈관병증을 유발하며 전형적으로 매우 두꺼운 피부 경결(callus)이 뒤꿈치나 종족골두(metatarsal heads)의 발바닥 쪽(plantar surface)에 발생함

(2) causes

① neuropathy

   a. peripheral neuropathy

- 당뇨 환자가 잘 맞지 않는 신발을 신거나 외상을 입어 사지 궤양을 일으키는 주요 원인임. 비정상적인 체중 부하와도 연관이 있음
  - b. autonomic neuropathy
    - 발한과 피부의 부적절한 보습이 안 되게 함
    - 미세순환의 자동조절을 손상시켜 동맥혈이 정맥혈로 shunt가 일어나 피부로 영양분 있는 혈액이 공급되지 못해 결국 궤양을 형성
  - ② ischemia
    - a. 당뇨 환자에서 미세혈관병증은 사지 궤양을 유발하고 악화시킴
    - b. 이러한 경우는 근위부 동맥 경화 질환에 대한 검사를 시행하여 궤양이나 사지 절단의 위험을 막아야 함
- (3) evaluation & treatment
  - ① examination
    - a. 말초 순환의 quality, 창상의 정도, 감각 소실의 정도가 평가되어 야함
    - b. 발가락들 사이의 web spaces에 발생하는 진균 감염은 피부 열상을 일으켜 이차적으로 감염을 조장
    - c. Mal perforans 궤양은 종족골(metatarsal)의 발바닥 쪽(plantar surface)에 발생하여 종족골두(metatarsal heads)로 퍼져 결국 연골을 노출시킴
    - d. phalanx나 중족골(metatarsal)의 골수염이 흔함
  - ② treatment
    - a. 깨끗한 창상은 보존적인 괴사조직 제거와 dressing 교환으로 치료
    - b. 감염된 창상은 임상적으로 진단되고, plain X-ray는 골수염이나 연부 조직에 gas를 보여줌
    - c. 당뇨 환자에서의 감염은 빠른 속도로 진행하여 초기에 입원 치료, aggressive wound care, 광범위 항생제 치료가 필요하고

농양은 완전히 배액 되어야 하고 모든 괴사조직은 철저히 제
거함. whirlpool을 매일 시행하면 창상을 깨끗이 하는 데 유
용하고 절대적으로 체중 부하가 걸리지 않게 유지해야 함

③ prevention

  a. 철저한 위생 관리와 매일 창상을 점검하여 외상의 소견이나
창상의 진행 여부를 살핌

  b. podiatric appliances나 맞춤 구두가 체중 부하 부위를 완화시
키는 데 유용하고 신경병증으로 인한 궤양을 가진 모든 당뇨
환자에게 처방되어야 함

2) Leg ulcers

  (1) arterial ulcers

    : 의심되면 혈관에 대한 검사를 시행하고 조직 허혈로 인한 봉와
직염(cellulitis)의 소견이 있으면 항생제 사용의 적응증이 됨

  (2) venous stasis ulcers

    ① 하지 궤양의 가장 흔한 형태로 supramedial malleolar 부위에서
안쪽에 발생하는 것이 가장 전형적임

    ② 궤양병력과 다리부종, 심부 정맥 혈전증의 병력이 있음

    ③ 비교적 표재성, 불규칙한 경계면을 가진 심한 통증을 유발, 쉽게
피가 나는 창상 기저면(base), 혹은 밀집된 whitish-yellow fibrotic
bases를 가짐

    ④ 다발성으로 발생하고 주변에 다양한 정도의 염증성 피부염을
동반하기도 함

    ⑤ 창상을 깨끗이 하고 창상의 배액물을 흡수할 수 있는 dressing
을 하고 다리를 올리고 leg compression하는 것이 필요

    ⑥ 환자의 15%에서 나타나는 심각한 허혈이 배제되면
multilayered compression dressing (unna boot)을 사용 가능하고
이는 창상이 치유될 때까지 1~2주 간격으로 교환

    ⑦ 하지 부종이 호전되면 피부이식이나 피부 대용물의 사용과 같
은 aggressive management 가능

    ⑧ 감염된 창상에는 항생제 치료가 필요

3) Skin tears

: 만성적으로 스테로이드를 사용하거나 얇은 피부를 가진 나이 든 환자에서 발생

4) Pressure ulcers

(1) pathophysiology

① 마비가 있거나 몸을 움직일 수 없는 심한 질환에 의해 유발되는 것으로 돌출된 뼈를 덮고 있는 연부 조직에 오랜 기간 압력이 가해져 발생하여 허혈성 궤양과 조직 괴사를 유발함

② 근육이 좀 더 쉽게 손상되고 모든 입원 환자의 10%, 가정간호를 받는 환자의 28%, 척수 손상 환자의 39%에서 발생

③ 사지마비 환자에서 치명률이 2배 이상 증가하고 사망 원인의 8%를 차지

④ 환자의 자세와 관계가 있어 누워 있는 환자의 occiput, sacrum, greater trochanter, heels에 호발

⑤ 오랫동안 앉아있는 환자는 ischial tuberosities에 발생하고 다음 표와 같이 분류되나, 각 단계를 순차적으로 거쳐 발생하는 것이 아니라 초기부터 진행된 형태로 나타나기도 하고 이는 치유되는 과정에도 마찬가지임

⑥ 피부 전층 손상이 발생했을 때 eschar를 절개하지 않은 상태에서는 단계를 결정하지 못함

National Pressure Ulcers Advisory panel Classification Scheme	
단계	기술
I	손상 없는 피부 홍반. 가역적임.
II	표피(epidermis)나 진피(dermis)를 침범한 피부의 부분 손상. 찰과상, 물집, 얕은 화공(crater)으로 나타남.
III	근육이나 기저의 봉합성은 침범하지 않은 피부 전층 손상 혹은 피하 조직의 괴사
IV	근막, 건, 관절막과 같은 지지 조직의 손상을 동반한 피부 전층 손상

⑦ 검사자는 기저에 있는 뼈 손상, 골수염, 혹은 복합적인 원인인

pressure ulcers의 근본적인 원인을 찾아야 하고 성공적인 치료법 또한 복합적임을 알아야 함

(2) prophylaxis

① skin care

a. 매일 살펴보고 보습제를 발라 주고 pressure를 받지 않도록 static 혹은 dynamic system을 동원

b. static system에는 air, water, gel foam으로 채워진 매트리스가 속함

c. dynamic system에는 Low-air-loss 매트리스나 air-fluidized beds가 있음

d. 변실금과 요실금이 발생하지 않도록 함

② nutrition

비타민 A, C의 보충이 필요

③ mobility

: bedridden 상태의 환자는 2시간마다 체위 변경하고 heel-protector, pillow, foam wedge 등을 사용하여 압력을 분산시킴

(3) treatment

① 대부분의 pressure ulcers는 압력이 제거되면 자발적으로 치유됨

② 치유되는 데 6개월이 걸림

③ 일시적으로 움직일 수 없는 상태가 아닌 만성적인 경우 재발이 흔하고 단순 봉합, split-thickness 피부 이식, musculocutaneous flap 등 이 있으나 이는 실질적으로 재발 위험을 감소시킬 수 있는 환자에게나 유용

④ urinary diversion, fecal diversion도 유용

5) Ionizing radiation

(1) 방사선이 암 치료법의 하나이나 방사선은 표적 부위와 주위 조직의 DNA에 직접 손상을 주고, free radical이나 reactive species 등을 통해서 간접적인 손상을 줌

(2) 방사선을 창상 치유에 필요한 세포요소에 해를 주어 창상치유를 방해함. 특히, 내피세포, 중간엽(mesenchymal), 외피세포의 분화

력을 감소시킴

(3) 방사선은 창상의 vascularity를 감소시켜 허혈과 저산소증을 유발하고 작은 혈관과 모세혈관에 폐쇄나 혈전을 형성하고 내피세포의 분화가 좋지 않아 혈관 생성 기전이 제한을 받음

(4) 방사선의 손상으로 발생하는 조기 외피 변화에는 궤양, 부종, 지속적인 염증이 있고, 후기 변화에는 실질(parenchymal)의 퇴행, 외피와 피부의 위축, 혈관 감소, 섬유화, 조직 괴사가 있음

(5) 방사선에 노출된 피부에 일어나는 변화는 방사선량과 관계가 있고 급성기에는 확장된 혈관으로 인한 홍반, dry desquamation, moist desquamation 등이 일어나고 후기에는 과색소 혹은 저색소 침착, 피부와 피하조직의 섬유화, 모세혈관 확장증(telangiectasia), sebaceous & sweat gland dysfunction, 탈모증, 괴사가 발생함

(6) 창상에 대한 수술 전 방사선 치료의 영향을 결정하는 주요 인자는 시간과 용량임

(7) 수술 후 방사선 치료는 수술 후 1주일 후에 시행한다면 영향은 없음

(8) 이전에 방사선 치료를 받았던 부위에 대한 수술을 계획한다면 충분한 준비와 주위가 필요함. 이미 많은 세포들이 영구적인 손상을 받아 세포 분화 능력이 떨어진 상태이고, 혈관 생성도 감소되어 산소 부족 상태가 되어 쉽게 세균감염이 발생함

(9) 방사선 치료를 받은 창상에 대한 치료도 올바른 창상 치유를 위한 동일한 원칙에 따르므로, aggressive debridement, 전신적인 항생제 치료, 상피화를 촉진시키기 위한 국소 항생제 도포, moist dressing, 건조한 피부에 대한 윤활제, 적절한 영양 상태의 유지가 강조되어야 함

(10) 고압산소 요법은 방사선 조사를 받은 창상에 산소 농도를 높이고, transforming growth factor β(TGF-β)와 platelet-derived growth factor (PDGF)와 같은 성장 인자는 동물실험에서 창상치유에 효과를 보임

1 Preoperative preparation

1) Patient factors

- 항생제와 sterile surgical technique에도 불구하고 수술 부위 감염은 재원 일수를 증가시키고 그것을 치료하는 데 많이 비용이 필요
- clean surgical operation은 피부의 정상 상주균인 그람 양성 호기성 균이 원인
- clean contaminated, contaminated, dirty operation은 피부의 정상 상주 균과 함께 그람 음성균과 혐기성균의 복합적인 감염이 원인
- 지난 10년 이상 항생제에 대한 내성을 가진 그람 양성균과 그람 음성균이 증가하여 MRSA의 발생률이 60%, 세팔로스포린에 대한 내성을 가진 Klebsiella pneumonia가 50%을 차지

  (1) cigarette smoking
  ① SSI (surgical site infection)의 위험인자
  ② 최근의 전향적 무작위 연구에 의하면 금연으로 SSI의 85% 감소
  ③ elective 수술 전 적어도 30일 이전에 금연할 것을 권고(CDC, Center for disease control & prevention)

  (2) nutrition
  ① 1차 봉합은 마른 사람이라도 SSI만 없으면 잘 치유됨
  ② 2차 봉합은 영양 상태에 따라 창상 치유가 달라져 영양 상태가 나쁘면 창상 감염이 증가하고 창상 치유가 지연됨
  ③ 수술 전 충분한 영양 상태가 이러한 합병증을 줄임

2) Operative factors

  (1) chlorhexidine showers
  : 수술 전날 밤에 시행하면 세균수를 줄이나 SSI 발생률을 줄인다는 증거는 없음

  (2) shaving
  : 수술 전날 밤에 하는 것보다는 수술 직전에 하는 것이 SSI를 줄임

  (3) prophylatic antibiotics

① 몇몇 clean surgery와 대부분의 clean contaminated surgery에서 적응증이 됨
② 절개 직전에 주거나 적어도 60분 이내에 주고 수술 후 24시간 내에 중단할 것을 권고

❷ Perioperative

1) Surgeon hand antisepsis

  (1) 2-6분 동안 antimicrobial 비누로 traditional scrub

  (2) nonantimicrobial 비누로 손과 팔을 먼저 닦고 alcohol-based hand scrub을 사용

2) Surgical site antisepsis

  : 소독제의 종류에 따른 차이는 밝혀지지 않았으나 중심 정맥관 삽입의 경우 povidone보다 chlorhexidine이 더 우수하다고 함

3) Active warming

  (1) 저체온증을 막는 것이 SSI를 줄인다는 보고가 있음

  (2) 국소적 warming이나 전신적인 warming이나 차이는 없고 non-warming 보다 우수하다고 함

4) Tight glycemic control

  (1) 완전히 밝혀진 것은 아니나, 혈당이 80-110mg/dl로 조절되는 경우가 180-200mg/dl보다 사망률이 34% 감소한다는 보고가 있음

  (2) 인슐린의 지속적인 주입이 sliding-scale insulin보다 sternal wound infection을 유의하게 감소시켰다는 보고가 있음

  (3) 미국 당뇨학회에서는 ICU환자의 경우 수술 전 80-110mg/dl으로 혈당을 유지할 것을 권유하고 중환이 아닌 경우는 수술 전 기간 동안 식전 혈당이 110mg/dl 미만, random glucose는 180mg/dl 미만으로 유지할 것을 권유함

5) Other controlled factors

  수술 시간, gentle tissue handling, 산소 공급이 SSI를 줄임

1 Timing of wound healing

1) Primary intention

    (1) 창상에는 6시간이 golden period이고 chronic wounds가 덜 발생

    (2) tension-free closure 위해 tissue arrangement가 필요

    (3) 창상의 상피화는 봉합 후 24시간 내에 발생하므로 CDC (center for disease control & prevention)에서는 이 시기에 세균 감염을 막기 위해 sterile dressing은 그대로 두도록 권고

2) Secondary intention or spontaneous healing

    (1) 개방창상인 채로 두면 상피화와 수축이 일어나 창상이 닫힘

    (2) 수축은 창상의 둘레를 줄여 창상이 닫히도록 도와주는 myofibroblast가 매개하는 과정임(myofibroblast는 smooth muscle과 같은 수축력을 가지는 modified fibroblast임)

    (3) 이 방법은 주로 "golden time"인 6시간이 지난 창상이나 조직 1g당 105개 이상의 세균을 가진 오염되고 감염된 창상에 쓰임

    (4) 이러한 창상은 염증 단계와 분화 단계가 오랜 기간 지속되어 완전하게 상피화가 일어나거나 다른 방법으로 닫힐 때까지 지속됨

3) Tertiary intention or delayed primary closure

    (1) 초기에 창상 오염이 아주 심하여 개방해 둔 채로 경과 관찰하고 4-5일 후에 깨끗해지고 혈관이 잘 발달하여 이 시기에 봉합하면 approximation이 될 수 있는 경우임

    (2) 이 시기에 정상적으로 일어나는 창상 표면의 낮은 산소 분압과 창상 기저면의 염증과정은 세균 농도를 줄여 1차 봉합을 시행한 것보다 더 안전한 봉합을 이루고 2차적인 창상 치유 때보다 더 빠르게 창상이 닫히도록 함

2 Wound closure materials & techniques

1) Skin adhesives

    (1) topical adhesives (dermabond, indemil)는 깨끗하고 tension 없이

닫힐 수 있고 motion이나 pressure의 영향을 받지 않는 부위에 사용 가능

(2) subcuticular suture를 시행한 후에 바르면 방수가 되고 항균 방패막을 제공함

(3) dermabond를 사용한 경우 감염률은 기존의 창상 봉합법에서와 비슷하고 staples나 suture를 제거하지 않아도 되어 바로 shower가 가능하다는 것이 장점

2) Steri-strips

(1) skin tapes는 표재성 창상을 닫기 위한 가장 최소로 침습적인 방법임

(2) 창상을 외번(eversion) 시키지 않기 때문에 창상면의 미용적인 결과는 최고는 아님

(3) skin tape는 serum이나 혈액으로 인해 젖으면 느슨해지고 모든 부분에 쓸 수 있는 것은 아니고 작은 표재성이며 tension이 없는 창상에 사용 가능. 가장 흔하게 staples나 suture를 제거한 후에 피부를 지지하기 위해 가장 많이 사용함

3) Suture

(1) needles

① curved needles은 needle holder를 사용하고 straight (Keith) needles은 needle holder를 사용하지 않기도 함

② cutting (triangular) needles은 피부와 같이 거친 창상을 닫을 때 사용하고, circular (tapered, noncutting) needles은 혈관이나 장과 같이 약한 부분을 닫을 때 사용

(2) suture materials

① absorbable vs nonabsorbable

: tensile strength, 흡수율, 조직 반응을 고려

② monofilament vs braided

: braided suture는 monofilament suture보다 다루기는 편하지만, suture를 이루는 braided strand의 틈새에 세균이 군락을 이루기가 쉬워 감염이 발생하기 쉬움

③ natural vs synthetic

흡수 봉합사의 특징

봉합사(상품명)	제조과정	효과장력 (일)	완전흡수 (일)	조직반응	운용력 (handling)	적용
Surgical gut	양의 장 점막하 층에 존재하는 콜라겐	4~10	70	높음	좋지 않음	빨리 치유되는 점막
Chromic gut	크롬산으로 처리한 catgut	10~14	90	중간	좋지 않음	빨리 치유되는 점막
Polyglycoloic acid (Dexon)	합성 단 혹은 braided	14~21	60~120	최소	좋음	피하층 봉합, 점막 혹은 혈관 결찰
Polyglactic acid (Vicryl)	폴리글락산370으로 윤활처리한 합성 braided(자연색 혹은 자주색)	20~30	60~90	최소	우수	Subcuticular Subcutaneous
Polydiooxane (PDS)	단섬유(Monofilament polyester)	40~60	180	최소	좋음	Used for extended support
Polyglyconate (Maxon)	합성 단섬유 (monofilament)	40~60	180~210	최소	우수	More supple than polydioxane

비흡수 봉합사의 특징

봉합사 (상품명)	제조과정	조직반응	운용력 (Handling)	적용
Silk	면에서 뽑은 꼰 실(braided)	높음	우수	혈관결찰, 감염되기 쉬운 곳은 피해야 함
Cotton	꼰 실(braided)	높음	우수	실크와 동일
Polyester	꼰 테레프살라트(데크론), 폴리필렌(Mersilene), 코팅된 케프론(Tevdek), 실리콘(Ti-Cron), 폴리부틱(Ethibond)	최소	코팅되지 않으면 좋음, 코팅되면 우수	근막에 사용; 매듭안전성을 위해 5번 묶음
Nylon	합성폴리아마드 단 혹은 꼰 실(braided)	최소	좋음	피부, 근막에 사용; 매듭안전성을 위해 5번 묶음
Polypropylene (Prolene, Surgilene)	플라스틱 단 섬유	최소	좋음	고탄력; 피부봉합, 혈관문합 5번 묶음
Polybutester	플라스틱 단 섬유	최소	좋음	매우 고탄력; 부종이 있는 조직
Steel	합금 단 섬유	없음	좋지 않음	뼈

(3) staples

: 등이나 복부와 같이 미용적인 면을 덜 고려해도 되는 부위에 사용하여 빠르게 창상을 봉합

4) Skin suture technique

(1) basic surgical principles apply

: tension 없이, dead space 없이, aseptic technique으로, skin margin 을 외번(eversion) 시킴

(2) suture removal

① suture를 너무 오래 두면 suture scar가 발생

② 부위에 따른 제거 시간: 얼굴은 3~5일, 그 외에는 7~10일이고 이러한 기준은 환자의 상황에 따라 조정하여 적용함

③ Open wound care options

1) Topical ointments

: 한 가지 성분 이상의 항생제를 함유한 petroleum-based 연고는 창상 에 dressing이 달라붙는 것을 방지하고 1차 봉합한 창상의 치유와 상 피화를 촉진함

2) Impregnated gauze

(1) petrolatum(바세린)이 스며들어 있는 gauze는 표재성, partial-thickness를 가진 창상에서 창상 주변의 습도를 유지하고 상피화 와 창상치유를 촉진하기 위해 사용

(2) 배액이 필요한 오염된 창상에 사용하는 것은 금기

3) Gauze packing

(1) 개방 창상의 gauze는 dead space를 없애고 배액을 촉진하고, 다양 한 정도의 debridement를 제공

(2) 개방 창상이 건조해지면 gauze를 제거할 때 gauze에 괴사조직이 달라붙어 debridement가 되면서 통증을 유발하므로 권장되지 않 고 debridement이 필요한 창상은 수술실이나 침상에서 sharp de-bridement 을 시행하여야 함

(3) dry-to-dry dressing은 아프고, 창상의 습윤을 유지해야 하는 원칙

에 위배되고 moist-to-dry dressing이 좀 더 부드럽고 통증이 덜함

    (4) dakin 액(sodium hydrochlorite)은 항균력을 기대할 때, 짧은 기간 동안 감염된 개방 창상에 packing이 가능. keratinocytes에 대한 독성 때문에 dakin 액은 감염된 창상에 단기간 사용할 때만 사용해야 함

4) Hydrogels

    (1) 이러한 수분과 글리세린을 기본으로 한 겔은 얕거나 깊은 혹은 개방 창상에 사용 가능

    (2) 겔은 괴사조직에 수분을 재공급하고 debridement을 촉진하고, 창상에서 나오는 삼출물을 흡수하고, 창상에 수분을 유지하도록 함

    (3) 겔 위에 비유착성, 비흡수성 dressing을 해 두고, 창상 조건에 따라 8시간에서 3일마다 dressing을 교체함

5) Hydrocolloids

: 3~5일간 유지 가능하고 정맥 저류 궤양을 치료하기 위한 compression dressing에서도 사용 가능

6) Alginates

: 흡수성이고 창상의 배액물을 흡수하여 gel을 형성하므로 다량의 삼출물을 생성하는 심부 창상에 유용

7) Adhesive films

: 이러한 플라스틱막(e.g. tegaderm)은 self-adhering하고 방수력이 있으면서 산소와 수분 증발은 가능함

8) Collagen-containing products

    (1) powder, sheet, fluid 형태로 사용 가능

    (2) 전형적으로 Type 1, 3과 같은 순수 콜라겐으로 이용 가능하고, calcium alginate (fibracol)와 같은 물질과 혼합하여 사용할 수도 있음

9) Hydrofibers

: 삼출물이 많이 있는 창상에 사용 가능한 가장 흡수력이 좋은 물질

10) Growth factors-Human recombinant PDGF만 유일하게 FDA 승인됨

: graulating wound에 적용하면 granulation 조직 형성, 혈관 생성과 상피화를 촉진

11) Skin substitutes

: 여러 가지 배양된 xenograft, cadaveric-derived allograft skin substitute
가 사용 가능

12) Negative-pressure wound therapy

(1) vaccum-assisited closure device에 의해 생성되어 모세혈관 생성을
자극하고 개방 창상의 육아 조직 형성을 자극하면서 창상 주위의
환경을 깨끗하게 유지되도록 함

(2) 최근 장피누공, exposed bone을 가진 부위에 사용하여 성공적인
치료 결과가 보고됨

(3) 금기증: 주요 혈관의 노출, 치료되지 않는 골수염. 창상 내에 암이
있을 때, 상대적 금기증: 응고 장애 환자

13) Hyperbaric oxygen

(1) 당뇨병성 족부 궤양에 성공적인 치료법으로 당뇨로 인한 amputa-
tion을 예방하는 것으로 보고

(2) 적절한 debridement를 시행하고 산소를 2기압으로 90 min/day 주
어 창상을 치료

14) Metallic silver-impregnated dressings

: 항균력이 있고 화상을 입은 상처를 포함하여 여러 가지 다양한 상
황에서 사용 가능

Product/trade name	Advantages	Limitations	Applications
Gauze			
Kerlix (roll gauze)	물리적으로 괴사조직 제거 모세관 현상으로 삼출물제거	변화 중인 조직의 생존 가능성을 저해할 수 있음 제거 시 출혈을 유발할 수 있음	중등도 또는 고도로 삼출액이 많은 상처에 부분 혹은 전층의 만성 상처에(stage II, III, IV)
Gauze sponges	공기 투과성임	제거 시 통증을 유발할 수 있음 상처에 입자가 남을 수 있음	급성 상처 2차 dressing
	사강을 채워줌	액체나 박테리아가 투과될수 있음 단열 처리에 제한이 있음 wound bed를 탈수시킬 수 있음	
Transparent adhesive dressings			
Tegaderm (3M)	습윤한 증기로 삼출액 management	소량의 삼출액 밖에는 manage가 불가능함	IV entry sites
Opsite (Smith & Nephew)	액체와 박테리아는 투과되지 않음 공기투과성임 상처의 visualization이 가능함	Fragile skin을 자극할 수 있음 Application이 어려울 수 있음	경도 화상 또는 열상 고위험부위(Stage I)표면 마찰 감소 삼출액이 적은 부분만 성 상처(StageII) Autolytic debridement를 촉진시키기 위해 eschar에 Cover dressing

Hydrocolloids
    Restore
    Hydrocolloid
    (Hollister)
	Wound bed에 습윤성 겔을 형성	중등도의 삼출액에 적용 가능	고위험 부위의 표면 마찰 감소

DuoDerm (ConvaTec) Comfeel Ulcer Care Dressing (Coloplast) Tegasorb (3M)	액체와 박테리아가 투과되지 않음 Particle swelling에 의해 삼출액 제거 단열처리가 잘 됨	공기 비투과성임 Fragile skin에 외상을 입힐 수 있음 Eschar나 puncture wound에 사용 못 함	부분 혹은 전층 상처 중등도 삼출이 있는 상처 Unna boot와 함께 정맥을 형성 궤양에

〈다음 장 계속〉

Product/trade name	Advantages	Limitations	Applications
		당뇨성 궤양에 사용 시는 고도의 주의가 필요함 3도 화상에는 사용할 수 없음	
Wound fillers AcryDerm strands	상처를 채워줌	건조한 상처나 sinus tract 또는 tunnel이 있는 경우 추천되지 않음	중등도~경도의 삼출액
Absorbent Wound Dressing (AcryMed)	삼출액을 흡수함		흡수성을 증가시키거나 shallow area를 채우기 위해 다른 dressing 방법과 병용해서 사용 가능
Hydrogels Amophous	습윤성 wound bed 유지	탈수 유발 가능	부분 혹은 전층의 만성상처(stage II, III)
Restore Hydrogel (Hollister) IntraSite Gel (Smith & Nephew)	부풀어 올라 삼출액 제거	흡수성이 빠름 2차 dressing이 요구됨	부분 혹은 전층 화상 당뇨성 족부궤양 경도의 삼출이 있는 상처
Enzymatic debriding agents Collagenase (Santyl, , Smith & Nephew)	괴사조직을 액화시킴	pH 6~8보다 높거나 낮은 경우 효소 활성이 저하됨	만성 dermal ulcer나 고도 화상 부위의 debridment에 사용
Accuzyme (Healthpoint)	육아조직의 생성과 상피화에 기여함 건강한 조직이나 새로 생성된 육아조직을 저해하지 않음		
Absorbent dressings Bard Absorption Dressing (Bard Medical)	삼투 현상에 의해 삼출액 제거 clean debris 냄새를 감소시킴 습윤성 wound bed 유지 공기 투과성임	액체나 박테리아가 투과 될수 있음 생리적 level보다 pH를 촉진시킬 수 있음 2차 dressing이 필요함	고삼출성 상처 전층에 걸친 만성 상처 (stages III, IV) 냄새가 심하게 나는 상처

Product/trade name	Advantages	Limitations	Applications
	상처의 형태를 유지시킴 사강을 채워줌 2차 dressing의 수명연장 매일 dressing 바꾸어도 비싸지 않음		
Alginate Restore CalciCare (Hollister) Sorban (Dow Hickman Pharmaceuticals) Kaltostat (Convatec)	Wound bed에 침윤성 겔 을 형성 모세관 현상에 의해 삼출 을 제거 공기 투과성임 상처의 형태를 유지시킴 사강을 채워줌 상처로 인한 통증을 감소 시킴 상처에 남은 fiber는 흡수 됨 감염된 상처에도 사용 가능 비자극성임	액체와 박테리아 투과 성임 적용부위에 burning sen- sation을 일으킴 말라붙은 경우 제거하기 전 에 irrigation이 필요함	중등도~고도의 삼출액이 있는 상처 부분 또는 전층 상처 (stages III, IV) partial thickness burns
Solutions 0.9% Normal saline Hydrogen peroxide Povidine-iodine (Betadine)	세포독성이 없는 solution 임 피사 조직의 화학적 제거 상처 사용에 대해 FDA 승인받지 못하였음	마르도록 방치한 경우 상처를 탈수시킴 Dressing이 포화된 경우 상처 주변의 피부를 약하게 만들수 있음 Fibroblast에 독성이 있 음 압력하에 상처 내부로 스며드는 경우 air embolism을 유발시 킬 수 있음 1:1,000 농도 이상에서 는 Fibroblast에 독성 이 있음	부분 또는 전층상처 두세 번 바꿔야 하는 dressing Wound irrigation – 절반의 강도를 사용하여 반드시 생리 식염수로 세척할 것 None for wound care

〈다음 장 계속〉

Product/trade name	Advantages	Limitations	Applications
		화상환자에서 산증을 일으킬 수 있음 Cardiovascular, renal, hepatic system에 손상을 유발할 수 있음	
Antibacterial cream Silver sulfadiazine (Silvadine)	Broad-spectrum anti-bacterial (*S. aureus*, *E.coli*, *P. aeruginosa*, *P. mirabilis*, β-hemolytic streptococci)	FDA 승인이 없음 간·신장이 좋지 않은 경우 사용하면 안됨	깨끗하고 debride-ment된 상처에 하루 1~2회 1/8씩 적용
Platelet-derived growth factor Becaplermin (Regranex, Ortho-McNeil Pharmaceuticals)	난치성·신경병성 궤양의 치유를 촉진함 부작용이 적음	Dressing protocol이 복잡함 상처의 혈행이 충분해야 적용 가능함 상처에 감염이 있어서는 안 됨 골수염이 없어야 함	적정 용량: 가로×세로 (cm)/4 생리 식염수로 세척한 상처에 적용 정확한 양의 drug을 상처에 적용한 후 생리 식염수 dressing으로 덮어 줌 12시간 동안 적용해 둠 생리식염수 dressing으로 wound packing 12시간 동안 적용해 둠

④ **Care of wounds in the emergency room**

1) History & physical examination

   (1) 주의를 기울여 손상 시간, 손상기전, 받은 최초의 치료, 이전 혹은 연관된 손상에 대해 병력을 청취하고 신체 검진을 함

   (2) 주의를 기울이고 나중에 손상 평가에 영향을 줄 수 있는 마취 약제 등이 투여되기 전에 신경학적 검사와 손상받은 원위부의 혈관 손상여부에 대해 자세한 검진을 시행

2) Anesthesia

   (1) 일반적으로 사용되는 1~2분내에 효과를 내는 0.5~2% lidocaine (xylocaine)를 사용

(2) bupivacaine: 좀 더 긴 작용시간을 원할 때 사용. onset에 10분가량 소요

(3) 1% lidocaine과 0.25% bupivacaine을 1:1로 섞어서 사용하면 빠르게 작용하고 충분히 오래 지속되며, 지혈을 향상시키고 마취 효과를 길게 유지 가능

(4) epinephrine 혼합물은 혈관 수축을 일으켜 조직 허혈을 일으키므로 코, 귓불, 손가락, 발가락이나 성기(penis)에는 사용하면 안 됨

(5) 국소 마취제를 사용할 때는 언제든지 aspiration을 시행해 보아 혈관 내 주입이 되지 않도록 확인이 필요

(6) 환자에게 투여 가능한 마취제의 최대 용량은 투여 전에 계산되어야 함

(7) amide 마취제에 알려진 반응이 있는 환자는 ester 마취제를 사용

(8) lidocaine에 sodium bicarbobate를 1:9의 비율로 섞어서 쓰면 마취제의 산도를 완화시켜 통증이 덜함

3) Wound cleansing

(1) 적절한 마취가 이루어지면 gentle하게 손상 부위와 주변 조직을 깨끗이 함

(2) 이러한 세척은 표준 scrub 용액(saf-clens, shur-clens)으로 시행하는 것이 최선의 방법이나, 이러한 제제는 모든 살아있는 세포에 독성이 있으므로 그 자체를 창상에 부어서는 안 됨

(3) 창상은 8~15psi의 압력으로 18이나 19gauge 정맥관이나 35~60ml 주사기를 사용하여 생리 식염수나 하트만액으로 세정하는 것이 가장 좋은 방법

(4) abrasion은 피부에 외상으로 인한 tattooing을 막기 위해 이물질을 제거하는 동안 장갑을 끼고 조심스럽게 시행

4) Wound hemostasis & exploration

(1) 응급 상황에서 직접적인 압박, 거상, tourniquet으로 혈압 압박대를 사용하는 것은 효과적인 방법

(2) 출혈부위는 전기소작, 혈관 결찰, 지혈용 크램프 등을 사용하여 해부학에 대해 익숙한 전문가가 지혈하는 것이 최선. 왜냐하면 주

요 신경이 주요 동맥 주변으로 주행하므로 부정확한 시술이 초기 외상보다 더 악화된 iatrogenic 손상을 유발할 수 있기 때문

(3) multiplane x-ray 검사는 상처받은 연부 조직 내의 방사선 불투과성 물질의 위치를 파악하는 데 유용

(4) 상처가 접근하기 어렵거나 수많은 이물질을 포함하고 있는 경우 수술실에서 exploration

5) Debridement

: 창상봉합 전에 모든 이물질과 괴사 조직은 제거되어야 함

6) Wound closure

(1) 창상 봉합을 결정하는 것은 존재하는 오염도와 개방된 상태로 있었던 기간에 따름

(2) 6-8시간 이상된 상처, 뚫린 상처, human bites, 오염이 심한 상처는 혈액 공급이 뛰어난 얼굴을 제외하고 바로 봉합해서는 안 됨

(3) 개나 고양이한테 물린 상처는 2차 봉합으로 치유를 기대하지만, 괴사 조직을 제거하고 세척한 후에 1차 봉합을 시행할 수도 있음

7) Additional consideration for wounds in emergency room

(1) tetanus prophylaxis

① 혐기성 세균인 clostrium tetani에 의해 유발되는 자발성 근육들의 조절되지 않는 spasm을 유발하는 병

② 다음과 같은 경우가 tetanus 공격을 받기 쉬움

a. 6시간 이상 경과한 경우

b. 1cm보다 깊은 상처

c. 흙, 변, 녹에 의해 오염된 상처

d. 별(stellate) 모양의 상처(심한 연부 조직 손상을 동반한 burst 형 상처)

e. missile, crush, 화상, 동상 등에 의해 유발된 상처

f. 죽은 조직이나 신경이 끊어진 조직을 포함하고 있는 경우

g. 동물이나 사람이 물어서 생긴 상처

(2) antibiotics

① 항생제의 사용이 2차 봉합이 필요한 상처를 1차 봉합할 수 있

게 하거나 괴사 조직의 제거. 세척 과정을 대신하는 것은 아님

② 항생제는 상처 부위, 상처받은 기간과 기전, 환경에 따라 호발하는 병원균의 종류에 기초하여 선택되어야 함

③ 오염된 창상을 가진 환자

④ wound culture를 시행

파상풍 예방 접종				
파상풍	깨끗한 작은 창상		파상풍에 감염되기 쉬운 창상	
예방접종	Td[a]	TIG[b]	Td	TIG
3회 접종 혹은 여부 모를 때	예	아니오	예	예
3회 혹은 그 이상 접종했을 때	아니오(마지막 접종에서 10년 이상되었을 때)	아니오	아니오 (5년 이상이면 예)	아니오

Td, tetanus–diphteria toxoid (adult type); TIG, tetanus immune globulin

[a] Absorbed tetanus and diphteria toxoids, 0.5mL IM, For children 〈 7 yr, diphtheria–poliotetanus is recommended

[b] TIG(human), 250 units IM, given concurrently with the toxoid at separate sites. Heterologous antitoxin (equine) should not be given unless TIG is not available within 24 hr and only if the possibility of tetanus outweighs the danger of adverse reaction.

(3) furnacles

① 피하 지방으로 뻗어 있는 hair follicle의 감염에 의해 유발됨

② S. aureus가 흔하고, 피부 농양은 community-acquired MRSA의 응급상황에서 평행하게 증가

③ 유발인자: 당뇨, 스테로이드의 사용, 손상된 중성구의 기능, 비만한 사람이나 운동선수에서 발생하는 증가된 friction이나 perspiration

④ 초기치료로는 배액을 촉진하기 위해 항생제 복용, 온열 찜질을 시행하고 fluctuation이 생기면 절개 및 배농이 필요

⑤ 농양의 cavity는 세척하고 iodoform이나 plain gauze stripping으로 packing하고 규칙적으로 갈아 주어야 함

⑥ 농양의 배농 후에 항생제의 사용에 대해서는 논란이 있고 적절한 임상적 판단에 따름

⑦ community-acquired MRSA가 발생할 우려가 있음

→ trimethoprims/sulfamethoxazole(TMP/SMX), doxycycline, clindamycin, 3세대나 4세대 플로로 퀴놀론제제를 1주일 단위로 사용하면 충분

⑧ 구강, 성기, 항문 농양

→ 다발성 세균이 원인. 그람 양성균과 음성균, 혐기성균을 잡기 위해 amoxicillin-clavulnate, 3세대나 4세대 플로로 퀴놀론제제를 사용

⑨ 세척을 하기 전에 균 배양 검사를 시행해야 함

(4) carbuncles

① 섬유조직 격막의 파괴, 다발성으로 연결된 농양을 일으키는 심부 hair follicle의 피하 조직 감염

② furnacles과의 감별은 어렵고 동일하게 치료함

8) Bites

: 세척과 괴사 조직의 제거가 가장 중요

(1) human bites

구강의 정상 상재균인 Staphylococcus, Streptococcus, 혐기성균, Eikenella corrodens, 혐기성 그람 음성 간균 등을 초기에 항생제로 cover함

(2) mammalian animal bites

① 오염이 심한 창상으로 간주하여 치료하고 1차 봉합은 지연함

② dog bites: polymicrobes에 의함. viridans streptococci, Pasteurella multocida, Bateroides, fusobacterium, capnocytophaga 종이 포함됨

개에 물린 상처는 커다란 열상을 만드는 경우가 많아 단지 5%가 감염됨

③ cat bites: 덜 복잡한 종에 의함. P. multocida에 의한 것이 60%를 차지하고 작게 뚫린 상처를 유발하므로 창상의 80%가 감염됨

④ 공수병(rabies): rabies 바이러스에 의해 중추 신경계가 손상되는 치명적인 질병

Rabies postexposure prophylaxis treatment guide		
Species	Condition of animal	Treatment[a]
Domestic cat or dog	Healthy and available for at least 10 d of observation	None; however, treatment should be initiated at the first sign of rabies[b]
	Suspected rabid[b] Unknown	Immediate Contact public health department
Wild skunk, bat, fox, coyote, raccoon, or other carnivore	Regard as rabid; animal should be killed and tested as soon as possible	Immediate; however, discontinue if immnunofluorescence test is negative

[a] (1) Human rabies immune globlin, 20IU/kg [if, feasible, infiltrate half of dose around the wounds, the rest IM in gluteal area] and (2) human diploid cell vaccine(HDCV), 1mL IM in deltoid area (never in gluteal area) on days 0, 3, 7, 14 and 28, if the patient has previously been immunized, give booster HDCV only on days o and 3.

[b] Any animal suspected of being rabid should be killed and its brain studied with a eabies-specific fluoresecent antibody.

(3) snake bites

　　① venomous snake에 의해 물렸는지를 빨리 인지하는 것이 필요

　　② 물린 사지는 움직이지 않도록 하고 antivenom을 주사함

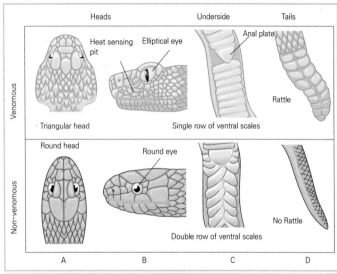

Comparison of Pit Vipers & Nonvenomous snakes

Chapter

04

외과적 감염과
항생제 사용

I. 창상감염 (Surgical Site Infection, SSI)

1 정의

1) 수술 조작을 직접 가한 부위에 발생하는 술 후 감염증으로 수술창과 함께 봉합부전 또는 합병증에 의한 복강 내 감염도 포함됨

2) 분류

   (1) 표재성 창상감염(Incisional superficial): 피부, 피하조직

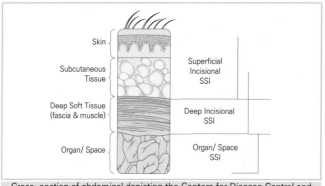

Cross-section of abdominal depicting the Centers for Disease Control and Prevention (CDC) classifications of SSI

(2) 심부 창상감염(Incisional deep): 근막, 근층

(3) 장기/체강 창상감염(Organ/space related): anatomic location of the procedure

❷ 원인 및 위험인자

1) 3 위험인자: 미생물 인자, 국소 창상 인자, 환자 인자

외과적 창상감염의 위험인자		
미생물 인자	국소 창상 인자	환자 인자
원발감염 장기요양시설 수술 시간 창상의 분류 중환자실환자 이전의 항생제 치료 수술 전 면도 세균의 수, 독성, 항생제 내성	수술 술기 : 혈종/장액종 괴사 봉합 배액관 이물질	고령 면역억제 스테로이드 악성 종양 비만 당뇨 영양결핍 여러 동반질환 수혈 흡연 저산소 저체온 혈당조절의 실패

2) 외과적 창상의 분류: 오염도에 따라

창상의 분류	정의	수술의 예	창상감염률 (%)	흔한 원인균
청결창상	비외상성, 정규 수술 ; 소화관, 호흡기, 비뇨생식관이 열리지 않은 경우	유방 절제술, 혈관 수술	〈 5	Staphylococcus aureus
청결-오염창상	호흡기, 비뇨생식기, 소화관이 오염없이 감염이 조절 가능한 상태로 열려 처리된 경우	위절제술, 자궁적출술	〈10	개방된 장관에 따라 다름
오염창상	개방성, 새로 생긴, 외상성 창상; 관장하지 않은 소화관으로부터 uncontrolled spillage가 있는 경우 ; 수술 도중 무균원칙이 깨진 경우	천공된 충수돌기염; 관장하지 않은 장의 절제	〈 15	기저 질환에 따라 다름
불결창상	개방성, 외상의 더러운 창상; 외상성 소화기 천공; 수술 시야에 농양이 있는 경우	장누공 절제술	〉15	기저 질환에 따라 다름

오염도에 따른 외과적 창상의 분류

❸ 예방

1) 외과적 창상감염의 위험인자를 이해하고 적절한 예방적 처치가 필요
2) SSI를 예방하기 위한 세 가지 주요 수단
   (1) 무균적 술기
   (2) 예방적 항생제의 적절한 사용
   (3) SSI 감시 및 관리(Implementation of surveillance programs)

외과적 창상감염의 예방법			
예방 시기	미생물 인자	국소 인자	환자 인자

수술 전	수술 전 재원 기간의 단축
	수술 전 멸균 샤워
	수술 전 면도 하지 않기
	원발부위 감염을 피하거나
	  치료
	예방적 항생제 사용
		수술 전
		면도 하지 않기
			영양상태의 최적화
			수술 전 warming
			철저한 혈당 조절
			  (인슐린 사용)
			금연

수술 중	무균법 및 항균법
	위장관수술의 경우 내강
	이 열리지 않도록 주의
	chlorhexidine사용한 수술부
	  위 피부소독
		수술 술기:
		  혈종/장액종
		  적절한 관류
		  완벽한 변연절제술
		  사강의 제거
		  Monofilament로 봉합
		  폐쇄 배액관의 사용
		  봉합사 및 foreign body
		    의 제한적 사용
		  적응증이 있는 경우
		    지연성 일차 봉합 시행
			산소 공급
			수술 중 warming
			적절한 수액 공급
			철저한 혈당 조절
			(인슐린 사용)

수술 후	48-72시간 동안 절개부위 보
	  호
	가능한 한 빨리 배액관 제거
	수술 후 균혈증의 방지
		48~72시간 동안
		  폐쇄 드레싱
			조기 경관 영양
			산소 공급
			철저한 혈당 조절
			  (인슐린 사용)
			감시 계획

참고; JAMA Surg. 2017;152(8):784-791. CDC guideline for the prevention of SSI.

3) 외과적 창상감염

(1) 창상감염을 위해서는 적절한 예방적 항생제 사용이 중요

(2) 수술의 종류와 예상되는 창상 오염도에 따라 적절한 항생제 선택

Prophylactic antibiotics 선택		
수술종류	흔한 원인균	추천되는 항생제
심장: 인공판막 및 기타 수술	S. aureus, Coagulase-negative staphylococci, and other skin flora	Cefazolin or cefuroxime or vancomycin
혈관: 인조혈관을 이용한 말초동맥우회술 혹은 대동맥 수술	S. epidermidis, S. aureus, enteric gram-negative bacilli	Cefazolin or vancomycin
정형외과: 관절 전치환술 혹은 골절의 내고정술	S. epidermidis, S. aureus	Cefazolin ± vancomycin
안과	S. epidermidis, S. aureus, streptococci, enteric gram-negative bacilli, Pseudomonas spp.	Cefazolin, tobramycin
두경부, 구강 혹은 인두강 내로 들어가는 수술	S. aureus, streptococci, oral anaerobes	Cefazolin or Amp-sul
위십이지장	Enteric gram-negative bacilli, (E.coli, Klebsiella spp.,) gram-positive cocci (Enterococci)	Cefazolin
담도		Cefazolin or cefoxitin or cefotetan or ceftriaxone
대장항문	Enteric gram-negative bacilli, anaerobes	Oral: neomycin + erythromycin base AND Parenteral: Cefazolin+metronidazoel or cefoxitin or cefotetan or Amp-sul
충수돌기절제술	Enteric gram-negative bacilli, anaerobes	Ceftriaxone + metronidazole
질식 혹은 복식 자궁적출술	Enteric gram-negative bacilli, anaerobes, group B streptococci, enterococci	Cefazolin or cefoxitin or cefotetan Or Amp-sul
제왕절개	Same as for hysterectomy	Cefazolin + azithromycin

| 장관 파열 | Enteric gram-negative bacilli, anaerobes, enterococci | Mild/mod: Pip-tazo
Severe(shock): meropenem |
| 외상성 창상 | S. aureus, group A streptococci, clostridia | Mild: TMP-SMT or Clindamycin (경구)
Severe: Pip-tazo + Vancomycin |

Amp-sul, ampicillin-sulbactam; Pip-tazo, piperacillin-tazobactam.

(3) 예방적 항생제는 피부절개 직전(마취 개시 시점이 이상적)에 들어가야 하고, 수술 후 24-48시간 이후에는 투여해서는 안 됨

(4) 수술 시간이 길어질 경우 해당 항생제 반감기의 1-2배 시점(수술 개시 후 6-8시간)마다 반복 투여가 원칙

4) 호흡기 감염

(1) 수술 전 inspirometry 사용

(2) 항생제

① 수술 전 항생제 사용이 수술 후 호흡기 감염을 예방하지는 않음

② 호흡기 감염이 있는 환자의 정규 수술은 완치 이후로 연기

③ 기관지염 등 감염환자의 응급수술 시엔 cefuroxime 1g iv q8h

(3) 금연 : 2-4주

5) 요로계 감염

(1) Foley catheter에 의한 경우가 대부분으로 asymptomatic bacteriuria 를 초래

(2) 예방법은 청결한 삽입과 수술 후 가능한 조기에 제거하는 것임

6) 심내막염

(1) 판막 치환술 환자, 판막 질환자, rheumatic heart disease 환자에서 예방적 항생제 투여

❶ Postoperative fever: 수술 후 발열 시기에 따라 원인 분류

1) 수술 중 발열
   - (1) 수혈과 관련된 이상반응
   - (2) Malignant hyperthermia, rare.
   - (3) Preexisting infection : empirical IV antibiotics (cefazolin alone except sepsis)

2) 수술 후 24시간 이내 발열
   - (1) Streptococcal wound infection
     - ① Severe local erythema and incisional pain
     - ② Penicillin G 2,000,000U IV q 6 hr
   - (2) Clostridial infection
     - ① Systemic toxemia, pain, crepitus near incision
     - ② Emergent operative debridement + metronidazole or clindamycin
   - (3) Aspiration pneumonitis
   - (4) Preexisting infection

3) 수술 후 72시간 이후 발열
   - (1) Pneumonia, UTI, thrombophlebitis, wound infection, drug allergy 등 여러 원인에 대한 감별진단이 필요

❷ 진단

명확한 감염의 증거 없이 나타나는 발열과 백혈구 증가는 자세한 병력 청취, 이학적 검진 및 적절한 검사가 필요

1) CBC with differential counts
   : WBC >12,000/μL with left shifting은 감염을 시사
2) Urinalysis: WBC >10-15/HPF or bacteria
3) Chest X-ray
4) Microbiology: 원인균 규명과 적절한 항생제 선택을 위한 검사

(1) Gram stain: 객담, 소변, 창상 등 적절한 검체
(2) 배양 시기: life-threatening한 상황을 제외하고 반드시 항생제 투여
전에 시행
(3) 배양 검체: 단일 검체 또는 객담, 혈액, 소변, 창상, 인후두 등에서
채취
(4) 검체의 개수: 혈액 배양은 최소 2쌍 이상 시행하고 다른 검체도 경
우에 따라 여러 개가 필요하기도 함

❸ 치료

1) 창상감염

(1) 창상개방, 배농
(2) 표재성 감염의 경우, 항생제 정맥주사는 필요하지 않음
(3) 발적이 심한 경우, 1세대 cephalosporin 정주 고려
(4) 회음부 혹은 장관 수술이 동반된 경우, 장관내 그람음성 세균과
혐기균을 표적하여 항생제 사용
(5) 심부감염의 경우 수술 및 배농 고려, 광범위 항생제

2) 호흡기 감염

(1) 객담배양검사 및 혈액배양검사.
(2) 조기감염(입원 5일 미만) : cefepime or piperacillin-tazobactam
(3) 후기감염(입원 5일 이상) : MRSA 가능성 있음. (cefepime or pip-
tazo or meropenum) + vancomycin ± levofloxacin (pseudomonas
infection 의심될 경우)

3) 위장관계 감염

(1) 심각한 설사가 아닌 경우 대부분 항생제를 필요로 하지 않음.
(2) 수액 보충, 필요 시 지사제
(3) C.difficile associated colitis의 경우- po metronidazole or po vanco-
mycin

4) 복강내 감염 / 복막염

(1) 복부 전반에 걸친 복막염의 증상이 있는 경우, 개복술을 고려
(2) 국소적 농양의 경우 PCD 등을 통한 배농 고려

(3) 장관내 그람음성 세균과 혐기균을 표적하여 항생제 사용

5) 비뇨기계 감염

    (1) 대부분 장관내 그람음성세균

    (2) 소변배양검사

    (3) 단순요로감염: Fosfomycin or fluoroquinolone계열 항생제(국내 TPM-SMX내성균주가 많음.)

    (4) 복잡요로감염 or 신우신염: IV fluoroquinolone or Ampicillin + gentamicin, or ceftriaxone or pip-tazo

6) 인공삽입물 관련 감염

    (1) 진단이 어려움

    (2) 인공판막 감염 ; new murmur

    (3) 인공판막 혹은 인조혈관 감염 시, 감염된 삽입물의 수술적 제거 및 장기간 항생제 사용이 필요함.

7) 카테터 관련 감염

    (1) 의심되는 카테터를 제거하고, tip culture를 시행함.

    (2) Vancomycin.

    (3) candida 감염이 의심되는 경우 echinocandin 고려

8) 근막/근육 감염

    (1) 근막염의 경우 근막절제술 등의 절개배농과 함께 항생제의 사용이 필요함.

9) 진균감염

    (1) 주로 Candida species

    (2) 대부분 장기간 항생제 사용의 기왕력이 있음.

    (3) 박테리아감염원이 증명되지 않고 지속적인 발열이 있는 경우, 혈액배양검사와 정맥주사를 제거한다.

    (4) 환자의 기저질환 상태 및 candida species에 따라 fluconazole or echinocandin 투약

수술 후 감염의 항생제 치료		
감염의 종류	흔한 원인균	항생제 선택
장 수술후 창상 감염	Staphylococci, Streptococci, Enteric gram-negative bacilli	1st: cefazolin 2nd: vancomycin
호흡기 감염, 병 원성 폐렴	Early onset < 5d: Strep.pneumo Late onset > 5d: MRSA, gram-negative enterics	Early onset : cefepime or pip-tazo Late onset ; vancomycin + (cefepime or pip-tazo or meropenem) ± Levofloxacin
위장관 감염, 설사	Clostridium difficile, Salmonella spp., Shigella spp., Escherichia coli	Severe: ciprofloxacin or levofloxacin C.difficile associated colitis : po metronidazole or po vancomycin
복강내 농양 / 복막염	Enteric gram-negative ba-cilli, Anaerobes	Mild/mod: Pip-tazo Severe(shock): meropenem
요로감염 단순요로감염 신우신염	Enteric gram-negative bacilli, Enterococci –	Fosfomycin or FQs IV FQs or Ampicillin + gentamicin, or ceftriaxone or pip-tazo
인공 삽입물 관련 감염	Staphyococcus epidermidis, Enteric gram-negative bacilli, S. aureus	Oxacillin or vancomycin and genta-micin
카테터 연관 감염 (중심정맥, 말초 정맥)	S. epidermidis, S. aureus, and possibly Candida	vancomycin; if Candiada is a high probability, consider echinocan-dins ** 카테터 제거

Pip-tazo, piperacillin-tazobactam; FQs, fluoroquinolone

흔히 쓰이는 항생제 사용법

약제	용량*
Amikacin	15mg/kg/d iv in one or two divided doses
Amoxicillin	250–500mg po q8h
Amoxicillin–clavulnate	250–500mg po q8h
Amphotericin B	1mg test dose;if tolerated, 0.3–0.7mg/kg/d given daily or every other day
Ampicillin	1–2g iv q4–6h
Ampicillin–sulbactam	1.5–3.0g iv q6h
Aztreonam	1–2giv q6h
Cefaclor	250–500mg po q8h
Cefazolin	1g iv q8h
Cefotaxime	1–2g iv q6–8h
Cefoxitin	1–2g iv q4–6h
Ceftazidime	1–2g iv q8h
Ceftriaxone	1–2g iv daily or divided into two doses/d
Cefuroxime	1g iv q8h
Cephalexin	250–500mg po q6h
Clarithromycin	250–500mg po q6h
Chloramphenicol	0.25–0.75g iv q6h
Ciprofloxacin	500–750mg po q12h or 200–400mg iv q12h
Clindamycin	600–900mg iv q8h
Dicloxacillin	0.125–0.500g po q6h
Erythromycin	250–500mg po q6h or 0.5–1.0g iv q6h
Fluconazole	200mg loading dose iv; 100mg/d po or iv
Gentamicin	1.0–1.5mg/kg q8h
Imipenem–cilastatin	0.5–1.0g iv q6h
Metronidazole	500mg iv q6h
Mezlocillin	2–3g iv q4h
Oxacillin	1–2g iv q4h
Penicillin G	1–3million units iv q4h
Piperacillin	2–3g iv q4h
Piperacillin–tazobactam	3.375g iv q6h or 4.5g iv q8h
Tetracycline	250–500mg po q12h or 250–500mg iv q12h
Ticarcillin	3–4g iv q6h
Ticarcillin–clavulanate	3.1g iv q6h
Tobramycin	1.7mg/kg iv q8h or 5.1mg/kg/d
Trimethoprim–sulfamethoxazole	One double–strength tablet po bid
Vancomycin	1g iv q12h

*For adult patients without renal insufficiency

중환자 관리

I. Introduction

1 Definitions

1) 중환자의학

: 중환자를 치료하는 의학의 한 분야

2) 중환자

: 한 가지 이상의 주요 장기에 기능 이상이 있거나 앞으로 발생할 가
능성이 있어 현재 생명을 위협하거나 앞으로 위험에 놓일 가능성이
높은 환자들

3) 중환자의 특징

- 주요 장기의 기능에 이상
- 작은 손상에도 큰 문제점 유발
- 자기 불편함이나 의사를 표현하기 힘듦
- supportive care가 환자의 예후 좌우

2 ICU admission indication

1) 우선순위

(1) 기계환기 보조가 필요한 환자들

(2) 혈압이나 심박동수 등 활력 증후가 불안정하여 집중적인 감시와
    치료가 필요한 환자들
(3) 현재는 안정되어 보이지만 앞으로 불안정해질 가능성이 농후한
    환자
2) ICU care로 가장 도움을 많이 받을 수 있는 환자들을 입원시키는 것이 원칙
3) 환자의 회생 가능성을 고려해야 함

II. Assessment

1 Identification of acute organ dysfunction
- 장기 기능 장애를 빨리 진단하고 악화/회복 여부를 판단하는 것이 중
  요함
- neurology: altered consciousness, confusion, psychosis
- cardiovascular: tachycardia, hypotension, CVP 상승, PAOP 상승
- pulmonary: tachypnea, PaO_2<70 mmHg, SaO_2<90%, PaO_2/FiO_2<300
- renal: oliguria, anuria, Cr 상승
- hepatic: jaundice, OT/PT 상승, albumin 감소, PT 연장
- gastrointestinal: bowel sound 감소, ileus
- hematological: PLT 감소, PT/aPTT 상승, protein C 감소, D-dimer 상
  승(endocrine: uncontrolled BST, adrenal insufficiency)
- immune system: infection

2 Scoring system
: 각 주요 장기의 기능을 평가하여 예후를 예측
1) Prognostic model
   (1) APACHE II (Acute Physiology And Chronic Health Evaluation)
       ① 첫 24시간 동안 가장 나쁜 수치
       ② 체온(BT), 평균 동맥압(MAP), 심박동수(HR), 호흡수(RR),
         PaO_2, arterial pH, serum Na⁺, serum K⁺, serum Cr, Hct, WBC,

glasgow coma score (GCS), age 등

  (2) SAPS II (Simplified Acute Physiology Score)

    ① 첫 24시간 동안 가장 나쁜 수치

    ② age, type of admission, chronic disease, GCS, 수축기 동맥압 (SBP), HR, BT, PaO_2/FiO_2 ratio, urine output (UO), serum BUN, WBC, K^+, Na^+, HCO_3^-, bilirubin

  (3) SAPS III

    ① ICU 입원 전후 1시간 이내의 data

    ② age, type of admission, co-morbidity, length of stay before ICU, intra- hospital location before ICU, therapeutic option before ICU, surgical status, anatomical site of surgery, acute infection, GCS, SBP, HR, BT, PaO_2/FiO_2 ratio or PaO_2, Cr, WBC, arterial pH, platelet, bilirubin

  (4) MPM (Mortality Probability Model)

    ① 입원 당시, 입원 후 24시간, 48시간의 값

    ② GCS, emergency admission, CPR prior to ICU admission, cancer part of present problem, chronic renal failure, probable infection, previous ICU admission within 5 months, surgical service at ICU admission, age, HR, SBP

2) Organ dysfunction

  (1) SOFA (Sequential Organ Failure Assessment)

    ① PaO_2/FiO_2 ratio, platelet, MAP or dose of vasopressor, GCS, bilirubin, Cr or urine output

	0	1	2	3	4
호흡계: PaO₂/FiO₂	>400	≤400	≤300	≤200 with MV	≤100 with MV
응고: 혈소판 103/μL	>150	≤150	≤100	≤50	≤20
간기능: 빌리루빈, mg/dL	<1.2	1.2~1.9	2.0~5.9	6.0~11.9	>12.0
심혈관계: 저혈압	no hypotension	MAP <70 mm Hg	Dopa ≤ 5 or dobuta (any dose)	Dopa < 5 epi ≤0.1 or NE ≤0.1	Dopa > 5 epi>0.1 or NE>0.1
중추신경계: GCS	15	13~14	10~12	6~9	<6
신장계: 크레아틴닌 또는 소변량 (mL/d)	<1.2	1.2~1.9	2.0~3.4	3.5~4.9 or	5.5 or<200 <500

[reference: Vincent JL et al. The SOFA (Sepsis-related Organ Failure Assessment) score to describe organ dysfunction / failure. Intensive Care Med. 1996;22:707-710]

(2) MODS (multiple organ dysfunction score)

- PaO₂/FiO₂ ratio, platelet, bilirubin, (HR×CVP)/MAP, GCS, Cr

❸ Monitoring

1) Blood pressure (BP)

(1) regulation

① BP = CO (cardiac output) × SVR (systemic vascular resistance)

② CO = HR × stroke volume (SV)

③ SV = preload and contractility and afterload

(2) measuring

① noninvasive BP

- under-read at high pressure
- over-read at low pressure
- less accurate during arrhythmia and hemodynamically unstable patients

② invasive BP

- continuous monitoring
- allows blood sampling

- more accurate
- transducer position: 4th intercostals space mid-axillary line 또는 5cm vertically below the sterna angle
- zeroing, position, damping에 주의

③ mean arterial pressure (MAP)
- organ의 perfusion pressure을 반영함
- MAP = (SBP + 2 × DBP)/3
- 중환자에서 MAP를 65mmHg 이상 유지해야 함

2) Central venous pressure (CVP)

(1) volume status을 평가할 수 있음

(2) heart의 preload을 평가할 수 있음

(3) respiratory influence가 있음

① end-expiratory phase에서의 값을 측정해야 함

② mechanical ventilator 시 high PEEP은 CVP에 영향을 미치나 low PEEP은 거의 미치지 않음

(4) preload을 정확하게 반영할 수 없음

① preload는 end-diastolic volume을 말하는 것이나 CVP는 end-diastolic pressure을 의미함

② return function과 cardiac function의 영향을 동시에 받음

③ CVP의 절대값으로 fluid responder와 non-responder을 구별할 수 없음 (Crit Care Med 2007;35:64)

④ interpretation은 절대값보다 clinical responsiveness을 보는 것이 중요함

- fluid를 bolus로 loading하고 5분 후의 △CVP를 check했을 때
  - 0~3 상승했으면 volume이 부족한 상태
  - 3~5 상승했으면 volume이 적절한 상태
  - >5 이상 상승했으면 volume이 over된 상태로 추측할 수 있음

(5) Shock management 시 CVP를 target으로 resuscitation 하지 않음

III. Shock

※ shock란?
적절한 tissue perfusion이 유지되지 않아 세포 손상과 장기 기능 장애를 유발하는 상태
inadequate tissue perfusion! 단순히 hypotension을 의미하는 것이 아님. BP가 정상이라
도 shock가 동반될 수 있음

1 Hypovolemic shock

1) Circulating blood volume 감소에 의한 cardiac output 감소에 의해 발생
   : acute hemorrhage, dehydration, diarrhea/vomiting, 3rd space loss...

2) Clinical presentation
   : hypotension, bleeding, oliguria, cool & cyanotic extremity, tachycardia

3) Management
   (1) aggressive fluid replacement와 hemorrhage 시 즉각적인 transfusion 필요
   (2) hemorrhage 시 원인을 중재적 또는 수술적 치료로 교정

2 Cardiogenic shock

1) Myocardial injury나 flow obstruction에 의한 pump ability 장애에 의해 발생
   • arrhythmia, valvular disease, acute MI, severe CHF, stress induced cardiomyopathy, cardiac tamponade, tension pneumothorax, pulmonary embolism...

2) Clinical presentation
   (1) acute pulmonary edema, hypotension, CVP ↑ (jugular vein dilatation)
   (2) hemodynamics: CO ↓, SVR ↑, SvO_2 ↓

3) Management
   (1) C-line이나 Swan-Ganz catheter (PAC)를 이용하여 CVP나 PAP (pulmonary artery pressure)를 측정하여 적절한 fluid manage하는

것이 중요함

(2) inotropic agent (dobutamine)를 사용하여 cardiac function을 보조함

(3) 원인을 찾고 해결함

> ※ 가장 많은 원인은 MI이며 이 경우 coronary perfusion을 향상시키기 위해 percutaneous coronary intervention (PCI)를 하고 diastolic pressure를 올리기 위해 vasoactive agent (chronotropic effect가 적은 norepinephrine)를 사용하고 CO를 증가시키기 위해 적절한 fluid와 inotropics를 고려

❸ Distributive shock

1) Peripheral vascular dilation으로 peripheral resistance가 감소함으로 발생

- septic shock (most common), anaphylactic shock, acute adrenal insufficiency, neurogenic shock

2) Clinical presentation

- hypotension, SVR ↓, CVP ↓, tachycardia, warm extremity

3) Management

- anaphylactic shock: fluid resuscitation, subcutaneous epinephrine (0.3~1mg)
- acute adrenal insufficiency: fluid resuscitation, IV corticosteroid, vasopressor

❹ Septic shock

1) Definition (2016 SEPSIS-3 definition) JAMA. 2016;315(8):801-810

(1) Sepsis: infection에 대한 조절되지 않은 host response에 의해 발생하는 life-threatening organ dysfunction을 말함

- 정의: 명백한 또는 강력히 의심되는 감염과 baseline에 비해 2점 이상의 SOFA point 증가가 동반된 경우
- Baseline SOFA score: 급성 또는 만성 장기 부전에 대한 정보를 모르는 경우 0점을 baseline으로 판단함
- 과거 severe sepsis의 용어는 현재 사용하지 않음

(2) Septic shock

: circulatory and cellular abnormality를 동반한 sepsis를 말함

- 정의: sepsis 의 정의에 해당하면서 적절한 volume resuscitation 후에도 MAP 65mmHg를 유지하기 위해 vasopressure가 요구되며(circulatory abnormality) 동시에 lactate가 2 mmol/L 이상인 경우(cellular abnormality)
- 40% 이상의 hospital mortality를 보임

(3) Quick SOFA (qSOFA): Screening for sepsis

: Sepsis는 빠른 detection과 이에 따른 빠른 조치가 예후에 매우 중요함

- 정의: infection이 의심되면서 다음 3가지 중 2가지 이상 임상 소견을 보이는 경우 sepsis에 대한 evaluation 할 것을 권고함

    1. 의식의 변화 (GCS ≤13)
    2. systolic BP ≤ 100mmHg
    3. 호흡수 ≥ 22회/분

(4) Sepsis 진단 과정(JAMA. 2016;315(8):801-810)

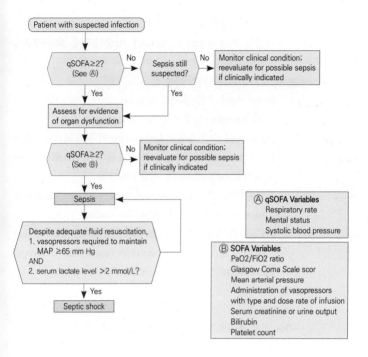

2) Surviving sepsis campaign

   : international guidelines for management of severe sepsis and septic
   shock, 2016

   (1) initial resuscitation

   ① hypotension이 있으면서 lactic acidosis가 있거나 BP가 정상이
      나 lactic acidosis가 있으면 즉각 치료를 시작해야 함

   ② EGDT algorithm: 최근 여러 연구에서 usual care와 outcome 차
      이가 없어 더 이상 권고하지 않음

   ③ 3시간 / 6시간 bundle approach 해야 함

   • 3시간 내에 완료해야 하는 것
     - lactate 측정
     - 항생제 투여 전 blood culture 시행

- 광범위 항생제 투여
- 저혈압 또는 lactate ≥ 4mmol/L 이상인 경우 30ml/Kg의 crystalloid 주입
• 6시간 내에 완료해야 하는 것
  - initial fluid 주입 후에도 hypotension이 지속되는 경우 MAP ≥ 65mmHg 유지를 위해 vasopressure 사용
  - initial fluid 주입 후에도 hypotension이 지속되거나 initial lactate ≥ 4mmol/L 이상인 경우 다음의 방법으로 volume 상태와 tissue perfusion을 재판정해야 함.
    » 전문의에 의한 repeat focused exam: vital sign, cardiopulmonary, capillary refill, pulse, skin finding
    » CVP 측정, $ScvO_2$ 측정, bedside US, dynamic assessment of fluid responsiveness (passive leg raise or fluid challenge)
  - initial lactate가 높았던 경우 lactate 재측정
(2) infection control
  ① antibiotics는 가능한 한 빨리 들어가야 함(1시간 이내에 들어가는 것을 목표로!). antibiotics의 choice는 의심되는 focus에 따라서 다른 데 일단 broad spectrum을 시작하여 3~5일 후 de-escalation하는 것이 원칙임
  ② antibiotics가 들어가기 전 반드시 culture study를 해야 되나 culture study를 위해 antibiotics 투여가 45분 이상 늦어져서는 안 됨
  ③ 7~10일 사용이 기본이나 반응이 느리거나 제거되지 않은 오염원이 있거나 면역결핍이 있을 경우 더 오래 사용, procalcitonin을 참고할 수 있음
  ④ vascular access: 감염원이 발견될 때까지 그냥 둘 수 있으나 source 모르는 경우에는 즉시 제거
  ⑤ 필요한 경우 imaging study를 하며 의심이 되는 infection source가 있을 경우 수술이나 intervention을 통한 빠른 제거가 우선임
(3) fluid therapy

① initial fluid는 crystalloid를 권고함. 현재 synthetic colloid (HES)에 대하여는 nephrotoxicity로 인해 추천하지 않음. 추가적인 fluid가 필요할 경우 albumin을 사용할 수 있음

② initial fluid challenge 는 30ml/Kg를 주입하나 환자의 상태에 따라 더 빠르고 많은 fluid가 필요할 수 있음. 여러 monitoring을 사용하여 fluid responsiveness를 잘 판단하고 예측하여 과도하거나 부족하지 않은 적절한 양의 fluid를 공급해야 함

(4) Vasoactive agents

① first choice로 norepinephrine을 권고함. 추가적인 요구가 있을 경우 epinephrine과 vasopressin(0.03units/min)을 추가할 수 있음

② Dopamine은 tachycardia의 위험성이 높고 사망률 증가와 관련되어 있어 highly selected patients에서만 사용할 것을 권고함

③ dobutamine

- Steroid – fluid resuscitation과 vasopressure로 적절한 BP가 유지되지 않을 경우 고려할 수 있음. Hydrocortisone 200mg/day, continuous infusion

(5) blood product administration

① target Hb: 7.0~9.0g/dL

- 더 높은 Hb이 필요한 경우: myocardial ischaemia, severe hypoxemia, acute hemorrhage, cyanotic heart disease, lactic acidosis

② platelets 수혈

- <10,000/mm^3 경우 bleeding 여부와 관계없이 수혈
- ignificant bleeding risk인 경우 20,000/mm^3 이상 유지
- 출혈이 있거나 surgery 또는 invasive procedure가 필요한 경우 ≥50,000/mm^3 유지

(6) mechanical ventilator

① 모든 sepsis 환자에서 기계환기를 할 때는 ALI (acute lung injury)/ARDS (acute respiratory distress syndrome)에 준하여

　　　　lung protective strategy로 시행하여야 함

　②　TV<6ml/kg, plateau pressure (Pplat)<30 cmH$_2$O (ARDS 참고)

(7) sedation, analgesia, neuromuscular blockade

　①　standard 된 scale에 따른 protocol based sedation을 해야 함 (target: RASS scal 0~-2)

　②　daily interruption/lightening하여 의식 수준을 평가해야 함

　③　neuromuscular blockers의 사용은 ARDS가 동반된 경우에만 단기간 사용 가능

(8) glucose control

　①　Target BST: 150~180 mg/dl protocolized approach 해야 함

(9) renal replacement

　①　hemodynamic하게 stable한 경우는 CVVH와 intermittent HD와 차이가 없는 것으로 알려져 있음

　②　hemodynamic하게 unstable한 환자의 경우 CVVH를 사용할 때 더 쉽게 fluid balance management 할 수 있음

　③　high dose RRT는 권고하지 않음

(10) bicarbonate therapy

　•　bicarbonate therapy가 도움이 된다는 증거는 없음

　　　→ not recommend bicarbonate therapy in patients with hypoperfusion induced lactic acidemia with pH≥7.15

(11) deep vein thrombosis prophylaxis

　①　low-dose UFH (5,000U qd) 또는 LMWH (enoxaparin 40mg qd)

　②　contraindication for heparin use

　　　→ elastic stocking이나 intermittent pneumatic compression (IPC) device 사용

　　a. thrombocytopenia

　　b. severe coagulopathy

　　c. active bleeding

　　d. recent intracerebral hemorrhage

→ use of a mechanical prophylactic device graduated compression stockings intermittent compression device

(12) stress ulcer prophylaxis

① bleeding의 risk factor가 있는 환자에서 사용할 것을 권고함. 위험성이 없다면 예방적으로 사용하지 않아도 됨(VAP이나 C. difficile의 발생 가능성 증가)

② proton pump inhibitor (PPI)가 H2 antagonist보다 효과적임.

(13) Nutrition

① 48시간 이내 조기 enteral nutrition 권고함. EN이 불가능할 경우 PN은 환자의 영양 상태에 따라 시작 시점을 결정

② 환자의 영양상태가 정상이라면 1주일 동안은 trophic (<500 kcal/day) 또는 underfeeding(60-70% of target calories)을 적용할 수 있음

5 Vasopressor and inotropices

- dopamine, norepinephrine, dobutamine
- 반감기가 짧아 용량 조절이 용이함. 용량 조절 후 15분 안에 steady state에 도달함

1) Dopamine

(1) inotropic, chronotropic, vasoconstrictor effect가 있음 (HR ↑, arrhythmia 발생 ↑ 가능)

(2) Dose-dependent effect

① low dose (<5mg/kg/min) - DA1 receptor stimulation
  : renal blood flow ↑, UO ↑

② intermediate dose (5~10mg/kg/min) - β1 stimulation
  : myocardial contractility ↑, CO ↑ without marked change in HR, BP, vascular resistence

③ high dose (10~20 mg/kg/min) - α-adrenergic effect
  : vascular resistence ↑, BP ↑

④ critical ill patient에서는 clearance의 variation이 있어 dose와

plasma concentration 사이에 차이가 있을 수 있음

    ⑤ sepsis patient에서는 tarchycarrhythmia와 mortality 증가를 보고하고 있어 highly selected paitnets에서만 사용해야 함

    ⑥ splanchnic perfusion에 주는 effect는 명확하지 않음

    ⑦ renal dose (2.5~5mg/kg/min)의 경우 tubular effect로 UO은 증가하나 creatinine clearance에는 영향이 없으며 renal failure 예방에 도움이 안 됨

  (3) Reasonable starting dose: 5mg/kg/min, maximum 20mg/kg/min

2) Norepinephrine

  (1) potent vasoconstrictor effect가 있음. direct inotropic과 chrono-tropic effect는 minor함

    ① 그러나 diastolic BP를 상승하여 coronary perfusion을 향상시킴으로써 CO을 증가시키는 효과가 있음

    ② sepsis 환자에서 dopamine에 비하여 survival gain이 있다는 보고가 있으나 명확하지는 않음

    ③ splanchnic perfusion에 있어서도 dopamine과의 차이가 명확하지 않으나 차이 없다는 보고가 많음

  (2) recommended dose: 0~200 mg/min

3) Dobutamine

  (1) selective β1-adrenergic receptor agonist

  (2) inotropic, chronotropic, vasodilator effect가 있음

    ① vasodilator effect가 있어 BP가 감소하는 경우가 많음. BP가 낮은 환자에서 단독사용은 피해야 하며 보통 norepinephrine과 같이 사용함

    ② EGDT상 적절한 BP가 유지되는 상황에서도 $ScvO_2$가 낮을 경우 perfusion을 향상시키기 위해 사용할 수 있음

  (3) recommended dose: 0~20 mg/kg/min

1 Assessment

1) Worry if

- RR>30/min (or <8 min)
- unable to speak 1/2 sentence without pausing
- agitated, confused or comatose
- cyanosed or SpO_2<90%
- deteriorating despite therapy

2) Diagnostic approach to the patients with hypoxemia

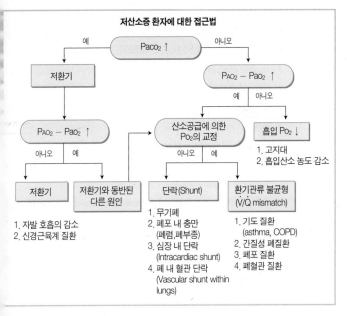

저산소증 환자에 대한 접근법

2 Airway management

1) 기도 확보 방법

- head tilt/chin lift/jaw thrust

- oro/nasopharyngeal airway
- laryngeal mask/combitube
- endotracheal intubation

2) Endotracheal intubation

(1) crash airway 또는 difficult airway가 아닌 경우 rapid sequence intubation시행

(2) rapid sequence intubation (RSI)

: difficult airway가 예상되는 경우가 아니라면 가장 빠르고 효과적이며 안전한 방법으로, 충분한 준비하에 7단계에 걸쳐 안전한 intubation을 시도

① preparation
- 10분 전
- laryngoscope, ambu bag, E-tube확인
- monitoring, oxygen, ventilator 준비
- 반드시 experienced assistant와 같이 시행

② preoxygenation
- 5분 전
- head tilt, chin lift, jaw thrust로 airway 유지
- facial mask, BVM, NIV로 100% O_2 공급 (excessive positive ventilation 주의!))
- Sellick's maneuver (cricoid pressure)로 stomach distention 예방

③ pretreatment
- 3분 전
- 부적절한 생리학적 반응을 약화시키고 기저질환의 악화를 예방하면서 시술을 용이하게 함
- lidocaine 1~1.5mg/kg: IICP, reactive airway disease 있는 경우
- fentanyl 0.5~3 mg/kg: IICP, 심혈관계 질환, 혈압상승의 위험성이 있는 환자, sympathetic reflex 완화

④ paralysis with induction (발현 시간 (1~2분)을 충분히 기다려야 함
  a. paralysis

- midazolam 0.1~0.2mg/kg (5~15 mg) IV (BP ↓ 가능)
- hemodynamically unstable한 경우
  - etomidate 0.3~0.4mg/kg (15~30 mg) IV (주의: sepsis 환자에서 adrenal insufficiency 발생을 증가시킨다는 보고가 있음)
  - ketamine 1~2 mg/kg (60~100 mg) IV
  - half dose midazolam

b. induction (muscle relaxant)
- succinylcholine 1~1.5mg/kg (60~100 mg) IV
  - 금기: hyperkalemia, neuromuscular disease, rhabdomyolysis, burn over 72 hr, stroke over 72 hr, malignant hyperthermia
- vecuronium 0.1mg/kg (6~8 mg) IV
- Cisatracurium (0.15-0.2 mg/kg IV)

⑤ protection and position
- supine position으로 시술자의 lower sternum 높이까지 올라와야 함
- 환자의 머리는 sniff position을 취해 기도 삽관이 용이하게 함
- 절대로 어깨를 받쳐서 올리지 않음

⑥ placement with proof
- epiglottis가 보이면 laryngoscope 날끝을 vallecula에 넣고 올려 vocal cord 확인
- assistant가 BURP (backward, upward, rightward pressure)로 후 두부를 조작하여 도움을 줌
- 끝까지 vocal cord를 확인하며 tube를 넣고 tube가 성대를 통과해서 cuff가 보이지 않게 되면 이 시점에서 3~4cm를 더 넣음

⑦ postintubation management

a. tube 위치 확인
- 청진: epigastrium → 양측 폐 → epigastrium
- tube 내의 김서림

- vocal cord 재확인
- chest x-ray (carina 상방 2cm)
- 기타: exhaled CO_2 detector, esophageal detector 등

b. tube 고정: 남자 23 cm, 여자 21 cm 정도에 고정

c. cuff 압력 유지하기 (약 25mmH$_2$O)

d. difficult airway가 예상되는 경우는 반드시 expert에게 도움을 요청하고 paralysis에 주의해야 함(awake technique)

e. failed airway인 경우 expert에게 바로 도움을 요청하고 special equipment (video laryngoscopy, broncoscopy, nasotracheal intubation, laryngeal mask, lighted stylet)을 사용하거나 cricothyrotomy (needle or incision)을 고려해야 함

❸ Acute respiratory failure

1) Definition

: respiratory system의 dysfunction이나 이상으로 인한 inadequate gas exchange의 발생을 의미함

2) Etiology and types

(1) Type I: acute hypoxemic respiratory failure ($PaO_2 \leq 60mmHg$)
- oxygenation failure, V/Q mismatch, shunt
- pneumonia, asthma, COPD acute exacerbation, ARDS, pulmonary edema

(2) Type II

: alveolar hypoventilation (acute hypercapnic respiratory failure, $PaCO_2 \geq 50mmHg$)
- ventilation failure
- increased dead space, increased respiratory load, neuromuscular insufficiency/muscle weakness, decreased CNS drive, increased metabolic CO_2 production

(3) Type III: perioperative
- increased atelectasis due to low functional residual capacity (FRC)

in the setting of abnormal abdominal wall mechanics

- supine positioning, inadequate analgesia, impaired cough, overhydration, cigarette smoking<6 wks of surgery, Obesity, ascites

(4) Type IV: shock/hypoperfusion

- severe hypoperfusion and inability for cardiac output to meet metabolic demand of the respiratory muscle

3) Treatment

(1) 원인에 대한 evaluation과 treatment가 중요!

(2) supportive treatment

① O_2 therapy

a. nasal prong (3L → FiO_2 : 0.32, 5L → FiO_2 : 0.4)

b. oxygen mask with reservoir bag

(6L → FiO_2 : 0.6, 8L → FiO_2 : 0.8, 10L → FiO_2 : >0.8)

② High-flow nasal cannula: 큰 직경의 코 캐뉼라를 통해 최적의 가습상태로 정확한 FiO_2를 공급하는 고유량장치

a. 목적: 산소화 개선 및 호흡일량(WOB)의 감소

b. 적응증: 급성 저산소증으로 인한 호흡부전, 기도 발관 후 호흡보조, 호흡일량(WOB)의 증가

③ CPAP → reduce shunt by recruiting partially collapsed alveoli

④ mechanical ventilator

4 Acute respiratory distress syndrome (ARDS)

1) Characteristicss

- severe dyspnea of rapid onset
- hypoxemia
- diffuse pulmonary infiltration leading to respiratory failure

2) ARDS criteria (Berlin Criteria2012)

- timing: within 1 week of a known clinical insult or new or worsening respiratory symptoms
- oxygenation:

- Mild: 200mmHg$<$PaO$_2$/FiO$_2$ $<$300mmHg with PEEP or CPAP $\geq$ 5cmH$_2$O
- Moderate: 100mmHg$<$PaO$_2$/FiO$_2$ $<$200mmHg with PEEP $\geq$ 5 cmH$_2$O
- Severe: PaO$_2$/FiO$_2$ $<$100 mmHg with PEEP $\geq$ 5cmH$_2$O

- chest image: bilateral opacities – not fully explained by effusions, lobar/lung collapse, or nodules
- respiratory failure가 cardiac failure나 fluid overload로 설명되지 않으며 echocardiography와 같은 객관적인 assessment로 hydrostatic edema를 배제함

3) Causes

- direct: aspiration, diffuse lung infection, near drowning, inhalation injury, lung contusion
- indirect: sepsis, severe trauma, massive transfusion, cardiopulmonary bypass, pancreatitis

4) Mechanism

- insult (direct/indirect) → inflammation (cellular and humoral) → mediators (cytokine, oxidant, protease…) → damage to alveolar-capillary barrier → alveoli filling with exudates and decreased compliance

5) Treatment

- identification and treatment of the inciting clinical disorder, hemodynamic management, nutrition, infection control
- mechanical ventilation 지침 → lung protective ventilation!
  - low tidal volume ventilation
- ARDS의 경우 ventilation이 high-compliance region으로 집중되어 이곳은 stretching이나 shear force를 받게 되고 low-compliance region은 alveoli의 repeated closing and opening에 의해 ventilator induced lung injury (VILI)를 받게 되므로 가능한 low TV을 유지하는 것이 중요함

- TV < 6ml/kg (predictive body weight!), Pplat <30cmH$_2$O 유지
  - optimal PEEP
- PEEP은 collapse된 aveoli를 recruit 시킴으로 repeated closing and opening에 의한 VILI를 막을 수 있어 benefitcial한 것으로 알려져 있음. 그러나 high PEEP은 overstrectch의 위험성이 있어 optimal PEEP 이 얼마인가에 대하여는 아직 논란이 있음
  - baseline ventilation
    - assist/controlled mode:
    - 점차적으로 Tidal volume을 줄여가면서 셋팅 1-2시간 간격으로 V: 6ml/kg에 도달할 때까지
    - ABGA는 조절하는 사이 필요하지 않음
      Pplat < 30 cmH$_2$O at 6ml/Kg: 셋팅 변화 필요 없음
      Pplat > 30 cmH$_2$O: Vt을 5-4ml/Kg로 낮춤
      호흡수: minute ventilation을 유지하기 위해 조절. RR>35/min 이상 늘지 않고, PaCO$_2$<25 and pH>7.3인 경우 RR를 늘리지 않음.
      I:E ratio: 1:1 ~ 1:3
      FiO$_2$, PEEP & SaO$_2$: PaO$_2$ 55-80 mmHg혹은 SpO$_2$ 88-95% 범위 내를 목표로

ARDSnet PEEP Table												
FiO$_2$	0.3	0.4	0.4	0.5	0.5	0.6	0.7	0.7	0.7	0.8	0.9	0.9	1.0
PEEP	5	5	8	8	10	10	10	12	14	14	14	16	18~22

- Hypoxemia management

a. PF ratio < 150
  - Neuromuscular blocker: cisatracurium
  - alveolar recruitment maneuver
b. rescue therapy
  - prone position

* PF ratio < 150 & FiO_2 ≥0.6 & PEEP≥5cmH_2O이며 기계환기 적용이 36시간 이내인 경우 고려
* contraindication 잘 고려해야 함.
* oxygenation index 확인 후 1시간 내에 Prone position 시행, 하루 16시간 이상 prone position 유지. oxygenation의 개선, 악화 여부에 따라 중단, 재시작을 매일 판단
- Nitric oxide ventilation: improved outcome에 대한 evidence 없음
- ECMO: 적용 가능성에 대하여 전문팀과의 상의 필요함
- fluid management in ARDS
  - ARDS에서 restricted fluid therapy가 mechanical ventilator와 ICU stay 기간을 감축시킬 수 있는 것으로 보고됨(NEJM 2006;354:2564-75)

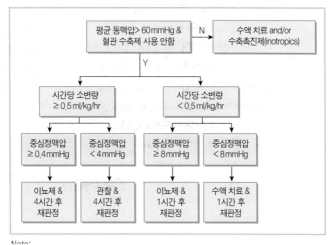

Note:

Note:
1. Fluid bolus = 15ml/kg isotonic crystalloid
2. furosemide dose
   Begin with 0.3 mg/kg bolus or 0.1mg/kg/hr continuous infusion or last known effective dose. Doble each subsequent dose until goal achieved or maximal dose (24mg/hr or 160 mg bolus) Do not exceed 12mg/kg/day. Hold furosemide if Cr > 3mg/dl, ATN, or on CRRT.
3. Consider inotropic treatment for patients with evidence of heart failure.

5 **Mechanical ventilator** (MV)

1) Indication of MV

  (1) 환기 장애

    : 호흡근육 기능 장애, 호흡 중추의 이상, 기도폐쇄, 기도저항증가

  (2) 산소화 장애

    : 치료에 반응 없는 저산소증, 호기말양압이 필요한 경우, 과도한
    호흡

  (3) hypoxemic respiratory failure: SaO_2 < 90% with FiO_2 0.6

  (4) hypercapnic respiratory failure: $PaCO_2$ > 50 mmHg with pH < 7.30

  (5) increased work of breathing

2) Mode of MV (Servo i 기준)

  (1) ventilator의 mode는 "limit", "trigger", "cycle" 세 가지 variable에 따
  라 나누어짐

    ① limit: breath에서 더 이상 넘어가지 않게 제한하는 variable

      • pressure limit or volume (= flow; volume은 flow × time) limit

    ② trigger: breathing을 시작하게 하는 variable

      • machine trigger (time) or patient trigger (pressure or flow)

    ③ cycle: inspiration/expiration 전환시점을 결정해주는 variable

      • volume or time or flow cycled

  (2) Volume assisted/controlled mode

    ① flow limited, patient/time trigger, volume cycled

    ② 정해진 호흡수만큼, 일정한 flow로 정해진 volume만큼
    ventilation

    ③ 추가로 환자의 trigger가 있을 때 정해진 volume만큼 assist함

    ④ 장점: 일정한 tidal volume 유지 가능

    ⑤ 단점: compliance 감소하면 airway pressure 증가, 기류제한으로
    환자의 요구를 충족 못할 수 있음

  (3) Pressure assisted/controlled mode

    ① pressure limited, patient/time trigger, time cycled

    ② 정해진 호흡수만큼, 정해진 pressure만큼 ventilation

③ 추가로 환자의 trigger가 있을 때 정해진 pressure만큼 assist함

④ 정해진 RR과 I : E ratio에 따라 cycle 이루어짐

⑤ 장점: 과팽창의 위험 감소, 고른 공기의 분포, 동조가 좋음

⑥ 단점: 일정한 tidal volume 유지가 어려움

(4) Pressure support mode

① pressure limited, patient trigger, flow cycled

② 환자의 trigger가 있을 때 정해진 pressure 만큼 support함

③ flow가 정해진 수준 이하로 떨어지면 cycle이 이루어짐

(5) SIMV (Synchronized Intermittent Mandatory Ventilation)

① 환자의 자발호흡과 동조하여 설정한 호흡수만큼의 호흡만 강제 또는 유발호흡하고 그 외의 자발호흡은 assist하지 않음

② SIMV + PS: 설정된 호흡 수 이상의 자발 호흡을 정해진 pressure만큼 support함

(6) CPAP (Continuous positive airway pressure)

① 호흡주기 동안 일정한 기도압을 유지해주는 모드

② ventilation 자체를 도와주지는 않음

③ FRC 증가, WOB 감소, 허탈된 폐의 개방, shunt감소, V/Q matching 향상

• Mechanical ventilation을 시작하고 나서 hypotension이 발생하였을 때
  1) hypovolemia: MV에 의한 positive intrathoracic pressure 의해 venous return 이 감소하여 preload가 감소함에 의하여 발생
     → fluid loading으로 판별
  2) drugs used for induction: 대부분의 induction agent는 vasodilation과 myocardial depression effect가 있음
  3) gas trapping: intubation과정에서 발생한 over-ventilation 또는 autoPEEP에 의해 hyperinflation이 발생하고 이에 의해 venous return이 감소함
     → ventilation을 10~30초간 disconnection함으로써 해결
  4) tension pneumothorax: over ventilation에 의한 barotrauma로 발생. 드문 원인
     → 다른 방법으로 해결이 안될 때 의심하고 needle thoracostomy 고려

3) Non-invasive positive pressure ventilator (NIV)

(1) advantage

① endotracheal intubation과 연관된 complication을 방지할 수 있음

② respiratory failure 환자에서 발생할 수 있는 여러 complication 이 감소함(pneumonia, sepsis...)

③ sedation이 덜 필요함

④ 환자의 행동 제한이 덜함(식사, 대화 가능)

(2) indication

① acute exacerbation of COPD

   a. 입원 기간과 mortality, invasive MV 적용률을 감소시키는 것 으로 알려짐

② cardiogenic pulmonary edema

   a. 여러 physiologic parameter을 향상시킴

   b. gas exchange ↑, shunt ↓

   c. lung compliance ↑, resistance ↓, work of breathing ↓

   d. heart rate ↓, stroke volume index ↑, rate-pressure product ↑

③ 그 외의 acute respiratory failure

   a. immuno-compromised hosts

   b. post lung surgical resection

   c. patients at risk of postextubation respiratory failure

④ 기타

   a. COPD 환자에서 MV weaning을 용이하게 할 수 있음

   b. reintubation의 위험성이 높은 환자에서 reintubaion을 예방 할 수 있음

   c. invasive MV의 적응이 불가능할 때

   d. bronchoscopy 검사 동안 severe hypoxemia을 예방하기 위해

   e. intubation 전 preoxygenation 방법으로

(3) method

① 적응증에 해당하는 경우 intubation이 필요할 때까지 기다리다 가 하지 말고 early intervention을 하는 것이 중요함

② 도움이 될 환자를 잘 선별하는 것이 중요함

③ 환자에게 적용 방법을 잘 설명하고 지속적으로 도와주는 것이 성공률을 높일 수 있음

4) Weaning from MV

(1) 환자에게 적용한 기계적 환기를 점차적으로 줄이는 과정으로 기계적 환기의 중단을 위한 이탈 과정

(2) MV를 적용한 환자에서는 여러 가지 iatrogenic problem이 발생할 수 있으므로 가능한 한 일찍 weaning을 하려고 노력하여야 하며 daily screening을 통해 조기에 weaning을 시도해야 함

(3) weaning process in Samsung medical center

  ① consideration for assessing readiness for weaning

    a. clinical assessment

      • adequate cough

      • absence of excessive tracheobronchial secretion

      • resolution of disease acute phase for which the patient was intubated

    b. objective measurements

      • stable cardiovascular status

        → HR≤120, SBP 90~140, no or minimal vasopressor

      • stable metabolic status

      • adequate oxygenation

        → SaO_2>90% on FiO_2≤0.4 (or PF ratio≥200), PEEP≤ 5 cmH_2O

      • adequate pulmonary function

        → RR<35, NIP≤-15cmH_2O, VT>5mL/kg, VE<10~15L/min

      • rapid shallow breath index (RSBI)<105

      • no significant respiratory acidosis

      • adequate mentation

  ② rapid shallow breath index (RSBI)

a. RSBI = RR (in breaths/min) / VT (in liters)

b. CPAP 5cmH$_2$O에서 3 min 동안 breathing하여 측정함

c. RSBI<105이면 통과

③ spontaneous breathing trial (SBT)

　　a. T-piece trial with 9-10L/min of O$_2$ at FiO$_2$ 0.4

　　b. 30-120분간 breathing ability를 평가함. 첫 번째 SBT인 경우 30분, 두 번째 이후의 SBT인 경우 120분 관찰

　　c. criteria for SBT failure

- agitation, anxiety, depressed mental status, diaphoresis, cyanosis, evidence of increasing effort, increased accessory muscle activity, facial signs of distress, dyspnea 등의 sign이 보일 때
- PaO$_2$<60 mmHg or SaO$_2$<90% on FiO$_2$>0.4, 또는 PaCO$_2$>45 mmHg or an increase in>20% from pre-SBT
- pH<7.32 or decrease in pH>0.07
- RR>35/min or 50% 이상 상승, HR>140 or 20% 이상 상승, SBP>180 or 20% 이상 상승, SBP<90, cardiac arrhythmias 발생

④ Extubation

　　a. achievement of adequate oxygenation and ventilation with spontaneous breathing

　　b. minimal risk of upper airway obstruction

　　　* cuff-leak test - VCM (VT 8mL/PBW, RR 20/min, PEEP 0)에서 cuff deflation 전, 후 연속적인 6회의 expiratory VT를 기록 후 가장 적은 값을 보이는 3개의 값의 평균을 비교하여 그 차이가 110mL (또는 12%) 미만일 경우 양성

　　　* Cuff-leak test에서 양성인 경우는 Methylprednisolone 0.5mg/kg q 6hr 4번 사용 후 extubation 결정함

　　　* Post-extubation laryngeal edema가 의심되는 경우 epinephrine (1ml 1:1000 solution diluted with 2ml saline) nebulization: 30-60분 간격

c. 적절하게 pulmonary secretion을 expectoration 할 수 있어야 함.

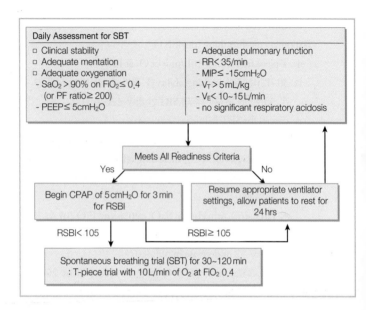

5) Ventilator associated pneumonia (VAP)

(1) definition

- MV 시행 후 48~72시간 후에 발생하는 hospital acquired pneumonia

(2) incidence

① 9~27%: 초기에 잘 발생함

② mortality rate: 33~50%로 보고됨

(3) 원인균

① <5일: 항생제에 민감한 균주가 많음

② >5일: 다제내성균이 많음

→ pseudomonas aeruginosa, acinetobacter baumanii, MRSA가 가장 많음

(4) 진단

① no gold standard, 임상적 진단과 원인균 증명이 중요함

② culture: transtracheal aspiration or bronchoscopy

③ 진단에 유용한 biomarker: sTREM, procalcitonin

(5) treatment

① 적절한 항생제의 초기 투여가 사망률을 낮추는 데 매우 중요함

② 항생제의 단독 투여와 복합 투여의 survival 차이는 없는 것으로 되어 있으나 VAP가 의심될 경우 광범위 항생제를 복합 투여하고 배양 결과를 확인한 후 de-escalation하는 것이 안전한 방법으로 추천됨

(6) prevention

→ VAP 발생 시 mortality가 높기 때문에 무엇보다 예방이 중요함!!

① semi-recumbent position: 항상 30도 이상 head elevation

② oropharyngeal decontamination with 0.12% Chlorhexidine: 1일 3회

③ control of endotracheal cuff pressure: 적정 cuff 압력 유지 (30-40mmHg), 성문하 흡인이 가능한 T-tube 사용

④ hand hygiene, staff education

⑥ standard protocols for sedation and weaning

⑦ early removal of NG tube

⑧ 기도 흡인 시 튜브irrigation 을 위해 멸균 생리식염수를 사용하며, 필요 시 toileting 을 위해 멸균 생리식염수를 사용하되 매회마다 새것으로 교환

1 **Arrhythmia in ICU** (based on ACC/AHA/ESC 2014 Practice Guidelines)

1) Atrial Fibrillation (AF)

(1) definition

supraventricular tachyarrhythmia characterized by uncoordinated atrial activation with consequent deterioration of atrial mechanical function

(2) ECG

replacement of consistent P wave by rapid oscillations or fibrillatory waves that vary in amplitude, shape, and timing, associated with an irregular, frequently rapid ventricular response

(3) classification (pattern of AF)

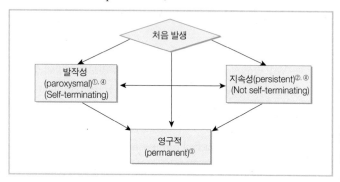

① episodes that generally last < 7 days (most less than 24 h)

② episodes that usually last > 7 days

③ long-standing AF: >12개월 이상 지속, Permanent AF: 더 이상 rhythm control을 치료의 목표로 하지 않을 때

④ both paroxysmal and persistent AF may be recurrent

    a. secondary AF: occurs in the setting of other disease

    b. lone AF: young individuals (under 60 y of age) without clinical or echocardiographic evidence of cardiopulmonary disease, including hypertension → 예후가 좋음

(4) causes

• ICU에서 갑자기 발생한 AF는 대부분 reversible causes에 의한 secondary AF임

→ alcohol intake, surgery, electrocution, MI, pericarditis, myocarditis, pulmonary embolism or other pulmonary disease, hyperthyroidism, metabolic disorder...

→ underlying disorder를 해결하면 대부분 재발 없이 termination 됨

(5) treatment of postoperative AF

① 일반적인 AF의 치료는 rate control, prevention of thromboembolism, correction of the rhythm disturbance 세 가지 관점에서 시행됨

② postoperative AF는 보통 self-correcting이며 90% 이상의 환자가 수술 후 6~8 Wk내에 정상 rhythm으로 돌아옴

③ recommendations for acute setting rate control – beta blocker 또는 nondihydropyridine calcium channel antatgonist가 권고됨: target HR < 80beats/min for symptomatic AF, <110beats/min for asymptomatic AF

④ 중환자에서는 pre-excitation이 없다면 IV amiodarone이 도움이 됨

약물	처음 용량	발현	유지 용량	주 부작용
Esmolol	500mcg/kg IV over 1 min	5 min	60~200 mcg/kg IV	혈압↓, 심박동↓, 심차단 천식 악화, 심부전
Metoprolol	2.5~5mg IV bolus over 2 min; up to 3 doses	5 min	NA	혈압↓, 심박동↓, 심차단 천식 악화, 심부전
Propranolol	0.15mg/kg IV	5 min	NA	혈압↓, 심박동↓, 심차단 천식 악화, 심부전
Diltiazem	0.25mg/kg IV over 2 min	2~7 min	5~15 mg/hr IV	혈압↓, 심차단, 심부전
Verapamil	0.075 to 0.15mg/kg IV over 2 min	3~5 min	NA	혈압↓, 심차단, 심부전
Amiodarone	150mg over 10 min	Days	0.5~1mg/min IV	혈압↓, 심차단, 폐독성 등

* Beta-blocker may be particularly useful in states of high adrenergic tone (e.g., postoperative AF). After noncardiac surgery, intravenous esmolol produced more rapid conversion to sinus rhythm than diltiazem, but rates after 2 and 12 h were similar with both treatments

* Ca channel blocker should be used cautiously or avoided in patients with HF due to systolic dysfunction because of their negative inotropic effects.

* IV amiodarone is generally well tolerated in critically ill patients who develop rapid atrial tachyarrhythmias refractory to conventional treatment. Important adverse effects make this agent a second-line therapy for rate control.

(6) direct current cardioversion (synchronized) - initial energy >200J

① when a rapid ventricular response does not respond promptly to pharmacological measures for patients with AF with ongoing myocardial ischemia, symptomatic hypotension, angina, or HF

② hemodynamic 하게 unstable한 경우 고려

③ anticoagulation (heparin or oral anticoagulation)는 paroxysmal, persistent 등의 pattern과 관계없이 stroke과 bleeding의 위험성에 따라 판단해야 하며 이때 CHA2DS2-VASc score를 바탕으로 해야 한다.

→ CHA2DS2-VASc score가 2점 이상일 경우 oral anticoagulants 가 권고됨. 1점일 경우 안 하거나 oral anticoagulant 또는 aspirin 고려할 수 있음

→ postop bleeding의 risk을 고려해서 사용해야 함, Kidney function에 따라 약제를 선택해야 함

④ 48시간 이내로 지속된 경우에는 stroke의 위험성에 따라, 판단하며 48시간 이상 지속된 경우에는 반드시 최대한 빨리 anticoagulation을 시작하고 4주 가량 유지해야 함

CHA2DS2-VASc score table		
C	Congestive heart failure (or Left ventricular systolic dysfunction)	1
H	Hypertension: blood pressure consistently above 140/90 mmHg (or treated hypertension on medication)	1
A2	Age ≥75 years	2
D	Diabetes Mellitus	1
S2	Prior Stroke or TIA or thromboembolism	2
V	Vascular disease (e.g. peripheral artery disease, myocardial infarction, aortic plaque)	1
A	Age 65-74 years	1
Sc	Sex category (i.e. female sex)	1

❷ Acute coronary syndrome

(based on ACC/AHA guideline for UA/NSTEMI & STEMI)

1) Definition

보통 atherosclerotic coronary artery disease와 관련하여 나타나는 질환
의 총칭하며 말하며 unstable angina (UA)와 non-ST segment eleva-
tion myocardial infarction (NSTEMI), ST segment elevation myocar-
dial infarction (STEMI)로 구분됨

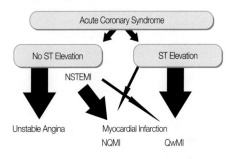

→ ischemic discomfort를 보이는 환자에서 ST-segment elevation이 있
는 경우와 없는 경우로 나눔. 이 중 ST-segment elevation가 있는 환
자의 대부분(thick arrow)은 결국 Q-wave MI (QwMI)로 발전하며
일부의 소수(thin arrow)는 non-Q-wave MI (NQMI)로 진행하게
됨. ST- segment elevation이 없는 환자는 cardiac enzyme 상승 유
무에 따라 unstable angina (UA) 또는 a non-ST-segment elevation
MI (NSTEMI)로 진행하며 NSTEMI의 대부분의 환자는 NQMI
로, 소수의 환자는 QwMI로 진행하게 됨. 이런 UA부터 NSTEMI,
STEMI까지의 spectrum을 acute coronary syndrome이라고 명칭
함

(1) UA/NSTEMI

보통 atherosclerotic plaque의 disruption 또는 erosion에 의한 coro-
nary blood flow의 감소에 의해 발생. chest pain이나 discomfort 가
있으면서 ECG상 ST elevation 없이, ST depression 또는 prominent

T-wave inversion을 보이며 cardiac biomarker가 상승하거나 정상일 수 있음

(2) STEMI

thrombus에 의해 coronary artery의 abrupt occlusion에 의하여 발생. ECG상 ST elevation이나 새롭게 나타난 LBBB가 관찰되며 조기 진단과 빠른 reperfusion therapy가 사망률 감소에 매우 중요함

	UA	NSTEMI	STEMI
Pathophysiology	Non-occlusive thrombus	Occluding thrombus sufficient to cause tissue damage & mild myocardial necrosis	Complete thrombus occlusion (more severe symptoms)
ECG change	Non-specific ECG	ST depression +/- T wave inversion	ST elevations or new LBBB
Cardiac marker	Normal	Elevated	Elevated

2) Diagnosis of AMI

  (1) at least 2 of the following

    ① ischemic symptoms

    ② diagnostic ECG changes

    ③ serum cardiac marker elevations

  (2) ECG change

    ① ST elevation

    ② LBBB - QRS>0.12 sec, Lt. axis deviation, prominent R wave V1- V3, prominent S wave 1, aVL, V5-V6 with T wave inversion

    ③ cardiac marker

      → initial에는 정상일 수 있어 초기에는 흉통 등의 증상과 ECG로 진단하는 것이 중요함! marker가 정상이라도 증상과 ECG상 STEMI가 의심될 경우 reperfusion therapy 고려해야 함. marker는 AMI를 확진하고 추적관찰하는 검사임

      a. troponin I

        • myocardial injury에 매우 specific함

- injury 후 4~8시간 후에 상승함
- 7~10일까지 상승한 채로 유지될 수 있음 (초기 진단에 유용)

b. CK-MB
- injury 후 4~6시간 후에 상승, 24시간 후 peak
- 48~72시간 동안 상승 (추적 관찰에 유용)
- total CK에 대한 CK/MB의 비율이 ≥2.5일 때 AMI를 의심할 수 있음(skeletal muscle injury로 total CK가 증가했거나 total CK가 정상이고 CK-MB만 올라간 경우 유용성이 낮음)
  - NT proBNP
- 심실 내부의 용적 및 압력 증가 등에 의해 심실세포에서 유리되는 아미노산으로 심부전을 예측할 수 있는 인자로 알려져 있음
- 울혈성 심부전 환자와 심근경색 환자의 예후 판정에도 도움이 됨
- 참고 범위

	⟨45 yrs	45~54 yrs	55~64 yrs	65~74 yrs	75⟨ yrs
Male	92.6	137.5	176.8	229.7	851.9
Female	177.6	192.0	225.7	352.7	624.0

3) Initial management of STEMI
- 12-lead ECG obtained
  : 의심될 경우 지속적인 short term f/u에 따른 변화 관찰!
- cardiac monitoring
- O_2 supply
- IV access and routine lab (including cardiac markers)
- aspirin: 162~325mg to chew and swallow
- clopidogrel: 600mg loading
- NTG: 가슴통증이 지속되거나 고혈압, 심부전이 있는 경우 0.4mg

(1T) sublingual 3 times q 5 min (SBP >90 mmHg일 때). 필요 시 IV 10mcg/min 으로 시작 혈압을 보면서 조절.

→ right ventricle을 involve한 inferior myocardial infarction의 의심될 경우 사용 금지

→ ECG of inferior myocardial infarction - Q waves and prominent doming ST segment elevation in II, III, and aVF. ST elevation in the right precordial leads (V4R, V5R, and V6R) indicates right ventricular involvement

- morphine: 통증, 불안, 폐부종이 있는 경우 4~8 mg IV initially (고령의 경우 낮은 용량), 필요 시 5-15분 간격으로 2-8mg IV 반복 (pain과 anxiety에 의한 sympathetic stimulation을 감소시켜 줌으로써 cardiac workload를 감소시켜 줌)

- β-blockers – 금기가 없다면 모든 환자에서 PO metoprolol 25-50mg q 6~12 h 경구투여. 만일 refractory hypertension이나 ongoing ischemia가 있다면 IV metoprolol 5mg every 5 min as tolerated up to 3 doses → 금기: signs of HF, low output state, , prolonged 1st AV block or high grade AV block, reactive airway disease , cardiogenic shock 위험성 높은 경우.

- Statins: 금기가 없는 모든 환자에서 high dose atorvastatin 80mg daily.

- STEMI는 reperfusion therapy (PCI or thrombolytics)를 얼마나 빨리 시행하는지가 매우 중요함. STEMI가 의심될 경우 cardiology part와의 빠른 연락이 중요함

❸ Stress-induced cardiomyopathy

1) Definition

- coronary artery disease 없이 intense emotional 또는 physical stress에 의해 일시적으로 Lt ventricle의 apical and/or mid segment의 systolic dysfunction이 발생하는 syndrome을 말함

- apical ballooning syndrome, broken heart syndrome, tako-tsubo

cardiomyopathy 등으로 불림
- 정확한 pathophysiology는 아직 모르나 catecholamine excess에 의한 coronary a. spasm, microvascular dysfunction 등으로 생각됨

2) Clinical presentation → AMI와 임상적으로 매우 비슷함!
- acute chest pain, dyspnea, shock
- ECG change - ST elevation, T inversion, QT prolongation, abnormal Q wave
- Cardiac marker ↑ (AMI에 비하여 mild elevation)

3) Diagnosis
   (1) Criteria (Mayo clinic) - 4가지 모두 만족해야 함
      ① transient hypokinesis, akinesis or dyskinesis of the left ventricular mid segments with or without apical involvement
      ② new electrocardiographic abnormalities or modest elevation in cardiac troponin
      ③ absence of obstructive coronary disease or angiographic evidence of acute plaque rupture
      ④ absence of pheochromocytoma or myocarditis
   (2) cardiac enzyme 상승, ST elevation 등이 있는 경우 stress-induced cardiomyopathy가 의심되더라도 AMI와 임상적으로 감별이 안 되므로 반드시 CAG를 시행하여 reperfusion therapy가 늦어지지 않도록 주의해야 함
   (3) Echocardiography
      ① 특징적인 LV의 apical one-half to two-thirds의 akinesis/dyskinesis에 의한 apical ballooning이 관찰됨
      ② LVEF는 보통 20~50%로 감소되어 있음
      ③ wall motion abnormality 부위가 coronary territory와 일치하지 않음
   (4) Ventriculography
      특징적인 apical ballooning (항아리 모양의 ventricle)이 관찰됨

4) Treatment

- transient dysfunction이고 대부분은 1~4주 이내에 정상적으로 돌아오는 것으로 되어 있어 그동안 supportive care을 해주고 underlying stress를 해결해 주는 것이 중요함
- hemodynamic stable한 경우는 β-blocker, ACE inhibitor, diuretics 등이 도움이 될 수 있음
- 10~20% 정도에서 left ventricle outlet obstruction (LVOT)나 severe systolic dysfunction에 의한 shock이 있을 경우 severe pulmonary edema가 없다면 fluid resuscitation 해야 함
- LOVT 없이 severe systolic dysfunction에 의한 shock일 경우 inotropics 을 사용함
- LOVT에 의한 shock일 경우 inotropics은 shock을 악화시킬 수 있으므로 주의해야 하며 충분한 fluid resuscitation과 beta-blocker가 도움이 됨

  * Transient LV dysfunction in critical ill patients
  –stress–induced cardiomyopathy의 일종으로 ICU에 admission하는 환자의 20~30%에서 발생하는 것으로 알려져 있음
  –주로 sepsis 또는 acute pulmonary illness에서 잘 발생함. Severe sepsis 환자의 50%에서 reversible cardiomyopathy가 발생하는 것으로 보고되고 있음
  –mild troponin I 상승을 동반하여 global LV or midventricular or isolated apical and anterior hypokinesis 등을 보일 수 있음

1 Oliguria

1) <0.5 ml/kg/hr, <20 ml/hour, <400 ml/day
2) 2시간 이상 지속되는 oliguria는 urgent treatment가 필요함

2 Evaluation of azotemia

1) Prerenal

(1) circulation blood volume 감소에 의한 renal blood flow 장애로 발생
(2) volume loss or sequestration, effective circulating volume ↓, CO ↓ from peripheral vasodilation, profound renal vasoconstriction
(3) concentrated urine (>500mosmol/L), UNa<20 mK/L, FeNa<1%

2) Intrinsic renal

(1) renovascular obstruction, disease of glomeruli, ATN (ischemic, toxins), interstitial nephritis, intratubular deposition and obstruction 등에 의해 발생
(2) urine osm: 300mosmol/L, UNa>20, FeNa>1%

3) Postrenal

USG상 hydronephrosis가 관찰됨

Evaluation of Azotemia

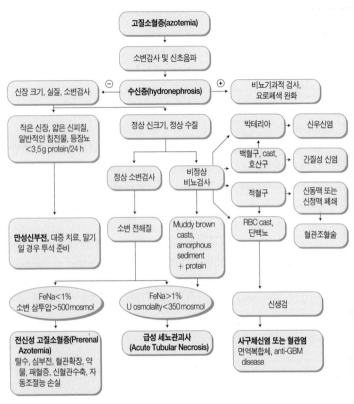

$$\text{FeNa (\%)} = (\text{Urine Na}^+ \times \text{serum Cr/serum Na}^+ \times \text{urine Cr}) \times 100$$

Estimated CCr

$$\text{Male} = (140 - \text{age}) \times (\text{BWt (Kg)}/ (\text{serum Cr} \times 72)$$

$$\text{Female} = (140 - \text{age}) \times (\text{BWt (Kg)}/ (\text{serum Cr} \times 72) \times 0.85$$

❸ Acute kidney injury (AKI)

1) renal function의 minor change부터 RRT (renal replacement therapy)
   가 필요한 경우까지의 포괄적 의미

2) RIFLE classification

	GFR criteria	Urine output criteria
Risk	Cr↑ × 1.5 or GFR↓ >25%	UO<0.5ml/kg/hr × 6 hr
Injury	Cr↑ × 2 or GFR↓ >50%	UO<0.5ml/kg/hr × 12 hr
Failure	Cr↑ × 3 or GFR↓ >75% or Cr>4mg/dl	UO<0.3ml/kg/hr × 24 hr or anuria x 12 hr
Loss	Persistent ARF=complete loss of renal function>4 weeks	
ESKD	End-Stage Renal Disease (>3 months)	

3) Cause of AKI

- pre-existing renal impairment: DM, HTN, renovascular disease
- renal hypoperfusion: hypovolemia, shock, sepsis, abdominal compartment syndrome
- nephrotoxins: aminoglycoside, NSAID, ACEI, contrast, loop diuretics
- rhabdomyolysis, cholesterol embolism
- hypercalcemia
- intrinsic renal disease: interstitial nephritis, GN
- obstruction: stone...

4) Management of AKI

- hypovolemia and shock: fluid resuscitate
- infection: source control and antibiotics
- nephrotoxic drug: discontinue
- abdominal compartment syndrome: decompress
- rhabdomyolysis: urine alkalinize, mannitol
- hypercalemia: normal saline, dialysis, drug
- obstruction: drainage

5) Indication for CRRT (continuous renal replacement therapy)

- increased metabolic needs
  - sepsis, massive burn, multiple organ failure
- volume overload
  - massive volume overload
  - patients receiving large amount of fluid
  - for critical volume management
- indication for urgent RRT
  - severe hyperkalemia
  - severe metabolic acidosis
  - severe pulmonary edema
  - uremic pericarditis
- indication to consider RRT
  - non-obstructive oliguria or anuria
  - uremic encephalopathy, neuropathy or myopathy
  - progressive severe dysnatremia
  - hyperthermia
  - overdose with a dialyzable drug
  - coagulopathy or ARDS

1 Definition

- intra-abdominal pressure (IAP)의 상승은 critically ill patients에서 organ dysfunction과 morbidity, mortality 등의 상승과 관련이 있다고 알려져 있음
- IAP 상승에 관심을 갖고 early detection과 적절한 management를 하는 것이 매우 중요함

1) IAP: the steady-state pressure concealed within the abdominal cavity (Normal IAP: approximate 5~7mmHg in critically ill adults)

2) IAH: sustained or repeated pathological elevation in IAP≥12mmHg

3) ACS: sustained IAP>20mmHg, associated with new organ dysfunction/failure
   - primary ACS: 복강내 질환이나 손상에 의해 발생한 경우
   - secondary ACS: 복강내 질환과 관계없이 발생한 경우

4) APP (abdominal perfusion pressure)
   - 실제적인 visceral perfusion을 예측하는 데 더 정확하다고 알려져 있음
   - APP = MAP - IAP (target APP: >50~60 mmHg)

5) Grading of IAH
   - grade I: IAP 12~15mmHg
   - grade II: IAP 16~20mmHg
   - grade III: IAP 21~25mmHg
   - grade IV: IAP >25mmHg

② Risk factors

Risk factors for IAH/ACS

1. Diminished abdominal wall compliance
   - Acute respiratory failure, especially with elevated intrathoracic pressure
   - Abdominal surgery with primary fascial or tight closure
   - Major trauma/burns
   - Prone positioning, head of bed > 30 degrees
   - High body mass index (BMI), central obesity
2. Increased intra-luminal contents
   - Gastroparesis
   - Ileus
   - Colonic pseudo-obstruction
3. Increased abdominal contents
   - Hemoperitoneum/pneumoperitoneum
   - Ascites/liver dysfunction
4. Capillary leak/fluid resuscitation
   - Acidosis (pH < 7.2)
   - Hypotension
   - Hypothermia (core temperature < 33℃)
   - Polytransfusion (>10 units of blood/24 hrs)
   - Coagulopathy (platelets < 55,000/mm3 or prothrombin time (PT) > 15 seconds OR partial thromboplastin time (PTT) > 2 times normal or international standardised ratio (INR) > 1.5)
   - Massive fluid resuscitation (> 5L/24 hours)
   - Pancreatitis
   - Oliguria
   - Sepsis
   - Major trauma/burns
   - Damage control laparotomy

③ Measurement - foley catheter와 pressure kit를 이용

- 환자의 자세를 supine에서 측정함
- aseptic technique으로 측정해야 함 (UTI 발생 증가시킬 수 있음)
- foley catheter의 drainage tube에 sampling port를 소독한 후 18G catheter 를 꺾이지 않도록 삽입한 후 pressure kit에 연결하고, Tegarderm으로 고정
- 환자의 midaxillary level에서 zeroing
- Foley catheter의 drainage tube를 clamping
- 30cc syringe를 sterile saline으로 채우고 pressure kit의 stopcock에 연결 하고 bladder로 25ml sterile saline을 주입
  (line 내부에 air가 있다면 saline을 소량 flushing하여 배액시킨 후 시행)
- 약 30~60초 후 bladder muscle이 relaxation되는 것을 기다린 후 end-expiration에서 압력을 측정(mmHg)
- 만약 3-way foley catheter가 insertion되어 있다면 pressure kit를 foley catheter의 irrigation port에 바로 연결하여 같은 방법으로 측정

❹ Management

1) Medical management

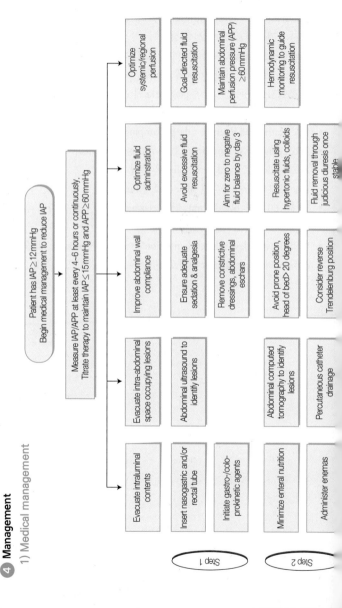

Patient has IAP ≥ 12mmHg
Begin medical management to reduce IAP

Measure IAP/APP at least every 4–6 hours or continuously.
Titrate therapy to maintain IAP≤15mmHg and APP ≥60mmHg

Step 1

Evacuate intraluminal contents	Evacuate intra-abdominal space occupying lesions	Improve abdominal wall compliance	Optimize fluid administration	Optimize systemic/regional perfusion
Insert nasogastric and/or rectal tube	Abdominal ultrasound to identify lesions	Ensure adequate sedation & analgesia	Avoid excessive fluid resuscitation	Goal-directed fluid resuscitation
Initiate gastro-/colo-prokinetic agents	Abdominal computed tomography to identify lesions	Remove constrictive dressings, abdominal eschars	Aim for zero to negative fluid balance by day 3	Maintain abdominal perfusion pressure (APP) ≥60mmHg
Minimize enteral nutrition		Avoid prone position, head of bed> 20 degrees	Resuscitate using hypertonic fluids, colloids	Hemodynamic monitoring to guide resuscitation

Step 2

| Administer enemas | Percutaneous catheter drainage | Consider reverse Trendelenburg position | Fluid removal through judicious diuresis once stable | |

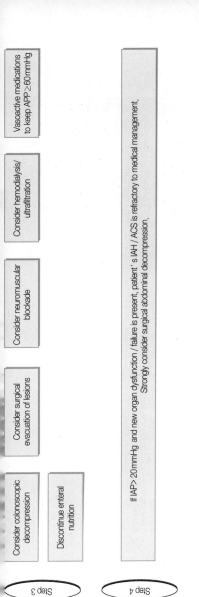

Step 3

- Consider colonoscopic decompression
- Discontinue enteral nutrition
- Consider surgical evacuation of lesions
- Consider neuromuscular blockade
- Consider hemodialysis/ultrafiltration
- Vasoactive medications to keep APP ≥ 60 mmHg

Step 4

If IAP > 20 mmHg and new organ dysfunction / failure is present, patient's IAH / ACS is refractory to medical management. Strongly consider surgical abdominal decompression.

2) Management algorithm

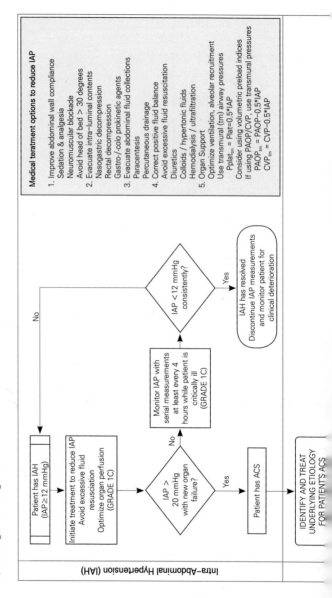

Medical teratment options to reduce IAP

1. Improve abdominal wall compliance
   - Sedation & analgesia
   - Neuromuscular blockade
   - Avoid head of bed > 30 degrees
2. Evacuate intra-luminal contents
   - Nasogastric decompression
   - Rectal decompression
   - Gastro-/colo prokinetic agents
3. Evacuate abdominal fluid collections
   - Paracentesis
   - Percutaneous drainage
4. Correct positive fluid balance
   - Avoid excessive fluid resuscitation
   - Diuretics
   - Colloids / hypertonic fluids
   - Hemodialysis / ultrafiltration
5. Organ Support
   - Optimize ventilation, alveolar recruitment
   - Use transmural (tm) airway pressures
   $$Pplat_{tm} = Plat - 0.5*IAP$$
   - Consider using volumetric preload indices
   - If using PAOP/CVP, use transmural pressures
   $$PAOP_{tm} = PAOP - 0.5*IAP$$
   $$CVP_{tm} = CVP - 0.5*IAP$$

Intra-Abdominal Hypertension (IAH)

Patient has IAH
(IAP ≥12 mmHg)

↓

Initiate treatment to reduce IAP
Avoid excessive fluid resusciation
Optimize organ perfusion
(GRADE 1C)

↓

IAP > 20 mmHg with new organ failure?

No → Monitor IAP with serial measurements at least every 4 hours while patient is critically ill (GRADE 1C)

Yes → Patient has ACS → IDENTIFY AND TREAT UNDERLYING ETIOLOGY FOR PATIENT'S ACS

Monitor IAP → **IAP <12 mmHg consistently?**

No ↑ (back to Initiate treatment)

Yes → IAH has resolved Discontinue IAP measurements and monitor patient for clinical deterioration

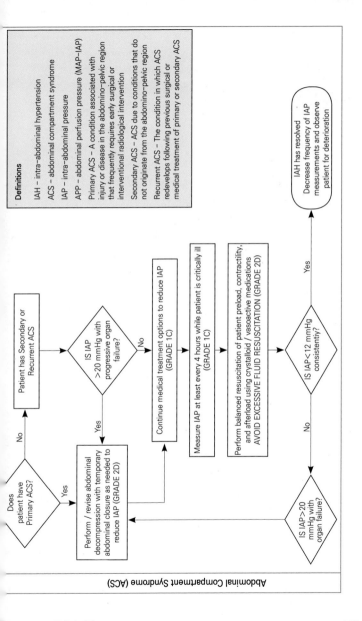

Abdominal Compartment Syndrome (ACS)

Definitions

IAH – intra-abdominal hypertension

ACS – abdominal compartment syndrome

IAP – intra-abdominal pressure

APP – abdominal perfusion pressure (MAP−IAP)

Primary ACS – A condition associated with injury or disease in the abdomino−pelvic region that frequently requires early surgical or interventional radiological intervention

Secondary ACS – ACS due to conditions that do not originate from the abdomino−pelvic region

Recurrent ACS – The condition in which ACS redevelops following previous surgical or medical treatment of primary or secondary ACS

Does patient have Primary ACS?

No → Patient has Secondary or Recurrent ACS

IS IAP >20 mmHg with progressive organ failure?

Yes

Perform / revise abdominal decompression with temporary abdominal closure as needed to reduce IAP (GRADE 2D)

No

Continue medical treatment options to reduce IAP (GRADE 1C)

Measure IAP at least every 4 hours while patient is critically ill (GRADE 1C)

Perform balanced resuscitation of patient preload, contractility, and afterload using crystalloid / vasoactive medications AVOID EXCESSIVE FLUID RESUSCITATION (GRADE 2D)

IS IAP<12 mmHg consistently?

Yes → IAH has resolved Decrease frequency of IAP measurements and observe patient for deterioration

No

IS IAP>20 mmHg with organ failure?

Chapter

06

위

1 위 주요부위 명칭

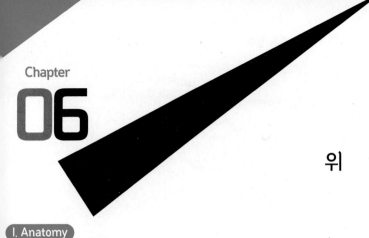

Divisions of the stomach

2 구역 분할

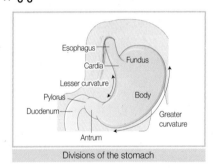

U: Upper third
M: Middle thind
L: Lower third
E: Esophagus
D: Duodenum

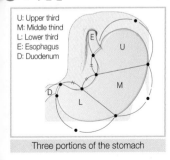

Three portions of the stomach

Less: Lesser curvature   Gre: Greater curvature
Ant: Anterior wall   Post: Posterior wall

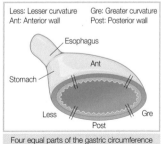

Four equal parts of the gastric circumference

③ 위 주위 주요 혈관

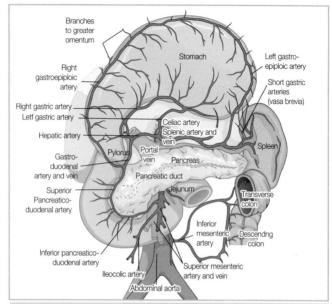

Blood supply to the stomach and duodenum with anatomic relationships to the spleen and pancreas. The stomach is reflected cephalad

* radical subtotal gastrectomy 시행하면 short gastric artery와 inferior phrenic artery의 branch가 혈액공급을 한다.
* aberrant left hepatic artery(10~15%): left gastric artery로부터 origin하는 left hepatic artery → left gastric artery를 proximal ligation시 주의해야 한다.
* posterior gastric artery: cardia와 fundus의 posterior wall에 blood supply하며 그 origin은 left gastric artery 또는 splenic artery, celiac trunk에서 한다(variation이 많다).

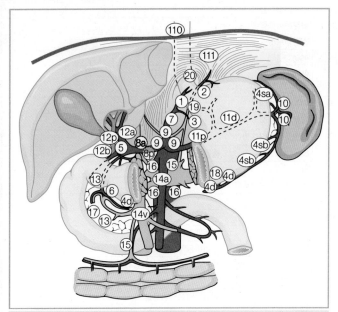

Lymph node station numbers as defined by the Japanese Gastric Cancer Association

LN	림프절 표시	
1	우분문림프절	
2	좌분문림프절	
3	소만림프절	
4	4sa	단위동맥림프절
	4sb	좌위대망동맥림프절
	4d	우위대망동맥림프절
5	유문상림프절	
6	유문하림프절	
7	좌위동맥간림프절	
8	8a	총간동맥간전상부림프절
	8p	총간동맥간후상부림프절
9	복강동맥주위림프절	
10	비문림프절	
11	11p	근위비동맥간림프절
	11d	비동맥간림프절
12	12a	원위동맥간림프절
	12b, p	후간십이지장간막내림프절
13	췌두후부림프절	
14	14v	상장간막정맥림프절
	14a	상장간막동맥림프절
15	중결장동맥림프절	
16	16a1	대동맥 열공 림프절
	16a2, b1	대동맥 주위 중간 림프절
	16b2	대동맥 주위 후 림프절

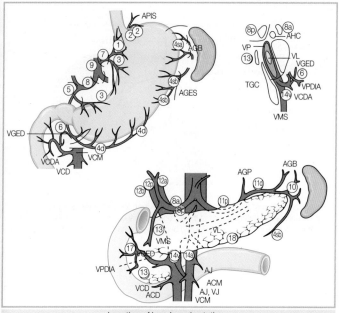

Location of lymph node stations

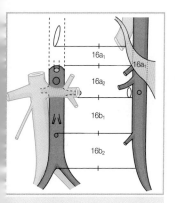

Location of lymph nodes around the abdominal aorta

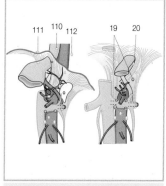

Location of lymph nodes in the esophageal hiatus, and infradiaphragmatic and paraaortic regions

⑤ Vagus nerve 주행경로

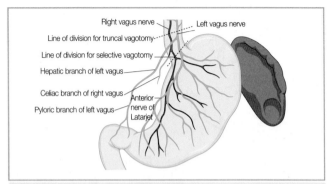

Vagal innervation of the stomach. The line of division for truncal vagotomy is shown a the hepatic and celiac branches of the left and right vagus nerves, respectively. The line divisior selective vagotomy is shown and occurs below the hepatic and celiac branches.

* GE junction에서 Lt. vagus nerve는 stomach의 anterior로
* Rt. vagus nerve는 stomach의 posterior로 위치
* Lt. vagus nerve ▶ hepatic branch ▶ ant. nerve of Latarjet
* Rt. vagus nerve ▶ celiac branch ▶ post. nerve of Latarjet

⑥ 위의 구조

1. 점막층 – Surface epithelium, Lamina propria, Muscularis mucosa
2. 점막하층 - Meissner's plexus (가장 강한 층)
3. 고유근층 – IO, MC, OL, Auerbach's myenteric plexus
4. 장막층 – one layer

★ EUS시에 위의 layer 구분 !!

- 1층 (고 에코층) 점막
- 2층 (저 에코층) 점막근판 (muscularis mucosa)
- 3층 (고 에코층) 점막하층
- 4층 (저 에코층) 고유근층
- 5층 (고 에코층) 장막하층과 장막층

1 General considerations

1) Storage function: receptive relaxation (수용성이완)

(1) the proximal portion of the stomach relaxes in anticipation of food intake

(2) liquids: pass easily from the stomach along the lesser curvature

(3) solid food: stay along the greater curvature of the fundus, facilitated by pumping action

2) Digestive function (소화기능)

(1) starches: enzymatic breakdown through the activity of ingested salivary amylase

(2) peptic digestion: metabolizes a meal into fats, proteins and carbohydrates

2 Regulation of gastric function

• Interact with their target cells in one of 3 ways: endocrine, paracrine or neurocrine

3 Gastric peptides

1) Gastrin (가스트린)

(1) produced by G cells located in the gastric antrum

(2) associated with the development of gastric carcinoid tumors

(3) 위산분비의 주된 자극원, 위점막 보호

(4) Stimulation (가장 강력한 자극원): 펩티드, 아미노산, (food components contained within a meal, especially protein digestion products)

(5) Inhibition (가장 강력한 분비 억제제): 위산 (luminal acid (negative feedback), somatostatin (reciprocal effect))

2) Somatostatin (소마토스타틴)

   (1) produced by D cells

   (2) directly inhibit parietal cell acid secretion

   (3) inhibition of gastrin release and down-regulation of histamine release from ECL (Enterochromaffin-like) cells

   (4) 가장 강력한 자극원: antral acidification (위 전정부의 산성화)

   (5) 분비억제: acetylcholine from vagal fibers, H.pylori infection

3) Gastrin-releasing peptide (GRP)

   (1) bombesin: mammalian counterpart is gastrin-releasing peptide (GRP)

   (2) GRP stimulates gastrin and somatostatin release

4) Histamine

   (1) prominent role in parietal cell stimulation

   (2) essential role in parietal cell activation

   (3) stored in the acidic granules of ECL cells (resident mast cells)

   (4) stimulated by gastrin, acetylcholine and epinephrine

   (5) inhibits by somatostatin

5) Ghrelin

   (1) major anabolic hormone

   (2) 사람에서는 식욕을 증가시키고, 음식물 섭취를 증가시킴

   (3) 비만치료에 있어서 중요한 역할

6) Leptin (Chief cell) : 식욕 감소

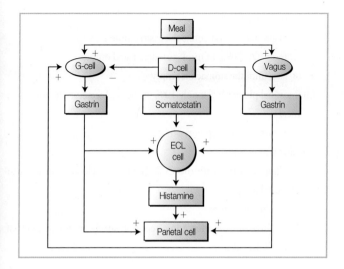

4 Gastric acid secretion (위산 분비)

1) Basal acid secretion

    (1) basal level of acid secretion: roughly 10% of maximal acid output

    (2) acid secretion: night-time > day-time (저녁과 밤에 더 활발)

    (3) reduced by 75% to 90% after vagotomy or administration of atropine

    (4) acetylcholine (vagus nerve): plays a significant role in basal gastric acid secretion

    (5) H2-receptor blockade: diminishes the magnitude of acid secretion by 90%

2) Stimulated acid secretion

    : 두상 : 시각, 후각, 미각(30%)

    위상 : 음식(60%)

    장상 : 위 내용물이 소장으로 유입(10%)

    (1) cephalic phase (두상)

      ① originates with the sight, smell, thought, or taste of food

      ② stimulates neural centers in the cortex and hypothalamus

(2) gastric phase (위상)

   ① begins when food enters the gastric lumen

   ② most (60~70%) of meal-stimulated acid output

   ③ lasts until the stomach is empty

(3) intestinal phase (장상): only 10% of the acid secretory response to a meal

3) Cellular basis of acid secretion

  (1) gastrin receptors

    binding of gastrin with the CCK-B receptor: elevated intracellular calcium levels

  (2) muscarinic receptors

    M3 subtype of the muscarinic receptor family, increased levels of intracellular calcium

  (3) histamine receptors

    H2 subtype binds histamine, increases intracellular cAMP levels

  (4) somatostatin receptors

    mediated through inhibition of adenylate cyclase, reduction in cAMP levels

4) Activation and secretion by the parietal cell

  (1) $H+/K+$-ATPase: final common pathway for gastric acid secretion

  (2) gastric acid

    ① increased: in the duodenal ulcer or gastrinoma

    ② decreased: in the pernicious anemia, gastric atrophy, gastric ulcer or gastric cancer

5) Pharmacologic regulation of gastric acid secretion

  (1) most potent of the H2-receptor antagonists

    : famotidine>ranitidine, nizatidine>cimetidine

  (2) newest class of antisecretory agents (benzimidazoles): omeprazole

    ① inhibit the proton pump (PPI), irreversibly inhibits the proton pump

② intragastric pH being maintained higher than 3 for 18 hours or more

6) Functions of gastric acid

(1) convert pepsinogen into pepsin

(2) elicits the release of secretin from the duodenum

→ pancreatic bicarbonate secretion

(3) limit bacterial colonization of the upper GI tract

→ prevent nosocomial pneumonia

7) Gastric analysis

(1) basal acid output (BAO): about 2 to 3mEq/hour

(2) maximal acid output (MAO): the range of 10 to 15mEq/hour

⑤ Other gastric secretory products

1) Gastric juice

secretion by the parietal / chief / mucus cells + swallowed saliva and duodenal refluxate

2) Intrinsic factor (IF) (내인성 인자)

(1) essential for the absorption of vitamin B12 in the terminal ileum

(2) PPIs do not block intrinsic factor secretion in humans

(3) deficiency can develop: pernicious anemia, total gastrectomy

** require vitamin B12 supplementation (반드시 intramuscular injection 해야 함)

3) Pepsinogen (펩시노겐)

음식물 ⇨ Ach자극 ⇨ Chief cell에서 분비

pH 2.5에서 가장 활성화되어 pepsin이 되고 단백질 분해, pH 5 이상에서는 비활성화

the presence of acid, both forms of pepsinogen are converted to pepsin

4) Mucus and bicarbonate

(1) mucus: a viscoelastic gel (85% water and 15% glycoproteins)

① neutralization of gastric acid at the mucosal surface

: provides a mechanical barrier to injury

② secreted: surface mucus cells & mucus neck cells

③ stimulation

: vagal nerve, cholinergic agonist, prostaglandin and some bacterial toxins

④ inhibition: anticholinergic drug and NSAIDs

(2) bicarbonate secretion: active process in the antrum

** the crypt luminal pH is 2 but, the pH at the surface epithelial cell is usually 7, (pH gradient): layer of water within the mucus gel & continuous secretion of bicarbonate

6 Motility

1) Fasting gastric motility

(1) during fasting

: cyclical pattern of electrical activity (slow waves and electrical spikes)

(2) termed as the myoelectric migrating complex (MMC)

(3) net effects of the MMC

: frequent clearance of gastric contents during periods of fasting

(4) these activities remain intact after vagal denervation

2) Post-prandial gastric motility

(1) refer to "receptive relaxation" & "gastric accommodation"

(2) vagotomy: eliminate these reflexes-early satiety and rapid emptying of ingested liquids

(3) under the influence of well-coordinated neural and hormonal mediators

① systemic factors: anxiety, fear, depression and exercise

② chemical and mechanical properties and the temperature of the intraluminal contents

(4) liquids empty more rapidly than solids

(5) carbohydrates empty more rapidly than fats

(6) increases in the concentration or acidity of liquid meals

: delay in gastric emptying

(7) hot and cold liquids

  : empty at a slower rate than proper temperature fluids

3) Abnormal gastric motility

  (1) symptoms: nausea, fullness, early satiety, abdominal pain and discomfort

  (2) postvagotomy gastroparesis

    : loss of receptive relaxation and gastric accommodation

    ① early satiety

    ② postprandial bloating

    ③ accelerated emptying of liquids, delay in emptying of solids

  (3) diabetic gastropathy

    : delayed gastric emptying associated with DM autonomic neuropathy

  (4) gastric motility dysfunction related to H. pylori infection

    : reduction in gastric compliance

  (5) treatment: prokinetic agents (metoclopramide and erythromycin)

4) Gastric-emptying studies

  (1) after a mechanical obstruction has been ruled out: necessary!

  (2) radionucleotide scans

❓ Gastric barrier function

  (1) cell membrane, tight junction, cell renewal process, mucus, alkaline secretion, arterial pH

  (2) blood flow: delivering oxygen

    blood flow is reduced by more than 75% → marked mucosal injury

  (3) injured surface epithelial cells

    : replaced rapidly by migration of surface mucus cells referred to as "restitution or reconstitution"(occurs within minutes)

  (4) protective (or defensive) factors

: mucosal bicarbonate & mucus secretion, blood flow, growth factors, cell renewal and endogenous prostaglandin

(5) damaging (or aggressive) factors

: hydrochloric acid secretion, pepsin, alcohol, smoking, bile reflux, ischemia, NSAID, hypoxia and most notably H. pylori

III. Stomach cancer

1 Oncologic aspect of stomach cancer

1) Factors associated with increased risk for developing stomach cancer

(1) nutritional

① low fat or protein consumption

② salted meat or fish

③ high nitrate consumption 질산염은 위 세균에 의해 아질산염 (발암물질)

④ high complex-carbohydrate consumption

(2) environmental

① poor food preparation (smoked, salted)

② lack of refrigeration

③ poor drinking water (well water)

④ smoking

(3) social: low social class

Nutritional
Low fat or protein consumption
Salted meat or fish
High nitrate consumption
High complex carbohydrate consumption

Environmental
Poor food preparation (smoked, salted)
Lack of refrigeration
Poor drinking water (e.g., contaminated well water)
Smoking

Social
Low social class

Medical
Prior gastric surgery
H. plyori infection
Gastric atrophy and gastritis
Adenomatous polyps

Other
Male gender

(4) medical

① prior gastric surgery

② H. pylori infection

③ gastric atrophy & gastritis

④ adenomatous polyps

⑤ male gender

* the ascorbic acid and β-carotene (found in fruits and vegetables) act as antioxidants (과일에 ascorbic acid가 발암물질 제거)
  ascorbic acid can also prevent the conversion of nitrates to nitrites
** risk factor: after a latency of 15 yrs
  (in patient operated on for gastric but not duodenal ulcers)
*** pernicious anemia are also at increased risk for developing gastric cancer
**** 위암의 전구 병변 : Hyperplastic polyp, Adenomatous polyp, FAP, HNPCC, Chronic atrophic gastritis, Intestinal metaplasia, Dysplasia, previous gastric surgery, Menetrier dz

2) Genetic alterations

(1) classification

① activation of oncogenes

② inactivation of tumor suppressor genes

③ reduction of cellular adhesion

④ reactivation of telomerase

⑤ presence of microsatellite instability (MSI)

    a. activation of oncogenes (overexpressed in gastric cancer)

- c-Met proto-oncogene (receptor for the hepatocyte growth factor)

- k-sam & c-erb B2 oncogenes

    b. inactivation of the tumor suppressor genes

- p53 & p16: diffuse and intestinal-type cancers

- adenomatous polyposis coli (APC) gene mutations
  : intestinal-type gastric cancers

    c. reduction or loss in the cell adhesion molecule

       E-cadherin mutation can be found in about 50% of diffuse-type gastric cancers

    d. microsatellite instability (MSI)

       20% to 30% of intestinal-type gastric cancer

* MSI: reflects a gain or loss of repeat units in a germline microsatellite allele indicating the clonal expansion that is typical of a neoplasm.

3) Pathologic classification

(1) Borrmann's classification system (1926)

① type 1, represents polypoid or fungating lesions

② type 2, ulcerating lesions surrounded by elevated borders

③ type 3, ulcerating lesions with infiltration into the gastric wall

④ type 4, diffusely infiltrating lesions (linitis plastica)

⑤ type 5, lesions that do not fit into any of the other categories

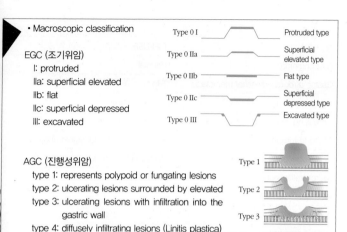

- Macroscopic classification

EGC (조기위암)
  I: protruded
  IIa: superficial elevated
  IIb: flat
  IIc: superficial depressed
  III: excavated

Type 0 I	Protruded type
Type 0 IIa	Superficial elevated type
Type 0 IIb	Flat type
Type 0 IIc	Superficial depressed type
Type 0 III	Excavated type

AGC (진행성위암)
  type 1: represents polypoid or fungating lesions
  type 2: ulcerating lesions surrounded by elevated
  type 3: ulcerating lesions with infiltration into the gastric wall
  type 4: diffusely infiltrating lesions (Linitis plastica)
  type 5: lesions that do not fit into any of the other

Type 1
Type 2
Type 3
Type 4

(2) Borders (1942)

ranged from 1 (well differentiated) to 4 (anaplastic)

(3) Lauren (1965)

intestinal / diffuse types based on histology

① intestinal type

a. intermediate step in Correa's model of gastric cancer development is intestinal metaplasia

b. molecular alterations in intestinal metaplasia

- overexpression of cyclooxygenase-2 and cyclin D2, p53 mutations, MSI

- decreased p27 expression, and alterations in transcription factors like CDX1 and CDX2

② diffuse form of gastric adenocarcinoma

a. poorly differentiated, lacks gland formation and is composed of signet ring cells

b. spread submucosally, metastasizes early

c. association with blood type A and familial occurrences

Lauren Classification System	
INTESTINAL	DIFFUSE
Environmental	Familial
Gastric atrophy, intestinal metaplasia	Bllo type A
Men > women	Women > men
Increasing incidence with age	Younger age group
Gland formation	Poorly differentiated, signet ring cells
Hematogenous spread	Transmural, lymphatic spread
Microsatellite instability	Decreased E-cadherin
APC gene mutations	
p53, p16 inactivation	p53, p16 inactivation

APC, Adenomatous polyposis coli.

(4) WHO classification

① adenocarcinoma: papillary, tubular, mucinous and signet ring

② adenosquamous cell carcinoma

③ squamous cell carcinoma

④ undifferentiated carcinoma

⑤ unclassified carcinoma

(5) AJCC TNM staging system

4) Staging

(1) AJCC 8th

원발암의 침윤 깊이(T)	
Tx	침윤 정도를 알 수 없는 원발암
T0	원발암의 증거가 없음
Tis	상피내암:고유판을 침윤하지 않은 상피내의 암
T1	점막하조직까지 침윤한 암으로서 깊이에 다음과 같이 세분화
T1a	점막에 국한된 암으로서 고유판까지 침윤한 암
T1b	점막하조직에 침윤한 암
T2	고유근층까지 침윤한 암
T3	장막하조직까지만 침윤이 있고 장측 복막 혹은 주위장기에 침윤이 없는 암*, **, ***
T4	장막침윤이 있거나 주위장기에 침윤이 있는 암**, ***
T4a	장막침윤이 있는 암
T4b	주위장기에 침윤이 있는암

* 암이 고유근층을 지나 위결장인대나 위간인대, 혹은 소망이나, 대망에 연속적인 진전이 있을 경우에는 그 장측 복막의 침윤여부에 따라 침윤이 없으면 T3, 침윤이 있으면 T4로 분류한다.
** 위의 주위 장기는 비장, 횡행결장, 간, 횡경막, 췌장, 복벽, 부신, 신장, 소장, 후복막이다.
*** 식도나 십이지장에 벽내 진전이 있을 경우에는 원발 병소를 포함하여 그중 가장 깊은 침윤 정도에 따른다.

영역림프절 전이(N)	
Nx	영역림프절 전이 유무 판단 불가
N0	영역림프절로의 전이가 없음
N1	영역림프절 전이가 1개에서 2개까지 관찰된 경우
N2	영역림프절 전이가 3개에서 6개까지 관찰된 경우
N3	영역림프절 전이가 7개이상 관찰된 경우
N3a	영역림프절 전이가 7개에서 15개까지 관찰된 경우
N3b	영역림프절 전이가 16개 이상 관찰된 경우

* pN0는 절제된 림프절의 수에 관계없이 검사된 모든 림프절에서 전이가 없는 경우에 해당한다.

원격전이 (M)	
Mx	원격전이 유무를 알 수 없음
M0	원격전이 없음
M1	원격전이 있음

- locally advanced or metastatic disease
  - palpable supraclavicular (Virchow's)
  - periumbilical lymph node (Sister Mary Joseph's)
  - peritoneal metastasis palpable by rectal
  - examination (Blummer's shelf)
  - palpable ovarian mass (Krukenberg's tumor)
- liver metastasis
  - H0: no liver metastasis
  - H1: liver metastasis
  - Hx: Unknown
- Peritoneal metastasis
  - P0: no peritoneal metastasis
  - P1: peritoneal metastasis
  - Px: Unknown
- Peritoneal cytology
  - CY0: benign / indeterminate cells
  - CY1: cancer cell
  - CYX: was not performed

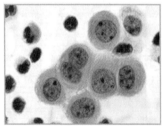

Cytology CY0 (Papanicolaou staining)

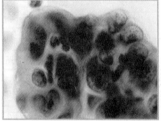

Cytology CY1 (Papanicolaou staining)

Cytology CY0 (Papanicolaou staining) Cytology CY1 (Papanicolaou staining)

(2) AJCC 8th

		M0					M1
		N0 (0)	N1 (1–2)	N2 (3–6)	N3a (7–15)	N3b (>15)	
M0	T1	I A	I B	II A	II B	III B*	
	T2	I B	II A	II B	III A	III B*	
	T3	II A	II B	III A	III B	III C*	
	T4a	II B	III A	III B	III C	III C	
	T4b	III B	III B	III C	III C	III C	
M1							IV

2 Preoperative management and work up

1) Staging work up

(1) EGD (esophagogastroduodenoscopy) & biopsy

① 병소의 위치, 크기, 모양을 확인하고 영상으로 남길 수 있음

② biopsy로 확진 가능

③ small EGC, Borrmann IV AGC, submucosal tumor (GIST) 등은 진단에 어려움이 있음

④ 적응증이 되는 EGC는 EMR 또는 ESD 시행이 가능함

⑤ 수술 시 촉지가 어렵다고 판단되는 EGC는 clipping / tattooing 으로 marking 가능

** 반드시 ulcer crater 주변에서 적어도 7군데 이상의 위치에서 조직을 취득해야 함

(2) CT: 림프절 전이, 복부의 원격전이 평가

(3) UGI series: 병소의 위치와 모양 확인

(4) PET scan: CT에서 원격전이가 의심되는 환자에서 시행

2) Preop lab

(1) CBC, chemistry, PT / aPTT

(2) Viral markers (HBsAg, HBsAb, anti-HCV, anti-HIV), VDRL

(3) ABO / Rh

(4) urinalysis, stool exam

(5) PFT, Chest PA

(6) EKG

(7) echocardiography (심혈관질환자, 60세 이상 환자)

(8) tumor marker (CEA, CA 19-9, CA 72-4)

3 Operative modalities

1) 위절제술

(1) distal or subtotal gastrectomy: 위의 60-80% 절제

(2) near total gastrectomy: 위의 90% 절제

(3) total gastrectomy

(4) extended total gastrectomy: 위대만측 상부위암이 장막층을 뚫고 비문부나 췌미부에 침윤이 있을 때는 위전절제술과 함께 비장과 췌장 원위부를 합병 절제해야 함

* 종양이 위 주위의 췌장, 간, 횡행결장, 비장, 횡격막, 결장간막 등을 침범하였을 경우 원위부 전이가 없고 환자 전신상태가 허락할 경우 가능한 한 합병절제를 함으로써 생존율의 향상을 기대할 수 있음

(5) LADG or LATG (laparoscopic assisted distal gastrectomy or total gastrectomy) / RADG or RATG (robotic assisted distal gastrectomy or total gastrectomy)

① 적용대상: 조기 위암을 대상으로 함. 최근 수술 술식의 발달로 인하여 점차 대상이 넓어지고 있는 추세임(예: T2N0, T2N1)

② 개복 수술과 비교하여 장점: 수술 후 통증이 적고 일상으로의 회복이 빠름. 우수한 미용효과, 장운동의 빠른 회복, 폐 합병증이 적음

③ 시행 초기에 있어서는 림프절 절제에 있어 개복 수술과 비교하여 광범위 절제가 힘들고 암 제거의 근치성에 대한 논란이 있었으나 최근의 수술 술기의 발달로 D2 림프절 절제술을 시행하고 있음. 이에 따라 점차 진행성 위암에서의 시행 가능성을 예상하고 있음. 개복 수술과 비교하여 비용 증가의 단점이 해결해야 할 문제로 남아 있음

2) 위 재건술

(1) Subtotal gastrectomy 시행 후 위 재건술

① Billroth I anastomosis (gastroduodenostomy)

② Billroth II anastomosis (gastrojejunostomy)

    a. antecolic: 재발위험이 클 경우

    b. retrocolic: blind loop이 짧음

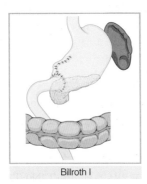

Billroth I

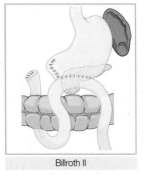

Billroth II

③ Roux-en-Y gastrojejunostomy

(2) Total gastrectomy 시행 후 위 재건술

① Roux-en-Y esophagojejunostomy

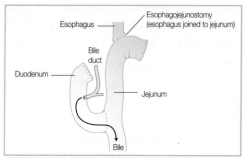

Total gastrectomy with Roux-en-Y esophagojejunostomy

② Loop esophagojejunostomy

3) 수술과정 (procedure of gastrectomy)

(1) BI STG: supine position and upper mid-line incision

① retractor를 설치하고 OP field를 정리

② distant metastasis 여부 확인

③ splenic fossa에 gauze packing (spleen mobilization)

④ omentectomy와 bursectomy를 시행

⑤ left gastroepiploic artery / vein 처리

⑥ right gastroepiploic artery / vein 처리

⑦ lesser omentum 처리

⑧ right gastric artery / vein 처리

⑨ distal resection with reusable purse-string instrument

⑩ LN dissection & left gastric artery/vein 처리

⑪ EG junction 주변과 lesser curvature 정리

⑫ resection 부위를 결정하고 greater curvature 주변 정리

⑬ proximal resection along greater curvature with knife after clamping

⑭ proximal resection along lesser curvature with Linear stapler instrument

⑮ gastroduodenostomy anastomosis with circular stapler instrument

⑯ greater curvature closure with Linear stapler instrument

⑰ saline irrigation & bleeding control

⑱ L-tube fixation & drainage catheter insertion at dependent portion

⑲ bowel 정리

⑳ laparotomy wound irrigation & layer by layer closure

(2) BII STG: supine position and upper mid-line incision

① retractor를 설치하고 OP field를 정리

② distant metastasis 여부 확인

③ splenic fossa에 gauze packing (spleen mobilization)

④ omentectomy와 bursectomy를 시행

⑤ left gastroepiploic artery / vein 처리

⑥ right gastroepiploic artery / vein 처리

⑦ lesser omentum 처리

⑧ right gastric artery / vein 처리

⑨ distal resection with Linear stapler instrument

⑩ LN dissection & left gastric artery / vein 처리

⑪ EG junction 주변과 lesser curvature 정리

⑫ resection 부위를 결정하고 greater curvature 주변 정리

⑬ proximal resection along greater curvature with knife after clamping

⑭ proximal resection along lesser curvature with Linear stapler instrument

⑮ gastrojejunostomy anastomosis with hand sawn technique or circular stapler instrument

⑯ braun (jejunojenunostomy) anastomosis: option

⑰ saline irrigation & bleeding control

⑱ L-tube fixation & drainage catheter insertion at dependent portion

⑲ bowel 정리

⑳ laparotomy wound irrigation & layer by layer closure

(3) TG: supine position and upper mid-line incision

① retractor를 설치하고 OP field를 정리

② distant metastasis 여부 확인

③ splenic fossa에 gauze packing (spleen mobilization)

④ omentectomy와 bursectomy를 시행

⑤ left gastroepiploic artery / vein 처리

⑥ short gastric artery / vein 처리

⑦ right gastroepiploic artery / vein 처리

⑧ lesser omentum 처리

⑨ right gastric artery / vein 처리

⑩ distal resection with Linear stapler instrument

⑪ LN dissection & left gastric artery / vein 처리

⑫ esophageal resection & preparation with purstring instrument

⑬ esophagojejunosotmy를 위하여 jejunum 정리

⑭ esophagojejunostomy with Circular stapler + Linear stapler instrument by Roux-en-Y fashion

⑮ jejunojejunostomy with hand sewing

⑯ mesentery defect suture

⑰ saline irrigation & bleeding control

⑱ L-tube fixation & drainage catheter insertion at dependent portion

⑲ bowel 정리

⑳ laparotomy wound irrigation & layer by layer closure

(4) LADG: lithotomy or supine position

① scope으로 distant metastasis 여부 확인

② ultrasonic cauterization instrument를 이용하여 omentectomy 시행

③ left gastroepiploic artery / vein 처리

④ greater curvature 주변 정리

⑤ right gastroepiploic artery / vein 처리

⑥ lesser omentum 처리

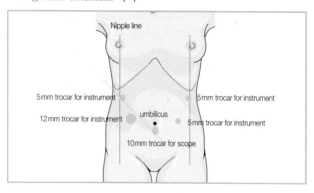

⑦ right gastric artery / vein 처리

⑧ distal resection with Linear stapler instrument

⑨ LN dissection & left gastric artery / vein 처리

⑩ right subcostal horizontal incision or midline vertical incision for specimen take-out and anastomosis

⑪ gastroduodenostomy with Circular stapler instrument or gastrojejunostomy with hand sewn

⑫ lesser curvature closure with Linear stapler instrument if gastroduodenostomy was performed

⑬ bleeding control

⑭ L-tube fixation & drainage catheter insertion at dependent portion

⑮ laparotomy and port site wound irrigation & wound closure

4) Curative potential of gastric resection (R category)

R0: no residual cancer, macroscopic (−) & microscopic (−)

R1: removal of all macroscopic cancer, macroscopic (−) & microscopic (+)

R2: gross residual cancer, macroscopic (+) & microscopic (+)

5) 림프절 곽청술

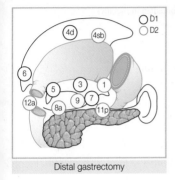

Distal gastrectomy

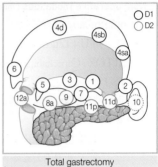

Total gastrectomy

6) 기타 수술적 방법

* 표준수술: 위 2/3 이상 절제+D2 림프절 절제

(1) 축소수술

표준수술에 비해 절제범위의 축소 또는 omental bursectomy의 생략, 대망보존을 포함하는 수술을 말함

(2) 분절절제 (segmental resection, wedge resection)

종양의 국소절제 또는 종양을 포함하는 위의 분절절제 및 근처의 림프절의 절제를 포함

(3) 유문보존위절제술 (pylorus preserving gastrectomy)

T1암으로 종양의 distal margin이 pylorus로부터 4cm 이상 떨어져 있고, 술 중 림프절 전이가 N0-1이라고 판단되는 경우에 시행.

(4) 미주신경보존술식 (vagus nerve preserving gastrectomy) 유문보존 술식에서 vagus nerve의 hepatic br와 celiac br를 보존하는 술식.

(5) 비치유수술 (palliative surgery)

근치수술이 불가능한 말기증례에 대해서 종양부하를 감소시킬 목적으로 감량수술(reduction surgery), 또는 절박한 증상 (출혈, 협

착, 저영양 등)의 개선을 목적으로 하는 고식수술(절제, bypass수술, 영양루 조성 등)을 포함

④ Non-operative modalities (chemoradiation therapy)

1) Chemotherapy (보조적 항암제 치료)

- FL : 5-FU + Leucovorin
- XELOX : Capecitabine + Oxaliplatin
- TS-1

2) Radiation therapy (방사선치료)

(1) 목적

① 국소 및 영역재발을 낮춤으로써 환자의 완치율을 높이는 목적

② 수술 전 방사선치료를 시행하여 수술 시 완전 절제의 가능성을 높이는 목적

③ 수술이 불가능하거나 재발이나 전이의 증상이 심한 경우 증상 완화의 목적

(2) 근치적 목적의 수술 후 방사선치료 범위

① 국소 지역

: tumor bed, anastomosis site, duodenal stump, remnant stomach

② 영역 림프절: group 1, 2 및 3 림프절을 포함

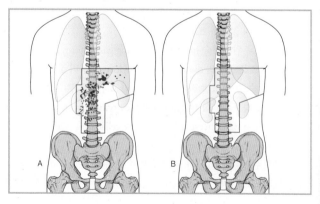

- 방사선치료 범위 설정을 위하여 고려해야 할 상황
 1. 원발 병소의 침범 깊이 (T 병기)
 2. 원발 병소의 위치
 3. 림프절 전이의 정도 (N 병기)
 4. 림프절 절제 범위

5 **In-hospital course in stomach cancer patient** (from admission to discharge)

1) Open gastrectomy

(1) HD #1 - preoperative evaluation check / NRD 일반식 밥

① preoperative evaluation check

 - CBC, BC, U/A, EGD, CT, chest PA

② 필요 시 타과 consultation 확인

③ EGC의 경우에 clipping 필요 유무 확인

④ 환자/보호자 동의서 확인 (환자의 insight 확인)

⑤ 수술 스케줄 확인

⑥ 필요 시 skin prep.: thioglycolic acid (제모제)

** gastric outlet obstruction 환자는 L-tube insertion 시행한 이후에 irrigation 시행

(2) HD #2 - 아침, 점심 NRD 일반식 밥, 저녁 Low residual diet 치료식 저잔사식 죽, MNNPO / bowel preparation

① bowel prep: laxative (Mag-s 1bt) + phazyme

② Plasma sol(R) 1L

③ famotitidne

④ X-matching 확인

⑤ PCA consult

⑥ 수술전 교육

** foley catheter는 OR에서 insertion

(3) HD #3 / OP day - NPO postoperative V/S & JP drain check

① O$_2$ 5L/min for 4 hrs via a facial mask

② 10% DW 1L + Na 80 mEq

③ Plasma sol(R) 1L

④ antibiotics (2nd generation cephalosporin)

    ** 수술전 항생제

⑤ mucolytics (acetylcystein)

⑥ PCA (pain control) or opiate (Pethidine 50mg + NS 50 cc mix)

⑦ CBC, blood chemistry

⑧ drain patency & color check

⑨ U/O (urine output): 50cc/hr 유지 (foley catheter check)

⑩ SaO_2 check

⑪ pain control: NRS check

⑫ BT < 37.5℃로 유지

(4) POD #1 / HD #4 - NPO postoperative V/S & JP drain & Lab check

① OP wound 확인

② JP drain 확인

③ infection sign 확인

④ foley catheter 확인 후에 removal

⑤ OP record 확인

⑥ 10%DNK1 2L

⑦ Plasma solution A(R) 500ml

⑧ amino acid fluid 500ml

⑨ mucolytics (acetylcystein)

⑩ PCA (pain control) or opiate (Pethidine 50mg + NS 50 cc mix)

⑪ CBC, blood chemistry, U/A (prn)

⑫ drain patency & color check

⑬ urination check: foley catheter 제거 이후에 self voiding 확인 필요

⑭ pain control: NRS check

⑮ BT < 37.5℃로 유지

(5) POD #2 / HD #5 - NPO JP drain check & education for lung care with ambulation
① OP wound 확인
② JP drain 확인
③ infection sign 확인 - 특히 main wound seroma or hematoma 확인
④ 10%DNK1 2L
⑤ Plasma solution A(R) 500ml
⑥ essential fat acid fluid 500ml
⑦ mucolytics (acetylcystein)
⑧ PCA (pain control) or opiate (pethidine 50mg + NS 50 cc mix)
⑨ chest PA
⑩ drain patency & color check
⑪ pain control: NRS check
⑫ BT < 37.5℃로 유지

(6) POD #3 / HD #6 - SOW (gas out 여부 상관없이 진행) JP drain check, wound problem check, bowel movement check
① OP wound 확인
② JP drain 확인
③ infection sign 확인 - 특히 main wound seroma or hematoma 확인
④ bowel movement 확인 - 청진, gas passing check
⑤ 10%DNK1 2L
⑥ Plasma solution A(R) 500ml
⑦ amino acid fluid 500ml
⑧ mucolytics (acetylcystein)
⑨ PCA (pain control) or opiate (pethidine 50mg + NS 50cc mix)
⑩ drain patency & color check
⑪ pain control: NRS check
⑫ BT < 37.5℃로 유지

(7) POD #4 / HD #7 - SFD#6 치료식 수술후식(위식도췌장) 미음 JP drain check, wound problem check, bowel movement check

① OP wound 확인
② JP drain 확인
③ bowel movement 확인 - 청진, gas passing check
④ 5% DNK1 2L
⑤ pain control (prn): opiate (Pethidine 50mg + NS 50 cc mix , Oxycodone HCl 5mg 1T)
⑥ drain patency and color check
⑦ pain control: NRS check
⑧ BT < 37.5℃로 유지
⑨ 환자 식이 교육 (위암 수술 후 교육)
⑩ SFD 이후에 nausea/vomiting/diarrhea 등의 복부 증상 확인

(8) POD #5 / HD #8 - SBD#6 치료식 수술후식(위식도췌장) 죽 1단계 JP drain check, wound problem check, diet 이후 이상유무 확인

① OP wound 확인
② JP drain 확인
③ bowel movement 확인 - 청진
④ stool passing 확인
⑤ PO medication: Camostat 100mg 1T 3P, Motilitone 30mg 1T 3P
⑥ pain control (prn): Opiate (Oxycodone HCl 5mg 1T)
⑦ CBC, blood chemistry, U/A (prn)
⑧ drain patency and color check
⑨ pain control: NRS check
⑩ BT < 37.5℃로 유지
⑪ SBD 이후에 nausea/vomiting/diarrhea 등의 복부 증상 확인

(9) POD #6 / HD #9 - SBD#6 치료식 수술후식(위식도췌장) 죽 die 이후 이상유무 확인, wound problem check

① OP wound 확인
② JP drain 확인 이후에 제거

③ pathology 확인

④ PO medication: Camostat 100mg 1T 3P, Motilitone 30mg 1T 3P

⑤ pain control (prn): opiate (Oxycodone HCl 5mg 1T)

(10) POD #7 / HD #10 - SBD (#6) diet 이후 이상유무 확인, S/O, pathology 확인

① OP wound 확인

② JP drain 제거부위 확인

③ wound 확인 이후에 stitch out 시행

④ pathology 확인 - 필요 시 adjuvant treatment에 대한 consult

⑤ PO medication: Camostat 100mg 1T 3P, Motilitone 30mg 1T 3P

(11) POD #8 / HD #11 - discharge diet 이후 이상유무 확인

① OP wound 확인

② JP drain 제거부위 확인

③ SBD 이후에 nausea/vomiting/diarrhea 등의 복부 증상 확인

④ pathology 확인

⑤ PO medication: Camostat 100mg 1T 3P, Motilitone 30mg 1T 3P

⑥ 상처 관리 교육

2) Laparoscopic assisted distal gastrectomy (LADG)/
Robotic assisted distal gastrectomy (RADG)

(1) HD #1 - NRD 일반식 밥 preoperative evaluation check

① preoperative evaluation check - CBC, BC, U/A, EGD, CT, chest PA

② 필요 시 타과 consultation 확인

③ EGC의 경우에 clipping 필요 유무 확인

④ 환자 / 보호자 동의서 확인 (환자의 insight 확인)

⑤ 수술 스케줄 확인

⑥ 필요 시 skin prep: thioglycolic acid (제모제)

** gastric outlet obstruction 환자는 L-tube insertion 시행한 이후에 irrigation 시행

(2) HD #2 - 아침, 점심 NRD 일반식 밥, 저녁 Low residual diet 저잔
사식 죽, MNNPO / bowel preparation
  ① bowel prep: laxative (Mag-s 1bt) + phazyme
  ② Plasma sol(R) 1L
  ③ famotitidne
  ④ X-matching 확인
  ⑤ PCA consult
  ⑥ 수술전 교육
    ** foley catheter는 OR에서 insertion 함
(3) HD #3 / OP day - NPO postoperative V/S & JP drain check
  ① O_2 5L/min for 4 hrs vi a fascial mask
  ② 10% DW 1L + Na 80 mEq
  ③ Plasma sol(R) 1L
  ④ antibiotics (2nd generation cephalosporin)
    ** 수술전 항생제
  ⑤ mucolytics (acetylcystein)
  ⑥ PCA (pain control) or opiate (Pethidine 50mg + NS 50 cc mix)
  ⑦ CBC, blood chemistry
  ⑧ drain patency & color check
  ⑨ u/o: 50 cc/hr 유지 (foley catheter check)
  ⑩ SaO_2 check
  ⑪ pain control: NRS check
  ⑫ BT < 37.5℃로 유지
(4) POD #1 / HD #4 - NPO postoperative V/S & JP drain & Lab
check
  ① OP wound 확인
  ② JP drain 확인
  ③ infection sign 확인
  ④ foley catheter 확인 후에 removal
  ⑤ OP record 확인

⑥ 10%DNK1 2L

⑦ Plasma solution A(R) 500ml

⑧ amino acid fluid 500ml

⑨ mucolytics (acetylcystein)

⑩ PCA (pain control) or opiate (Pethidine 50mg + NS 50cc mix)

⑪ CBC, blood chemistry, U/A (prn)

⑫ drain patency & color check

⑬ urination check: foley catheter 제거 이후에 self voiding 확인 필요함

⑭ pain control: NRS check

⑮ BT < 37.5℃로 유지

(5) POD #2 / HD #5 - SOW (gas out 상관없이 진행) JP drain check & education for lung care with ambulation

① OP wound 확인

② JP drain 확인

③ infection sign 확인 - 특히 main wound seroma or hematoma 확인

④ 10% DNK1 2L

⑤ Plasma solution A(R) 500ml

⑥ essential fat acid fluid 500ml

⑦ mucolytics (acetylcystein)

⑧ PCA (pain control) or opiate (Pethidine 50mg + NS 50 cc mix)

⑨ chest PA

⑩ drain patency & color check

⑪ pain control: NRS check

⑫ BT < 37.5℃로 유지

(6) POD #3 / HD #6 - SFD#6 치료식 수술후식(위식도췌장) 미음 JP drain check, wound problem check, bowel movement check

① OP wound 확인

② JP drain 확인

③ bowel movement 확인 - 청진, gas passing check

④ 5% DNK1 2L

⑤ pain control (prn): opiate (Pethidine 50mg + NS 50 cc mix)

⑥ drain patency & color check

⑦ pain control: NRS check

⑧ BT < 37.5℃로 유지

⑨ 환자 식이 교육 (위암 수술 후 교육)

⑩ SFD 이후에 nausea/vomiting/diarrhea 등의 복부 증상 확인

(7) POD #4 / HD #7 - SBD#6 치료식 수술후식(위식도췌장) 죽 1단계 JP drain check, wound problem check, diet 이후 이상유무 확인

① OP wound 확인

② JP drain 확인

③ bowel movement 확인 - 청진

④ stool passing 확인

⑤ PO medication: Camostat 100mg 1T 3P, Motilitone (R) 30mg 1T 3P

⑥ pain control (prn): opiate (Pethidine 50mg + NS 50 cc mix)

⑦ CBC, blood chemistry, U/A (prn)

⑧ drain patency & color check

⑨ pain control: NRS check

⑩ BT < 37.5℃로 유지

⑪ SBD 이후에 nausea/vomiting/diarrhea 등의 복부 증상 확인

(8) POD #5 / HD #8 - SBD (#6) diet 이후 이상유무 확인, wound problem check

① OP wound 확인

② JP drain 확인 이후에 제거

③ pathology 확인

④ PO medication: Camostat 100mg 1T 3P, Motilitone (R) 30mg 1T 3P

⑤ pain control (prn): opiate (Pethidine 50mg + NS 50 cc mix)

(9) POD #6 / HD #9 - SBD (#6) Diet 이후 이상유무 확인, S/O, pathology 확인

   ① OP wound 확인

   ② JP drain 제거부위 확인

   ③ wound 확인 이후에 stitch out 시행

   ④ pathology 확인 - 필요 시 adjuvant treatment에 대한 consult

   ⑤ PO medication: Camostat 100mg 1T 3P, Motilitone (R) 30mg 1T 3P

(10) POD #7 / HD #10 - discharge diet 이후 이상유무 확인

   ① OP wound 확인

   ② JP drain 제거부위 확인

   ③ SBD 이후에 nausea/vomiting/diarrhea 등의 복부 증상 확인

   ④ pathology 확인

   ⑤ PO medication: Camostat 100mg 1T 3P, Motilitone (R) 30mg 1T 3P

   ⑥ 상처 관리 교육

(11) postoperative minor complication

   ① surgical site infection (tight glucose level: 80~110mg/dl, maximum 200 mg/dl)

     ; 주의

     a. good perfusion: 너무 tight한 suture는 오히려 blood supply 방해

     b. hematoma / seroma: 가능하면 빨리 제거

     c. complete debridement: necrosis tissue는 빨리 제거

     d. dead space: 가능하면 dead space 만들지 않고 suture

     e. monofilament suture material 사용하기

     f. suture material 가능하면 적게 사용

     g. dirty wound인 경우에는 delayed primary closure가 올바른 방법

     h. 적절하게 drain을 사용

i. 가능하면 빨리 enteral feeding

② postoperative fever

a. 2 to 3 days after surgery atelectasis

Clostridial or Streptococcal surgical site infection

b. 5 to 8 days after surgery - 6 W's

wind (lungs), main abdominal wound water (urinary tract),
waste (lower GI tract)

wonder drug (e.g., antibiotics), and walker (e.g., thrombosis)

• Fever가 지속되는 경우 살펴봐야 할 사항

a. prolonged venous catheter or indwelling catheter (line fever)

b. lung origin: pleural effusion, atelectasis, pneumonia, etc...

c. urinary tract related infection

d. intraabdominal source – CT check !

⑥ 위암센터 외래 검사 Schedule

Stage IA							
month	3	6	12	24	36	48	60
CBC	O	O	O	O	O	O	O
LFT	O	O	O	O	O	O	O
Vitamin B12 (TG)			O	O	O	O	O
EGD	O		O	O	O	O	O
CT		O	O	O	O	O	O
Chest PA			O	O	O	O	O
colonoscopy				(O)			O
tumor marker			O	O	O	O	O

1. Vitamin B12는 TG인 경우에 시행
2. CBC에서 Hb이 낮을 때 anemia study (serum irion, TIBC, Ferritin) 시행
3. tumor marker는 routine으로 3가지 (CEA, CA19-9, CA72-4) 모두 시행

Stage IB - IV									
month	3	6	12	18	24	30	36	48	60
CBC	O	O	O	O	O	O	O	O	O
LFT	O	O	O	O	O	O	O	O	O
Vitamin B12 (TG)			O	O	O	O	O	O	O
EGD	O		O		O		O	O	O
CT		O	O	O	O	O	O	O	O
Chest PA			O	O	O	O	O	O	O
colonoscopy					(O)				O
tumor marker			O		O		O	O	O

1. preop. 검사에 PET 추가
2. Vitamin B12는 TG인 경우에 시행
3. CBC에서 Hb이 낮을때 andemia study (serum irion, TIBC, Ferritin) 시행
4. tumor marker는 routine으로 3가지(CEA, CA19-9, CA72-4) 모두 시행

1 Peptic ulcer disease (PUD)

1) Epidemiology
   (1) increase in gastric ulcer complicated by hemorrhage
      : associated with an increase in NSAID
   (2) due to an increase in smoking and an increase in NSAID ingestion of female
2) Pathogenesis
   (1) H. pylori infection
      - 90% of DU and roughly 75% of GU are associated with H. pylori infection.
      - when this organism is eradicated as ulcer treatment, ulcer recurrence is extremely rare
      ① the mechanisms responsible for H. pylori-induced GI injury
         a. production of toxic products to cause local tissue injury
         b. induction of a local mucosal immune response
         c. increased gastrin levels with a resultant increase in acid secretion
   (2) nonsteroidal anti-inflammatory drugs (NSAIDs)
      ① 2-to 10-fold increased risk for GI complications
      ② more frequently found in the stomach
   (3) duodenal ulcer pathophysiology
      ① decreased bicarbonate secretion
      ② increased nocturnal acid secretion, duodenal acid load, daytime acid secretion
      ③ DU have an increase in mean parietal cell number (GU patients do not)
   (4) gastric ulcer pathophysiology
      ① type I gastric ulcers (60%)
         a. present on the lesser curvature near the incisura

b. not associated with excessive acid secretion

c. not associated with duodenal, pyloric, or prepyloric mucosal abnormalities

② type II gastric ulcers (15%)

a. located in the body of the stomach in combination with a duodenal ulcer

b. associated with excess acid secretion

③ type III gastric ulcers (20%)

a. prepyloric ulcers, behave like duodenal ulcers

b. associated with hypersecretion of gastric acid

④ type IV gastric ulcers (10%)

a. occur high on the lesser curvature near the GE junction

b. not associated with excessive acid secretion

⑤ some ulcers may appear on the greater curvature of the stomach (5%)

3) Clinical manifestations

(1) duodenal ulcer

① abdominal Pain

a. midepigastric abdominal pain that is usually well localized

b. pain is usually tolerable and frequently relieved by food

② perforation

a. about 5% of the time

b. hallmark of free perforation

: free air underneath the diaphragm on an upright chest PA

③ bleeding

a. massive upper GI hemorrhage

: from gastroduodenal artery by DU penetration

b. minor bleeding: detected by melanotic or guaiac-positive stool

④ obstruction

a. hypochloremic hypokalemic metabolic alkalosis

          b. painless vomiting of large volumes of gastric contents

          c. massively dilated in stomach

          d. marked weight loss and malnutrition

   (2) gastric Ulcer

      ① hemorrhage: type II and III, IV

         * type IV gastric ulcers may also present with life-threatening hemorrhage

      ② perforation: m/c complication

         → occur along the anterior aspect of the lesser curvature

      ③ gastric outlet obstruction: common in type II or III

4) Diagnosis

   (1) H. pylori testing

      ① noninvasive test: serology, carbon-labeled urea breath test (UBT)

      ② invasive tests (GFS): rapid urease test, histology, and culture

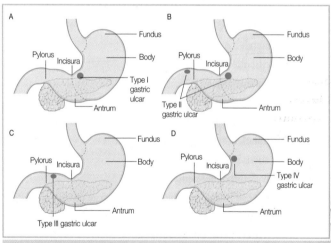

(A) Location of type I gastric ulcer. (B) Location of type II gastric ulcer. (C) Location of type III gastric ulcer. (D) Location of type IV gastric ulcer.

③ not necessary to perform endoscopy to diagnose H. pylori

④ GFS is to be performed, the rapid urease assay and histology are both excellent options

⑤ after treatment

: UBT is the method of choice (단, 치료 종료 4주 이후에 의미가 있음)

(2) upper gastrointestinal radiography

(3) fiberoptic endoscopy (GFS)

5) Medical treatment

(1) neutralization or inhibition of acid secretion

① antacids

a. magnesium antacids: best buffers, can cause significant diarrhea by a cathartic action

b. aluminum acids: result in hypophosphatemia and sometimes constipation

② H2-receptor antagonists

a. potency: famotidine > ranitidine > cimetidine

b. continuous IV infusion be shown to produce more uniform than intermittent administration

③ PPIs: omeprazole, lansoprazole

a. the most potent antisecretory agents

: benzimidazoles, also known as the PPIs

b. more effective during the day

** require an acidic environment within the gastric lumen in order to become activated

→ PPIs should not be used in combination with antacids and H2-receptor antagonists

④ sucralfate

: produce a kind of protective coating that can last for up to 6 hours

(2) treatment of H. pylori infection

   ① triple regimens for H. pylori eradication

   ② PPI + antibiotics (metronidazole, clarithromycin, or amoxicillin)

   ③ usually 2 weeks in duration, only given twice a day eradication
      rates : 90% (still not 100%)

6) Surgical procedures for peptic ulcer and complications

  the 4 classic indications

  : intractability, hemorrhage, perforation, and obstruction

  (1) surgical indications

    ① duodenal ulcer

      a. intractable: parietal cell vagotomy highly (selective vagotomy)

      b. bleeding

         : truncal vagotomy + pyloroplasty + oversewing of bleeding
          vessel

      c. perforation

         : patchy closure + H.pylori eradication ± parietal cell vagotomy

      d. obstruction

         : rule out malignancy + parietal vagotomy + gastrojejunostomy

    ② gastric ulcer

      a. intractable

      b. bleeding

      c. perforation

      d. obstruction: rule out malignancy + antrectomy + vagotomy

      e. type IV: ulcer의 크기와 위치에 따라서 다름

      f. giant gastric ulcer: distal gastrectomy + vagotomy

  (2) intractable duodenal ulcer

    : many prefer a laparoscopic approach (probably provides better
    visualization)

① parietal cell vagotomy

    a. morbidity rate of less than 1%, mortality rate of less than 0.5%

    b. recurrence rate is roughly 5% to 25% (more higher)

② taylor procedure (anterior lesser curve seromyotomy + posterior truncal vagotomy)

    a. equivalent to parietal cell vagotomy, and the side effects are not any greater

    b. result in acid suppression that is similar highly selective vagotomy or truncal vagotomy

    c. gastric emptying is also similar to that of highly selective vagotomy

    d. dumping and diarrhea are less than that observed after truncal vagotomy

(3) intractable gastric ulcer

  ① type I gastric ulcer

    a. distal gastrectomy + Billroth I (40~50%) is recommended vagotomy is not necessary: type I is not dependent on gastric acid morbidity rate (about 3~5%), mortality rates (1~2%)

    b. parietal cell vagotomy + wedge excision

  ② type II or type III gastric ulcers

    distal gastrectomy + Billroth I + truncal vagotomy should be performed

(4) perforated duodenal ulcers

  ① simple omental patch closure + PPIs

    → most common used poor general condition, V/S unstable pt, exudative peritonitis (>24 hr of contamination)

  ② patch closure + parietal cell vagotomy

  ③ patch closure + truncal vagotomy + drainage

    * sealed perforation: successfully with treatment for H. pylori and acid control

(5) perforated gastric ulcer

 ① type I GU: distal gastrectomy with Billroth I (stable pts) simple patching with ulcer biopsy (unstable pts) for r/o malignancy

 ② type II & III GU: simple omental patch closure + PPIs

(6) type IV gastric ulcers

 : whenever possible, the ulcer should be excised

 ① most aggressive approach gastrectomy with ulcer + Roux-en-Y esophogogastrojejunostomy

 ② located 2 to 5cm from EG junction

  distal gastrectomy with vertical extension to include ulcer (Pauchet procedure) continuity is restored with an end-to-end gastroduodenostomy

 ③ Csendes procedure: useful in stable patients

 ④ Kelling-Madlener operation: unstable ones.

 ⑤ ulcer in place or locally excising: truncal vagotomy + pyloroplasty

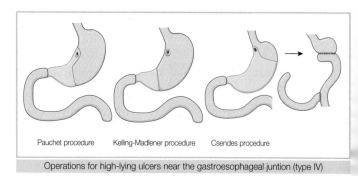

Pauchet procedure Kelling-Madlener procedure Csendes procedure

Operations for high-lying ulcers near the gastroesophageal juntion (type IV)

② Postgastrectomy syndromes

- Classification
  - Postgastrectomy syndromes secondary to resection
    : dumping syndrome, metabolic disturbance
  - Postgastrectomy syndromes related to reconstruction
    : A-loop syndrome, E-loop obstruction, alkaline reflux gastritis, retained antrum syndrome
  - Postvagotomy syndromes
    : postvagotomy diarrhea, postvagotomy gastric atony, incomplete vagal transection

1) Postgastrectomy syndromes secondary to gastric resection

(1) dumping syndrome

- occurs following ingestion of a meal
- early form occurring more frequently

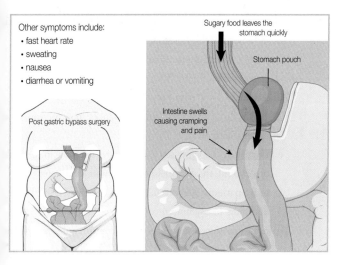

Other symptoms include:
- fast heart rate
- sweating
- nausea
- diarrhea or vomiting

Post gastric bypass surgery

Sugary food leaves the stomach quickly

Stomach pouch

Intestine swells causing cramping and pain

① early dumping
  a. occurs within 20 to 30 minutes after ingestion of a meal
     occur while the patient is seated at the table eating or shortly
     after eating
     more common after subtotal gastrectomy + Billroth II (50%
     to 60% of patients)
  b. accompanied by both GI and cardiovascular symptoms
     • GI sx.: nausea/vomiting, epigastric fullness, eructation,
       cramping abd pain, explosive diarrhea
     • cardiovascular sx: palpitations, diaphoresis, fainting,
       dizziness, flushing, blurred vision
  c. reason: rapid passage of food of high osmolarity from the
     stomach into the small intestine
     • resultant hypertonic food bolus passes into the small
       intestine
     • induces a rapid shift of extracellular fluid into the intestinal
       lumen to achieve isotonicity
     • shift of extracellular fluid, luminal distention
     • induces the autonomic responses
  d. secondary to the release of several humoral agents
     : serotonin, bradykinin-like substances, neurotensin, and
       enteroglucagon
  e. Dx: gastric emptying scans, provocative test done in the form
     of a 200 mL meal of 50% glucose solution and water
  f. most patients subjected to gastric surgery complain of
     dumping- like symptoms after surgery
  g. most experience spontaneous relief and require no specific
     therapy
  h. dietary measures
     • avoiding foods containing large amounts of sugar, carbohydrate

- frequent feeding of small meals rich in protein, fat
- separating liquids from solids during a meal

i. long-acting somatostatin analogue octreotide acetate (sandostatin): effective in preventing the development of symptoms, both vasomotor and GI
- inhibit the hormonal responses associated with this syndrome
- completely abolish the associated diarrhea
- inhibits gastric emptying
- induces a fasting or interdigestive small bowel motility pattern in patient
- side effects: expensive!

j. operative intervention (in the fewer than 1% of patients) improve the gastric reservoir function, decrease rapid gastric emptying
- isoperistaltic jejunal segment interposition
  -10 to 20 cm loop of jejunal interposing between stomach and small intestine in isoperistaltic
- jejunal segment - reservoir function
- •antiperistaltic jejunal segments interposition
  -10 cm loop of jejunal interposing between jejunum on its mesentery in antiperistaltic
  jejunal segment - sphincter function
- long-limb Roux-en-Y anastomosis: delay gastric emptying

② late dumping

a. 2 to 3 hours after a meal, less common than early dumping

b. the basic defect in this order is also rapid gastric emptying
  : specifically to carbohydrates being delivered rapidly into the proximal intestine
- carbohydrates in small bowel are quickly absorbed

- hyperglycemia
- triggers the release of large amounts of insulin (actual overshooting, insulin shock)
- hypoglycemia occurs in response to the insulin
- activates the adrenal gland to release catecholamines
- results in diaphoresis, tremulousness, light-headedness, tachycardia, and confusion

  * symptom complex is indistinguishable from insulin shock

c. dietary measures
- ingest frequent small meals and to reduce their carbohydrate intake
- pectin + acarbose (β-glucoside hydrolase inhibitor)
  : delay carbohydrate absorption

d. operative intervention
- antiperistaltic loop of jejunum between the residual gastric pouch and intestine

(2) metabolic disturbances
- more freguent in Billroth II
- related to the extent of gastric resection

① anemia

a. deficiency in iron (iron deficiency anemia) - more common (30%)
   iron supplements

b. impairment in vitamin B12 metabolism (megaloblastic anemia)
   : A-loop syndrome도 배제해야 함
- owing to lack of intrinsic factor secretion
- intramuscular injections of cyanocobalamin every 3 to 4 months (no oral)

c. folate deficiency (macrocytic anemia) dietary supplementation of folate

② impaired absorption of fat

- steatorrhea may be seen after a Billroth II gastrectomy
- d/t inadequate mixing of bile salts and pancreatic lipase with ingested fat
- deficiency in uptake of fat-soluble vitamins (A, D, E, K) may also occur
- pancreatic replacement enzymes are often effective

③ osteoporosis and osteomalacia
- usually associated with a Billroth II gastrectomy
- generally occurs about 4 to 5 years after surgery
- usually requires calcium supplements (1~2g/day) + vitamin D (500~5,000 units daily)

2) Postgastrectomy syndromes related to gastric reconstruction

Billroth II gastrectomy are more likely to encounter these problems

(1) afferent loop syndrome

① occurs when the afferent limb is greater than 30 to 40cm in length frequently anastomosed to the gastric remnant in an antecolic fashion
usually found chronically

② epigastric discomfort and cramping
  a. projectile bilious vomiting
     : no food contained, offers immediate relief of symptoms
  b. marked distension of a-loop
  c. bacterial overgrowth occurs in the static loop
     : bacteria bind with vitamin B12 and deconjugated bile acids
     → deficiency of vitamin B12
  d. necrosis and perforation of the loop: chemical peritonitis

③ acute form of afferent loop obstruction: rare
  a. seen with volvulus or herniation of the afferent loop posterior to the efferent limb
  b. requires immediate operative intervention

chronic afferent loop obstruction: more common & problematic

④ operative intervention: almost always necessary

    a. converting the Billroth II → Billroth I anastomosis, enteroenterostomy below the stoma (Braun anastomosis): technically easier

    b. Roux-en-Y reconstruction

** vagotomy should also be performed to prevent marginal ulceration from the diversion of duodenal contents from the gastroenteric stoma

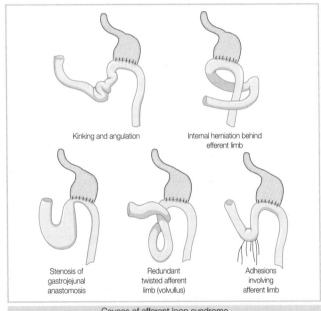

Kinking and angulation

Internal herniation behind efferent limb

Stenosis of gastrojejunal anastomosis

Redundant twisted afferent limb (volvullus)

Adhesions involving afferent limb

Causes of afferent loop syndrome

(2) efferent loop obstruction

    ① quite rare, 50% of cases do so within the first postoperative month

    ② most common cause

    : herniation of the limb behind the anastomosis in a Rt.-to-Lt. fashion

③ occur with both antecolic and retrocolic gastrojejunostomy

④ operative intervention: almost always necessary reducing of retroanastomotic hernia and closing the retroanastomotic space

(3) alkaline reflux gastritis

① reflux of bile is fairly common

    a. HIDA scans are usually diagnostic

    b. iron deficiency anemia and weight loss are also common

    c. more common in Billroth II anastomosis

    d. no clear correlation between volume of bile or composition and development of gastritis

② medical therapies: have not shown any consistent benefit

    a. operative intervention: intractalde symptoms

    b. converting to a Roux-en-Y gastrojejunostomy (roux limb lengthening: 41~46cm)

(4) retained antrum syndrome

① because the antral mucosa may extend past the pyloric muscle for a distance of 0.5cm

② occur after partial gastrectomy even if the resection is carried beyond the pyloric sphincter: Billroth II anastomosis 시에 duodenum stump 부분에 남아있는 gastric mucosa portions

③ retained antrum is continually bathed in alkaline secretions (bile...)

    a. stimulate the release of large amounts of gastrin

    b. increase in acid secretion

    c. ulcerogenic condition, recurrent ulceration

④ technetium scan may prove helpful in diagnosing retained antrum

⑤ medical: H2-receptor blockade or PPIs

⑥ operative intervention

conversion to Billroth I reconstruction

excision of the retained antral tissue in the duodenal stump

3) Postvagotomy syndromes

(1) postvagotomy diarrhea

① about 30% or more of patients suffer from diarrhea after gastric surgery

for most patients, it is not severe and usually disappears within the first 3 to 4 months

* some patients: the diarrhea is part of the dumping syndrome

    a. vagotomy is also associated with alterations in stool frequency

    b. truncal vagotomy: increased frequency of daily bowel movements in 30% to 70%

    c. diarrhea may occur 2 to 3 times weekly or manifest itself once or twice a month

② medical: cholestyramine (anionic exchange resin that absorbs bile salts)

    a. can significantly diminish the severity of diarrhea

    b. show signs of improvement within 1 to 4 weeks of initiation of treatment

    c. 4g of cholestyramine with meals 3 times daily

       → control toward 1 to 2 times / day

③ operative intervention: very rare, < 1%

    a. remained incapacitating for at least 1 year & fails to respond to cholestyramine

    b. interpose a 10 cm segment of reverse jejunum 70 to 100cm from the ligament of Treitz

(2) postvagotomy gastric atony

① not in the case of highly selective or parietal cell vagotomy

    a. lose antral pump function, reduction in ability to empty solids

    b. emptying of liquids is accelerated (loss of receptive relaxation in the proximal stomach)

        c. diagnosis of gastroparesis: confirmed on scintigraphic
           assessment of gastric emptying
     ② medical: prokinetic agents (metoclopramide and erythromycin)
        a. metoclopramide: acting as a dopamine antagonist, cholinergic-
           enhancing effects
        b. erythromycin: binding to motilin receptors on GI smooth
           muscle cells, motilin agonist
  (3) incomplete vagal transection
     ① highly selective vagotomy: rarely a problem
     ② truncal vagotomy: may be associated with incomplete transection
        a. because of the variability in size of the two trunks and their
           anatomic position
        b. rt. vagus nerve is more frequently: nerve of grassi
     ③ histologic confirmation of vagal transection decreases the
        incidence of incomplete vagotomy
        ** 수술장에서 vagus nerve Bx. 반드시 나가야 함

3 Zollinger-Ellison syndrome (referred to as gastrinoma)

1) Clinical triad
   : gastric acid hypersecretion, severe PUD, non-β islet cell tumors of
   pancreas
   (1) usually localized to the head of pancreas, duodenal wall, or regional
       lymph nodes (triangle)
   (2) multiple (33%), malignant (66%)
   (3) associated with multiple endocrine neoplasia syndrome (MEN 1):
       25%

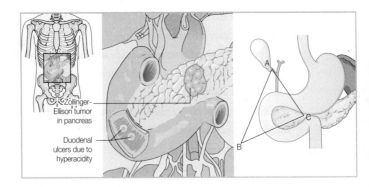

Zollinger-
Ellison tumor
in pancreas

Duodenal
ulcers due to
hyperacidity

2) Abdominal pain and PUD

    (1) the hallmarks of the syndrome (80%) - recurrent or intractable

    (2) diarrhea secondary to increased gastric acid secretion

    (3) weight loss and steatorrhea: due to decreased duodenal and jejunal
        pH, inactivation of lipase

    (4) esophagitis from gastroesophageal reflux

    (5) GFS: prominent gastric rugal folds, evidence of PUD

3) Elevated fasting serum gastrin levels (>200 pg/ml, >1,000 pg/ml
   may be diagnostic)

    (1) BAO of greater than 15 mEq/h (or>5mEq/h in those with previous
        antiulcer surgery)

    (2) secretin test: the most sensitive and specific provocative test

4) Localization of the gastrinoma is performed before operative in-
   tervention occurs

    (1) CT, MRI, GFS U/S, 111 in-octreotide scintigraphy (somatostatin
        receptor imaging)

    (2) selective visceral angiography, percutaneous transhepatic portal ve-
        nous sampling for gastrin

(3) selective arterial secretin stimulation test

5) Operative treatments

    (1) in patients with resectable gastrinoma: surgical resection
        includes tumor resection from the duodenum, pancreas, and re-
        gional lymph nodes

    (2) total gastrectomy is rarely indicated

4 Stress gastritis

- referred to as stress ulcerations, stress erosive gastritis, and hemorrhagic gastritis
- may lead to life-threatening gastric bleeding
- multiple, superficial (nonulcerating) erosions
- begin in the proximal or acid-secreting portion of the stomach and progress distally
- after physical trauma, shock, sepsis, hemorrhage, or respiratory failure
- Cushing's ulcer: CNS disease
- Curling's ulcer
  : as a result of thermal burn injury involving more than 30% of the BSA

1) pathophysiology

    (1) mucosal ischemia is thought to be the main factor
        → breakdown of these normal defense mechanisms

    (2) luminal acid is then able to damage the compromised mucosa

    (3) luminal acid appears to be a essential for this form of gastritis to evolve

    (4) predisposing clinical conditions

      ① adult respiratory syndrome, multiple trauma, major burn (*) over 35% of body surface area

      ② oliguric renal failure, large transfusion requirements, hepatic dysfunction, hypotension

      ③ prolonged surgical procedures, and sepsis from any source

2) presentation and diagnosis

    (1) more than 50% of patients: within 1 to 2 days after a traumatic event

    (2) a few flecks of blood in the nasogastric tube

    (3) unexplained drop in the hemoglobin

    (4) hypotension and hematemesis

    (5) frequently guaiac-positive, although melena and hematochezia are rare

    (6) GFS is required to confirm the diagnosis

3) therapy

    (1) treatment of the underlying sepsis plays a major role

    (2) fluid resuscitation with correction of any coagulation or platelet abnormalities

    (3) saline lavage with nasogastric decompression

    (4) utilization of PPIs: continuous infusion

    (5) selective infusion of vasopressin into the splanchnic circulation through the Lt. gastric artery (but, patient has underlying cardiac or liver disease, vasopressin should not be used)

    (6) embolization of the Lt. gastric artery if bleeding is identified on angiography

    (7) operative intervention

      : recurs or persists requiring more than 6 units of blood (3,000ml)

      ① long anterior gastrotomy should be made in this area (d/t proximal is m/c)

      ② oversewn with figure-of-eight stitches taken deep within the gastric wall

      ③ closing the anterior gastrotomy

      ④ truncal vagotomy and pyloroplasty

      * life–threatening hemorrhage refractory to other forms of therapy: should be gastrectomy !

4) prophylaxis

(1) made to correct any perfusion deficits from shock

(2) adequate nutrition preferably through the enteral route: nasogastric tube, feeding gastrostomy

(3) neutralizing or preventing acid secretion

> ** for patients who do not have coagulopathy, require mechanical ventilation<48 hours
> : prophylaxis for stress gastritis was UNnecessary

(4) antacids (efficacy of 96%)
   : hourly administration of antacids (30~60ml) by nasogastric tube

(5) H2-receptor antagonists: 97% efficacy

(6) sucralfate (1g every 6 hours): 90% to 97% range efficacy

(7) exogenous prostaglandin have also been used as stress gastritis prophylaxis agents

5 Gastric lymphoma

1) Epidemiology

(1) stomach is the most common site of lymphoma in the GI system Less than 15% of gastric malignancies and 2% of lymphoma

(2) often present with vague symptoms, namely epigastric pain, early satiety, and fatigue
   - constitutional B symptoms are very rare

(3) peak incidence in the 6th to 7th decade, more common in men (M : F of 2 : 1)
   - most commonly occur in antrum

2) Pathology

(1) most common gastric lymphoma is diffuse large β-cell lymphoma (55%)

(2) immunodeficiencies & H. pylori infection
   : risk factors for the development of primary diffuse large β-cell

lymphoma

(3) MALT lymphoma is most commonly preceded by H. pylori associated gastritis

① reclassified as extranodal marginal zone lymphoma of MALT-type

② H. pylori infection can be found in almost every instance of gastric MALT lymphoma

③ genetically, MALT lymphoma is characterized by the translocations t (1;14) (p22;q32) & t (11;18) (q21;q21)

t (11;18) (q21;q21) and Bcl-10 nuclear expression may predict for non-responsiveness to treatment by H. pylori eradication and lymphoma regression

④ Burkitt's lymphoma

: associated with Epstein-Barr virus infections as they are in other sites very aggressive, most commonly found in the cardia or body tends to affect a younger population

3) Evaluation

(1) endoscopic ultrasound

: useful to determine the depth of gastric wall invasion upper airway examination, bone marrow biopsy, and CT of the chest and abdomen

any enlarged lymph nodes should undergo biopsy

(2) H. pylori testing should be performed

4) Staging

when possible, the TNM staging system should be used

5) Treatment

(1) most centers employ a multimodality treatment program for patients with gastric lymphoma

: the role of resection in gastric lymphoma remains controversial

(2) many patients are now being treated with chemoradiation therapy alone

: CHOP (cyclophosphamide, doxorubicin, vincristine, and prednisone)

(3) surgical removal of all gross disease

: only, isolated stage IE or IIE lymphoma

** limited early–stage MALT lymphoma: effectively treated by H. pylori eradication alone

① successful eradication resulted in remission in more than 75% of cases

② careful follow-up is necessary, with repeat endoscopy in 2 months

③ biannual endoscopy for 3 years to document regression

(4) predict failure after H. pylori eradication

① transmural tumor extension, nodal involvement, transformation into a large cell phenotype

② t (11;18), or nuclear Bcl-10 expression

(5) small subset of MALT lymphoma with H. pylori ($-$)

: consider surgical resection, Radiation, and Chemotherapy

(6) 5-year disease-free survival rate with multimodality treatment

: > 95% in stage IE & 75% in stage IIE

⑥ Gastrointestinal stromal tumors (GISTs)

1) Epidemiology: 3% of all gastric malignancies

(1) 위장관에서 발생하는 육종 중 가장 흔함

(2) 50~60%에서 위에서 발생, 다음 호발 부위는 소장

(3) 30대 이후

(4) 진단 시 평균 연령은 60세

2) Pathology

(1) 위의 근육층에서 기원

(2) 주로 Cajal cell에서 (autonomic nerve related GI pacemaker cells)

- defined as cellular, spindle cell, or occasionally pleomorphic mesenchymal tumors

(3) express the kit (CD117, stem cell factor receptor) protein

: c-kit mutation (+)

(4) 70~80%에서 CD34 양성

(위에서는 90% 정도에서 양성, 소장에서는 약 50%에서 양성)

(5) mutations in a related platelet-derived growth factor-α (PDGF-α)

* Kit: transmembrane tyrosine kinase receptor, the ligand for which is stem cell factor

* CD34: a hematopoietic progenitor cell antigen

3) Staging

(1) no current staging system exist for GISTs

NIH consensus meeting의 결과를 따르는 것을 권장함

위장관 기질종양의 예후 예측 병리 진단 기준		
	종양 크기	유사분열 개수
초 저위험군	<2cm	≤5/50 HPF
저 위험군	2~5cm	≤5/50 HPF
중 위험군	<5cm 5~10cm	6~10/50 HPF ≤5/50 HPF
고 위험군	>5cm >10cm 크기에 상관 없음	>5/50 HPF 유사 분열수에 상관 없음 >10/50 HPF

HPF: 고배율

ⅠHandbook of Surgery

- Fletcher 등이 다수의 증례에 대한 연구를 기초로 NIH 양식을 접목한 새로운 기준을 제시. 이는 아래의 표와 같음

종양 특징		종양 진행 위험 인자	
유사분열 개수	크기 (cm)	위	소장
〈5/50 HPF	≤2	초 저위험군	초 저위험군
	〉2 and ≤5	초 저위험군	저 위험군
	〉5 and ≤10	저 위험군	
	〉10	중 위험군	고 위험군
≥5/50 HPF	≤2	초 저위험군	중 위험군
	〉2 and ≤5	중 위험군	고 위험군
	〉5 and ≤10	고 위험군	고 위험군
	〉10	고 위험군	고 위험군

위장관 기질종양의 예후 예측 병리 진단 기준*

* 다른 부위에 발생하는 위장관기질종양은 소장과 비슷한 형식으로 분류될 수 있다.

- benign GIST 가 Malig. GIST보다 3-5배 이상 많음
(2) AJCC (2010) staging

원발암 (T)	
TX	침윤 정도를 알 수 없는 원발암
T0	원발암의 증거가 없음
T1	종양 크기가 ≤2cm
T2	종양 크기가 >2cm and ≤5cm
T3	종양 크기가 >5cm and ≤10cm
T4	종양 크기가 〉10cm

영역림프절 전이 (N)	
NX	영역림프절 전이 유무 판단 불가
N0	영역림프절로의 전이가 없음
N1	영역림프절로의 전이가 있음

원격전이 (M)	
M0	원격전이 없음
M1	원격전이 있음
M1a	폐
M1b	다른 원격전이

위의 위장관기질종양				
GROUP	T	N	M	유사분열 개수
IA	T1 or T2	N0	M0	저
IB	T3	N0	M0	저
II	T1	N0	M0	고
	T2	N0	M0	고
	T4	N0	M0	저
IIIA	T3	N0	M0	고
IIIB	T4	N0	M0	고
IV	Any T	N1	M0	상관없음
	Any T	Any N	M1	상관없음

소장의 위장관기질종양				
GROUP	T	N	M	유사분열 개수
IA	T1 or T2	N0	M0	저
II	T3	N0	M0	저
IIIA	T1	N0	M0	고
	T4	N0	M0	저
IIIB	T2	N0	M0	고
	T3	N0	M0	고
	T4	N0	M0	고
IV	Any T	N1	M0	상관없음
	Any T	Any N	M1	상관없음

4) Clinical manifestations and evaluation

(1) 위장관 출혈: 가장 흔한 증상

(2) 진단은 EGD, EUS, CT 등에 의하며, 대부분 적절한 조직을 얻을 수 없어 수술 후 병리 소견에 의하여 최종 확진됨

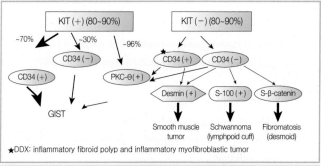

★DDX: inflammatory fibroid polyp and inflammatory myofibroblastic tumor

Algorithm to diagnose gastrointestinal stromal tumors based on immunohistochemistry

5) Treatment

(1) 현재 모든 위장관기질종양은 악성 가능성이 있는 것으로 간주하므로 의심될 때는 절제할 필요가 있음. 2cm 이상 또는 크기가 증가할 시는 절제를 적극 권장

(2) 수술적 치료의 목표는 종양 세포가 없는 절제연을 확보하며 종양을 파열시키지 않고 절제하는 것. 만약 주위 장기에 침윤 시는 일괄 절제를 시행. 따라서 크기가 작더라도 기질종양이 의심 시는 shell-out procedure나 enucleation은 시행해서는 안됨

 - 많은 경우 위는 wedge resection, 소장은 segmental resection이 적절한 치료임

 - adenocarcinoma와 달리 국소 지역 림프절에 아주 드물게 전이되므로 림프절 절제는 림프절이 커져있는 경우와 같이 전이가 의심되는 경우에만 시행

 - 림프절 전이 빈도는 10% 이하로 작으며 확장 림프절 절제술은 큰 이득이 없음

(3) 재발 시는 대부분 첫 2년에 발생: 주로 간 전이를 동반하는 국소 재발임

 • overall 5-year survival rate for gastric GISTs: 48% (19~56%)

 • survival rates after complete surgical resection: 32~63%

(4) 재발 예측 인자

① >15 mitoses / 30 HPF

② mixed cytomorphology (spindle cell & epithelioid)

③ presence of deletion/insertion c-kit exon 11 mutations

④ male sex

(5) adjuvant therapy for GISTs: no benefit !!

① radiation therapy has not been proved effective

② only 5% of tumors respond to doxorubicin-based cytotoxic chemotherapy

6) 복강경 수술: 최근에는 대부분 복강경으로 시행

7) Follow up

(1) 고위험과 중등도 위험군: 수술 후 3년간은 3-4개월마다 CT 시행, 그 후 5년까지는 6개월마다, 5년 이후에는 일 년에 한 번 시행을 권장

(2) 저위험이나 초저위험군: 5년간 매 6개월마다 CT 시행 권장

** imatinib mesylate (formerly ST1517, now Gleevec [Novartis]) competitive inhibitor of certain tyrosine kinases (Kit)

kinases associated with the transmembrane receptor Kit and PDGF receptors 54% of patients exhibiting at least a partial response

approved for use in CD117-positive unresectable and metastatic GISTs

(3) 진행성 위장관기질종양이 진단되면 증상의 유무와 관계없이 imatinib를 투여. 간전이 또는 복막의 국소 전이를 동반한 환자에서 육안적 및 조직학적으로 완전절제가 시행된 경우에도 완치를 획득하기 어려우므로 imatinib를 투여하는 것이 적절함 imatinib은 병이 진행하거나, 심각한 부작용이 발생하거나 환자가 거부하지 않는 한 지속적으로 투여되어야 함. imatinib 투여 후 종양의 반응을 획득한 상태에서 투여를 중단하면 대부분의 경우 병이 진행

7 Hypertrophic gastritis (Ménétrier's disease)

1) Hypoproteinemic hypertrophic gastropathy

rare, acquired, premalignant disease

massive gastric folds in the fundus and corpus of the stomach GFS: cobblestone or cerebriform appearance

2) Histologic

foveolar hyperplasia (expansion of surface mucous cells) with absent parietal cells

protein loss from the stomach, excessive mucus production, hypochlorhydria or achlorhydria

3) Cause of Ménétrier's disease is uncertain

associated with CMV infection (children) & H. pylori infection (adults)

increased transforming growth factor-α

4) Biopsy should be performed to rule out gastric carcinoma or lymphoma

5) Medical

anticholinergic drugs, acid suppression, octreotide, and H. pylori eradication

6) Surgical

total gastrectomy (at massive protein loss, dysplasia or carcinoma develops)

8 Mallory-Weiss tear

1) Related to forceful vomiting, retching, coughing, or straining

results in disruption of the gastric mucosa high on the lesser curve at the GE junction

2) Occur 6 to 10 cm from GE junction in the fundus near the cardia

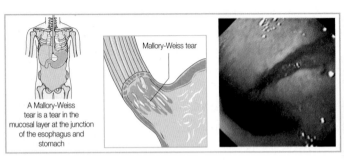

A Mallory-Weiss tear is a tear in the mucosal layer at the junction of the esophagus and stomach

Mallory-Weiss tear

3) If surgery is required (very rare)

anterior gastrotomy and the bleeding site oversewn with several deep 2~0 silk ligatures

9 Dieulafoy's gastric lesion

1) Abnormally large (1~3 mm), tortuous artery coursing through the submucosa

  (1) further erosion and bleeding occurs

  (2) mucosal defect: 2 to 5 mm in size and is surrounded by normal-appearing gastric mucosa

  (3) occur 6 to 10 cm from the GE junction generally in the fundus near the cardia

2) More common in men (2:1), with the peak incidence in the 5th decade

  : massive, painless, recurrent hematemesis with hypotension

3) GFS is the diagnostic modality of choice, correctly identifying the lesion in 80% of patients

  : can be managed by endoscopic methods

  (1) angiographic intra-arterial infusion of vasopressin or transcatheter embolization

    (2) gelfoam embolization has been reported to successfully control
        bleeding

4) Surgical management (rare)

.   (1) laparoscopic wedge resection to include the offending vessel
    (2) facilitated by asking the endoscopist to tattoo or mark the stomach

🔟 Gastric varices

1) In conjunction with esophageal varices

- secondary to sinistral hypertension from splenic vein thrombosis
- bleeding from gastric varices (3~30%)

2) Gastric varices in the setting of splenic vein thrombosis are readily
    treated by splenectomy

3) Temporary tamponade can be attempted with a Sengstaken-Blakemore
    tube

4) Endoscopy serves as a diagnostic as well as a therapeutic tool
    : banding or sclerotherapy

5) Transjugular intrahepatic portosystemic shunting (TIPS) can be effective

11 Gastric volvulus

1) Uncommon condition

longitudinal axis (organoaxial): 2/3, vertical axis (mesenteroaxial): 1/3

(1) organoaxial gastric volvulus (↑ ↓)

① occurs acutely

② associated with a diaphragmatic defect

   a. traumatic or paraesophageal hernias (adults)

   b. foramen of Bochdalek or eventration (child)

(2) mesenteroaxial volvulus (⇔)

① partial (<180 degrees), recurrent

② not associated with a diaphragmatic defect

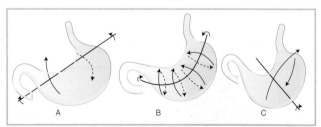

Torsion of the stomach along the longitudinal axis (orgnoaxial)
(A & B) and along the vertical axis (mesoaxial) (C)

2) Borchardt's triad

(1) sudden onset of constant and severe upper abdominal pain

(2) recurrent retching with production of little vomitus

(3) inability to pass a nasogastric tube

   * strangulation has occurred (5~28%)

3) Acute volvulus is a surgical emergency

   (1) with defect

     ① transabdominal approach, the stomach is reduced and uncoiled

     ② diaphragmatic defect is repaired with consideration given to a fundoplication

     ③ strangulation: gastric resection

   (2) spontaneous volvulus without defect

     ① treated by gastropexy or tube gastrostomy (fibrosis & adhesion 유도)

⑫ Bezoars

1) Vegetable origin (phytobezoar), hair (trichobezoar, related with trichophagy occasionally): most commonly found

   (1) undergone surgery of the stomach

   (2) impaired gastric emptying

   (3) DM with autonomic neuropathy are also at risk

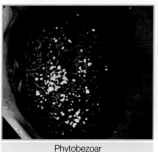
Phytobezoar

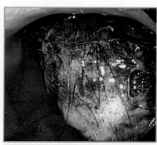
Trichobezoar

2) Medically enzymatic therapy

   (1) papain: one teaspoon in 150 to 300ml water several times daily sodium concentration in papain (AMT) is high

(2) cellulase have been used with some success

followed by aggressive Ewald tube lavage or endoscopic fragmentation

tion

(3) Failure of these therapies would necessitate surgical removal

(4) The small bowel should be examined to confirm that additional bezoars are not present

(5) The trichophagy requires psychiatric care because recurrent bezoar formation is common

① Heineke-Mikulicz pyloroplasty

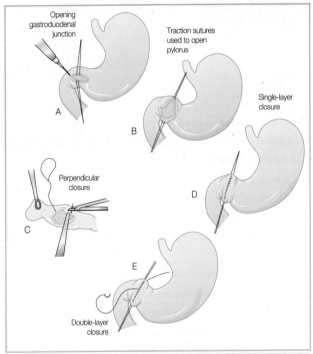

A to E, Heineke-Mikulicz pyloroplasty

② Omental patch

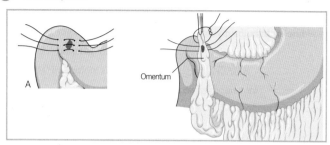

A   Omentum

③ Truncal vagotomy

1) Division of the lt. / rt. vagus nerve above hepatic and celiac branch just above the GE junction.

2) The most common operation performed for duodenal ulcer disease

3) Drainage procedure (*) should be needed in association with truncal vagotomy

- in combination with a Heineke-Mikulicz pyloroplasty (most common)
- when the duodenal bulb is scarred, a Finney pyloroplasty or Jaboulay gastroduodenostomy

4) Bile reflux may be more common after gastroenterostomy

- diarrhea is more common after pyloroplasty
- post-vagotomy syndrome is common

  * truncal vagotomy is uncomplicated procedure that can be performed quickly
    → making it especially attractive for patients who are hemodynamically un-
    stable

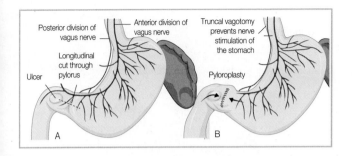

4 **Highly selective vagotomy** (parietal cell vagotomy, proximal gastric vagotomy)

1) Refer to parietal cell vagotomy, proximal gastric vagotomy preserves the vagal innervation of the gastric antrum
   → No need for routine drainage procedures

2) The nerves of Latarjet are identified anteriorly and posteriorly
   : the crow's feet innervating the fundus and body of the stomach are divided
   ① caudal: nerves are divided up until a point about 7cm proximal to the pylorus
   ② cephal: division of these nerves is carried to a point at least 5cm proximal to the GE junction
   ③ ideally, 2~3 branches to the antrum and pylorus should be preserved

3) The "criminal nerve of Grassi"
   : very proximal branch of the posterior trunk of the vagus
   • frequently cited as a predisposition for ulcer recurrence if left. intact

4) Recurrence rates after operation (10 to 15% are reported)
   : slightly higher than those reported after truncal vagotomy + pyloroplasty

5) As a result, parietal cell vagotomy is not the procedure of choice
   for prepyloric ulcers

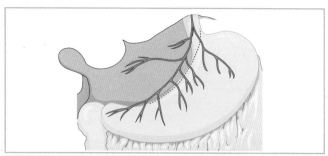

Anterior view of the stomach and the anterior nerve of Latarjet. The dotte line
represents the line of dissection for parietal cell or highly selective vagotomy. Note
that the last major branches of the nerve are left intact and that the dissection
begins 7cm from the pylorus. At the gastroesophageal junction, the dissection is
well away from the origin of the hepatic branches of the left vagus.

5 Truncal vagotomy & antrectomy

1) M/C indications

  : gastric ulcer and large benign gastric tumors Relative contraindication

  ① cirrhosis

  ② extensive scarring of the proximal duodenum that leaves a difficult
     duodenal closure

  ③ previous operations on the proximal duodenum, such as choledo-
     choduodenostomy

2) Recurrence rate for ulceration after truncal vagotomy + antrec-
   tomy

  : 0~2%

⑥ Reconstruction of GI continuity

1) Gastro-duodenostomy (Billroth I procedure)

   : more natural and biological

2) Gastro-jejunostomy (Billroth II procedure) using one of several modifications

   * GJ: retrocolic fashion rather than antecolic fashion
   –minimizes the length of the afferent limb
   –decreases the likelihood of twisting or kinking (afferent loop obstruction)
   –decreases complication of a duodenal stump leak

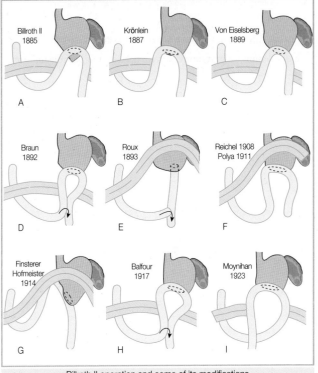

Billroth II operation and some of its modifications

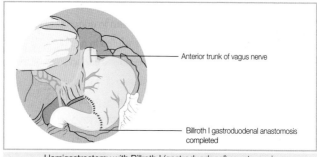

Hemigastrectomy with Billroth I (gastroduodenal) anastomosis

3) For benign diseases: gastroduodenostomy is usually favored

   if duodenum is significantly scarred: necessitating gastrojejunostomy

4) Overall mortality rate for antrectomy is about 2%

   about 20% of patients develop some form of postgastrectomy or post-vagotomy complications

   ** angle of sorrow
   —common leakage point of gastroduodenostomy or gastrojejunostomy
   —inverted with 3–0 silk interrupted Lembert sutures (crown suture)

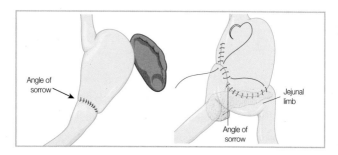

7 Gastrostomy

1) Stamm gastrostomy

   (1) stomach is grasped with two Babcock clamps

(2) inner purse-string suture of 2-0 absorbable suture is placed

(3) followed by an outer purse-string suture using 2-0 silk

(4) another skin incision for tubing is made in the region of the rectus sheath

(5) gastrotomy is made in middle of the previously placed inner purse-string suture

(6) the tip of the Foley catheter is inserted into the stomach and balloonning

(7) the purse-string sutures are tied down

(8) gastrostomy tube is secured to the anterior abdominal wall at four quadrants

(9) gastrostomy tube is flushed with saline. secured to the skin with a 3-0 nylon suture

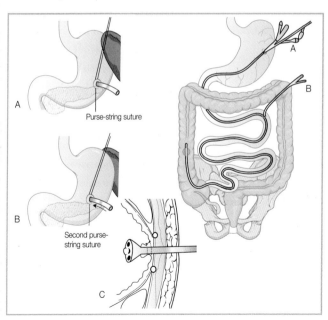

2) Janeway gastrostomy

(1) a small, permanent gastric tube using the anterior wall of the stomach

① midportion of the anterior wall of the stomach is grasped with two Babcock clamps

② GIA-60 linear stapler is applied to the serosal surface of the stomach

③ creating an approximately 4 to 5cm gastric tube

④ staple line is inverted with interrupted 3-0 silk sutures

⑤ gastric tube is secured on the undersurface at four corners using 2- 0 silk sutures

Chapter 07

소 장

① 일반적 특징

- 전체 길이 약 270~290cm
- 십이지장(샘창자, duodenum)은 20cm, 공장(빈창자, jejunum)은 100~110cm, 회장(돌창자, ileum)은 150~160cm
- 십이지장과 공장은 트라이츠인대(ligament of Treitz)로 구분
- 공장과 회장 사이에서는 특별한 경계점이 없음

1) 공장과 회장의 비교

   (1) 공장은 소장의 근위부 2/5, 회장이 distal 3/5 차지

   (2) 공장 > 회장

      ① 직경 ② 더 두껍고 ③ 더 주름지고 (plicae circulares)

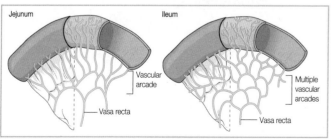

공장의 점막이 좀 더 두껍고 긴 곧은혈관(vasa recta)와 한두 개의 혈관궁(vascular arcade)을 가짐

(3) 수술 시 장간막 혈관(mesenteric vessel)에 의해 구분 가능

- 장간막(mesentery): L2의 왼쪽으로부터 오른쪽 엉치엉덩관절
(sacroiliac joint)까지 비스듬히 붙어 있음

② 신경혈관-림프계(Neurovascular-lymphatic supply)

1) 동맥

상장간막동맥(위창자간막동맥, Superior Mesenteric Artery, SMA)이
췌장, 원위부 십이지장, 소장, 상행 & 횡행 결장에 분포, 근위부 십이
지장은 복강축(celiac axis)에서 공급

2) 정맥

동맥과 평행하게 주행하여 상장간막정맥(위창자간막정맥,Superior
Mesenteric Vein,SMV)으로 배액됨

이는 췌장 후면에서 비장정맥과 만나 문맥(portal vein)을 형성

3) 신경

(1) 부교감신경 (from 미주신경)

: 분비운동에 관여. 복강신경절(celiac ganglion)

(2) 교감신경 (내장신경)

: 혈관운동, 분비운동, 내장통증(visceral pain)에 관여

4) 림프계

(1) 원위부 소장의 Peyer 반점 (Peyer's patch)에 집중

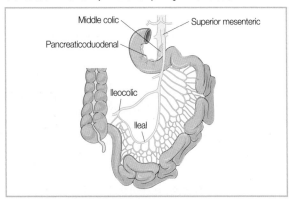

(2) 흡수된 지방의 주요 이동 경로: 면역체계의 주요역할

③ 현미경해부학

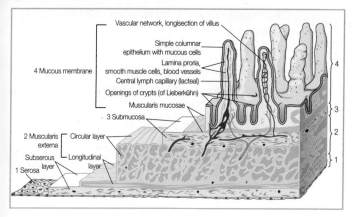

1) 장막층(Serosa): single layer of flattened mesoepithelial cell로 구성됨
2) 고유근층(Muscularis propria)

   (1) 얇은 바깥세로층(Thin outer longitudinal layer)

   (2) Myenteric plexus (Auerbach plexus)

   (3) 두꺼운 안쪽원형층(Thicker inner circular layer)

3) 점막하층(Submucosa layer)

   (1) 혈관, 신경, 림프관이 지나감

   (2) 가장 강한 층(strongest component)

   (3) Meissner plexus가 존재

4) 점막층(Mucosa)

   (1) 점막근육(muscularis mucosa), 고유판(lamina propria), 상피층
      (epithelial layer)으로 구성

   (2) 고유판(Lamina propria)

     • 면역세포들이 분포(plasma cell, lymphocyte, mast cell) 장내세
       균에 대한 protective mechanism을 수행

(3) 상피층(Epithelial layer)

   ① 융모(villi)와 움(crypt)으로 구성

   ② 세포재생(cell renewal), 외분비(exocrine), 내분비(endocrine), 수분&전해질 분비(water & ion secretion), 소화(digestion), 흡수(absorption)

(4) 점막층을 구성하는 4가지 세포들

   ① goblet cell: mucus 분비

   ② Paneth cell: lysozyme, tumor necrotic factor (TNF), cryptidine 분비

   ③ absorptive enterocyte: 흡수에 관여

   ④ enteroendocrine cell: 10 distinct populations

II.내분비 기능

1 위장관 호르몬(Gastrointestinal hormone)

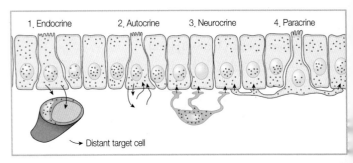

호르몬	위치	주요 자극제	기능
가스트린	위전정부, 십이지장(G 세포)	펩티드, 아미노산, 위전정부 팽만, 미주 또는 아드레날린성 자극, 가스트린 분비 펩티드(bombesin)	· 가스트린과 펩시노젠 분비 자극 · 위점막 성장 자극
콜레시스토키닌	십이지장, 공장(I 세포)	지방, 펩티드, 아미노산	· 이자효소 분비자극 · 담낭수축 및 Oddi 괄약근 이완 · 위 배출 억제
시크레틴	십이지장, 공장(S 세포)	지방산, 위내산도, 담즙염	· 이자관세포에서 분비되는 물과 중탄산염 분비 자극 · 담즙의 흐름과 알칼리성 자극 · 위산 분비와 운동 억제, 가스트린 분비 억제
소마토스타틴	이자섬 (D 세포), 위전정부, 십이지장	위장관: 지방, 단백질, 산호르몬(e.g., 가스트린, 콜레시스토키닌) 이자: 글루코스, 아미노산, 콜레시스토키닌	만능 off 스위치: · 위장관 호르몬 분비억제 · 위산 분비 억제 · 소장의 수분과 전해질 분비 억제 · 이자효소 분비억제
가스트린분비 펩티드 (bombesin)	작은 창자	미주신경 자극	만능 on 스위치: · 모든 위장관 호르몬 분비자극 (시크레틴 제외) · 위장관 분비와 운동 자극 · 위산분비와 위전정부 가스트린 분비 자극 · 장 점막과 이자의 성장 자극
위 억제 폴리 펩티드	십이지장, 공장(K 세포)	글루코스, 지방, 단백질 아드레날린 자극	· 위산과 펩신 분비 자극 · 고혈당증에 반응하여 이자에서 분비되는 인슐린분비 자극
모틸린	십이지장, 공장	위팽만, 지방	· 상부위장관 운동 자극 · 이동성 위장관 복합운동 시작
혈관작용창자 펩티드	위장관에 분포하는 신경단위	미주신경 자극	· 신경펩티드로서의 원발 기능 · 강력한 혈관확장제 · 이자와 창자 분비 자극 · 위산분비억제
뉴로텐신	작은 창자(N 세포)	지방	· 작은창자와 큰창자 점막의 성장 자극
창자글루카곤	작은 창자(L 세포)	글루코스, 지방	· 글루카곤양 펩티드 1: 이자 글루카곤 분비 억제 · 글루카곤양 펩티드 2: 강력한 장 관친화성 요소
펩티드 YY	먼쪽 작은창자 결장	지방산, 콜레시스토키닌 분비	· 위와 이자 분비 억제 · 담낭 수축 억제

위장관 호르몬의 진단 및 치료적 사용	
호르몬	**진단/치료적 사용**
가스트린	펜타가스트린(가스트린 유사물질)은 최대 위산 분비 측정에 사용
콜레시스토키닌	담낭수축의 담관 영상
시크레틴	가스트린종에서 유발검사 최대 췌장효소 분비의 측정
클루카곤	내분비샘 연축/장운동 억제 오디조임근 수축 완화 인슐린, 카테콜아민, 성장호르몬 분비 유발검사
소마토스타틴 유사물질	카르시노이드성 설사와 홍조 치료 췌장과 장의 누출관에서 나오는 분비물 감소 호르몬을 과다 분비하는 내분비샘 종양과 관련된 증상 개선 식도정맥류 출혈 치료

III. 면역기능

1 3 개의 층: 국소화 장-연관 림프조직(Gut-Associated Lymphoid Tissue, GALT)

1) Peyer's patch

(1) 구심성신경(afferent limb) of gut-associated lymphoid tissue

(2) M cell 이 림프낭(lymphoid follicle)을 덮고 있음

(3) microfold cell (M cell)에서 항원(Ag)을 고유판의 림프구(lympho-cyte of lamina propria)에 제공함

2) 고유판림프계세포(Lamina propria lymphoid cells)

(1) B-림프구(B-lymphocyte), 형질세포(plasma cell), T-림프구(T-lymphocyte), 대식세포(큰포식세포, macrophage), 수상세포(나무가지세포, dendrite cell), 호산구(eosinophiles), 비만세포(mast cell)가 산란(scattering)되어 있음

(2) T-림프구(60%)

: 세포독성(cytotoxic) T cell, T-도움세포(T-helper cell), T-억제세포(T-suppressor cell)

(3) B-림프구(40%)

   : 표면 IgA 부하 림프모구(lymphoblast)가 되어 점막면역에 중요한
   역할을 형성

3) 상피내 림프구(Intraepithelial lymphocyte)

   : 주로 T 세포, 상피세포와 점막표면 사이에 있음

   (1) 세포용해 기능(cytolytic function): 세포자멸사(apoptosis)를 통한
   상피세포탈락

   (2) 비정상 상피세포에 대한 면역감시(immunosurveillance)

❷ Ig A: 인체내의 IgA의 70% 이상이 장(intestine)에 위치

(1) 창자(gut)의 주요 방어면역체계

(2) 다른 면역글로불린과 비교하여 보체를 활성화시키지 않으며, 세포-
연관 옵소닌작용(cell-mediated opsonization)을 일으키지 않음

(3) 분비성(secretory) IgA

   : 세균이 상피세포에 붙는 것을 억제하며, 군집과 증식을 억제

(4) 세균독소(bacterial toxin), 바이러스 활동(viral activity)억제

(5) 항원 흡수억제

Ⅳ. 소장 폐쇄

❶ 병인(Etiology)

- 장관외(extraluminal) 원인: 유착, 탈장, 암종, 농양 등
- 내인성(intrinsic) 원인: 일차 악성종양
- 장관내(intraluminal) 원인: 담석, 창자돌(enteroliths), 이물질(foreign body), 위석(bezoar)

1) 유착(Adhesion): 가장 흔한 원인

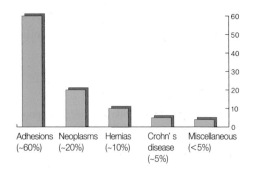

    (1) 이전의 복부 수술력이나 복강내 염증에 의함

    (2) 이전에 복부 수술을 받은 사람은 대략 5% 정도의 유병률을 보임

    (3) 소아 환자에서는 선천성 띠(band)가 원인이 되기도 함

2) 감돈(Incarcerated) 바깥탈장

    : 서혜부(inguinal), 대퇴부(femoral), 배꼽(umbilical), 절개창(incisional),

    장루주변(parastomal)

    (1) 세 번째 가장 많은 원인

    (2) 복부 수술력이 없는 사람들의 가장 흔한 원인

3) 종양(Neoplasm)

    (1) 두 번째 가장 많은 원인

    (2) 일차 악성종양: 장관내

    (3) 전이성 혹은 복부내 종양

      : 외부압박(external compression)에 의한 폐색을 유발

4) 장중첩증(Intussusception)

    • 주된 원인(lead points): 종양, 폴립, 비대림프절

5) 크론병(Crohn's disease): 급성염증에 이차적으로

6) 염전(창자꼬임, Volvulus): 장관회전이상, 주로 대장

7) 담석 장폐색증(Gallstone ileus)

    : 담도계와 장관의 샛길형성(fistulization)에 의해 빠져나온 담석이 폐
    색을 유발

- 호발부위: 말단회장(terminal ileum) 혹은 회맹판막(돌막창자판막, ileocecal valve)

8) 협착(Stricture)
: 허혈(ischemia), 염증, 방사선치료, 수술적 외상

9) 외부압박: 종양, 농양, 혈종(hematoma) 등

10) 이물질(Foreign body): 위석

11) 메켈게실(Meckel's diverticulum)

12) 낭성섬유증(Cystic fibrosis)

2 분류(Classifications)

1) 기계적 장폐색(Mechanical obstruction)
  (1) 내부 또는 외부 요인에 의한 장관의 막힘
  (2) 단순 폐색은 혈관손상(vascular compromise)이 없음. 교액성 폐색은 혈관손상이 동반되며 장관벽의 괴저(gangrene)를 초래함

2) 마비성 장폐색(Paralytic ileus)
  (1) 신경성 교란(neurogenic disturbance)에 의한 연동운동의 장애
  (2) 최근의 복부 수술이나 전해질 이상, 복막염, 외상, 전신적 감염, 장관허혈, 약물 등에 의함

3 진단(Diagnosis)

1) 증상과 징후
  : 위치와 원인, 기간 그리고 폐색의 정도에 따라 다름
  (1) 전형적으로 복부통증, 구토, 된변비(obstipation), 복부팽만, 위창자가스 분출장애를 동반
  (2) 근위부 폐색: 초기에 담즙성 구토와 경도의 복부팽만을 보임, 원위부보다 경련통이 더 심함
  (3) 원위부 폐색: 구토는 상대적으로 적고, 걸쭉하고 냄새나는 양상을 보임
  (4) 장이 확대되면서 장관내 수분과 전해질이 증가하게 되고, third space로의 대량 체액손실이 일어나 탈수 및 저혈당증이 생기게 됨

(5) 장폐색이 없는 상태에서는 공장과 근위부 회장은 무균(sterile)함

(6) 장폐색 시에는 E.coli, Streptococcus faecalis, Klebsiella 등이 10^9~10^{10}까지 증가

2) 이학적 검진(Physical examination)

  (1) 반드시 복부의 시진부터 시작하여야 하며, 폐색의 위치에 따라 다양한 팽만이 보일 수 있음

  (2) 수술 반흔과 탈장이 있는지 확인하여야 함

  (3) 발열, 국소화된 압통, 반동압통: 교액(꼬임, strangulation) 시사함

  (4) 직장수지검사(Digital Rectal Examination, DRE)

    : 직장 종물이나 매복변이 있을 수도 있음

3) 실험실 검사

  (1) 초기에는 대부분 정상이나 폐색이 진행되면서 탈수가 진행되는 경향이 있음

  (2) Na^+, Cl^-, K^+ (↓)

  (3) HCO_3^-, BUN, Cr, Hct (↑)

  (4) WBC 15,000 혹은 대사성 산증: 교액성 폐색을 의심해야 함

4) 영상학적 검사

  (1) X-ray: 공기-액체 층(air-fluid level)을 가진 확장되고 늘어난 소장, 가스가 없는 대장과 직장이 특징적 소견

    • 교액성 장폐색을 의미: 엄지자국(thumb-printing), 점막모양의 소실, 장벽 또는 문맥의 간내 줄기 내의 공기음영

  (2) 조영제검사(Contrast studies)

    • 바륨(barium): 급성 장관 폐색에서는 사용하지 말아야 함. 천공 시 복강 내로의 누출(leakage)은 심각한 염증 반응을 발생시켜 사망률과 유병률을 증가시킴

  (3) 복부-골반 CT(Abd/pelvic CT)

    ① 완전한(complete) 혹은 고도의(high-grade) 장폐색을 진단하는 데, 그리고 장폐색의 부위와 원인을 아는 데 유용함

    ② 장관벽의 비후, 장간막 부종 또는 혈관팽만 그리고 공기증(pneumatosis)은 교액성 폐색을 의미

4 **감별진단**(Differential diagnosis)

1) 마비성 장폐색: 산통이 동반되지 않는 복부팽만

   (1) 원인

   ① 개복술 후

   ② 대사성, 전해질 장애(저칼륨혈증, 저나트륨혈증, 저마그네슘혈증, 당뇨성 혼수)

   ③ 약물 (아편제, 정신과 약물, 항콜린성 약제)

   ④ 복강내 염증

   ⑤ 후복막 혈종이나 염증

   ⑥ 장허혈

   ⑦ 전신패혈증

2) 대장폐색(Colonic obstruction): 조영제관장(contrast enema)으로 감별진단

3) 장간막혈관 폐색(Mesenteric vascular occlusion)

   : 식사 후 동반되는 급경련통(colicky pain). 혈관조영술(angiography)로 감별진단

4) 장관 거짓폐쇄(pseudo-obstruction): 특정한 막힌 곳이 없음

5 **치료**(Treatment)

1) 체액보충(Fluid resuscitation) & 항생제(antibiotics)

   (1) 등장성 식염수(isotonic saline solution)

   (2) 시간당 소변량 확인 위해 폴리도뇨관 삽입, 적어도 0.5ml/kg/hr 확보

   (3) 중심정맥 확보

   (4) 광범위항생제(broad spectrum antibiotics) (∵세균전위)

2) 튜브 감압술(Tube decompression)

   (1) 흡임(aspiration)방지, 복부팽만 진행 방지

   (2) 긴 장관 튜브(Cantor or Baker tubes): 도움 안 됨

   (3) 비수술적 방법으로 해결: 60~85%

3) 수술적 치료(Operative management)

   (1) 완전 소장 폐색(complete small bowel obstruction)은 수술을 해야

함(36시간 경과 시 사망률은 30%까지 증가)
(2) 환자에 따른 수술방법의 차이
① 유착성 띠(adhesive band)는 띠절제술
② 만연한 전이성 종양(widespread metastatic malignancy) 환자는
비수술적 치료가 좋음
- 실패 시 우회술
③ 크론병
- 급성 장폐색: 보존적 치료
- 만성 섬유성 협착: 장절제 혹은 협착성형술
④ 복강내 농양: 경피적 배액
⑤ 방사선 창자병증
급성장폐색: 튜브감압술 혹은 스테로이드
만성장폐색: 개복하여 문제가 된 장절제를 할 수 있다.

6 예방(Prevention)

1) 유착을 줄일 수 있는 수술적 술기

(1) 장막 손상을 줄이기 위해 부드럽게 장을 만진다.
(2) 불필요한 박리를 피한다
(3) 복강내 이물질을 최대한 남기지 않는다(흡수성 봉합사 사용, 거즈
사용 제한, 수술장갑의 전분 제거)
(4) 충분한 복강내세척 및 염증성 허혈성 조직파편 제거
(5) 수술한 부위 주변을 보존하고 대망을 이용한다.

> • 소장종양의 특징
> ① 남자에서 호발, 전체 위장관계 종양의 5%, 위장관계 악성종양의 1~2%
> ② 양성은 무증상인 경우가 많고, 악성은 증상이 있음
> ③ 1980년대 이후 증가추세
> ④ 양성은 원위부 소장에 많음
> 샘종(denoma)이 가장 많고, 증상을 나타내는 것은 평활근종(leiomyoma)이 가장
> 많음. 샘암종(adenocarcinoma)은 근위부에 많고, 다른 종류는 원위부에 흔함
> ⑤ 크론병이나 가족성폴립증(FAP)때 위험 증가
> ⑥ k-ras mutation 흔함
> • 소장종양이 드문 이유
> ① 장관내 물질의 급속한 통과
> ② 소장상피세포의 빠른 교체율: 암유발성 원인에 대한 노출 최소화
> ③ 소장 분비물의 알칼리성
> ④ high level of IgA in the intestinal wall
> ⑤ low bacterial count of small intestinal luminal contents

1 양성종양(Benign neoplasm)

- 빈도: 평활근종(leiomyoma) > 샘종(adenoma) > 지방종(lipoma)
- 증상을 나타내는 것은 평활근종이 가장 흔함
- 증상: 무증상 > 장폐색 (장중첩증)> 출혈
- 수술: 합병증이 있거나 양성으로 증명하기 위해
- 종종 다발성

1) 평활근종(Leiomyoma)

  (1) 증상을 일으키는 가장 흔한 소장 종양

  (2) M=F, 40대

  (3) 혈류 공급 초과하여 출혈하는 것이 가장 흔한 수술 적응증

  (4) 근래에는 기질성종양(stromal tumors)이라는 용어를 사용(ex. GIST)

  (5) 90% 이상의 GIST는 CD117을 발현함(c-kit proto-oncogene protein)

  (6) 70~80%는 CD34를 발현함

(7) mitotic count가 2/50 HPF보다 클 때 재발률이 높아짐

2) 샘종(Adenoma)

  (1) 소장의 양성 종양의 15% 정도를 차지

  (2) 3종류: true adenoma, villous adenoma, Brunner glands adenoma

  (3) 20%는 십이지장에, 30%는 공장에, 50%는 회장에 존재

  (4) 무증상, 단일성, 우연히 발견

  (5) villous adenoma

    ① 가족성폴립증과 연관되어 십이지장에 많이 생김

    ② 악성가능성(35-55%): 5cm 이상일수록

    ③ 십이지장의 양성이면 용종제거술, 악성이면 Whipple's op.를 시행

3) 과오종(Hamartoma)

  (1) Peutz-Jegher syndrome과 관련

  (2) 점막피부 멜라닌 착색(mucocutaneous melanotic pigmentation), 다양한 위장

  (3) 상염색체 우성 유전

  (4) 수술 시에 1cm 이상은 절제하여야 함

  (5) 악성가능성: 3% 미만

4) 지방종(Lipoma), 신경섬유종(neurofibroma), 섬유종(fibroma)

2 악성종양(Malignant neoplasm)

- 빈도: adenocarcinoma (50%) 〉 carcinoid tumor 〉 sarcoma 〉 lymphoma 순
- 증상
  - obstruction: 15~35%
  - 원인은 benign (intussusception)과 달리 주로 tumor infiltration, adhesion으로 인하여 발생
  - bleeding: GISTs에서 흔함
  - perforation: 10%. lymphoma, sarcoma에 주로
  - diarrhea, tenesmus, mucous discharge
  - adenocarcinoma (duodenum)만 제외하고는 대부분 ileum에 호발
- 치료: wide resection with LN dissection 시행. RTx, CTx는 효과 없음 palliative 라도 resection은 반드시 해야 함

1) 샘암종(Adenocarcinoma)

(1) 60대 남자

(2) 십이지장, 근위부 공장에 발생

(3) Crohn's disease와 연관된다면 좀 더 젊은 연령에, 70% 이상이 회장에 발생

(4) 십이지장에 가까울수록 jaundice, chronic bleeding이 많음

(5) 천공이 드묾

(6) Definition of AJCC TNM by 8th edition

① Primary Tumor (T)

TX: Primary tumor cannot be assessed

T0: No evidence of primary tumor

Tis: High-grade dysplasia/carcinoma in situ

T1: Tumor invades the lamina propria or submucosa

T1a: lamina propria

T1b: submucosa

T2: Tumor invades the submucosa

T3: Tumor invades through the muscularis propria into the subserosa, or extends into nonperitonealized perimuscular tissue (mesentery or retroperitoneum) without serosal penetration

T4: Tumor perforates the visceral peritoneum or directly invades other organs or structures (e.g., other loops of small intestine, mesentery of adjacent loops of bowel, and abdominal wall by way of serosa; for duodenum only, invasion of pancreas or bile duct)

② Regional Lymph Node (N)

NX: Regional lymph node cannot be assessed

N0: 0

N1: 1~2

N2: 3개 이상

③ Distant Metastasis (M)

　　M0: no

　　M1: yes

2) 악성 위장관기질종양 Malignant GIST (20%)

(1) 공장, 회장에 가장 흔함

(2) 40~50대 남자, 주로 혈관성 전이(간, 폐, 뼈...)

(3) 대부분 진단 시 5cm 이상

(4) 림프절 전이는 흔하지 않다

(5) 생존지표: size, mitotic index, lamina propria로의 침범여부

3) 악성 림프종 Malignant lymphoma (7~25%)

(1) 전체 GI primary lymphoma 중 1/3이 소장에서 발생. 전체 lymphoma 중 5%

(2) 10세 미만 아동의 가장 흔한 intestinal neoplasm

(3) celiac disease나 면역저하환자 (ex. AIDS)에서 빈도가 증가

(4) 주로 회장, 대개 5cm 이상. 천공은 25%

4) 카르시노이드 Carcinoid tumor

(1) GI tract의 enterochromaffin cell에서 기원

(2) 기원한 곳에 따라

　① foregut (respiratory tract, thymus)

　　: low level의 serotonin생산 + 5-HTP, adenocorticotrophic H

　② midgut (jejunum, ileum, right colon, stomach, proximal duodenum)

　　: serotonin 생산 많음 - carcinoid syndrome 발생 빈도

　③ hindgut (distal colon & rectum)

　　: serotonin rare but somatostatin, peptide YY 생산

(3) GI tract이 carcinoid tumor의 가장 흔한 호발구역

　: appendix (45%) > ileum (28%) > rectum (16%)

위장관 카르시노이드의 분포: 전이와 증후군의 발생 빈도			
위치	환자수	전이 (평균, %)	카르시노이드 증후군 환자수
식도	1		0
위	93 (2%)	23	8
십이지장	135 (4%)	20	4
공장, 회장	1,032 (28%)	34	91
멕켈 게실	42 (1%)	19	3
충수돌기	1,686 (45%)	2	6
결장	91(2%)	60	5
직장	592 (16%)	18	1
난소	34	6	17
담도	10	30	0
췌장	2		1
합계	3,718		136

(4) 주로 serotonin, substance P, neropeptide K 분비

(5) carcinoid syndrome

: cutaneous flushing, bronchospasm, diarrhea, vasomotor collapse

① pathology

a. 70~80%는 무증상, 우연히 발견

b. malignant potential과 관련된 인자

: location, size, depth of invasion & growth pattern

- ileal carcinoid가 appendiceal carcinoid보다 전이를 더 잘 함(35% vs 3%)

- size

1cm 이하 (전체의 75%): 2% 정도만 전이

1~2cm: 50%가 전이

>2cm: 80~90%가 전이

- grow very slowly (good prognosis)

c. serosa invasion이후에는 intense desmoplastic reaction을 일

으켜서 mesenteric fibrosis와 intestinal kinking, intermittent obstruction을 일으킴

   d. small bowel carcinoid는 multicentric (20~30%): 모든 GI cancer 중 최고

   e. synchronous adenocarcinoma가 10~20%까지 동반 (주로 large bowel)

   f. 10%에서 MEN type I과 연관

② clinical manifestation

   a. abdominal pain (가장 흔함), obstruction은 주로 장중첩에 의해

   b. diarrhea & weight loss: secretary diarrhea가 아니라 partial bowel obstruction에 의하여 발생함

     cf) malignant carcinoid syndrome에서는 secretory diarrhea임

- Malignant carcinoid syndrome
  - 종양에서 과다 생산된 호르몬에 의한 증상의 집합
  - 간전이에 의한 경우가 많음
    cf) ovarian or retroperitoneal carcinoid는 예외
  - 10% 미만에서 나타남 (small bowel carcinoid와 가장 연관)
  - vasomotor, cardiac & GI Sx.으로 나타난다.
  - cutaneous flushing (80%), diarrhea (76%), hepatomegaly (71%), cardiac lesion (특히 우심 판막질환 41~70%), asthma (25%)
  - most common three cardiac lesion: pulmonary stenosis (90%), tricuspid insufficiency (47%), tricuspid stenosis (42%)
  - diarrhea (76%)
- 식후 watery, explosive diarrhea
- serotonin에 의한 secretory diarrhea
- methysergide에 의해 control됨

---

③ diagnosis: 대부분 수술 전 진단되지 않음

   a. 24hr urinary 5-HIAA (hydroxyindoleacetic acid) 측정: highly specific

   b. chromogranin A 측정

   c. 유발검사 (pentagastrin, calcium, epinephrine): 요즘은 거의 안 함

d. barium radiologic study: multiple filling defect

e. angiography

f. CT: hepatic, LN metastasis

g. somatostatin receptor scan

④ treatment

   a. 종양의 크기와 위치, 그리고 전이 여부에 따라 치료가 결정

   b. primary tumor

- 임파선 전이 없는 1cm 이하: segmental resection
- 다발성이면서 1cm 이상 또는 임파선 전이

  : bowel & mesentery의 wide excision

  - terminal ileum에 있으면 rt. hemicolectomy 함
  - 크기가 큰 duodenal tumor는 pancreaticoduodenectomy 시행

   c. 마취 시 carcinoid crisis를 조심해야 함

     : hypotension, bronchospasm, flushing, tachycardia, arrhythmia

   d. IV octreotide (50~100μg을 bolus 후 continuous IV 50μg/hr)

   e. IV antihistamine, hydrocortisone도 투여 가능

     → wide spread되었더라도 surgery는 해야 함(debulking 목적)

     → medical therapy: 증상 경감에 중점. octreotide, IFN-α

⑤ prognosis

   a. metastasis에 관계없이 small bowel tumor 중에서는 best prognosis localized disease: 100% survival regional disease: 5 YSR 65% distant metastasis: 5 YSR 25~35%

   b. chromogranin A의 상승은 poor prognosis의 independent predictor

❸ 전이성 종양(Metastatic neoplasm)

1) Metastatic tumor: 원발성 종양보다 매우 흔함

2) Uterine cervix, ovaries, kidneys, stomach, colon & pancreas 등의 복
강내 기관에서 대부분 전이
3) 복강 외 종양의 전이는 드묾
4) 드물긴 하나 가장 잘 전이하는 종양은 cutaneous melanoma

VI. 게실질환

- 참게실(true diverticulum): 전 장벽층을 포함
- 거짓게실(false diverticulum): 점막과 점막하층만을 포함

1 십이지장 게실 (Duodenal diverticula)

1) 소장의 가장 흔한 후천적 게실. 대장 다음으로 많은 부위
2) 여자에서 2배 이상 호발, 40세 이후, 주로 2nd portion에 있음
3) 대부분 무증상, 5% 미만에서 합병증으로 수술을 요함
4) 합병증
   (1) 담도계 폐색: 담도염, 췌장염
   (2) 출혈, 천공, 창자정체증후군(blind loop syndrome)
5) 천공된 게실의 치료
   (1) 게실절제술
   (2) 천공되어 있는 경우 게실을 절제(excision)하고, 십이지장은 공장
   의 장막반(serosal patch)을 대고, 만약에 주변의 염증이 심하면 위
   공장문합술(gastrojejunostomy) 등을 시행
   (3) ampulla of Vater와 연관된 증상이 있는 장관내 게실의 치료: 게실
   대부분(subtotal) 절제

2 공장 & 회장 게실 (Jejunal & ileal diverticula)

1) 대부분 다발성, 장의 장간막쪽에 위치
2) 공장게실이 회장보다 좀 더 흔하고 큼

3) 치료(Treatment)

(1) 무증상일 때 치료는 필요 없음

(2) 합병증 (장폐색,출혈,천공) 발생 시
 : 장절제 및 단단문합술

③ 메켈게실(Meckel's diverticulum)

1) 소장의 가장 흔한 선천성 참게실

2) 배꼽창자간막관(omphalomesenteric duct)의 잔존물

3) 장간막대측의 경계에 존재

4) 회맹판에서 45-60cm 이내에 존재, M=F

5) 이소성 점막(이영양성 조직)
 : 위점막 (50% 정도), 췌장점막 (5%), 대장점막

6) 증상

(1) GI bleeding: most common (또한 2세 이하의 가장 흔한 Sx.) massive bleeding 가능
 bleeding 원인은 acid-induced ulcer

(2) obstruction, volvulus, intussusception

(3) Littre's hernia (incarceration of the diverticulum in an inguinal hernia)

(4) diverticulitis (10~20%): 어른에서 흔함

(5) tumor: 대부분 benign (leiomyoma 등), malignancy 시 주로 adenCa

7) 진단

(1) sodium ^{99m}Tc-pertechnetate가 단일 test로는 가장 유용

(2) gastric mucosa의 mucus secreting cell에 의해서 선택적으로 흡수

(3) 어른에서는 정확도가 떨어지며 pentagastrin, glucagons, cimetidine 등을 주면 정확도가 상승. 그래도 정상인 경우는 barium enema 시행

8) 치료

(1) 증상이 있는 환자는 즉시 수술적 교정을 시행

bleeding하는 환자는 반드시 segmental intestinal resection을 시행
해야 함 (∵bleeding site가 diverticulum 옆의 ileum이기 때문)

(2) children에서 laparotomy 도중 우연히 발견한 asymptomatic diver-
ticula는 resection해야 함. adult에서는 controversial (하지만 80세
이하라면 수술)

VII. Miscellaneous problems

1 소장 샛길(Small bowel fistula)

1) 대부분이 iatrogenic, mortality rate 15~20%

2) Proximal에 발생할수록 수분과 전해질 손실이 심함

3) Radiologic investigation (fistulogram) 시행해야 함. 아래 사항 확인 요망

   (1) 농양의 형성 여부

   (2) bowel wall disruption 정도

   (3) 위치

   (4) 길이

   (5) distal obstruction의 유무

      cf) CT는 underlying fluid collection or pus 여부를 알기에 좋음

- 장피루의 폐쇄를 막는 요소들
  - High output (> 500ml/24hr)
  - Severe disruption of intestinal continuity (> 50%)
  - Active inflammation bowel disease of bowel segment
  - Cancer
  - Radiation enteritis
  - Distal obstruction
  - Undrained abscess cavity
  - Foreign body in the fistula tract
  - Fistula tract < 2.5cm long
  - Epithelialization of fistula tract

---

4) 주요 합병증

: sepsis, fluid & electrolyte depletion, skin necrosis, malnutrition

5) 치료

(1) 보존적 치료

① sump drain 등으로 controlled drainage 확보

② sepsis 치료

③ fluid & electrolyte 교정

④ skin보호: zinc oxide, aluminum paste ointment, Karaya powder

⑤ 적절한 영양보급 (TPN)

    a. gut motility를 inhibition하는 약들은 별로 효과가 없음

    b. octreotide는 output의 volume을 줄이는 데는 유용

    ※ 패혈증이 조절되면 1개월 이내에 90%가 막히고, 2개월에는 10% 이하, 3개월 후에는 가능성이 떨어짐

    c. 4-6주간 conservative management를 해도 안 막히면 수술

    d. fistula가 spontaneous healing되기를 기다림

    e. nutritional status를 적절하게 함

    f. peritoneal inflammation을 줄여 수술 시 쉽고 안전하게 함

(2) 수술

① 이전 wound로 들어감

② fistula tract excision & segmental bowel resection (∵ primary closure 시 반드시 재발)

③ 농양이 있거나 bowel이 rigid or distension되어 있으면 exteriorization했다가 2nd look으로 anastomosis 시행

④ bypass procedure는 하지 않음

2 맹관증후군(막힌고리증후군, Blind loop syndrome)

1) 임상양상

: diarrhea, steatorrhea, megaloblastic anemia, weight loss, abdominal pain, fat-soluble vitamin의 부족, 신경학적인 이상을 동반하는 rare condition임

2) 발생기전

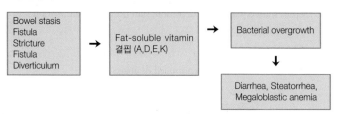

3) 정상적으로 상부위장관에서 세균은 10⁵ 미만

(1) but, stasis 시 bacteroides, anaerobic lactobacilli, enterococci 등의 과증식

(2) 정체된 소장(stricture, stenosis, fistula, diverticula)에 세균 과증식이 일어남

- 세균이 vitamin B12와 경쟁하여 B12 deficiency와 megaloblastic anemia가 일어남

4) 진단

(1) culture: bacterial overgrowth가 있는지 확인

(2) ^{14}C-xylose or ^{14}C-cholylglycine breath test
   : bacterial overgrowth가 있는지

(3) Schilling test (^{57}Co-labeled vitamin B$_{12}$ absorption)
   : bacterial overgrowth 및 steatorrhea 확진 시

5) 치료

(1) parenteral vitamin B$_{12}$ therapy, broad-spectrum antibiotics tetracycline or augmentin for 7~10 days

(2) 계속 여러 cycles의 antibiotics를 사용해도 호전되지 않으면 수술

❸ 짧은창자증후군(Short bowel syndrome)

1) 원인

(1) 어른: mesenteric occlusion, 중장 염전, traumatic disruption of the SMA etc.

(2) 소아: NEC

2) 증상

(1) 설사, 수분 전해질 부족, 영양부족, 담낭결석 빈도 증가

(2) nephrolithiasis from hyperoxaliuria

3) Remaining intestine의 location, length, health가 중요

(1) adaptive hyperplasia

① 직경증가

② villi 길이 증가

③ enterocyte 증가

④ wall 증가

(2) terminal ileum과 IC valve가 intact하면 70%까지는 괜찮음 근위부 장절제가 원위부 절제보다 좀 더 tolerable함

4) 치료

(1) 중요한 것은 예방

(2) early phase치료: diarrhea 조절, TPN, fluid & electrolyte 교정

    └, hypergastrinemia, gastric hypersecretion에 기인함 H^+-pump inhibitor, cholestyramine, codeine (gut motility ↓), octreotide로 치료

(3) late phase: 적절한 영양공급이 중요

① high-carbohydrate, protein (fat은 줄임, 단 100g 이상으로)

② 유제품은 피함

③ iso-osmolar부터 시작하여 서서히 늘림

④ fat soluble Vitamin (A, D, E, K)

⑤ hormone (neurotensin, bombesin, glucagon-like peptide 2)

    → mucosal growth

(4) surgical procedure

① antiperistaltic segment of small bowel

② small bowel transplantation

Chapter

08

급성복증

I. 정의

- 지속되는 복통(>6시간)과 압통을 나타내는 medical condition으로 많은 경우에서 수술적 치료를 요함
- 초기의 정확한 진단과 치료가 필수적임

II. 병태 생리

- 복통은 복막에서 유발되며 복막은 visceral과 parietal로 나뉨
1) Visceral pain
    (1) visceral peritoneum에 분포하는 autonomic nervous system에 의해 유발됨
    (2) vague, deep, dull, poorly localized
    (3) inflammation, ischemia, distention 등에 의함
2) Parietal pain
    (1) parietal peritoneum에 분포하는 spinal somatic nerve에 의해 유발됨
    (2) sharp, severe, well localized
    (3) parietal peritoneum의 irritation에 의함

3) Referred pain

(1) central neural pathway에 의하며 유발부위에서 떨어진 곳에 통증 호소함

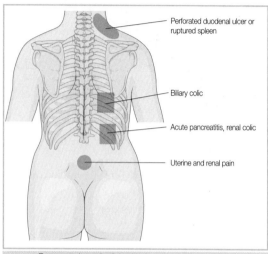

Frequent sites of referred pain and common causes

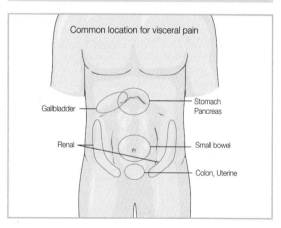

❶ 병력

1) 통증 발현 및 지속시간

(1) sudden onset pain

: intestinal perforation or rupture of aortic aneurysm

colic syndromes (biliary, ureteral) and small bowel obstruction

ischemic process (mesenteric ischemia, strangulated intestinal obstruction)

(2) gradual onset pain (수시간에 걸쳐)

: inflammatory condition (appendicitis, cholecystitis)

obstructive process

other mechanical process (ectopic pregnancy, perforating tumor)

2) 통증 특성

(1) colicky, spasmodic pain

: bowel obstruction, biliary colic, genitourinary obstruction

(2) persistent, steadily increase: inflammatory process

3) 증가 또는 감소시키는 인자

(1) diffuse peritonitis: movement에 의해 통증 유발 (parietal pain)

(2) intestinal obstruction: vomiting에 의해 통증 완화 (visceral pain)

4) 통증의 위치

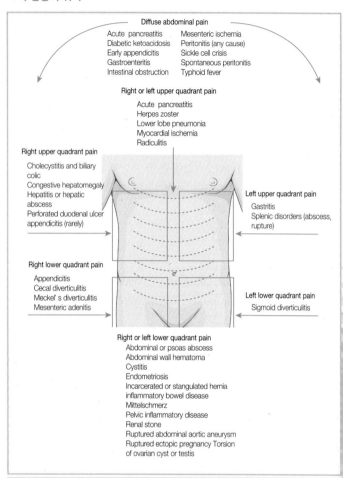

Diffuse abdominal pain

Acute pancreatitis	Mesenteric ischemia
Diabetic ketoacidosis	Peritonitis (any cause)
Early appendicitis	Sickle cell crisis
Gastroenteritis	Spontaneous peritonitis
Intestinal obstruction	Typhoid fever

Right or left upper quadrant pain

Acute pancreatitis
Herpes zoster
Lower lobe pneumonia
Myocardial ischemia
Radiculitis

Right upper quadrant pain

Cholecystitis and biliary
colic
Congestive hepatomegaly
Hepatitis or hepatic
abscess
Perforated duodenal ulcer
appendicitis (rarely)

Left upper quadrant pain

Gastritis
Splenic disorders (abscess,
rupture)

Right lower quadrant pain

Appendicitis
Cecal diverticulitis
Meckel's diverticulitis
Mesenteric adenitis

Left lower quadrant pain

Sigmoid diverticulitis

Right or left lower quadrant pain

Abdominal or psoas abscess
Abdominal wall hematoma
Cystitis
Endometriosis
Incarcerated or stangulated hernia
inflammatory bowel disease
Mittelschmerz
Pelvic inflammatory disease
Renal stone
Ruptured abdominal aortic aneurysm
Ruptured ectopic pregnancy Torsion
of ovarian cyst or testis

Location of abdominal pain and possible causes

2 Physical examination

1) Inspection: distention 유무, surgical scar, mass, erythema 등을 관찰
2) Auscultation: obstruction - high pitched, tinkling
   diffuse peritonitis – absence
3) Percussion: distended bowel - tympanitic sound
   ascites - fluid wave
4) Palpitation: 통증과 떨어진 부위에서 먼저 시작
   복벽에 힘을 주지 않게 하고 다리를 약간 굽혀 복벽근육을 이완시킴
   tenderness, muscle rigidity 여부를 통해 peritoneal irritation 여부 관찰
5) Rectal exam: 복통환자에서 routine으로 시행
   mass, pelvic pain, intraluminal blood 여부 관찰
6) Pelvic exam: 배꼽 아래로 통증을 호소하는 모든 여성에서 시행
   cervical discharge, cervical motion tenderness, mass 여부 관찰

3 Laboratory evaluation

1) CBC
   : 모든 급성복통 환자에서 검사하며 infection 유무, volume status 등
   을 평가 WBC with differentiation, Hct
2) Electrolyte
   : 환자의 general condition을 평가
3) BUN, creatinine
   : 증가 시 volume depletion 고려
4) Liver enzyme
   (1) mild elevation of transaminases (< 2배)
      : acute cholecystitis 고려
   (2) moderate elevation of transaminases (> 3배)
      : acute biliary obstruction 고려
   (3) markedly elevation of transaminases (>1,000 IU/L)
      : hepatitis or ischemia 고려

5) Pancreatic enzyme (amylase, lipase)

  (1) pancreatitis 의심되면 측정. amylase는 intestinal obstruction 시에도 증가

  (2) lipase 증가는 pancreatic parenchymal damage 의미

6) Lactic acid level

  : tissue hypoxia를 반영하며 지속적 증가 시에는 tissue ischemia (mesenteric ischemia)를 고려

7) UA

  : UTI, renal stone 등을 감별

8) hCG

  : low level (<4,000mlU): ectopic pregnancy 4,000 이상은 intrauterine pregnancy 의미

4 Imaging studies

1) Plain X-ray

  (1) supine and erect position check

  (2) pneumoperitoneum

    : upright chest X-ray, 자세 안 되면 Lt lat. decubitus x-ray

    upright chest X-ray는 1cc 공기도 발견할 수 있고 lateral decubitus 는 5~10cc 공기 발견할 수 있음

    perforated viscus 환자의 20% 정도에서는 관찰이 안 됨

  (3) bowel pattern

    : small bowel obstruction, volvulus (cecum, sigmoid colon)

  (4) calcification: 5% appendicolith, 10% gallstone, 90% renal stone chronic pancreatitis, abdominal aortic aneurysm

2) USG

  (1) relatively inexpensive, portable, free radiation 등이 장점, biliary tract disease 감별에 유리

  (2) 시술자 의존성이 높고, 검사자 외에는 다른 의료진이 설명하기 힘들며 복부의 경우 bowel gas에 의해 제한을 받을 수 있음. 이러

한 이유로 많은 병원에서 급성 복통에서 plain X-ray 이후 second imaging modality 로 CT를 많이 사용하고 있음

3) CT

(1) 급성복통의 진단에 있어 빠르고 정확한 검사로 보고됨

(2) contrast allergy, renal insufficiency, hemodynamic unstable한 경우 contraindication

(3) 적응증

① 정확한 병력청취가 힘들 때

② 명확한 복막 자극증상은 없으나 백혈구 증가소견이 관찰되며 이학적 검사상 의심되는 질환이 있을 때

③ 만성질환 (크론병) 혹은 악성종양 환자에서 발생한 급성 복통

④ 후복막에 대한 평가를 요할 때(AAA)

4) MRI

(1) CT보다 오랜 촬영시간이 필요함

(2) free radiation으로 급성복통을 호소하는 임산부에서 사용 가능

IV. 감별진단

상복부		궤양 천공 급성 담낭염 급성 췌장염
중간과 하복부		급성 충수돌기염 급성 게실염 장 폐쇄 장간막 허혈 복부대동맥류 파열
기타	산부인과적	골반염 자궁외 임신 난소 낭종 파열
	비뇨기과적	신장결석 신우신염/방광염
	비외과적	급성심근 경색 위장관염 폐렴

1) 수술의 적응증

 (1) 복막염의 징후를 확연히 보이는 경우: muscle guarding, tenderness, rebound tenderness

 (2) 방사선학적 검사에서 free gas등의 소견이 보이는 경우

 (3) Acute intestinal ischemia, strangulation이 의심되는 경우

 : 장 폐쇄 환자에서 fever, rebound tenderness, leukocytosis가 동반되고 간헐적 복통이 지속적인 양상으로 변할 때

 (4) localized abdominal tenderness가 심하거나 증가할 경우

 (5) 복통을 갖고 있고 다른 이유로 설명할 수 없는 패혈증의 징후를 보이는 경우

2) 수술을 요하는 급성복증 환자에서 일반적인 처치

 (1) nasogastric tube 삽입

 (2) Foley catheter 삽입(소변량 측정)

 (3) volume replacement

 (4) antibiotics(패혈증 예방)

Chapter 09

충수염

① 역학

1) 유병률: 7~12%
2) maximum incidence: 10대 후반~20대
3) 남 : 여 = 2 : 1

② 병태생리

1) lymphoid hyperplasia, fecalith, foreign body 등에 의한 appendiceal lumen의 obstruction
2) mucosal secretion, bacterial overgrowth 등에 의한 obstruction으로 intraluminal pressure 증가 - appendix wall이 얇아지고 lymphatic and venous obstruction 유발
3) mucosal ischemia에 의한 necrosis, perforation 유발

③ 진단

1) Clinical presentation
   ① 전형적으로 mid-abdominal discomfort로 시작됨
      : appendix의 obstruction and distention으로 인한 visceral nerve 자극에 의함
   ② 진행함에 따라 venous congestion이 intestinal peristalsis를 자극하여 cramping pain, nausea, vomiting 유발

③ 염증이 진행하여 parietal peritoneum이 자극되면 parietal nerve에 의해 localized RLQ pain이 나타남

④ 25%에서 visceral pain없이 localized pain 발현

⑤ retrocecal appendix의 경우 localized pain이 약하거나 없을 수 있으며 인접 장기의 irritation으로 diarrhea, urinary frequency, pyuria 등을 유발할 수 있음

2) Physical examination

① 아프지 않은 곳부터 촉진하여 압통이 있는 부위를 확인

② appendix의 위치는 다양하나 기저부는 보통 McBurney point에 존재함

Sign	Description
Romberg sign	McBurney point에 압통
Blumberg sign	McBurney point에 반발통
Rovsing sign	좌하복부 촉진시 우하복부 통증 유발
Iliopsoas sign	왼쪽을 아래로 눕게 한후 우측 대퇴부를 과신전 (hyperextension) 시키면 통증이 유발됨. retrocecal appendicitis에서 관찰됨
Obturator sign	환자를 바로 눕게 한 후 환자의 고관절을 내회전 시킬 때 통증이 유발됨
Rosenstein sign	왼쪽을 아래로 눕게 한 후 McBurney point에 압통

③ rectal examination: retrocecal appendix나 pelvis 내에 위치한 appendix에서 유용

3) Laboratory evaluation

(1) CBC (일반혈액검사)

① mild leukocytosis (10,000~18,000/ml), 75% 이상 neutrophil

② 10%에서는 정상소견 관찰

③ 20,000/ml 이상에서는 complicated appendicitis 고려

(2) U/A (소변검사)

urethral 또는 bladder irritation에 의해 WBC, RBC 관찰 가능

4) Imaging study

(1) plain film: rarely helpful

(2) USG

    ① positive finding: anteroposterior diameter > 7mm

                       noncompressible luminal structure,

                       appendicolith appendiceal wall thickening

    ② advantage: inexpensive, rapid, no use of contrast, pregnancy 중 사용가능

    ③ disadvantage: operator-dependent accuracy

(3) CT

    positive finding: 7mm 이상의 distended appendix

                       target sign (circumferential wall thickening)

④ 감별진단 - 연령대별

1) Preschool-aged children

: intussusceptions, Meckel's diverticulum, gastroenteritis

2) School-aged children

: mesenteric lymphadenitis, gastroenteritis, constipation and functional pain

3) Adult

: pyelonephritis, colitis, diverticulitis

4) Women in childbearing years

: PID, ruptured ovarian cyst or torsion, ectopic pregnancy, UTI

5) Elderly

: malignancy, diverticulitis, bowel obstruction, peptic ulcer, cholecystitis

⑤ 치료

1) Antibiotic therapy

(1) 2세대 cephalosporin

(2) nonperforated: 수술 전 single dose만 사용

(3) perforation or gangrenous: 수술 후 3~5일까지 사용

2) Appendectomy

　　(1) transverse incision (Davis-Rockey) 또는 oblique incision (McArthur-McBurney)

　　(2) 진단이 불확실하거나 광범위한 복막염 시 midline incision 고려

　　(3) laparoscopic appendectomy

3) Drainage of periappendiceal abscess

　　: large size abscess (4~6cm 이상)에서는 systemic antibiotics, drainage 시행하고 6~12주 후 interval appendectomy

⑥ 합병증

1) Perforation

　　(1) fever, tachycardia, generalized peritonitis 동반

　　(2) appendicitis 발현 후 보통 12시간 이내 생김

　　(3) 치료: appendectomy, peritoneal irrigation, antibiotics (수일간)

2) Postop wound infection

　　(1) nonperforated: 3%, perforated: 4.7%

　　(2) severe infection 시 secondary intervention도 고려

3) Intra-abdominal and pelvic abscess

　　(1) perforation 시 증가

　　(2) 치료: CT 또는 US guided drainage, 안 되면 operative drainage

4) Small-bowel obstruction: perforation 시 증가(4배)

5) Other complication

　　: pyelonephritis, enterocutaneous fistula

⑦ 임산부에서 발생한 충수염

1) 임신기간 중 가장 많은 nongynecologic surgical emergency (0.15~2 명/1,000명)

2) 커진 uterus에 의해 appendix는 위쪽과 바깥쪽 방향으로 이동

3) uterus에 의해 parietal peritoneum과 분리되어 parietal irritation sign이 약하게 나타남

4) USG로 진단, 불확실한 경우 MRI

5) 진단 즉시 수술적 치료

　수술로 인한 fetal loss risk: 약 3%

　perforation and diffuse peritonitis로 인한 loss risk: 35%

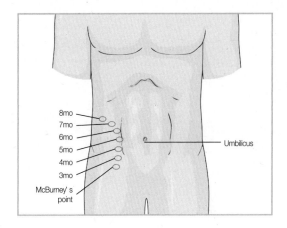

Chapter 10

대장항문 질환

1 Function

1) Colon

(1) water absorption

① 우측 대장은 하루 최대 6L의 수분 흡수 가능

② 대장의 수분 흡수가 하루 2L 이하로 떨어지면 설사 발생

(2) electrolyte transport (absorption & secretion)

: 우측 대장에서 sodium & chloride의 능동적 흡수(potassium & bicarbonate와 교환)

(3) nutrition

: 단쇄성 지방산(short chain fatty acids; SCFAs - acetate, propionate, butyrate)

① 대장 상피 세포의 주요 에너지원이며 대장의 장내 세균에 의해서 생산(발효에 의해 - 주로 우측 대장)되며 장 운동에 영향

: 식이 섬유가 잘 발효되지 않으면 대변의 양, 이행 시간, 배출 억제

② diversion colitis

: SCFAs의 만성 결핍 시에 발생, 거의 모든 장루 환자에서 발생 가능. 장루를 복원하면 소실

(4) colonic flora

: 변의 건조 무게 중 1/3이 세균, 체내 vitamin K의 상당량을 생산

① 병인성 미생물의 출현 억제

② 항생제 치료 시 colonic flora가 영향을 받아 약제 감수성 (warfarin 등)의 변화 및 감염성 대장염(위막성 대장염) 등이 발생 가능

③ 대장의 장내 세균에 의한 요소(urea) 재활용

(5) formation of stool

(6) defecation

(7) colonic gas: 하루 200ml~2L

① 대부분 입으로 들이마신 산소와 질소

② 수소, 이산화탄소, 메탄: 장내 세균에 의한 발효에 의해 발생

  * 수소, 메탄 – 가연성, 조직검사 시 전기 소작기에 의해 폭발 가능, 검사 전 적절 한 bowel preparation 필수

(8) motility: 장 내용물을 섞고 배출

감정 상태, 수면, 운동, 호르몬 변화 등에 영향을 받음

① retropulsive movement

: 우측 대장, 항연동, 대장 내용물을 맹장으로 되돌려서 발효에 용이하게 함

② propulsive movement

: 좌측 대장, 긴장성 수축, 대장 내용물을 직장 쪽으로 밀어냄

③ mass movement

: retropulsive movement와 propulsive movement 사이에 발생, 불규칙한 간격, 식후에 좀 더 자주 발생, 대장의 1/3에서 대장 내용물의 진행을 일으킴

  * 위결장 반사: 음식 섭취 후 대장의 긴장 증가, 식후 15분 정도에 가장 높으며 구불결장 〉 횡행결장

2) Anus & rectum

(1) capacitance organ

650~1,200ml 저장 가능(하루 대변 배출량은 250~750 ml)

*아직 논란중인 부분: 단순한 통로 – 안정기에는 비어 있어야 함

vs. 저장소 – 직장이 대변으로 꽉 차있어도 전혀 인식하지 못하는 환자들이 있음

(2) defecation: 4 phase

① mass movement: 대변이 직장으로 이동

② 직장 항문 억제 반사: 원위부 직장의 확장이 내괄약근의 불수의적 이완을 유도

③ 외괄약근과 치골직장근의 수의적 이완

④ 복압의 증가

(3) continence: 직장(6 cmH$_2$O)과 항문관(90 cmH$_2$O)의 압력 차이가 배변 자제를 유지하는 주요 기전이며 이를 위해서는 정상적인

① 용량

② 항문직장 이행부의 감각

③ 고형 대변에 대한 치골직장근의 작용(항문직장각을 생성시킴)

④ 미세한 조절을 위한 외괄약근 기능

⑤ 안정기 압력 유지를 위한 내괄약근 기능이 필요함.

그 외 배변 자제에 중요한 요인

: 직장 유순도, 긴장도, 직장의 채움과 배출, 대변의 양과 굳기

• 항문관의 기능
 –주요 기능은 배변의 조절과 배변자제의 유지
 –평균 4cm, 힘을 줄 때 길어지고 안정시에 짧아짐
 –고압력 구간으로 대변을 통과시키는 데 대한 저항력을 올려줌
• 안정기압(Resting pressure)
 –80%는 내괄약근이 담당(20%는 외괄약근이 담당)
 –90 cmH$_2$O
 –여성과 노인에서 더 낮음
• Squeeze pressure
 –외괄약근과 치골직장근이 담당
 –안정기압의 두 배 이상
 –급할 때 직장 내용물이 근위부 직장관으로 내려오는 것을 막아줌
• 항문직장각
 –치골직장근의 anterior pulling에 의해 생성
 –flap valve로 작용하거나 괄약근과 같은 기능을 가짐
 –이 각이 예각이 되면 배변자제가 강화되고 둔각이 되면 배변이 용이해짐

---

② Colon, rectum & anus의 physiologic disorders

1) Constipation & pelvic floor disorders

(1) constipation: 노인에서 많음

(65세 이상의 여성은 50%, 남성은 30%에서 호소)

① 정의: 주당 1 회 또는 그보다 적게 배변할 때

** 정상 배변 빈도: 3회/주~3회/일

② 원인

    a. 약제(마약류, 항우울제, 항콜린작용제, 칼슘 통로 차단제)

    b. 식이 요인: 수분과 섬유질이 적은 식이

    c. 내분비질환: 갑상선기능저하증

    d. 고칼슘혈증

    e. 우울증

    f. 폐쇄성 배변장애(골반저 장애)

      : 역행성 치골직장근 기능 장애, 직장 장중첩증, 직장류, 직장

       탈출 등

    g. 운동 부족

    h. 신생물

    i. 신경학적 질환: parkinson 병, 다발성 경화증

    j. 대장 무기력증

③ 평가

    a. 직장 수지 검사와 대장내시경 반드시 시행: 악성 종양 배제

    b. 대장 통과 시간 검사: 5일 동안 80% 이상의 표지자 배출되

      야 정상

    c. 배변조영술

    d. 항문내압검사

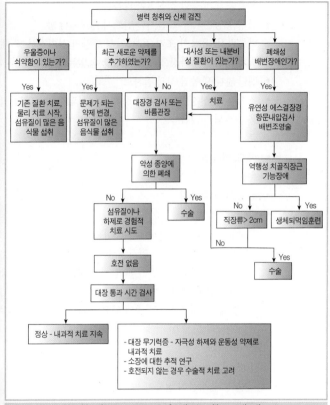

Algorithm for management of patients with constipation

④ 대장 무기력증(slow-transit constipation)
- 인구의 2%, 30세 이하의 젊은 여성이 대부분
- 어릴 때부터 변비가 있었으며, 사춘기 지나면서 심해짐
- 배변 횟수가 2회/주~1회/2, 3주로 다양함
a. 증상 및 진단
- 변비, 복통, bloating, 구토

- 우울증 등의 동반 정신질환 많음
- 악성 종양은 매우 드물지만 반드시 배제해야 함
- 바륨관장: 유용한 초기 검사, 악성 종양의 선별검사 및 대장의 생김새와 확장 정도를 파악할 수 있는 장점
- 진단은 대장 통과 시간 검사로
- 조직검사: 신경병성 변비가 강하게 의심되지 않는다면 적응증이 되지 않음

　b. 치료

- 하제, 섬유질
- 운동
- 선행 요인 피하기
- 수술
  - subtotal colectomy with ileorectal anastomosis
  - 특발성 대장 무기력증 환자에서는 논쟁의 여지가 있음
  - 신중하고 엄격한 선별이 필요: 정상 배변조영술 / 대장 통과 시간 검사에서 미만성 지연
  - 수술 후 전 장관 무기력증의 위험이 있으며 환자에게 수술 전에 반드시 이 점에 관해 이해시켜야 함

(2) pelvic floor disorders

　① 직장탈(rectal prolapse, procidentia)

- 항문을 통해 직장의 전층이 돌출된 것
- 직장 또는 직장-에스상결장의 중첩(intussusception) 또는 포위(infolding)의 결과라는 개념
- 고령, 여성, 시설 수용자, 항정신병 약제의 복용, 자궁적출술의 병력, 척수 손상
- 의외로 임신이나 출산은 주요 위험인자가 아님(무산부가 35% 차지)
- 항문거근의 분리, 비정상적으로 깊은 Cul-de-sac, 지나치게 긴 에스상결장, 열린 외괄약근, 직장 천골 부착의 소실이 공통적으로 관찰됨

a. 증상 및 진단
- 대변실금
  : 근위부 양측성 음부신경(pudendal nerve) 병증에 의한
    외괄약근의 탈신경위축(denervation atrophy)
    산과적 손상, 당뇨, 신생물에 의한 천골 신경 뿌리 손상
    등에 의해서 음부신경 손상 발생
- 변비, 통증, 출혈, 점액성 분비물, 설사
- 신체검사: 탈출된 내치핵과 구별해야 함
- 배변조영술: 탈출의 정도 파악
- 대변 통과 시간 검사
  : 길수록 향후 수술 시 더 광범위한 결장 절제가 필요
- 음부신경 말단운동근 잠복기 검사(PNTML, pudendal
  nerve motor latency test): 비정상이면 수술 후 대변실금의
  발생 증가

b. 치료
- Ripstein repair
  : 박리된 직장 주변에 인공 그물(mesh)을 위치시키고 그
    그물을 천골곶 밑의 천골전 인대에 붙이는 술식
- Wells procedure
  : alternative mesh technique-mesh를 앞쪽에 위치시키는
    대신에 직장 근막 고유판의 뒤쪽에 고정시킨 후 천골전
    인대에 붙임 → 직장 폐쇄의 빈도 감소
- resection rectopexy (Frykman-Goldberg procedure)
  : 직장을 가동화한 후 남는 에스상결장을 절제 전천골근
    막에 직장고정술 시행
    인공 mesh를 사용하지 않으며, 과도한 에스상결장을 절
    제한다는 것이 큰 장점
- modified Altemeier procedure
  : 경회음 직장에스결장절제술과 전방위 직장거근복원술
    고령, 수술 위험도가 높은 환자에 적용 가능

- Delorme procedure
  : 탈출된 장의 점막을 벗겨내고 남은 근육층을 주름잡아 점막 운에 재문합하는 방법 - 약 3~4cm 가량의 직장탈에 이상적이며 주로 고령 환자에서 시행
- anal encirclement
  : 국소 마취 하에 시행가능 - 수술 위험도가 매우 높은 환자에서 시행
  최근에는 마취 기술 및 경회음 직장절제술의 발전으로 거의 시행되지 않음

② internal rectal prolapse (internal intussusceptions)
  a. 무증상 인구의 50%에서 발견
  b. 증상이 없다면 정상 변이로 봄
  c. 증상이 있더라도 internal rectal prolapse만 있다면 수술적 치료는 추천되지 않음
  d. 증상 및 진단
    - 변비, 점성 분비물, 혈변, 후중
    - 배변조영술
      : 최선의 영상의학 검사
      전층 직장탈, 내부 직장탈, 역행성치골직장기능증후군, 비후된 직장횡주름
  e. 치료
    - 내과적 치료: increased bulk, stool softeners, glycerin suppository
    - 수술의 적응증: 만성 출혈, 임박한 대변실금, 생활습관을 변화 시킬 정도로 심한 증상
      어떤 수술이 좋은지는 논란이 있음
      Ripstein, Delorme……

- SRUS (solitary rectal ulcer syndrome)
  - 항상 직장의 전벽부, 항문연에서 4~12cm에 위치. 치골직장근 'sling' 위치로 생각됨
  - 거의 직장중첩 또는 전층직장탈과 관련
  - 전형적으로 환자들은 젊은 여성, 평균 나이 25세
  - 배변 시 과도한 힘주기와 배출의 어려움이 있었던 경우가 많음
  - 직장탈의 lead point로 허혈성 손상에 의해 발생한다고 여겨짐
  - → colitis cystica profunda: 대장 상피는 정상적으로 피복되어 있으나 mucose-filled glands가 점막하층 내에 비정상적으로 위치하고 있는 것. 치료는 직장 고정술을 동반한 저위전방절제술
  - 악성종양, 감염 또는 Crohn's disease와 감별진단이 중요: 전형적인 증상과 직장의 전방부 위치 그리고 병리학적 소견으로 쉽게 구별 가능

③ rectocele

    a. 원위부 직장에서 항문관까지의 직장 전벽이 전방부로 비정상적인 sac 모양의 탈출을 일으키는 것

    b. 괄약근 복합체의 직상방에서 시작

    c. 골반내 근막의 신전(stretching)이 원인

    : 만성적인 복강내압증가에 의한 골반저 손상에 의해 발생

    → 질 쪽으로 직장의 전방부 전층 탈장을 일으킴

    d. 직장내압

    : 질보다 높기 때문에 직장을 앞쪽으로 밀게 됨

    e. 증상 및 진단

- stool trapping: 폐쇄성 배변의 한 형태
  환자는 종종 배변 시 질 부위에 힘을 줘야 한다고 호소
- 2cm 보다 작은 경우는 증상이 거의 없음
- 배변조영술
  : 직장류를 확진할 수 있는 유일한 검사

    f. 치료

- 수술적 치료의 적응증
  - 손가락으로 변을 긁어내야 할 정도의 심한 stool trapping
  - 배변을 위해 vaginal support가 필요한 경우

- 큰 직장류가 질점막을 개구부 바깥으로 밀어내 건조를 유발하는 경우
  - \>2cm
  - 궤양
  - 불편감
- 직장 - 질 중격을 보강하는 것이 수술의 주 목적이며 경항문 또는 경질로 시행 가능

④ 역행성치골직장근기능증후군
  a. 배변을 위해 힘을 줄 때 골반저 근육이 이완되지 않는 것
  b. 배변 시 항문직장각이 더욱 예각이 되어 배변을 오히려 더 방해함
  c. 치료: 생체되먹임(biofeedback)

⑤ 항문 협착
  a. 폐쇄성 배변장애의 드문 원인
  b. 가는 대변과 bloating
  c. 원인
  - 항문직장 수술 후 반흔 형성
  - 만성적인 하제 남용
  - 방사선 조사
  - 재발성 항문 궤양
  - Crohn's disease
  - 외상
  d. 초기 치료: 항문 확장술
  e. 진행된 경우: 정상적인 회음부 피부의 advancement flap

⑥ 대변실금

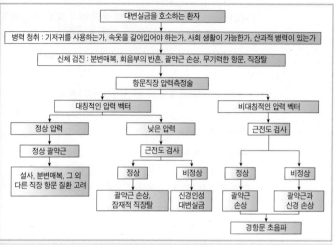

Investigation of fecal incontinence

a. 원인
- 기계적 결함: 산과적 외상에 의한 괄약근 손상, 치루나 치열의 치료, 외괄약근에 영향을 주는 경피증(scleroderma)
- 신경계적 결함: 산과적 외상에 의한 음부신경 손상, 척수손상, 배변시 지속적으로 과도한 힘을 주는 것, 전신적인 신경병증(예: 다발성 경화증)
- 대변의 내용물과 연관된 원인: 설사, 방사선 조사에 의한 직장염

b. 평가
- 항문직장 압력측정술
  - sqeeze pressure, 괄약근 길이, 직장이 느낄 수 있는 최소의 부피를 측정함으로써 내괄약근 및 외괄약근의 기능 장애 정도를 측정할 수 있음
  - 비대칭성은 수복을 요하는 해부학적 손상을 의미함

- 경항문 초음파: occult defect 를 발견 가능
- 골반저의 근전도 검사
  : 대변실금의 원인이 해부학적 문제인지 또는 신경학적 문제인지 감별 가능
  PNTML test - 성공적 수복 가능성에 대한 평가
c. 치료
  - 내과적 치료: 신경인성 원인이거나 기계적 손상이 경미한 경우
    - medication: slow transit
    - diet: increase stool bulk
    - biofeedback: 항문 근육 강화 및 직장항문 감각 개선
  - 수술적 치료: 주요한 손상이 있을 시에 시행
    - direct overlapping sphincteroplasty: 가장 흔한 수술적 접근
    - 인공 항문 괄약근
    - 말단 결장루

2) Volvulus

- 장간막을 축으로 장이 꼬이는 상황
- 장 내강의 부분적 또는 완전 폐쇄
- 다양한 정도의 혈액 공급 장애가 발생

(1) sigmoid volvulus

- 결장 염전(volvulus)의 2/3 ~ 3/4 차지
- 긴 에스상결장과 좁은 장간막 줄기로 인해서 발생
- 만성 변비 및 노화와 관계 있음
- 시설 수용자
- ① 증상및 진단
  a. 갑작스런 심한 복통 발생
  b. 구토와 변비
  c. 경련통(cramping)
  d. 팽창되고 팽만한 복부
    : 다른 원인에 의한 복부팽만보다 훨씬 dramatic 함

e. 반발압통

f. 빈맥

- plain film: 에스상결장의 뚜렷한 확장 "bent inner tube" appearance air-fluid
- CT: 소용돌이 모양의 장간막이 특징적
- 바륨 관장:"bird's beak"deformity

② 치료

a. 비수술적 감압술

- 재발: 50% → 계획된 수술이 필요
- 결장 괴사의 증후가 있는 환자들에게는 하지 않음
- rectal tube: 직장경이나 결장경을 이용하여 삽입, soft rectal tube는 육안으로 삽입 가능, 지속적인 감압을 위해 1~2일 정도 유지, 즉각적인 재발을 방지
- 결장경: rectal tube가 폐쇄 지점을 지나가지 못할 때 시행

b. 수술

- rectal tube나 결장경으로도 염전정복이 되지 않거나 복막 자극 증상이 있을 때 → Hartmann 술식
- 정복이 되었더라도 정규 수술로 에스상결장절제술 시행
- 정규 수술 전에 결장경 반드시 시행: 종양을 반드시 배제

(2) cecal volvulus (cecal bascule)

- 고정된 에스상결장의 전방으로 맹장이 머리쪽으로 접혀짐
- 에스상결장염전보다 나이가 어린, 여성에서 많음
- 괴사: major vessel 의 폐쇄가 없기 때문에 극히 드묾
- 간헐적인 복부통증: 이동성이 있는 맹장이 염전을 형성하면서 통증이 발생하였다가 다시 제자리로 돌아가면서 완화됨

① 증상및 진단

a. 증상은 소장 폐쇄 시와 비슷: 오심, 구토, 복통, 복부팽만

b. 복부의 비대칭적 팽창

c. tympanic palpable mass: 좌상복부 또는 복부 중앙

d. plain film: 왼쪽 방향으로 옮겨진 팽창된 맹장 → 가스로 가득찬 comma 모양(coffe bean shape), 팽창된 소장

e. 바륨 관장: 염전의 원인으로서 원위부 장의 악성종양을 배제

② 치료

a. 대부분 수술적 치료 필요

b. 우측대장절제술: 최선의 수술법

c. 일차 문합: 괴사된 장이 아니라면 시행

장 괴사가 발생한 경우 절제 후 회장루를 만드는 것이 더 안전

d. 맹장고정술: 재발률이 높아 권장되지 않음

(3) volvulus of the transverse colon

- 매우 드묾
- 선천적 band, 원위부의 폐쇄성 병변, 임신 등과 관련
- 임상 양상으로는 다른 대장 폐쇄와 구분이 안 됨
- 영상의학 검사: 도움이 되지 않으며 에스상결장 염전으로 오진되기 쉬움
- 간혹 결장경으로 정복되는 경우도 있으나, 재발을 막기 위해 정규 수술이 필요

3) Pseudo-obstruction (Ogilvie's syndrome)

- 기계적 폐쇄의 증거가 없는 심한 대장 마비
- 심하게 아픈 환자들과 시설 수용자들에게서 가장 흔하게 나타남
- 대장 폐쇄와 염전은 반드시 배제되어야 함

(1) 구분

① 일차성 가성폐쇄: 운동이상

② 이차성 가성폐쇄: 좀 더 흔함

항정신병 약물 복용, 마약류, 심한 대사성 질환, 점액부종, 당뇨, 요독증, 부갑상선기능항진증, 루프스, 경피증, Parkinson 병, 외상성 후복막 혈종

③ 급성 가성폐쇄

a. 만성 신장, 호흡기, 대뇌 또는 순환기 질환을 가진 환자들에

서 흔함

 b. 보통 결장만 영향

 c. 내과적 질환을 앓고 있는 환자에서 갑작스런 복부팽만이 오
  면 의심

 d. tympanic, nontender, 장음은 들림

 e. 단순 복부 촬영

  : 팽만된 결장, 주로 우측에서 횡행 결장까지가 가장 dramatic
   하게 영향을 받음

   결장 폐쇄의 모습을 보임

 ④ 만성 가성폐쇄

  a. 결장 외의 다른 위장관에 영향

   보통 일시적인 아급성, 부분적 장관 폐쇄의 형태

  b. 정기적으로 반복되는 양상을 보임

(2) 진단

 ① water-soluble contrast enema: 초기 검사로 선호됨

 ② 결장경: 진단뿐 아니라 치료도 될 수 있음

(3) 치료

 ① 진단적 검사와 함께 병행

 ② 초기 치료

  : 비위관을 이용한 감압술, 세포외액의 부족분 보충 전해질 이
   상의 교정

  장 운동을 저해하는 medication 중지

  ← 대부분의 환자가 이 정도만으로도 호전이 있음

 ③ 결장경을 통한 감압술

  : 빠른 맹장 팽만이 있거나 단순 복부 촬영에서 맹장의 직경이
   12cm 이상일 때

   70-90%의 성공률

   10~30%의 재발률

   skilled personnel and equipment가 필요

   결장 천공의 위험이 있음

④ neostigmine

: 결장 천공의 위험이 있음

2.5mg을 3분에 걸쳐 정주

투여 후 10분 내에 환자의 반응이 있음(대변 또는 gas out). 재발률은 결장경을 통한 감압술보다 훨씬 낮음

한 번의 투약으로 약 90%의 환자에서 만족스러운 감압이 있음

4) Diverticular disease

- 가성 게실: 결장 벽의 전층이 돌출되는 것이 아니고 점막과 점막하층이 고유근층을 뚫고 탈장됨

- mesenteric taenia와 양측 lateral taenia 사이의 혈관이 결장 벽으로 들어가는 부위에 발생

- antimesenteric side에는 관통 혈관이 없기 때문에 게실이 발생하지 않음

- 에스상결장이 가장 흔한 부위: 장의 직경↓, 압력↑

  * 동양인: 선천성 / 진성게실 / 우측 대장이 서양에 비해 많음

- 나이와 관계: 30세 이하에서는 드물며, 80세 이후에서는 75%의 유병률을 보임

(1) uncomplicated diverticulitis

- 게실의 천공에 의한 결과

- 게실을 가진 환자의 10~25%에서 발생

① 증상 및 진단

a. 좌하복부 통증: 치골상부, 왼쪽 서혜부 등으로 방사됨

b. 발열, 오한

c. 절박뇨

d. 배변 습관의 변화

e. 신체 검진: 천공 부위, 오염 정도, 주변 기관의 이차적 감염 여부 등에 따라 변이가 있음

f. CT or MRI

- 얻을 수 있는 정보의 정도와 이득은 같음

- 감염 부위, 염증 진행의 정도, 농양의 형성 여부 및 위치,

다른 기관의 침범여부와 그에 따른 이차적 합병증(요관 폐쇄 또는 방광으로의 누공 형성 등) 등을 알 수 있음
- 농양 발견 시 CT 감시 하 경피 접근을 통해 배농까지 가능한 장점이 있음

g. 복부 초음파: 농양의 초음파 감시 하 경피 배농을 비롯해 CT와 거의 같은 장점을 가짐

h. 에스상결장경 또는 바륨 관장: 결장 내압을 올려 천공을 야기할 수 있고 바륨 또는 대변에 의한 복막염을 일으킬 수 있어 거의 시행하지 않음

② 치료

a. 경증: 외래에서 liquid diet와 함께 광범위 항생제를 10일간

b. 중등
- 국소적 복막염의 증후가 보이고 심한 통증이 있을 경우 입원시킨 후 항생제 정주(ciprofloxacin and metronidazole) 처방
- 보통 48시간 안에 증상 호전, 이후 liquid diet 시작 발열과 백혈구증가증이 해결될 때까지 경구 항생제 지속
- 진통제로 morphine은 사용하면 안 됨(장관 내압을 올림)
- meperidine이 더 적합(장관 내압을 낮춤)

c. 결장경 또는 바륨 관장
- 증상 소실 후 최소 3주 뒤에 시행, 게실을 확진
- 악성 종양 배제

- 바륨 관장은 게실의 범위와 정도를 확인하는 데 유용하지만 게실증 환자에서는 에스상결장암을 놓칠 수 있어 효용가치가 떨어진다.
  - 첫 발병에서 수술적 치료가 필요한 경우는 5.5% 이하
  - 첫 발병 후 재발할 확률은 25~30%, 두 번째 발병 후 재발할 확률은 50% 이상
  - 첫 발병 시 합병증 있거나 두 번째 발병(첫 재발)일 경우 비수술적 치료 후 4~6주 뒤에 정규 수술(침범된 결장의 절제)이 고려됨

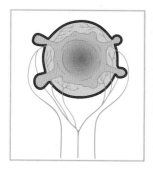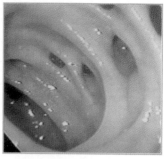

(2) complicated diverticulitis

① 게실 농양

a. 증상 및 진단
- 보통 골반 내에 국한
- 통증, 발열, 백혈구 증가증
- 복부, 골반, 또는 직장 검사: 압통이 있는 파동성 종괴
- CT, MRI, 또는 초음파

b. 치료
- 2cm 이상이면 배농술 시행: CT 또는 초음파 감시 하 경피 배농
- 저위 골반 농양은 경항문 접근으로 배농
- 항생제 정주
- 정규 수술: 농양 배액술 약 6주후

② fistula
- 에스상결장과 피부(농양이 피하조직으로 배액된 결과), 방광, 질, 소장이 누공 형성
- 감염의 원인(천공된 게실)이 제거되어야 누공이 해결됨

a. 에스상결장-방광루
- Crohn's disease, 악성종양에서보다 더 흔함
- 남성에서 더 많음
  (여성은 자궁이 보호 작용, 자궁적출술을 한 여성에서 발생)

- pneumaturia, fecaluria, UTI의 반복
- 남성에서 요로성 패혈증 발생
  : 전립선 비대증에 의한 원위부 요로의 폐쇄에 의함
- CT: 가장 유용한 진단 검사 방법 → 방광 내 공기 음영
- 그 외 바륨관장, 정맥 신우조영술, 방광경 등은 별로 유용하지 않음

b. 결장-질루
- 신체검진이나 기타 다른 방법(CT 등)으로 진단이 어려움
- 질 속에 tampon을 넣은 후 직장에 염료(methylene blue)를 주입하여 진단

c. 치료
- 게실염에 의해 발생하는 어떤 유형의 누공이든지 초기 치료는 감염을 조절하고 관련된 염증을 줄이는 것
- 응급 수술이 필요한 경우는 드묾
  : 농양이 누공을 통해 배액되면서 환자의 상태는 종종 호전됨
- 항생제
- 결장경: 결장의 악성종양(또는 Crohn's disease)를 배제
- 방광의 손상은 보통 매우 작기 때문에 closure가 필요 없음
  : 수술 후 7~10일간 foley catheter 또는 치골 상부 cystostomy
- 방광 손상이 큰 경우 배액과 함께 absorbable suture closure 시행

③ 범발성 복막염
- 드묾
- 대부분의 경우에 Hartmann 술식 시행(두 단계로 나누어 수술)
- 변 내용물에 의한 오염이 심하지 않다면 수술중 장세척 후에 결장직장문합술과 선택적 회장루 형성술을 시행

5) Hemorrhoids
- vascular and connective tissue cushions
- 항문관의 3 columns 안에 존재
  (Lt. lateral 3시, Rt. posterolateral 7시, Rt. anterolateral 11시)

(1) internal hemorrhoids

① 치상선 상방

② 점막으로 덮여 있음

③ 통증 유발하지 않음

④ 출혈, 돌출 발생

Internal Hemorrhoids: Grading and Management		
GRADE	SYMPTOMS AND SIGNS	MANAGEMENT
First degree	bleeding; no prolapse	dietary modifications
Second degree	prolapse with spontaneous reduction bleeding, seepage	rubber band ligation coagulation dietary modifications
Third degree	prolapse requiring digital reduction bleeding, seepage	surgical hemorrhoidectomy rubber band ligation dietary modifications
Fourth degree	prolapsed, cannot be reduced strangulated	surgical hemorrhoidectomy urgent hemorrhoidectomy dietary modifications

(2) external hemorrhoids

① 치상선 하방

② anoderm으로 덮여 있음

③ 통증, 가려움증 유발

④ skin tag 형성

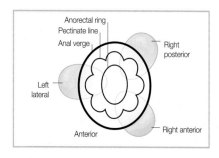

(3) medical treatment

　① 1도~대부분의 2도

　　• dietary fiber, water, stool softener

　　• 배변 시 과도한 힘을 주는 것 자제

　② 치료에 반응 없는 2도~3도

　　• elastic ligation

　　　- 외래에서 항문경으로 직접 보며 시행

　　　- 치상선 2~3 cm 위에 해야 통증과 감염을 예방할 수 있음

　　　- 항응고제 치료 중인 환자는 절제에 의한 회음부 패혈증 우려

　　　- 면역 결핍 환자에게는 금기

　　　- 한 번 시술에 한 곳만 결찰-심각한 회음부 패혈증 우려

　　　- 시술 후 12시간 내에 심한 통증이 있거나 소변보기가 어렵
　　　　거나 열이 난다면 응급실로 내원할 것을 환자에게 교육

(4) excisional hemorrhoidectomy

　• 크기가 큰 3도~4도

　• 내치핵과 외치핵이 섞인 경우

　• 혈전 형성

　• 감돈

　• 합병증

　　: 요저류, 출혈, 감염, 괄약근 손상, 항문 협착 등

(5) thrombosed external hemorrhoids

　• 점막피부 이행부 바깥 쪽의 혈전이 형성된 정맥을 절제해서 치료

　• 외래나 응급실에서 시행 가능

　• 48시간 이상 지난 혈전증은 비수술적 치료

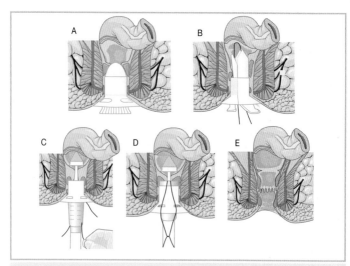

PPH hemorrhoidectomy. (A) The anal dilator is inserted in to the anal canal and specured to perianal skin with heavy sutures. (B) the purse-string suture anoscope is introduced into the anal dilator for placement of a purse-string of 2-0 Prolene in the submucosa, 4-5cm above the dentate line. (C) The head of circular stapler is opened to it's maximum position. It's head is introduced and positioned proximal to the purse-string, which is then tied over the shaft of the anvil. With the help of the suture threader(crachet hook), the ends of the suture are pulled through the lateral holes of the stapler. (D) The ends of the suture are knotted externally. At this point, the entire casting of the stapler is introduced into the anal canal. The stapler is then closed and fired. (E) At completion, the staple line should be about 2cm above the top of the internal hemorrhoids.

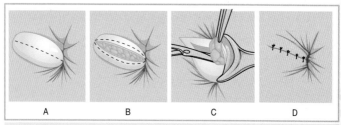

Thrombosed external hemorrhoid. (A) Line of incision. (B) Subcutaneous intravascular blood clots are exposed. (C) Lobulated blood clots are dissected with scissors. Note the Hill-Fergusan anal speculum used for exposure. (D) Closure of wound with running or interrupted 3-0 chromic catgut or rapidly absorbable synthetic sutures.

6) Anal fissure

- anoderm의 찢어짐
- 90%가 후방에 발생

(1) 증상 및 진단

① 배변 시 찢어지는 듯한 통증

② 배변 후 몇 시간씩 지속되는 심한 항문 경련

③ 피가 휴지에 묻어남

④ 항문직장 압력측정술과 직장수지검사

: 괄약근 긴장도 ↑

내괄약근 하부 1/3의 근육 비후

⑤ sentinel pile

⑥ 감별진단: Crohn's disease (lateral location), 결핵, 항문암, CMV, HSV, 매독 등

(2) 치료

① 내과적 치료: 90% 환자에서 치료가능

- 좌욕, increased fiber intake, steroid 좌약, stool softener
- nifedipine 연고, nitroglycerin

② 수술: lateral internal sphincterotomy - 90% 성공률

- 10%에서 재발과 경도의 대변실금 발생

1 Infection of the colon

1) Pseudomembranous colitis

- 항생제 치료 후 Clostridia difficile의 과증식으로 인해 생기는 독소에 의해 발생하는 급성 설사
- 특히 clindamycin, ampicillin, cephalosporin
- 1/4에서 항생제 치료가 중단된 이후에 발생
- single dose만 사용해도 발생 가능

(1) 진단
  ① toxin A의 검출
  ② 직장경: 위막의 존재
  ③ CT: 전벽을 침범하는 대장의 비후

(2) 치료
  ① 불필요한 항생제 중단
  ② oral or IV metronidazole
  ③ oral vancomycin (not IV) - 비쌈
  ④ 응급 전결장절제술과 말단회장루조성술: 독성 거대결장이나 천공이 생긴 경우

2) Amebic colitis

- Entamoeba histolitica에 의한 침습성 감염
- fecal to oral route
- 여행자에게서 가장 흔하게 발생
- 보통 맹장에 작은 궤양
  : 천공이나 염증성 종괴(ameboma) 형성하기도 함

(1) 진단: 대변 검사 → ova & parasite
(2) 치료: oral metronidazole and iodoquinol
  수술적 치료-천공 또는 치료에 반응 없는 ameboma 때 시행

3) Actinomycosis

- 충수돌기절제술 후에 맹장 주변에서 가장 흔하게 발생
- anaerobic Gram positive Actinimyces israeli
- penicillin 또는 tetracycline과 함께 수술적 배농

4) Neutropenic enterocolitis

- AML 환자에서 항암화학요법 이후에 발생
- stage III/IV 결장암 환자에서 항암화학요법 지속 시에도 발생
- 복통, 발열, 혈성 설사, 복부팽만, 패혈증
- 치료: bowel rest, TPN, G-CSF, 광범위 항생제 정주 복막염 발생 시 전결장절제술과 회장루

5) Cytomegalovirus colitis

- AIDS 환자의 10%에서 발생(특히 남성 동성애자)
- AIDS 환자의 가장 흔한 응급 개복술의 원인
- 장기이식을 받은 환자
- 혈성 설사, 발열, 체중 감소
- ganciclovir가 최적의 치료임
- 전결장절제술과 회장루: 독성 거대결장 발생 시 시행

2 Infection of the anorectum

1) Anorectal suppuration

(1) abscess

- 괄약근간면에서 감염 기원
- 항문선의 감염

① 증상 및 진단

a. 괄약근간형 농양(intersphincteric abscess)
- primary site of origin
- 무증상에서 심한 증상까지 모두 발생 가능
- 박동성 통증
- 항문주위 농양

: 외괄약근으로 표재적, 수직적 하방 전파

압통과 부종을 동반한 혈전성 외치핵으로 오인할 수 있음

b. 상항문거근형 농양(supralevator abscess)
- 환자는 막연한 불편감
- 겉으로 보이는 증상이 없음
- 진단이 어려움
- 마취 하에 검사하면 직장의 융기 및 부종을 찾을 수도 있음

c. 좌골직장형 농양(ischiorectal abscess)
- 내괄약근을 지나 항문관으로 전파
- 또는 반대 방향으로 외괄약근을 지나 좌골직장와로 전파
- 항문후방심강 통해 연결되어 마제형농양(horseshoe abscess: 양측괄약근간강과 상항문거근강, 또는 좌골직장와가 연결된 농양)을 형성하기도 함
- 발적을 동반한 파동성 종괴
- 종괴가 발견되기 전에 통증, 발열 호소

② 치료
- 통증, 발열
: 건강한 환자는 외래에서 국소마취 하에 배액
- 면역기능이 억제된 환자들(후천선면역결핍증, 당뇨, 암치료중인 환자, 만성적인 내과질환으로 인해 면역이 저하된 환자)와 복잡 하고 합병된 농양을 가진 환자들은 입원 치료

a. 괄약근간형 농양(intersphincteric abscess)
- 농양 레벨에서 내괄약근을 절개하여 배액
- 항문주위농양: 단순피부절개만으로도 충분

b. 상항문거근형 농양(supralevator abscess)
- 직장 하부와 항문관 상방으로 배액

c. 좌골직장형 농양(ischiorectal abscess)
- 즉각적인 국소 배농
- 감염된 공간 위로 피부와 피하조직을 통한 적절한 십자

　　　　형절개
- 농양을 놓쳤을 경우 회음부에 괴사성 감염이 발생하여
  치명적일 수 있음
- 국소적인 치료가 효과가 없거나 재발성 농양 발생 시
  : 치료가 적절치 못하여 치루 내에 농이 남아 있는 경우 면
    역장애가 있는 경우 등을 생각할 수 있음
  d. 마제형 농양(horseshoe abscess)
- 후방정중절개
  e. 항생제
- 면역장애가 있는 경우 ┐
- 당뇨 환자　　　　　　├ 에만 필요
- 광범위한 연조직염　　│
- 심장판막질환　　　　┘
(2) fistula in ano
　① 항문직장 농양의 만성 단계
　② 외상, Crohn's disease, 결핵, 암, 방사선 등에 의해 발생
　③ 항문직장 패혈증의 25%에서 합병증으로 발생
　④ 항문직장 패혈증의 급성기 또는 6개월 내
　⑤ 패혈증 때문에 발생한 치루의 대부분은 치상선의 항문관샘에
　　서 기원

Classification of Anorectal Fistulas
Intersphincteric (the most common): the fistula track is confined to the intersphincteric plane.
Trans-sphincteric: the fistula connects the intersphincteric plane with the ischiorectal fossa by perforating the external sphincter.
Suprasphincteric: similar to trans-sphincteric, but the track loops over the external sphincter and perforates the levator ani.
Extrasphincteric: the track passes from the rectum to perineal skin, completely external to the sphincteric complex.

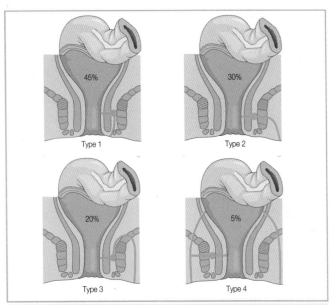

(Type 1) Intersphincteric, (Type 2) Transsphincteric, (Type 3) Suprasphincteric, (Type 4) Extrasphincteric

⑥ 치료: 치루의 위치와 괄약근 기능에 따라 결정

    a. seton

    b. fistulotomy: 전통적인 절개 노출법. 괄약근이 많이 절개되는 경우 배변실금 유발 가능하여 이외의 여러 방법 개발 중

    c. fibrin glue injection / porcine small intestinal submucosa (SIS) plug insertion: 복잡하고 깊은, 또는 재발성 치루에 대해 치료와 관련된 합병증인 배변실금을 예방하기 위한 새로운 치료법

    d. sliding flap repair: 치료가 어렵고 지속적인 고위 치루

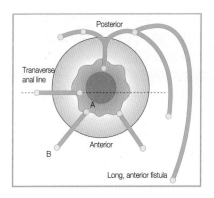

- The Goodsall's rule
  - the usual relationship of primary and secondary fistula orifice
  - external opening (B) anterior to transverse anal line
    → straight radial tract
  - external opening posterior to transverse anal line
    → curved tract and an internal opening in the posterior commissure
  - long anterior fistula is an exception to the rule

2) Necrotizing anorectal infection (Fournier's gangrene)

- 광범위하고 목숨을 위협하는 조직의 파괴
- 전신 독성에 의한 증상과 항문주위 동통
- 비교적 정상적인 피부 아래 광범위한 괴사
- 염발음
- 모든 생존 불가능한 조직에 대한 즉각적인 광범위 변연절제술과 항생제 정주가 필수
- 초기 치료가 중요
- 아직까지도 사망률이 약 50%

3) Pilonidal disease

- 전형적으로 젊은 남자의 천미골 피부 정중선(항문의 5cm 상방 둔부열) 발생

- 발병기전이 명확히 밝혀지진 않았으나 체모가 중요한 역할을 할 것으로 생각됨: 많은 모소동(pilonidal sinus) 환자들이 털이 많고, 체모가 적은 사람들에게는 잘 발병하지 않음
- 다른 질환(치루, 피부질환, 악성종양, 진성 천미골동(sacrococcygeal sinus))과 혼재하는 경우는 드묾
- 항문주위농양과 다른 점은 항문통증이 없고, 좀 더 상방에 위치하고, 정중선 피부에 오목(pit)이 있다는 것
- 치료: 절개 배농 및 소파술-급성 염증 상황일 때는 이차상처봉합 고려 재발이 빈번하기 때문에 활동성 염증이 해결된 후 예정을 잡아 수술을 시행하고 일차봉합을 하는 것이 치유될 확률이 높음

4) Hiradenitis supprativa
- apocrine 한선의 감염
- 치루와 비슷하지만 항문연 바깥쪽에서 발병하는 것이 큰 차이점
- 치료: 침범된 피부의 광범위 절제

5) Pruritus ani
- 치핵, 치열, 직장탈, 직장폴립, anal warts (condyloma), Bowen's disease, Paget disease 등의 흔한 증상
- 치료: 기저 질환의 치료, 식이 요인의 조사(커피, 술 등) 어린이들의 경우 요충 등이 원인일 경우 poperazine citrate

6) Condyloma acuminatum
   (1) human papilloma virus
   (2) anorectal, urogenital warts
   (3) anal intercourse에 의한 전염이 가장 흔함
   (4) perianal growth, bleeding, pruritus, anal discharge, pain
   (5) treatment: 완전한 치유가 어려움
      ① podophyllin
         : condylomata cytotoxic하나 정상 피부에 자극적임, 미소한 병변이나 항문 외부 warts에 국한, 국소 합병증과 전신적 독성의 위험성 때문에 반복 사용하지 않음

마취는 필요하지 않으며 비용이 저렴함 결과가 그리 만족스
럽지 못함

② dichloroacetic acid (bichloracetic acid)

: 항문 주변이나 항문관 내 warts에 사용, podophyllin보다 덜 자
극적임

③ intramuscular or intralesional interferon-beta

: Influenza와 유사한 전신 증상이 합병증으로 나타날 수 있음

①, ②, ③은 수술적 치료에 비해 재발률이 매우 높음

④ needle tip 을 이용한 전기소작술

: 효과적이며 광범위하게 쓰임

국소마취, 부위마취, 또는 전신마취로 시행

시술 시 발생하는 증기(vapor)에 생존 가능한 균이 포함되어
있기 때문에 반드시 evacuation되어야 함

⑤ 작은 가위로 절제(excision)

: 정밀하고, 검체를 남길 수 있고, 주변 피부의 손상을 최소화

큰 병변에도 적용 가능

전신마취 또는 부위 마취로 시행

Comparisons of Ulcerative colitis (UC) and Crohn's disease (CD)		
	UC	CD
육안 소견		
장벽비후	0	4+
장간막 비후	0	3+
장막으로 지방이 기어드는 소견	0	4+
분절 침범	0	4+
현미경적 소견		
전층 침범	0	4+
림프구 응집	0	4+
사르코이드형의 육아종	0	3+
임상상		
직장출혈	3+	1+
설사	3+	3+
장폐쇄	1+	3+
항문부 침범	Rare	4+
암 발생 위험성	2+	3+
소장 침범	0	4+
내시경 소견		
병변의 분포	Continuous	Discontinuous
직장 침범	4+	1+
장벽 취약성	4+	1+
아프타성 궤양	0	4+
깊은 선형 궤양	0	4+
조약돌모양 병변	0	4+
가성용종	2+	2+
수술적 치료		
전대장절제술	Curative	Combined disease: colon+rectum
분절절제	Rare	Absence of anorectal disease
회장낭 수술	Preferred by most patients	Contraindicated
합병증		
수술 후 재발	0	4+
누공	Rare	4+
경화성 담관염	1+	Rare
담관결석	0	2+
신장결석	0	2+

❶ 궤양성 대장염

1) 진단

(1) 임상양상

① 혈변을 동반한 설사, 절박, 후중, 실금

② 전신 증상: 발열, 오심, 구토, 체중감소, 피로감, 식욕부진

③ 증상의 호전과 악화가 반복됨

(2) 검사소견: 빈혈, CRP상승, ESR 상승, p-ANCA (60~70%)

(3) 내시경 검사: 직장으로부터 근위부로 연속적인 병변이 나타남

(4) 조직검사: 염증이 점막 및 점막하 조직에 국한

2) 치료

(1) 내과적 치료

① 직장염: 5-ASA (aminosalicylate) 좌약 또는 관장

② 좌측 및 전대장염: 급성의 경우 경구용 스테로이드(prednisolone) 사용

③ 중증 및 전격성 대장염

a. 금식, 중심정맥관 영양공급, 스테로이드 정주

b. 증상이 악화되는 경우 24시간 이내, 내과적 치료에도 5일간 반응 없으면 수술적 치료 고려

④ 스테로이드 불응성/의존성

a. 스테로이드 불응성: cyclosporine, infliximab, tacrolimus

b. 스테로이드 의존성: azathiopeine, 6-MP (mercaptopurine)

⑤ 독성 거대결장(toxic megacolon)

a. 급성복통, 복부팽만, 발열, 빈맥, 탈수 소견

b. 횡행결장의 직경이 6cm 이상 늘어난 경우 진단

c. 내과적 치료: 금식, 스테로이드 정주, 광범위 항생제 정주, 전해질 교정

d. 전결장절제술: 48~72시간 이내 호전되지 않는 경우

(2) 외과적 치료

① 적응증: 내과적 치료에 반응이 없을 때, 전격성 대장염, 독성 거
대결장, 천공, 출혈, 심한 대장외 증상, 대장암이 의심되는 경우

② 전결장절제술 및 회장낭-항문 문합술(total proctocolectomy
with ileal pouch anal anastomosis, TPC with IPAA): 기본적인
술식이며 일시적인 회장루를 만들었다가 3~4개월 후에 회장루
복원술 시행

③ 전결장절제술 및 회장루 조성술(total colectomy with end-
ileostomy)

  a. 전격성 대장염, 독성 거대결장, 천공 등의 응급상황 시

  b. 증상이 호전되면 3~4개월 후에 직장절제술과 회장낭 - 항문
문합술 시행

④ 직장결장 절제술 및 회장루

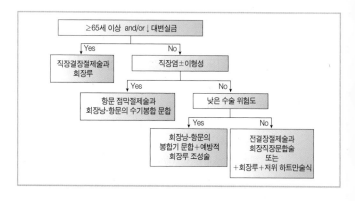

② 크론병

1) 진단

(1) 임상양상

① 만성적, 반복적인 복통과 설사: 가장 흔함

② 체중감소, 미열, 흡수장애, 지방변, 영양결핍, 장관협착, 미세
천공에 의한 복막염 증상

③ 항문주위 누공

(2) 검사소견: CRP 상승, ESR 상승, ASCA 양성(60~70%)

(3) 내시경 검사

　① 직장은 잘 침범하지 않음

　② 아프타성 궤양, 선형 궤양, 조약돌모양 병변

(4) 조직검사: 병변이 전층을 침범(transmural inflammation)하고 농양, 비건락성 육아종

(5) small bowel series

(6) CT

2) 치료

(1) 내과적 치료

　① 소장염 및 회장 대장염

　　a. 경구 스테로이드제제, 5-ASA (1차 약제)

　　b. 패혈성 합병증이 동반된 경우는 ciprofloxacin이나 metronidazole을 함께 사용

　　c. 재발성: azathioprime, methotrexate

　　d. infliximab (chimeric anti TNF-α monoclonal antibody)
　　　: 스테로이드 불응성 활동성 질환, 스테로이드 의존성 질환, 관해 유지

　② 항문주위 크론병 및 누공성 크론병

　　a. metronidazole, ciprofloxacin

　　b. azathioprime / 6-MP

　　c. infliximab

　③ 금연이 필요

(2) 외과적 치료

　① 적응증

　　a. 내과적 치료에 반응이 없는 경우

　　b. 장관 폐쇄

　　c. 복강내 농양

　　d. 장관내 누공

  e. 장관-피부 누공

  f. 전격성 결장염

  g. 독성 거대결장

  h. 천공

  i. 출혈

  j. 악성종양이 동반된 경우

  k. 장관외 증상이 심한 경우

  l. 성장 지연

② 병변의 위치 및 상태에 따라 다양한 수술 방법이 적용되나 소장 절제는 최소한으로 하는 것이 원칙

③ 협착시 협착성형술 또는 절제술 시행

④ 결장 절제술

  a. 적응증: 직장염, 광범위한 항문주위질환, 괄약근 기능이상, 직장 질루, 악성 전환

  b. 방법: 보존적 직장결장절제술(restorative proctocolectomy) (회장낭-항문문합술), 전결장절제술과 말단회장루

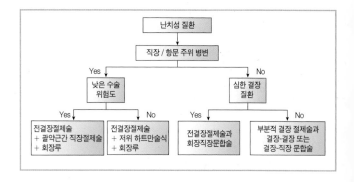

원인

1) Familial cancer syndrome (10~15%)

2) Sporadic cancer (85%)

유전적인 요인이 없더라도 대장암 환자의 1세대에서의 암 발생률은
3~9배 정도 증가함. K-ras 염색체의 돌연변이, APC 유전자의 소실,
DCC 유전자의 소실, p53 유전자의 소실, DNA 메틸화의 이상 등으
로 인해 대장암이 발생

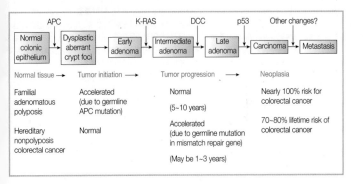

3) 환경적 요인

식이요소(저섬유소식이, 고동물성지방식이, 과도한 당분 섭취, 알콜, 셀
레 니움결핍 등), 담즙산, 담낭절제 과거력, 방사선 조사력

❷ 용종성 질환

1) 대장 용종의 분류 및 특징

신생물성	관상선종 관상-융모성 선종 융모성 선종 가족성 선종성 용종증 가드너 증후군 터콧 증후군 평활근, 지방종, 유암종, 혈관종	직장, 에스결장에 호발(50~80%) 융모양 조직 〉 50%, 직장출혈, 점액배설 상염색체 우성, 100개 이상의 선종 대장 용종증 + 뇌종양
염증성	가성용종 림프양용종 심부 낭포성 결장염	궤양성 결장염, 크론병, 허혈성 결장염 림프 여포의 확장
과오종	유년기 용종 유년기 용종증 크론카이트-캐나다 증후군 포이츠-예거 증후군 코우덴 증후군 신경섬유유종증	4세, 18세에 호발, 남자, 직장출혈, 용종절제로 치료 우성유전, 혈변, 저단백증, 빈혈, 성장장애, 전암병변 비유전성, 위장관용종증, 과색소증, 탈모, 손발톱 위축 우성유전, 점막피부접합부 색소침착, 소화기 용종증, 　장폐쇄, 출혈, 적극적인 용종절제 필요 우성유전, 악성화(-), 위장관용종증, 유암, 갑상선종, 　난소낭종, 작은 용종은 절제 불필요
기타	증식성 혹은 화생성 용종 장관 낭포성 기종 비후성 항문유두	Sessile, 1~2mm, 성숙된 세포의 과성숙 상태, 　치료 불필요

2) 선종-암 연속체

(1) 대장암의 95% 이상은 선종에서 발생하며 0-5%는 양성용종을 거치지 않고 점막에서 암이 발생하는 de novo임

(2) 전암 단계인 선종의 제거로 암 발생을 약 85% 정도 줄일 수 있음

(3) 선종의 암 위험도

① 선종의 크기(1 cm 이하 6%, 1cm 이상 16.7%, 2cm 이상은 고위험)

② 이형성 정도(경도 5.7%, 중등도 18%, 중증도 34.5%)

③ 선종에서 villous component의 정도

(4) 용종절제술 후 수술적인 치료를 고려해야 하는 소견

① resection margin이 불분명할 때
② unfavorable histology: poorly differentiated or undifferentiated, vascular invasion, lymphatic invasion, positive margin
③ sessile type

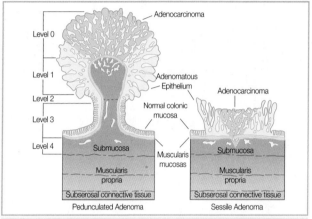

Level of submucosal invasion according to Haggitti's classification

Hereditary colorectal cancer (CRC) syndromes

Syndrome	% of total CRC burden	Genetic basis	Phenotype	Extracolonic manifestations	Treatment	Notes
Familial adenomatous polyposis (FAP)	<1%	Mutations in tumor suppressor gene *APC* (5q21)	<100 adenomatous polyps; near 100% with CRC by age 40 yr	CHRPE, osteomas, epidermal cysts, periampullary neoplasms	TPC with end-ileostomy or IPAA or TAC with IRA and lifelong surveillance	Variants include Turcot (CNS tumors) and Gardener (desmoids) syndromes
Hereditary nonpolyposis colorectal cancer (HNPCC)	5~7%	Defective mismatch repair: *MSH2* and *MLH1* (90%), *MSH6* (10%)	Few polyps, predominantly right-sided CRC, 80% lifetime risk of CRC	At risk for uterine, ovarian, small intestinal, pancreatic malignancies	Genetic counseling; consider prophylactic resections, including TAH/BSO	High microsatellite instability (MSI-H) tumors, better prognosis than sporadic CRC
Peutz–Jeghers (PJS)	<1%	Loss of tumor suppressor gene *LKB1/STK11* (19p13)	Hamartomas throughout GI tract	Mucocutaneous pigmentation, risk for pancreatic cancer	Surveillance EGD and colonoscopy q3 yr; resect polyps >1.5cm	Majority present with SBO due to intussuscepting polyp
Familial juvenile polyposis (FJP)	<1%	Mutated *SMAD4/DPC* (18q21)	Hamartomas throughout GI tract; >3 juvenile polyps; 15% with CRC by age 35 yr	Gastric, duodenal and pancreatic neoplasms; pulmonary AVMs	Genetic counseling; consider prophylactic TAC with IRA for diffuse disease	Presents with rectal bleeding or diarrhea

AVM, arteriovenous malformation; CHRPE, congenital hypertrophy of retinal pigmented epithelium; CNS, central nervous system; EGD, esophagogastroduodenoscopy; GI, gastrointestinal; IPAA, ileal pouch–anal anastomosis; IRA, ileal–rectal anastomosis; TAC, total abdominal colectomy; TAH/BSO, total abdominal hysterectomy and bilateral salphingo–oophorec; TPC, total proctocolectomy.

③ 결장암(colon cancer)

1) 발생빈도

: 인구 10만 명당 남자 9.8명, 여자 8.4명으로 평생을 걸쳐 5% 정도의 발생 빈도를 나타내며 40세까지 6-8%이며 50세 이후부터는 꾸준히 증가

2) 임상증상

    (1) 우측 대장암: 혈변 또는 분변잠혈, 빈혈

    (2) 좌측 대장암: 복통, 배변습관의 변화, 혈변, 장폐색

3) 조직학적 분류(대한대장항문학회)

    (1) 선암종

    (2) 정맥암종

    (3) 인환 세포암종

    (4) 편평상피암종

    (5) 선-편평 상피암종

    (6) 미분화암종

    (7) 기타

4) 대장암의 병기

Primary tumor (T)	
TX	Primary tumor cannot be assessed
T0	No evidence of primary tumor
Tis	Carcinoma in situ, intramucosal carcinoma (involvement of lamina propria with no extension through muscularis mucosae)
T1	Tumor invades submucosa (through the muscularis mucosa but not into the muscularis propria)
T2	Tumor invades muscularis propria
T3	Tumor invades through the muscularis propria into the pericolorectal tissues
T4*	Tumor invades the visceral peritoneum or invades or adheres to adjacent organ or structure
T4a	Tumor invades through the visceral peritoneum (including gross perforation of the bowel through tumor and continuous invasion of tumor through areas of inflammation to the surface of the visceral peritoneum)
T4b**	Tumor directly invades or is adheres to adjacent organs or structures

Note: *Direct invasion in T4 includes invasion of other organs or other segments of the colorectum as a result of direct extension through the serosa, as confirmed on microscopic examination (for example, invasion of the sigmoid colon by a carcinoma of the cecum) or, for cancers in a retroperitoneal or subperitoneal location, direct invasion of other organs or structures by virtue of extension beyond the muscularis propria (i.e., respectively, a tumor on the posterior wall of the descending colon invading the left kidney or lateral abdominal wall; or a mid or distal rectal cancer with invasion of prostate, seminal vesicles, cervix or vagina).

**Tumor that is adherent to other organs or structures, grossly, is classified cT4b. However, if no tumor is present in the adhesion, microscopically, the classification should be pT1–4a depending on the anatomical depth of wall invasion. The V and L classifications should be used to identify the presence or absence of vascular or lymphatic invasion whereas the PN site–specific factor should be used for perineural invasion.

Regional lymph nodes (N)	
NX	Regional lymph nodes cannot be assessed
N0	No regional lymph node metastasis
N1	Metastasis in 1 to 3 regional lymph nodes
N1a	Metastasis in 1 regional lymph node
N1b	Metastasis in 2–3 regional lymph nodes
N1c	Tumor deposit(s) in the subserosa, mesentery, or non–peritonealized pericolic or perirectal tissues without regional nodal metastasis
N2	Metastasis in 4 or more regional lymph nodes
N2a	Metastasis in 4 to 6 regional lymph nodes
N2b	Metastasis in 7 or more regional lymph nodes

Note: A satellite peritumoral nodule in the pericolorectal adipose tissue of a primary carcinoma without histologic evidence of residual lymph node in the nodule may represent discontinuous spread, venous invasion with extravascular spread (V1/2) or a totally replaced lymph node (N1/2). Replaced nodes should be counted separately as positive nodes in the N category, whereas discontinuous spread or venous invasion should be classified and counted in the Site–Specific Factor category Tumor Deposits(TD).

Distant metastasis (M)	
M0	No distant metastasis (no pathologic M0; use clinical M to complete stage group)
M1	Distant metastasis
M1a	Metastasis confined to one organ or site (e.g., liver, lung, ovary, non–regional node).
M1b	Metastases in more than one organ/site or the peritoneum.

GROUP	T	N	M	Dukes*	MAC*
0	Tis	N0	M0	−	−
I	T1 T2	N0 N0	M0 M0	A A	A B1
IIA	T3	N0	M0	B	B2
IIB	T4a	N0	M0	B	B2
IIC	T4b	N0	M0	B	B3
IIIA	T1–T2 T1	N1/N1c N2a	M0 M0	C C	C1 C1
IIIB	T3–T4a T2–T3 T1–T2	N1/N1c N2a N2b	M0 M0 M0	C C C	C2 C1/C2 C1
IIIC	T4a T3–T4a T4b	N2a N2b N1–N2	M0 M0 M0	C C C	C2 C2 C3
IVA	Any T	Any N	M1a	−	−
IVB	Any T	Any N	M1b	−	−

*Dukes B is a composite of better (T3 N0 M0) and worse (T4 N0 M0) prognostic groups, as is Dukes C (Any TN1 M0 and Any T N2 M0). MAC is the modified Astler–Coller classification.

5) 대장암의 전이 경로(mechanism of spread of colorectal cancer)

① 직접 전파: 장벽을 통한 전파(direct invasion)

② 림프관을 통한 전파(lymphatic spread)

    a. 결장에서의 림프절 전이: 38~60%

    b. 직장에서의 림프절 전이: 50%

③ 혈행성 전파(venous spread)

    · 간전이 > 폐전이 > 골전이

④ 복막 전파(transperitoneal spread)

⑤ 착상에 의한 전파

6) 대장암의 진단

(1) 신체검사

복부팽만, 장폐색, 복수, 복부 종괴촉지, 서혜부 림프절, 액와 림프절, 쇄골상와 림프절 점검, 결절유무

(2) 직장수지검사

직장암의 75%, 대장암의 35%가 수지검사로 발견

직장벽의 침윤정도, 항문직장윤으로부터의 거리, 유동성, 출혈 여부 관찰

(3) 직장경, 에스결장경, 대장내시경

(4) 대장조영술

(5) CT

(6) 경직장 초음파

직장암의 침습과 주변 림프절 침범 여부

(7) 암태아성항원

① 간염, 간경화, 흡연, 폐쇄성폐질환에서도 상승

② 수술 후 재발을 발견할 수 있는 암표식자로서 의의

③ 치료 전후의 수치변화에 따라 예후 예측 인자로서 이용 가능

7) 대장암의 screening (미국 대장항문외과학회, 2015)

위험군 분류		검사방법	검사시작 연령	검사회수
저위험군		직장수지검사, 변잠혈검사	40세	매년
		에스상결장경검사 or 바륨관장검사 or 결장경검사	50세	매 5년 매 5~10년 매 10년
고위험군	대장암 · 선종성 용종의 가족력*	결장경검사	40세 or 가장 먼저 진단받은 가족의 10년 전	매 5년
	가족성 용종증(FAP)	에스상결장경검사**	10~12세	매년
	유전성 비용종성 대장암 HNPCC)	결장경	20~25세 or 가장 먼저 진단받은 가족의 10년 전	매 1~2년
	염증성 장질환	결장경	발병 후 약 8~10년 후***	매 1~2년
	유방암 · 자궁암 · 난소암의 병력을 가진 여성	결장경	40세	매 5년

* 60세 이전에 대장암이나 선종성 용종을 진단받은 환자의 직계 가족
** Attenuated FAP이 의심되는 경우 에스상결장경 대신 결장경 고려
*** 이전 질환의 범위에 따라 권고안이 달랐으나 질환이 심한 경우 대장염의 범위 정도를 정확히 판단할 수 없어 통합됨

8) 수술적 치료

(1) 발생위치에 따른 절제범위

① 우측 결장암: 맹장, 상행결장, 간만곡부, 횡행결장의 우측 1/2 에서 발생하는 경우 회결장동맥, 우결장동맥, 중결장동맥의 우측 분지를 결찰하여 절단하고 말단회장의 약 10cm를 포함하여 절단 이후 회장-횡행결장 문합(단단문합, 측단문합, 기능적단단문합)을 함

② 좌측 결장암: 하장간동맥의 지배를 받는 횡행결장의 좌측 1/2, 비만 곡부, 하행결장, 에스결장에서 발생하는 경우 장간막 기시부에서 결찰하고 절단

③ 확대우측결장절제술

중결장동맥을 상장간막동맥에 가까운 근위부에서 절단하여 횡
행결 장의 원위부 1/3에서 문합

④ 다발성결장암의 경우는 아전결장절제술을 시행

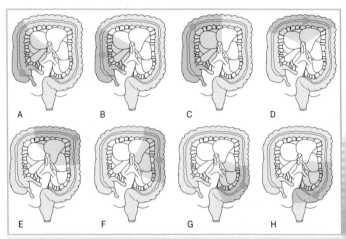

결장 부위에 따른 근치적 절제범위. (A, B) Right hemicolectomy, (C) Extend right hemicolectomy, (D) Transverse colectomy, (E) Left partial colectomy, (F) Left hemicolectomy, (G, H) Anterior resection (Resection of sigmoid colon)

(2) 급성장폐색을 동반한 대장암의 수술적 치료

① 불안정하고 동반 질환이 있는 경우

  : 단순감압(loop ileostomy, T-colostomy)

② 안정적이고 위험성이 낮은 경우

  a. 결장아전절제술과 회장-직장문합술

  b. 결장부분을 절제하고 수술장에서 결장세척 후 일차문합

  c. Hartmann's procedure

  d. Stent 삽입하여 감압 후 수술(bridge operation)

(3) 결장암의 근치적 수술의 원칙(NCCN guideline, vol. 2, 2015)

▶
- Lymphadenectomy
  - lymph nodes at the origin of feeding vessel should be identified for pathologic exam
  - lymph nodes outside the field of resection considered suspicious should be biopsied or removed
  - positive nodes left behind indicate an incomplete (R2) resection.
  - a minimum of 12 lymph nodes need to be examined to clearly establish stage II (T3-4, N0) colon cancer
  - even for stage III disease, the number of lymph nodes correlates with survival
- Laparoscopic-assisted colectomy may be considered based upon the following criteria
  - surgeon with experience performing laparoscopically-assisted colorectal operations
  - no advanced local or metastatic disease
  - not indicated for acute bowel obstruction or perforation from cancer
  - thorough abdominal exploration is required
  - consider preoperative marking of small lesions
- Management of patients with carrier status of known HNPCC
  - consider more extensive colectomy for patients with a strong family history of colon cancer or young age (< 50y)
- Resection needs to be complete to be considered curative

9) 병리학적 병기에 따른 보조화학요법

(1) Tis, T1-2, N0, M0: no adjuvant therapy

(2) T3, N0, M0 with no high risk

  ① consider capecitabine or 5-FU/leucovorin or 5-FU/leucovorin /oxaliplatin (FOLFOX)

  ② clinical trial or observation

  ③ 본원의 경우 5-FU based oral 제제인 UFT사용

(3) T3, N0, M0 with high risk (grade 3-4, lymphovascular invasion, bowel obstruction, <12 lymph nodes examined) or T4, N0, M0 or T3 with localized perforation or close, indeterminate or positive margin

　① 5-FU/leucovorin/oxaliplatin or capecitabine (본원의 경우) or 5-FU/leucovorin

　② clinical trial or observation

(4) T1-3, N1-2, M0 or T4, N1-2, M0

　5-FU/leucovorin/oxaliplatin or capecitabine or 5-FU/leucovorin

(5) targeted therapy

　① bevacizumab: vascular endothelial growth factor (VEGF) inhibitors

　② cetuximab: epidermal growth factor receptor (EGFR) inhibitors

10) 추적 검사

(1) Colorectal cancer without distant metastasis

검사	3M	6M	9M	1Y	1Y 6M	2Y	2Y 6M	3Y	3Y 6M	4Y	5Y
CBC, LFT	○	○	○	○	○	○	○	○	○	○	○
CEA, CA 19-9	○	○	○	○	○	○	○	○	○	○	○
Chest PA			○			○			○		
Chest CT		○		○	○	○		○		○	○
A-P CT		○		○	○	○	○	○	○	○	○
Colonoscopy Sigmoidoscopy				C		S		C		S	C
EGD				○				○			○

검사	3M	6M	9M	1Y	1Y 6M	2Y	2Y 6M	3Y	3Y 6M	4Y	5Y
CBC, LFT	○	○	○	○	○	○	○	○	○	○	○
CEA, CA 19-9	○	○	○	○	○	○	○	○	○	○	○
Chest PA	○		○			○		○			
Chest CT		○		○	○			○		○	○
Liver-Pelvic CT	○	○	○	○	○	○	○	○			
Colonoscopy Sigmoidoscopy				C		S		C		S	C
EGD				○				○			○

(3) Colorectal cancer with pulmonary metastasis

검사	3M	6M	9M	1Y	1Y 6M	2Y	2Y 6M	3Y	3Y 6M	4Y	5Y
CBC, LFT	○	○	○	○	○	○	○	○	○	○	○
CEA, CA 19-9	○	○	○	○	○	○	○	○	○	○	○
Chest PA						○		○			
Chest CT	○	○	○	○	○			○		○	○
A-P CT		○		○	○	○	○	○	○	○	○
Colonoscopy Sigmoidoscopy				C		S		C		S	C
EGD				○				○			○

④ 직장암(rectal cancer)

- 직장의 정의
  - 외과적 정의: sacral promontory (L5 line, rectum의 upper border)~치상선 (dentate line)

1) 직장암의 정의(미국 암 연구소, NCI)

① 종양이 치상선 상부에서 기원

② 종양의 하부연은 반드시 복강내 복막의 굴절 부위 하방에 위치하
거나 종양의 일부가 외과의에 의해 후복막이라고 여겨져야 함
③ 직장경 검사상 종양의 하부연이 항문 끝에서 12 cm 이내이고 개
복 시 종양이 완전히 복막굴절 상부가 아닌 경우
a. upper rectum: 복막에 덮여 있음
b. middle rectum: 전면만 복막에 덮여 있음
c. lower rectum: 복막에 덮여 있지 않음

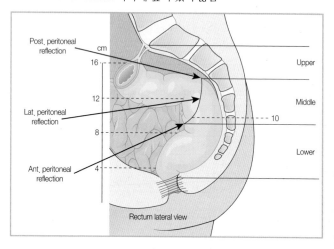

2) 진단 및 병기(diagnosis and staging)

(1) 직장수지검사(tumor characteristics to assess on digital examina-
tion)

① location

② morphology

③ number of quadrants involved

④ degree of fixation

⑤ mobility

⑥ extra-rectal growths

⑦ direct continuity

(2) 경성 에스 결장경 검사 및 조직검사(rigid sigmoidoscopy and bi-opsy) 치상선(dentate line)에서 종양까지의 거리 측정 및 진단을 위한 조직 획득

(3) 굴곡성 에스 결장경 검사(flexible sigmoidoscopy)

치상선(dentate line)에서 종양까지의 거리가 부정확

(4) 경직장 초음파(transrectal ultrasonography, TRUS, ERUS)

① first hyperechoic layer: interface between the balloon and the rectal mucosal surface

② second hypoechoic layer: mucosa and muscularis mucosa

③ third hyperechoic layer: submucosa

④ fourth hypoechoic layer: muscularis propria

⑤ fifth hyperechoic layer: interface between the muscularis propria and perirectal fat

⑥ accuracy- T stage (75%), N stage (65%)

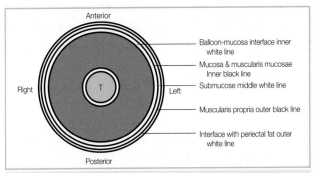

Five-layer anatomic model of an ERUS scan. Three hyperechoic (white) layers and two hypoechoic (black) layers are visualized.
(T) transducer

(5) 전산화 단층촬영(CT), 자기 공명 영상(MRI)

: 종양의 국소 진행 정도를 측정할 수 있으며 주변 조직 침범여부에 대한 정보를 제공

(6) 방광경(cystoscopy)

: 남자 환자의 경우 종양이 전립선이나 방광 침범여부를 확인하는
데 도움을 줌

(7) 흉부 단순 촬영(chest X-ray), 혈청 종양 표지자(serum CEA)

(8) 양전자 단층촬영술(positron emission tomography, PET scanning)
주로 간이나 폐 이외의 위치의 재발위치를 확인하는 데 사용

4) 외과 절제술의 원칙

(1) 수술 시 고려해야 할 점

① confinement of pelvis and sphincters, making wide excision impossible

② proximity to urogenital structures and nerves, resulting in high levels of impotency in men

③ dual blood supply and lymphatic drainage

④ transanal accessibility

(2) 항문괄약근 보존(sphincter preservation)의 전제 조건

① 저위 전방 절제술로 암의 근치적 치료 효과가 희생되어서는 안 됨

② 절제 후 결장과 직장 사이의 문합이 골반 내 어디에서든지 안전하게 이루어질 수 있음

③ 결직장 또는 결장항문 문합 후에 항문 괄약근의 기능이 잘 유지되어 변실금이 일어나지 않아야 함

5) 직장암의 수술 적 치료(operative procedure in rectal cancer)

(1) 수술의 종류

① anterior resection

② low anterior resection

③ abdominoperineal resection (Miles'operation)

④ Hartmann's operation

⑤ proctocolectomy with IPAA (ileal pouch anal anastomosis)

⑥ pelvic exenteration

(2) 수술 방법 결정 시 고려해야 할 점
  ① 병변의 위치
  ② 괄약근의 기능상태
  ③ 환자의 전신적 상태

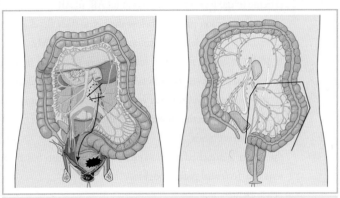

장간막과 혈관의 절제 범위

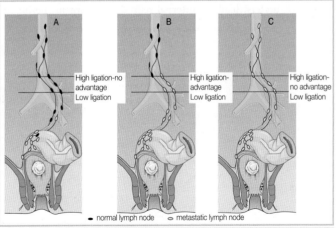

Potential value of high ligation of inferior mesenteric artery. (A) Conventional low ligation would be sufficient. (B) High ligation provides potential benefit. (C) Proximal lymphatic spread is beyond confines of even high ligation.

(3) 전방 절제술(anterior resection)의 구분

① high anterior resection (anterior resection)

② low anterior resection

　　문합부가 anterior peritoneal reflection 아래에 위치할 때

③ extreme (ultra) low anterior resection (eLAR, uLAR)

　　a. rectal dissection proceeds below the pelvic floor (level of the levator ani muscle) or the rectum is excised completely.

　　b. if this resection margin is located above the pelvic floor, a coloanal or ultra-low colorectal anastomosis may be utilized

　　c. the colorectal anastomosis was at the level of the anorectal ring, or between the anorectal ring and the dentate line.

④ coloanal anastomosis

　　the colon is attached to the anus after the rectum has been removed (coloanal pull-through)

⑤ pelvic exenteration

　　removal of the distal colon and rectum, along with the lower ureters, bladder, internal reproductive organs, perineum, draining LN and pelvic peritoneum

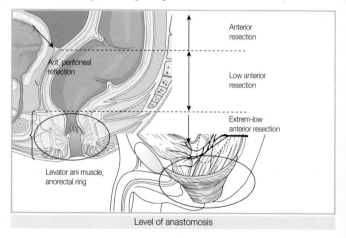

Level of anastomosis

(4) 저위 전방 절제술(low anterior resection)

    ① position

        a. slight Trendelenburg

           • better exposure of pelvic structures

           • aid in venous return from the lower extremities

    ② mobilization of sigmoid colon

    ③ mobilized by incising the lateral peritoneal reflection (white line of Toldt)

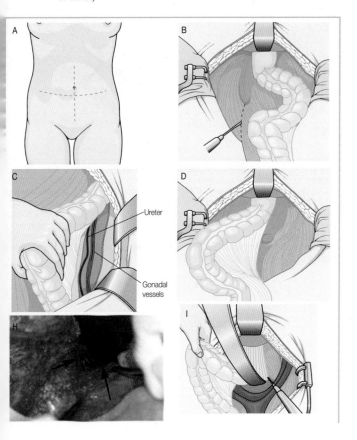

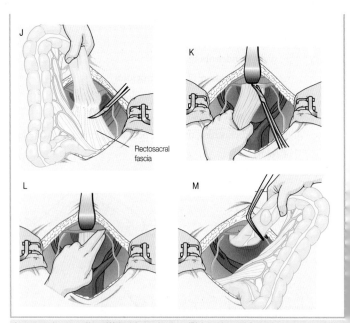

Low anterior resection. (A) Incision selection. (B) Intersigmoid fossa is a marker of the underlying ureter. (C) Mobilization of sigmoid colon. Ureter is just medial to left spermatic or left ovarian vein. (D) T-shaped incision from colon toward inferior mesenteric artery and then toward the cul-de-sac. (H) Presacral nerves(arrows) passing over sacral promontory into the pelvis. (I) At level of sacral promontory, presacral space is entered and developed. Cautery mobilization of posterior rectal wall and development of lateral stalks are done. (J) Division of rectosacral fascia by cautery or scissors. (K) Anterior mobilization of rectum by cautery or scissors. (L) Division of lateral stalks. (M) Right-angle bowel clamp placed distal to carcinoma.

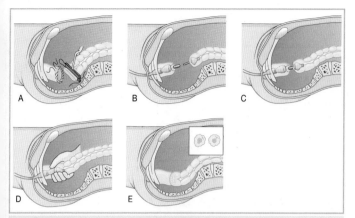

Construction of anastomosis using the circular stapler. (A) Application of proximal pursestring suture using specially designed fenestrated clamp and application of distal pursestring suture with a whipstitch suture of 2-0 Prolene. (B) Distal pursestring suture is secured around central shaft. Proximal colone secured around anvil. (C) Anvil engaged into central shaft. (D) Manual exclusion of extraneous tissue during approximation of bowel ends. (E) Completed anastomosis with "rings of confidence."

(5) 직장 수술 시 손상받기 쉬운 신경-위치 및 신경

    ① 하장간동맥의 기시부(origin of IMA) - 상부 하복신경총 (superior hypogastric plexus)

    ② 천골갑각(sacral promontory, presacral fascia) - 하복신경 (hypogastic nerve)

    ③ 외측인대(lateral ligament) - 골반총(pelvic plexus)

    ④ 전립선과 정낭의 후부(posterior of prostate and seminal vesicle) - 부교감 신경(parasympathetic nerve)

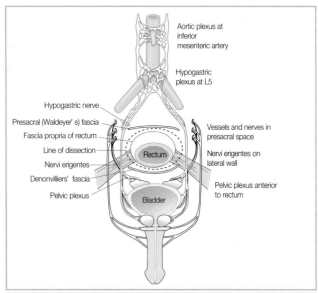

Identification of presacral nerve at level of sacral promontory

(6) presacral venous plexus

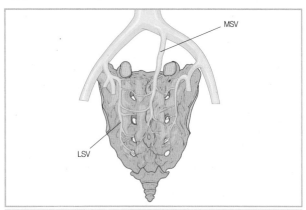

Presacral venous plexus with communication with basivertebral veins.

① 2 lateral sacral veins & the middle sacral vein

② lack of valves: hydrostatic pressure in the presacral plexus is up the three times that of the inferior vena cava in the lithotomy position

(7) 전 직장간막 절제(total mesorectal excision, TME)

① 1982 heald: endopelvic fascial plane

② 직장을 둘러싸고 있는 고유근막을 포함한 직장의 절제

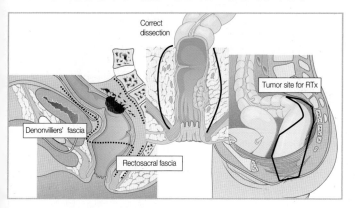

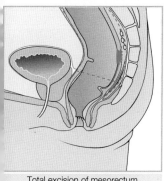

Total excision of mesorectum

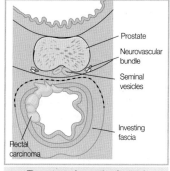

The extent of resection for total mesorectal excision

restoration of continuity after sphincter preserving operations

① end to end straight anastomosis

② coloplasty

③ side to end

④ J-pouch anastomosis

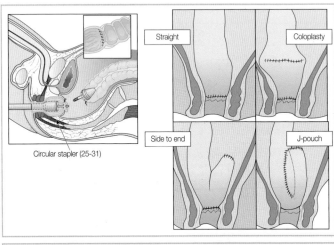

Circular stapler (25-31)

Straight

Coloplasty

Side to end

J-pouch

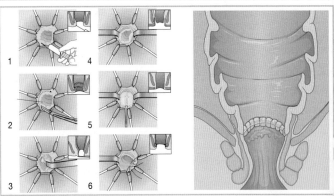

Coloanal anastomosis (coloanal pull through anastomosis)

(9) Miles' operation (abdominoperineal resection)

① 절제 범위

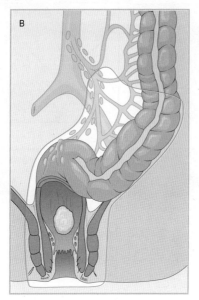

② permanent sigmoid end colostomy 형성

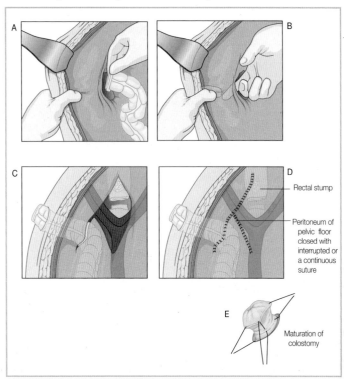

Completion of abdominal portion of abdominoperineal resection. (A) Division of colon in preparation for colostomy. (B) Development of extraperitoneal tunnel. (C) Delivery of colon through tunnel. (D) Closure of pelvic peritoneum. (E) Maturation of colostomy

③ Perineal portion

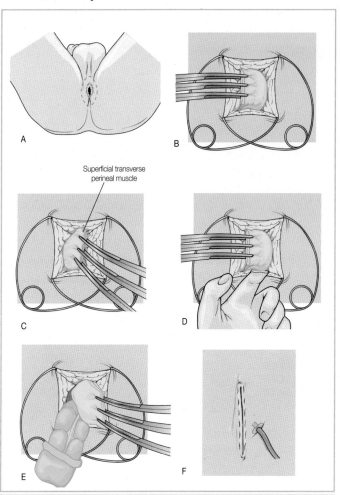

Superficial transverse
perineal muscle

Perineal portion of abdominoperineal resection for synchronous operation. (A) Elliptical
incision. (B) Exposure with spring retractors. (C) Anterior deep dissection posterior to
transverse perineal muscle. (D) Division of levator ani muscles. (E) Delivery of rectum
into perineal wound. (F) Closure of perineum.

④ Hartmann's procedure

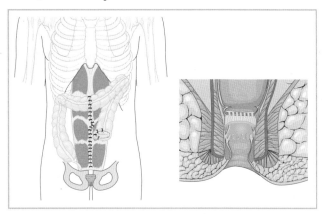

(11) 국소 절제(local excision)
- 경항문 내시경 미세 절제술(transanal endoscopic microsurgery, TEM) or transanal excision
- early rectal cancer, benign rectal tumor

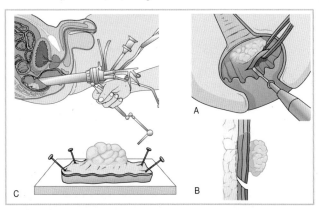

local excision 후 추가적으로 radical operation이 필요한 경우
→ unfavorable pathology 결과인 경우 시행

① unfavorable pathology results for radical operation

   a. invasion depth

- ≥ sm2
- ≥ 1,000μm for sessile polyp
- ≥ 3,000μm for pedunculated polyp

   b. cell differentiation: grade 3 (poorly) & 4 (undifferentiated)

   c. lymphovascular invasion

   d. perineural invasion (TEM category에만 있음 - NCCN 2008)

   e. tumor budding

   f. positive margin

② Kudo classification for the depth of submucosal invasion

   a. sm1: invasion into the upper third of the submucosa

   b. sm2: invasion into the middle third of the submucosa

   c. sm3: invasion into the lower third of the submucosa

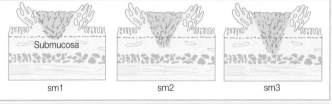

Depth of submucosal invasion in sessile malignant polyps.

6) 합병증

  (1) impotence - 50% of men

  (2) 문합부 누출(leakage at the anastomosis)

    ① ~20%

    ② 수술 후 4~7일 사이 발생하는 경우가 대부분

7) 직장암의 부가적 치료(adjuvant therapy in rectal cancer)

  항암치료(chemotherapy)와 방사선 치료(radiation)에 대하여

(1) preoperative neoadjuvant chemoradiation

    ① 진행성 직장암(advanced rectal cancer)에서 시행

    ② 임상적으로 T3-4 또는 N(+)인 직장암

    ③ 항문 보존목적

    ④ 다른 부위에 전이가 동반되지 않은 경우 타 부위 전이가 동반 되었더라도 전이암에 대한 근치적 수술이 시행된 경우

    ⑤ 본원의 경우 CCRT 종료 6주에 interval distant metastasis 검사 및 CCRT의 tumor response를 보기 위한 검사 실행

    ⑥ preoperative neoadjuvant chemoradiation therapy를 받았던 환자는 조직 검사와는 상관없이 수술 후 1달 이후부터 additional chemotherapy 시행

    ⑦ 치료 종료 8주에 수술 시행

(2) 추가 검사

    ① rectal MRI/TRUS

    ② neoadjuvant CCRT: response, interval metastasis

      a. rectal MRI

      b. TRUS-GS OPD

      c. PET-CT

Pre-Neoadjuvant	Peri-Neoadjuvant	Post-Neoadjuvant									
Preop w/u	CCRT 1~5 wk	6 → 0	1	2	3	4	5	6	7	8
CBC, LFT, ESR, CRP, CEA, CA 19-9 Colonoscopy, EGD Chest/AP CT Rectal MRI/ TRUS	RTx 4400 cGy/22fraction 200 cGy/d, 5회/wk CTx 5FU 500 mg/m2 IV push Xeloda 850 mg/m2 po BID	수술일 결정				CBC, LFT, EKG, Chest PA		CBC, LFT, ESR, CRP, CEA, CA 19-9 Rectal MRI TRUS PET CT		OP
GS OPD	RTx OPD	GS OPD				GS OPD		GS OPD		

(3) postoperative adjuvant chemoradiation

    ① preoperative neoadjuvant chemoradiation therapy를 받지 않았던 환자는 조직검사에 따라 수술 후 1달 이후부터 adjuvant chemoradiation therapy를 받게 됨

    ② T3 이상이거나 N1 이상인 경우 시행

5 기타

1) 림프종

① 대장직장에 가장 흔한 전이성 종양이지만 대장에 발생하는 원발성 비호지킨 림프종(non-Hodgkin lymphoma)은 모든 위장관 림프종의 10% 정도를 차지

② 위장관은 면역결핍증과 관련하여 발생하는 비호지킨 림프종의 호발 부위

③ 가장 흔한 증상으로 복통, 배변습관의 변화, 체중감소, 혈변임

④ 병변이 점막하층에 존재하므로 조직검사로 진단이 안 되는 경우가 많음

⑤ 다른 대장암과 비슷하게 검사가 진행되며 골수검사가 필요

⑥ 치료는 절제술과 수술 후 항암치료를 하며 국소적으로 진행된 경우에는 우회술, 조직검사 및 수술 후 항암치료를 고려

2) Retrorectal tumors

① 체위에 따른 통증과 이학적 검사나 CT상 직장 뒤쪽에 종괴가 관찰

② 선천성 종양, 신경성 종양, 골격계 종양이나 염증성 종양과 감별이 필요. 척삭종(chordoma)이 후직장 종양 중 가장 흔하며 서서히 자라는 종양이지만 완전히 절제하기는 힘듦

③ 이학적 검사나 CT를 통해 진단하고 조직검사는 필요하지 않으며 수술적인 절제를 통해 진단하게 됨

3) 유암종

(1) 대장 유암종

    ① 위장관에서 발생하는 유암종의 2% 정도를 차지

② 크기가 2cm 이하의 경우에는 전이가 드물지만 직경이 2cm 이
상인 경우에는 80% 정도에서 국소 또는 원격전이가 나타나며
평균 생존율도 12개월 미만
③ 이러한 병변들은 국소절제로 치료하지만 크기가 2cm 이상일
경우에는 수술인 절제가 필요

(2) 직장 유암종

① 위장관에서 발생하는 유암종의 15% 정도를 차지
② 대장에서 발생하는 유암종과 같이 크기가 1cm 이하인 경우에
는 악성화 경향이 낮아 경항문 절제술이나 내시경적 절제술로
도 치료가 잘 됨
③ 그러나 크기가 2cm 이상인 경우에는 90%에서 악성화를 나타
냄. 크기가 큰 유암종에 대한 치료는 아직은 논란의 여지가 있
으나 저위전 방술이나 복회음절제술이 필요

⑥ 항문암

1) 편평상피암

피부에 발생하는 편평상피암과 유사하며 분화도가 좋고 각화성(kera-
tinizing) 종양. 광범위 국소절제가 필요하고 크기가 큰 경우는 항암방
사선치료가 필요

2) 기저세포암

드물게 발생하며 남자에서 더 많이 발생. 국소적 절제가 치료

3) 표피암

(1) 비각화성(nonkeratinizing) 종양이며 항문관에서부터 치상선으로
6~12mm 이내에서 발생. 여자에서 많이 발생하고 출혈을 동반한
종괴로 나타남. 서혜부 임파절로의 전이가 나타날 수 있으므로 이
학적 검사 시 서혜부 촉지를 해야 함. 조직검사를 통해 진단하며
진단 시 30~40%에서 전이를 동반

(2) 치료는 nigro protocol에 따라 방사선조사(3,000cGy)와 함께 mi-
tomycin

C와 5-fluorouracil을 이용한 항암방사선 치료를 함. 최근에는 mitomycin C 대신에 cisplatin을 사용. 수술적인 치료는 국소적으로 남아있거나 재발한 경우에만 시행되며 이때는 복회음절제술을 해야 하며 수술 부위에 합병증 발생률이 높음

4) 선암: 하부직장암이 진행된 것으로 예후가 나쁨

5) 흑색종

항문암의 1~3% 정도를 차지하며 40-50대 백인에서 더 흔함. 출혈이나 통증, 종괴를 동반하며 가끔은 혈전성 치핵과 감별진단이 필요. 진단 시 38%에서 전이가 동반되어 나타남. 치료는 광범위 국소절제술이 필요하며 5년 생존율은 20% 미만

6) Bowen's disease

표피내 편평상피암으로 드물게 발생하며 서서히 자라는 경향이 있음. 광범위 국소절제술이 필요하며 피부를 포함하여 치상선까지 절제해야 함. 일반적으로 회전피판을 이용한 결손부위 성형술이 필요

Primary tumor (T)	
TX	Primary tumor cannot be assessed
T0	No evidence of primary tumor
Tis	Carcinoma in situ (Bowen's disease, high-grade squamous intraepithelial lesion (HSIL), anal intraepithelial neoplasia II-III (AIN II-III)
T1	Tumor 2 cm or less in greatest dimension
T2	Tumor more than 2 cm but not more than 5 cm in greatest dimension
T3	Tumor more than 5 cm in greatest dimension
T4	Tumor of any size invades adjacent organ(s), e.g., vagina, urethra, bladder*

* Direct invasion of the rectal wall, perirectal skin, subcutaneous tissue, or the sphincter muscle(s) is not classified as T4.

NX	Regional lymph nodes cannot be assessed
N0	No regional lymph node metastasis
N1	Metastasis in perirectal lymph node(s)
N2	Metastasis in unilateral internal iliac and/or inguinal lymph node(s)
N3	Metastasis in perirectal and inguinal lymph nodes and/or bilateral internal iliac and/or inguinal lymph nodes

Distant metastasis (M)

M0	No distant metastasis (no pathologic M0; use clinical M to complete stage group)
M1	Distant metastasis M1

Clinical / Pathologic

GROUP	T	N	M
0	Tis	N0	M0
I	T1	N0	M0
II	T2	N0	M0
	T3	N0	M0
IIIA	T1	N1	M0
	T2	N1	M0
	T3	N1	M0
	T4	N0	M0
IIIB	T4	N1	M0
	Any T	N2	M0
	Any T	N3	M0
IV	Any T	Any N	M1

탈 장

I. Inguinal hernia

❶ 발생률

1) 인구의 5%에서 발생
2) 남자에서 25배 많음
3) 성별에 관계없이 indirect inguinal hernia 가장 흔함
4) Hernia의 발생은 나이에 비례해 증가

❷ 용어

1) Direct hernia

  : internal ring과 inf. epigastric vessel의 medial side에서 나와 outward, forward로 protruding

2) Indirect hernia

  : hernia sac이 internal inguinal ring으로부터 나와서 external ring으로 들어감

3) Combined (pantaloon) hernia

  : direct와 indirect의 component가 같이 있음

❸ 진단

1) 임상증상

  (1) 주증상: inguinal region의 bulging

  (2) 통증과 vague discomfort와 관련되어 있으나 incarceration과 stran-
     gulation이 아니면 심각한 통증은 동반 안 됨

  (3) supine and standing position에서 inguinal region의 bulging과 mass
     를 촉진과 시진으로 진단

  (4) finger tip을 scrotum 통해 inguinal canal을 확인해 small hernia도
     확인

  (5) 초음파 검사는 진단에 도움이 되나 다른 imaging modality는 효용
     성이 적음

❹ Groin mass의 감별진단

Inguinal hernia
Hydrocele
Inguinal adenitis
Varicocele
Ectopic testis
Lipoma
Hematoma
Sebaceous cyst
Psoas abscess
Hidradenitis of inguinal apocrine glands
Lymphoma
Metastatic neoplasm
Epididymitis
Testicular torsion
Femoral hernia
Femoral adenitis
Femoral artery aneurysm or pseudoaneurysm

❺ 분류

Nyhus Classification of Groin Hernia	
Type I	Indirect inguinal hernia—internal inguinal ring normal (e.g., pediatric hernia)
Type II	Indirect inguinal hernia—internal inguinal ring dilated but posterior inguinal wall intact; inferior deep epigastric vessels not displaced
Type III	Posterior wall defect A. Direct inguinal hernia B. Indirect inguinal hernia—internal inguinal ring dilated, medially encroaching on destroying the transversalis fascia of Hesselbach's triangle (e.g., massive scrotal, sliding, or pantaloon hernia) C. Femoral hernia
Type IV	Recurrent hernia A. Direct B. Indirect C. Femoral D. Combined

❻ 치료

1) 비수술적 치료

(1) most surgeon: recommend operation

(2) 최근 연구: minimal or no symptom을 가진 elderly patients에서 수술을 하지 않고 관찰하는 것도 안전하며 이후에 수술을 하더라도 예방적 수술과 risk의 차이는 없는 것으로 나타남

(3) trusses: 30%의 환자에서 조절됨

(4) femoral hernia: high strangulation rate로 비수술적 치료는 하지 않음

2) 수술적 치료

(1) anterior repair

① most common method, tension-free repair가 standard approach

② inguinal ligament와 평행하게 2~3cm 위에 incision 후 spermatic cord mobilization

③ indirect hernia: sac이 cremaster m. 깊이 위치하며 spermatic cord의 위쪽과 앞쪽에 위치

④ hernia sac을 internal ring area까지 박리 후 제거

⑤ sac의 distal portion을 제거할 필요는 없음

⑥ lipoma of cord: suture ligation & removed

⑦ sliding hernia: grossly redundant portion 제거 후 peritoneum reclose

(2) tissue repair

① bowel resection 필요 시, mesh가 금기일 때만 시행
(높은 재발률로 평소엔 안 함)

② iliopubic tract repair: TAAA와 iliopubic tract을 interrupted suture 시행
(TAAA: transversus abdominis aponeurotic arch)

③ Shouldice repair: multilayer repair

a. TAAA와 iliopubic tract을 suture

b. internal oblique muscle과 transversus abdominis muscle을 inguinal ligament에 suture

④ Bassini repair

a. non-anatomic repair, tension-free repair 전에 가장 많이 시행

b. transversus abdominis muscle과 internal oblique musculoaponeurotic arch를 inguinal ligament에 suture

⑤ McVay repair: direct, large indirect, recurrent, femoral hernia 시 시행
TAAA를 Cooper's ligament에 suture, relaxing incision 필요

(3) tension-free inguinal hernia repair

① Dominant method of inguinal hernia repair

② 재발의 원인인 tension을 없애기 위해 synthetic mesh 사용

③ Lichtenstein approach
synthetic nonabsorbable mesh 사용, continuous monofilament nonabsorbable suture
tail of mesh: new internal inguinal ring

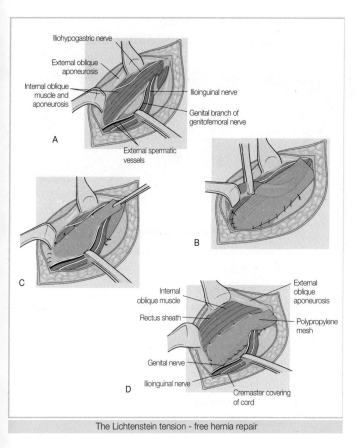

The Lichtenstein tension - free hernia repair

④ plug and patch repair by Gilbert

   cone shaped plug mesh를 internal inguinal ring에 넣음

   overlying mesh patch

⑤ prolene hernia system (PHS)

   three component

   a. underlay patch: provide posterior repair similar to laparoscopic

     approach

b. connector: similar to a plug

c. onlay patch: covers the posterior inguinal floor

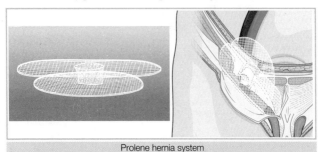

Prolene hernia system

⑥ self expanding polypropylene patch

preperitoneal space를 blunt dissection 후 mesh patch를 hernia
defect에 넣음

(4) laparoscopic management

① bilateral and recurrent hernia일 때만 advantage 인정, 그 외에는
controversy

② totally extraperitoneal (TEP)

dissection: balloon dissector로 preperitoneal space에서 바로 시작

장점: quicker, intraperitoneal visceral damage가 적음

단점: costly, preperitoneal space를 만들지 못할 경우 transabdominal
로 전환

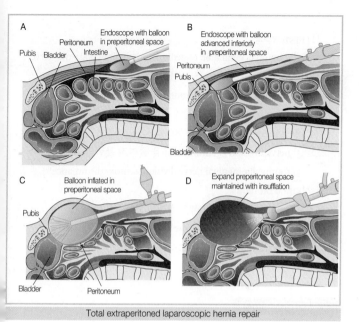

Total extraperitoned laparoscopic hernia repair

③ transabdominal preperitoneal (TAPP): peritoneal space로 들어
간 후 preperitoneal space 생성. 이후는 TEP와 동일

6 합병증

1) 창상감염

(1) 1~2% of repair of inguinal, less with laparoscopic repair

(2) ASA≥3: prophylactic antibiotics 필요

(3) prosthetic mesh: not increase risk of infection

※ ASA: american society of anesthesiologists
기능장애를 일으키는 심각한 전신질환이 있는 경우
(예: 혈관합병증이 있는 DM, 심근경색 기왕력, 조절되지 않는 고혈압)

2) 신경손상

   (1) open repair

     : ilioinguinal, genital br. of genitofemoral, iliohypogastric nerve

   (2) laparoscopic repair

     : lat. femoral cutaneous, femoral br. of genitofemoral nerve

   (3) transient neuralgia: 수주 안에 좋아짐

   (4) open mesh-inguinal repair

     ① nerve division이 chronic pain을 줄이지 못함

     ② routine ilioinguinal nerve division: sensory disturbance와 관련

3) Ischemic orchitis

   (1) pampiniform plexus의 작은 정맥의 혈전

   (2) 수술 후 2~5일 후 통증과 swelling 호소, 6-12주간 지속

   (3) orchiectomy는 거의 필요 없음

II. Femoral herniay

1) mass or bulge below inguinal ligament

2) repair: McVay repair, preperitoneal, laparoscopic approach

3) sac을 제거 후, Cooper's ligament와 iliopubic tract을 approximation

4) strangulation 빈도 높음 → 반드시 수술적 치료를 해야 되는 hernia

① Incisional hernia

1) 치료하기 가장 힘듦

2) Predisposing factor

: obesity, advanced age, malnutrition, ascites, pregnancy

3) COPD, DM, steroid, chemotherapeutic agent, wound infection
또한 유발인자임

4) 치료

　(1) small defect (≤2cm)

　　: 주위 조직으로 primary repair

　(2) large defect (>2~3cm)

　　: repair with prosthesis

　(3) mesh

　　① polypropylene: 주위 fascia와 결합, enterocutaneous fistula를 만
들 수 있기 때문에 intraperitoneal position은 하지 못함

　　② polytetrafluoroethylene (PTFE): 주위 조직과 결합 안 함.
infection 시 제거해야 함

　　③ dual side mesh: 양면이 polypropylene과 PTFE로 각각 구성

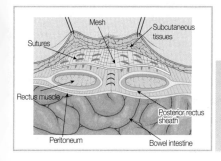

• Onlay technique
 - primary closure 후 mesh를
   fascia 위에 위치
 - abdominal viscera와 간섭현
   상 없다
 - large subcutaneous
   dissection 필요

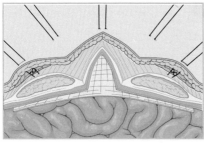

- **Intraperitoneal technique**
  - dual type mesh 사용
  - mesh가 fascia margin 2cm
    넘게 덮어야 함

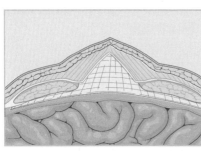

- **Retrorectus / preperitoneal
  technique**
  - dissect laterally 8~10cm
  - mesh는 defect의 sup. and
    inf. border의 5~6cm을 넘어
    야 함

2 Umbilical hernia

1) 유아: 2세까지 spontaneous close, 5세까지 존재하면 surgical repair
2) 성인: 여성에게 많음. pregnancy, obesity, ascites 관련
3) strangulation은 거의 발생 안 함
4) size 작으면 primary repair, >3cm이면 mesh repair

3 Epigastric hernia

1) single aponeurotic decussation 시 흔함
2) 20% 다발성, umbilicus 위로 5~6cm 이내에서 발생
3) simple closure of defect

4 Spigelian hernia

1) lateral rectus sheath, below arcuate line에서 발생
2) small (1~2cm), 30~60대에 발생
3) localizing pain and no bulging: US, CT로 진단

5 Lumbar hernia

1) superior triangle (Grynfeltt's triangle): more common
2) inferior triangle (Petit's triangle)
3) mesh repair

6 Obturator hernia

1) weakening of obturator membrane
2) Howship-Romberg sign
   : pain in medial thigh, compression of obturator nerve
3) 50% present with bowel obstruction

I. Anatomy

1 Celiac axis와 hepatic artery variations

1) Hepatic artery: hepatic blood flow (25%), liver's oxygenation (30~50%)
2) Common hepatic artery → proper hepatic artery → Rt. & Lt. hepatic artery

3) Lt. hepatic artery: segment I, II, III, IV (middle hepatic artery)
4) Rt. hepatic artery: segment V~VIII

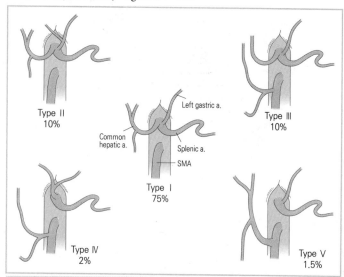

Hiatt's classification of hepatic arterial variations. Dotted lines indicate that the variant artery may be accessory (if branch shown by dotted line is present) or replaced (if absent). Type I: normal anatomy; Type II: replaced or accessory left hepatic artery; Type III: replaced or accessory right hepatic artery; Type IV: replaced or accessory right hepatic artery + replaced or accessory left hepatic artery; Type V: Common hepatic artery from the superior mesenteric artery.

❷ 간문맥과 간정맥의 분포

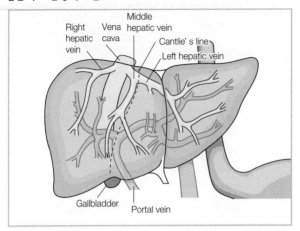

1) 간문맥

   (1) hepatic blood flow(75%), liver's oxygenation(50~70%)

   (2) portal vein의 길이: 5.5~8 cm, 직경은 1cm

   (3) 위치: hepatoduodenal ligament의 우측에 있으면서 CBD, hepatic artery 뒤쪽에 위치

2) 간정맥

   (1) Rt. hepatic vein: Rt. lobe의 anterior, posterior sector에서 drain

   (2) Lt. hepatic vein: segment II, III에서 drain

   (3) middle hepatic vein: segment IV, Rt. lobe의 anterior sector에서 drain

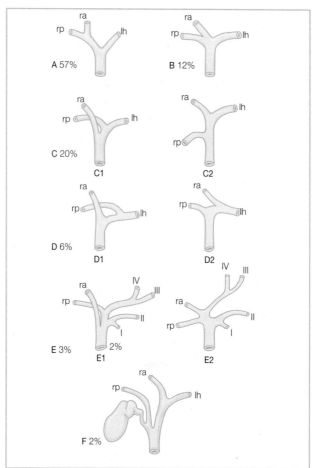

Variations of the hepatic duct confluence. (A) Most common anatomy. (B) Trifurcation at the confluence. (C) Either of the right sectoral ducts drains into the common hepatic duct. (D) Either of the right sectoral ducts drains into the left hepatic duct. (E) Absence of a hepatic duct confluence. (F) Absence of right hepatic duct and drainage of right posterior sectoral duct. rp, into the cystic duct; ra, right anterior sectoral duct; lh, left hepatic duct.

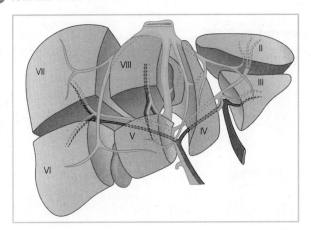

① Liver resection의 명칭

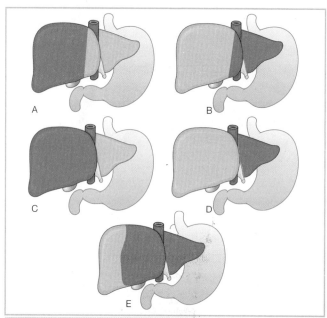

The commonly performed major hepatic resections are indicated by the shaded areas. (A) Right hepatectomy, right hepatic lobectomy, or right hemi-hepatectomy (segments V-VIII). (B) Left hepatectomy, left hepatic lobectomy, or left hemi-hepatectomy (segments II-IV). (C) Right lobectomy, extended right hepatic lobectomy, or right trisectionectomy (trisegmentectomy) (segments IV-VIII). (D) Left lobectomy, left lateral segmentectomy, or left lateral sectionectomy (segments II-III). (E) Extended left hepatectomy, extended left lobectomy, or left trisectionectomy (trisegmentectomy) (segments II, III, IV, V, VIII).

1) Rt. hepatectomy: segment V~VIII
2) Lt. hepatectomy: segment II~IV
3) Rt. anterior sectionectomy: segment V, VIII

4) Rt. posterior sectionectomy: segment VI, VII

5) Lt. medial sectionectomy: segment IV

6) Lt. lateral sectionectomy: segment II, III

7) Segmentectomy: 1 segment만 절제하는 수술

8) Bisegmentectomy: 인접한 2 segment를 절제하는 수술

9) Rt. trisectionectomy: segment IV~VIII ± segment I

10) Lt. trisectionectomy: segement II, III, IV, V, VIII ± segment I

❷ 간기능 평가

1) ICG 검사: 15분 정체율 (R15)

- R15 값에 따라 절제할 수 있는 범위
  - <10%: right hepatectomy, extended right hepatectomy, left trisectionectomy
  - 10~19%: left hepatectomy, sectionectomy
  - 20~29%: segmentectomy
  - 30~39%: wedge resection, enucleation
  - >30%

2) Child-Turcotte-Pugh classification

Point	1	2	3
Bilirubin (total)	< 2.0	2~3	> 3
Serum albumin	> 3.5	2.8~3.5	< 2.8
PT (INR)	< 1.7	1.7~2.2	> 2.2
Ascites	None	Control of diuretics	Refractory
Hepatic encephalopathy	None	Grade I~II	Grade III~IV

: 간절제술 대상 환자는 Child A 또는 CTP score 5 이하의 환자

3) 간 합성 능력: serum protein, albumin, total cholesterol, PT (INR)

4) 간 효소: AST, ALT, ALP, GGT, total bilirubin

5) 복수의 유무: abdominal sonography & CT

6) Model for End stage Liver Disease: 간이식 대상일 때 고려

MELD = 3.78 × loge serum bilirubin (mg/dL) +
11.20 × loge INR +
9.57 × loge serum creatinine (mg/dL) +
6.43 × (constant ofr liver disease etiology)

Notes:

- If the patient has been dialyzed twice within the last 7 days, then the value for serum creatinine used should be 4.0
- Any value less than one is given a value of 1 (i.e. if bilirubin is 0.8 a value of 1.0 is used) to prevent the occurrence of scores bellow 0 (the natural logarithm of 1 is 0, and any value beow 1 would yield a negative result)

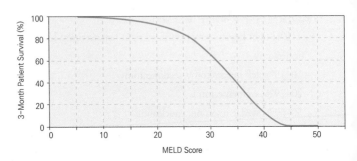

3 간절제술 환자의 관리

1) 수술 전 처치

(1) 금연 및 호흡 훈련

(2) 영양 관리

(3) 장관 멸균

(4) 당 대사 이상을 조절

(5) 항궤양 약제 투여

(6) 간기능의 개선

(7) B형 간염 환자: 수술 전 HBV DNA titer, antiviral agent를 복용한 과거력이 있는 환자의 경우 drug resistance mutation 검사를 추가함

2) 수술 중 관리

: 간 절제 시 가능한 한 중심 정맥압을 낮추어서 출혈을 적게 함

3) 수술 후 관리

(1) 혈액 검사

① hematocrit 20% 이하로 떨어질 때까지 수혈하지 않음

② bilirubin이 간부전의 지표

③ 혈액가스, 혈당을 신속히 교정

④ 수술 후 1주일째 발열이 있으면 복부 초음파나 복부 CT를 실시

(2) 간경변증 합병증 예방

① 복수가 많으면 이뇨제 투여

② 항궤양제를 투여

③ 흉수, 복수의 저류에 주의

④ 변비 발생 시 lactulose 투여하여 간성뇌증을 예방

(4) 배액관 관리

: 간절제술 후의 배액의 대상은 간절제면에서 출혈, 담즙 누출과 박리 면에서의 삼출액이며 배액관으로 100ml/hr 이상의 출혈 소견이 보이면 재수술 고려

(5) 감염 예방

1 Laboratory test (hepatectomy-specific test)

1) CBC, electrolyte, chemistry (albumin, total protein, cholesterol, AST, ALT, ALP, LDH), PT & aPTT, + direct/total bilirubin, GGT, ammonia

2) tumor marker

(1) AFP

: sensitivity 33%, specificity 66%

2cm 이하의 작은 간암에서는 15%에서만 진단적 가치

AFP level은 tumor size와 비례, AFP doubling time은 tumor doubling time과 비례

치료 효과와 재발 여부 F/U에 유용

(2) PIVKA-II

: 간에서 생성되는 비정상적인 prothrombin sensitivity 49%, specificity 90%

3) serologic test

(1) HBV 경우: HBsAg, HBsAb, HBcAb, HBeAg, HBeAb, HBV DNA titer, drug resistance mutation

(2) HCV 경우: anti-HCV, HCV RNA(PCR)

2 Diagnostic imaging

1) USG : detect as small as 3mm

- highest sensitivity in detection, focal lesion(80%)
- HCC의 경우 peripheral thin halo (size< 1cm 경우), homogenous hypoechoic lesion (size<2cm 경우), central mosaic pattern (size>5cm 경우) 등으로 보임

2) CT

(1) 3-phase helical CT (dynamic contrast-enhanced)

- 조영제의 정맥 주입 후 동맥기, 문맥기, 지연기의 영상을 얻어 그 조영 양상을 비교 → HCC의 경우 동맥기에서 강한 고음영

이었다가 조영 후 기에서 저음영으로 보임

- 단순 조영 CT에 비해 간내 종괴를 찾아내는 데 예민도가 높음 (2cm 이하도 진단 가능) 단, 동맥 혈관 분포가 적은 작은 결절 발견에는 예민도가 떨어진다는 제한이 있음

(2) lipiodol CT

- 간동맥조영술 시 lipiodol을 주입하고 2-4주 경과 후 간 CT를 촬영하는 방법
- 3cm 이하의 간세포암의 진단에 85%의 예민도 보임
- daughter nodule을 확인하는 가장 예민한 검사
- 2-4주 기다리는 동안 종양이 성장하거나 전이할 위험성이 있고 환자가 불안해할 수 있음

3) MRI

(1) Gadolinium-enhanced MRI: 간조직 특이 조영제 이용하여 CT에서 감별이 어려운 병변이 있을 시 유용

- 정맥으로 주입된 gadoxetic acid 또는 gadobenate dimeglumine 이 sinusoid에서 hepatocyte 내부로 능동적으로 운반된 후 시간차를 두고 bile canaliculi로 배출되는 원리를 이용
- 비침습적이고 시간의 지연이 없는 장점
- phase에 따라 특성이 구별되어 질환 감별에 탁월함

(2) SPIO-enhanced MRI

- 정주된 SPIO 입자가 간의 Kupffer cell을 위시한 망상내피계에서 탐식되는데 HCC에는 Kupffer cell이 없으므로 병변과 HCC의 대조가 나타남.
- 병변의 특성이 구별되지 않는다는 단점
- gadolinium based contrast보다 검사 시간이 길어 현재는 쓰이지 않음

4) angiography

5) radionuclide imaging

(1) SPECT: tool for the visualization of hemangioma

(2) DISIDA: assessment of biliary tract

(3) 18FDG-PET: evaluation of metastasis

1 Operative day

1) care

   (1) oxygen supply

   (2) bed rest

2) fluid therapy

   (1) CVP가 너무 올라가지 않게 moderate fluid restriction

   (2) 5% dextrose water 1L + NaCl 80 mEq/L + multivitamin 0.5 ample/L

   (3) hartmann solution 1L

3) drugs

   (1) antibiotics: ceftizoxime 1g IV q 12 hrs (for 3 days)

   (2) famotidine 20 mg IV q 12 hrs

   (3) vitamin K 10mg IV q 12 hrs (for 2 days)

4) laboratory data

   CBC with differential, LFT, electrolyte, PT, aPTT

2 POD #1

1) care

   (1) oxygen supply

   (2) Levin tube removal

2) fluid therapy

   (1) 5% dextrose 1L + NaCl 80 mEq/L + KCl 30 mEq/L + multivitamin 0.5 ample/L

   (2) hartmann solution 1L

3) drugs

   (1) antibiotics: ceftizoxime 1g IV q 12 hrs

   (2) famotidine 20 mg IV q 12 hrs

   (3) vitamin K 10mg IV q 12 hrs

4) laboratory data

CBC with differential, LFT, electrolyte, PT, aPTT

③ POD #2

1) care

oxygen supply SIPS, Foley removal

2) fluid therapy

(1) 5% dextrose 1L + NaCl 80mEq/L + KCl 30 mEq/L + multivitamin
0.5 ample/L

(2) hartmann solution 1L

3) drugs

(1) antibiotics: ceftizoxime 1g IV q 12 hrs

(2) vitamin K 10mg IV q 12 hrs

(3) famotidine 20mg 1T bid

(4) Lirectan 1 pack tid

(5) pancrease enz. 1 cap tid

(6) C.I.A 1 cap tid

(7) entecavir 먹던 사람은 diet 시작하면 다시 투여하고, HBV DNA
titer가 preoperative lab 에서 100,000 이상일 때 투약

4) laboratory data

CBC with differential, LFT, electrolyte, PT, aPTT

④ POD #3

1) care

(1) soft diet

(2) ward ambulation

2) fluid therapy

(1) 5% dextrose 1L + NaCl 80 mEq/L + KCl 30 mEq/L + multivitamin
0.5 ampule/L

3) drugs

    (1) antibiotics: ceftizoxime 1g IV q 12 hrs

    (2) soft diet 시작하면 famotidine D/C

4) laboratory data

    CBC with differential, LFT, electrolyte, CRP, PT, aPTT

5 POD #4

1) care

    soft diet

2) drugs

    (1) 만일 leukocytosis가 지속되거나 fever 등이 있을 시에는 antibiotics 유지

    (2) ascites 발생 시 lasix , aldactone 투여

6 POD #5

1) care

    (1) soft diet

    (2) JP removal

2) laboratory data

    CBC with differential, LFT, electrolyte, PT, aPTT

7 POD #6

1) care

    (1) soft diet

    (2) JP removal

8 POD #7

1) laboratory data

    CBC with differential, LFT, electrolyte, CRP, PT, aPTT

1 Demographics

세계적으로 6번째 흔한 악성 종양이며 국내에서는 3번째. 10만 명당 2.4 명이 발생하며 남녀 비율은 2:1~3:1이고 50~60대 가장 많이 발생

2 Major risk factors

hepatitis B, C, alcohol, liver cirrhosis, primary biliary cirrhosis, autoimmune hepatitis, hereditary metabolic disorder이며 HCC의 70~80%는 cirrhosis가 동반되어 있음. cirrhosis가 있는 환자들의 4.5%에서 HCC 발생

3 Pathology

HCC의 growth pattern에 따라 nodular type (multiple nodule들이 뭉쳐 있는 형태), massive type (single large mass), diffuse type (widespread fine nodular pattern)으로 분류되며 HCC는 간의 좌엽보다는 우엽에 주로 발생

4 Clinical manifestation

환자들의 80%에서 weight loss, weakness가 발생하며 50%의 환자에서 dull, persistent abdominal pain이 상복부 또는 우상복부에서 발생. 급성 복통은 HCC rupture 되거나 blood vessel에 erosion이 있을 때 드물게 발생. 그 외에 AST/ALT 증가하고 anemia가 발생

5 Diagnostic studies

1) Laboratory study

AFP은 chronic hepatitis, cirrhosis인 경우도 증가할 수 있으나 AFP>200 ng/mL (normal <20 ng/mL)인 경우 HCC의 가능성이 높음

2) Radiologic study

(1) ultrasonography

: HCC 진단에 매우 유용하여 AFP이 동반되어 상승되어 있을 때

HCC 진단의 sensitivity가 증가

(2) MR scan

: HCC와 다른 small nodular mass와 구별할 수 있으며 cirrhosis가 있는 환자에게서는 dysplastic nodule, regenerative nodule과 구별할 수 있음

(3) multiphasic CT scan

: HCC는 arterial phase에서는 조영증강 되지만 portal venous phase에서는 조영증강 되지 않음

3) Pathologic study

(1) 필요하면 laparoscopic 또는 image-guided percutaneous biopsy를 시행해서 tissue diagnosis를 함

(2) 다른 진단 방법으로 HCC가 의심되면 간이식 또는 간절제 전에는 tissue diagnosis를 시행하지 않으며 unresectable HCC인 경우도 조직 검사를 하지 않음

5 HCC screening

AFP, 초음파가 중요한 검사이며 6개월마다 screening 함

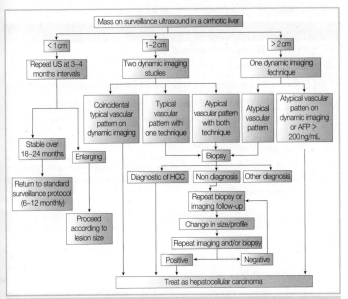

A suggested algorithm for investigation of a nodule found on ultrasound during screening or surveillance. Note that nodules smaller than 1 cm initially which enlarge over time should be investigated using one of the other two algorithms shown depending on the size of the nodule. The typical vascular pattern referred to means that the lesion is hypervascular in the arterial phase, and washes out in the portal/venous phase. All other patterns are considered atypical.

7 Staging

아래 TNM staging은 AJCC 8th edition

BLCL staging은 뒤의 prognosis에 소개

Primary tumor (T)	
TX	Primary tumor cannot be assessed
T0	No evidence of primary tumor
T1a	Solitary tumor less than or equal to 2cm with or without vascular invasion
T1b	Solitary tumor more than 2cm dimension without vascular invasion
T2	Solitary tumor with vascular invasion more than 2cm or multiple tumors, none more than 5cm
T3	Multiple tumors any more than 5cm
T4	Tumor(s) involving major branch of the portal or hepatic vein with direct invasion of adjacent organs other than the gallbladder or with perforation of visceral peritoneum

Regional lymph nodes (N)	
NX	Regional lymph nodes cannot be assessed
N0	No regional lymph node metastasis
N1	Regional lymph node metastasis

Distant metastasis (M)	
M0	No distant metastasis (no pathologic M0; use clinical M to complete stage group)
M1	Distant metastasis M1

Clinical / Pathologic			
GROUP	T	N	M
IA	T1a	N0	M0
IB	T1b	N0	M0
II	T2	N0	M0
IIIA	T3	N0	M0
IIIB	T4	N0	M0
IVA	any T	N1	M0
IVB	any T	any N	M1

B Treatment

1) Liver transplantation

: 종양을 전부 제거하고 간경변까지 치료할 수 있어서 현재로서는 가 장 이상적인 치료방법. 간이식 후 HCC 재발 가능성이 있어 대부분 의 경우에는 Milan criteria (single tumor-5cm, up to 3 tumors with the largest less than 3cm)를 만족하는 환자를 대상으로 간이식을 시 행하나 점차 적용범위를 늘리고 있음

2) Surgical resection

(1) HCC 환자중에서 noncirrhosis인 환자에게는 최적의 치료 방법이며 간 절제 시 일반적으로 1cm 정도 margin을 확보하는 것이 안전함

(2) 간경변이 동반되어 있을 때는 신중을 기해서 해야 하며 간의 예비 능에 대한 철저한 검사를 통해 간절제를 결정함

(3) 간 절제 후 5년 생존율은 40~50%, 재발률도 40~50%. 중요한 재 발 요소는 미세혈관 침윤, 다발성 종양이며 재발 시 반복적인 간 절제는 안전하며 효과적임

3) Local ablation

: 간이식이나 간절제가 적절치 않은 early stage HCC 환자의 최적의 치료 방법

(1) radiofrequency ablation (RFA)

: 3cm 미만의 HCC가 적응증이 되며 HCC에 직접 needle elec-trode를 위치시킨 후 열을 발생시켜서 조직을 파괴시킴. needle 안에 electrode 를 extension 시키면 large tumor도 치료할 수 있음. major vessel 주위나 접근하기 어려운 위치의 병변은 괴사율이 떨 어져 상대적 부적응증에 해당

(2) transarterial chemoembolization (TACE)

: 항암제를 선택된 동맥에 주입한 후 embolization을 시행하 는 방법으로 unresectable tumor, Child class A cirrhosis, tumor size<5cm인 경우 survival benefit이 있음. decompensated (Child class C) cirrhosis인 경우는 이용하지 않으며, 보통 혈청 빌리루빈 이 3mg/dL 이상인 경우에도 시행하지 않음

(3) percutaneous ethanol injection

: small HCC인 경우 효과적이어서 2cm 미만의 HCC의 necrosis rate는 90~100%이나 large tumor인 경우는 50%로 감소함. 점차 많이 이용되지 않고 있으나 종양이 주요 혈관과 인접해 있는 경우 RFA보다 괴사율이 높을 수 있어 선택적으로 사용됨

(4) local radiation therapy with yttrium -90

: 선택적으로 hepatic artery에 주입하면 radiation과 embolization 의 결합을 통해서 종양을 파괴시킴

4) Systemic chemotherapy and external beam radiation

: 나쁜 예후를 보이며 간절제 전후에 시행하는 항암치료는 환자 생존율에 도움이 안됨. 최근 사용하고 있는 nexavar (sorafenib)는 중위수 생존기간을 3개월 정도 연장시킴

5) Multidisciplinary approach

: 한 가지 치료 방법으로 치료 효과를 기대하기 어려운 경우 여러 과 간의 협력을 바탕으로 최선의 치료 방법을 도출하여 간암을 치료하기 위한 노력의 일환으로 최근 연구 결과에 따르면 복잡한 간암 환자에서 의사 한 명의 판단으로 치료하는 것보다 다학제적 접근을 한 경우가 환자의 생존 기간을 더욱 연장시켜준다는 보고가 있음

9 Prognosis

HCC 환자를 치료하지 않을 경우 매우 불량한 예후를 보이며 진단 후 중위수 생존 기간은 3~6개월

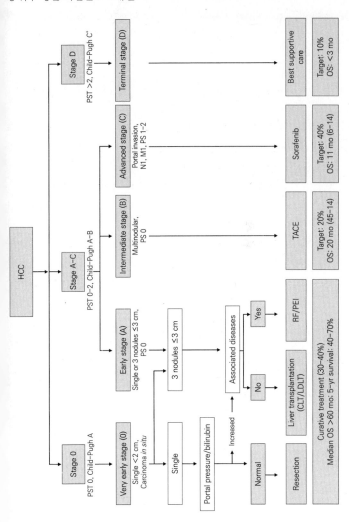

Chapter

13

담도, 췌장

① 췌장의 생리 및 해부

1) 췌장의 내·외분비 기능 및 생리

(1) 외분비

: 췌장 외분비 기능적 단위인 선방세포에서 생산, 췌액은 트립신, 리파아제, 아밀라아제 등이 있음. 또한 중탄산 이온을 십이지장으로 분비

(2) 외분비 조절 인자

① 자율신경

② 세크래틴, 가스트린, 콜레시스토키닌 같은 호르몬

③ 소마토스타틴, 글루카곤, 엔케팔린 등의 펩티드

(3) 내분비

: 인슐린, 글루카곤, 소마토스타틴 등 각종 호르몬을 혈중으로 분비하여 내분비적인 역할 수행

(4) 내분비 췌장

: 전체 췌장의 2%를 차지하며 랑게르한스 소도라는 세포집단으로 이루어져 있음. 소도는 크게 4가지 종류의 세포로 나눔

① A세포: 글루카곤을 분비

② B 세포: 인슐린을 생성

③ D 세포: 소마토스타틴을 생성

④ PP 세포: 췌장 폴리펩티드를 생성

2) 췌장의 해부

(1) 길이: 18~28 cm, 무게: 80~100g

(2) 위치: 12번 흉추부터 3번 요추 사이에 존재

(3) 해부학적 구분: 두부, 체부, 미부

① 췌장 두부는 구상돌기를 포함하여 십이지장 내측으로부터 상장간막정맥의 좌연까지의 부분

② 췌장의 체부와 미부의 구분 기준이 다양

③ UICC: 체부를 두부의 좌측부터 대동맥 좌연까지이며 체부의 좌측을 미부로 정의

④ 일본췌장암 취급 규약: 두부 좌측부위를 같은 길이로 둘로 나누어 중간부위를 체부, 그 말단부를 미부로 정의

⑤ 경부는 상장간막정맥의 우연과 상장간막동맥의 좌연의 앞쪽에 위치한 췌장의 좁은 부위, 문맥 분지가 없어 췌십이지장절제시 후면에 터널화를 시행하는 부위

⑥ 구상돌기는 일반적으로는 상장간막정맥 및 동맥의 배측에 있는 부분. 이 부분은 앞서 언급한 혈관의 분지가 많아 악성 병변이 위치하는 경우 절제가 불가능한 경우가 많음

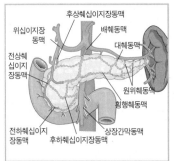
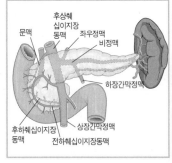

② 담도부 생리

1) 담즙의 생성 및 성분

(1) 간에서 생성되며 82%는 수분으로 구성되어 있음

(2) 일일 생성량: 약 0.5~1.0L, 평균 0.42ml/분

(3) 수분 외의 구성: 67% 담즙산, 22% 인지질, 4.5% 단백질, 5% 콜레스테롤

(4) 병태생리학적 성분 비율 변화는 다양한 담석의 생성(예: 색소성 담석, 콜레스테롤 담석)

2) 담즙의 장간 순환(entero-hepatic circulation)

(1) 정의

: 간에서 생성되어 십이지장을 통하여 분비된 담즙이 회장 말단부에서 흡수되어 다시 간으로 이동되는 흐름

(2) 의의

: 담즙산 염을 회수하여 다시 이용함으로써 제한된 양으로 효과적인 소화를 할 수 있음

③ 담도부(간외담관) 해부

1) 구성

(1) 간문부

① 간문부는 간내구역관의 합류부부터 좌우간관 및 그 주합류부

② 주합류부는 대부분 간 외에 위치(0.5~1.5cm)

(2) 총간관 및 총담관

: 담낭관이 연결되는 부위보다 근위부인 총간관과 원위부인 총담관으로 구분

2) 혈행 및 Calot 삼각

(1) 담낭동맥은 대부분 우간동맥에서 기원하여 총간관의 앞 또는 뒤로 주행

(2) Calot 삼각: 총간관과 담낭관, 우간하연이 삼각형 안에 담낭동맥이 지나가고, 때때로 우간동맥, 담관 등이 있을 수 있어, 담낭절제술 시 매우 중요한 부위임

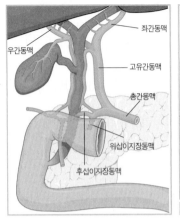

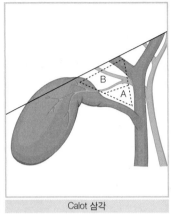

Calot 삼각

3) 팽대부해부

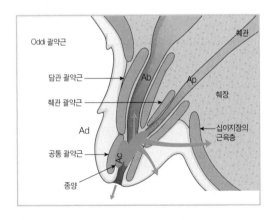

(1) 총담관과 췌장관이 십이지장으로 개구하기 전에 만나면서 늘어
   난 부위를 말함. 실제로 넓어진 부위는 없을 수 있음. 이는 두 관이
   최소한 5mm 이상 공통관을 형성해야 나타남
(2) 유두부는 팽대부가 십이지장내강으로 배액 되는 부위, 대부분 십

이지장 2부의 후내벽 쪽에 위치함

(3) 약 70%에서 부췌관의 개구부인 부유두부도 존재할 수 있으며 주유두부의 2cm상부 및 전방에 위치

(4) Oddi 괄약근은 팽대부와 십이지장근육 외에 자체적인 괄약근 기능을 가지는 근육으로 장액과 담즙 및 췌장액의 역류를 서로 막아주는 기능을 함

II. 담낭결석 및 양성종양

① 담석분류

1) 콜레스테롤 담석(cholesterol stone)

   (1) 순수 콜레스테롤 담석(pure)

   (2) 복합성 콜레스테롤 담석(combination)

   (3) 혼합성 콜레스테롤 담석(mixed)

2) 색소성 담석(pigment stone)

   (1) 흑색석(black stone)

   (2) 갈색석(brown stone)

3) 칼슘 빌리루빈염 담석(calcium bilirubinate)

4) 희귀 담석(rare stone)

② Incidence

1) 성인의 약 10%에서 담석에 이환

2) 우리나라에서는 담석 중 콜레스테롤 담석이 60%, 나머지는 색소성 담석

③ Risk factor

1) 콜레스테롤 담석

   (1) 나이가 증가함에 따라 발생이 증가

   (2) 여성이 남성에 비해 2배 많고, 임신 특히 다산모, 경구 피임에 관

런 있음
(3) 비만한 경우 담즙 콜레스테롤 성분의 supersaturation되어 담석의
생성과 질환으로 유도될 수 있음
(4) 서구식 식습관은 콜레스테롤 담석의 이환을 증가시키며 채식주
의자에서는 드물게 발견
2) 색소성 담석
(1) 흑색석
① 용혈, 간경변 등의 경우 용혈에 의해 unconjugated bilirubin 상승
② 감염성 담즙과는 연관되지 않음
(2) 갈색석
① 전형적으로 담관에서 발견(아시아 지역에서 호발함)
② 담도계 운동성 질환 및 세균감염과 밀접한 관계

4 담낭절제술의 적응증

• 증상이 있는 담낭결석증	• 급성담낭염
• 만성담낭염	• 비기능성 담낭
• 직경 3cm 이상의 큰 결석	• 담낭 벽의 비후
• 췌담관 합류이상을 동반한 환자	• 담낭 용종
• 석회화담낭 또는 도재 담낭(porcelain GB)	
• 담낭 종괴	

*담낭용종의 경우 전암 병소. 특히 10 mm 이상 sessile 한 경우 반드시 담낭절제를 시행

5 담낭결석의 합병증

1) 담낭결석으로 인한 여러 합병증이 발생

• 급성 담낭염	• 총담관 결석증
• 만성 담낭염	• 담석성 췌장염
• 담낭 천공	• 담낭 장루
• 담석성 장폐쇄증	• 담낭 축농

2) 합병증의 예방적으로 담낭절제술을 시행할 수도 있음

⑥ 담낭절제술의 종류

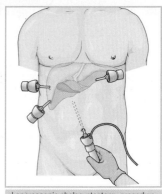
Laparoscopic cholecyctectomy procedure

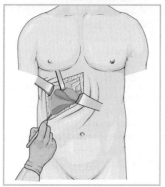
Open cholecyctectomy procedure

1) 담낭절제술의 방법

  (1) 복강경 담낭 절제술

    : 현재는 90% 이상의 담낭절제술이 복강경 수술법으로 시행됨.
임신 말기나 진행된 담낭암, 심한 심폐지능 저하 환자 외에 절대
적 금기는 없음

  (2) 개복 담낭 절제술

    : 최근에는 암이 의심되거나, 너무 심한 염증, 또는 수술력으로 인
한 유착 외엔 거의 사용되지 않지만, 복강경수술의 실패 시 개복
담낭 절제술을 시행할 수 있음

2) 복강경 수술 후 나타날 수 있는 증상

  (1) 오른쪽 어깨 또는 등의 통증

    : 특별한 과거력이 없으면 관찰하면 되지만, 심장의 과거력이 있
으면 반드시 감별진단을 해야 함

  (2) 십이지장 혹은 담도손상, 담즙누출, 잔존담관결석, 잔존담낭 등

❼ 담낭 용종성 병변의 분류

Benign neoplastic polyps
    Epithelial
        Adenoma, papillary
        Adenoma, nonpapillary
    Supporting tissues
        Hemangioma
        Lipoma
        Leiomyoma
        Granular cell tumor

Benign non-neoplastic polyp
    Hyperplasia
        Adenomatous
        Adenomyomatous (Adenomyoma)
    Heterotropia
        Gastric mucosa
        Intestinal mucosa
        Pancreas
        Liver
    Polyp
        Inflammatory
        Cholesterol
    Miscellaneous
        Fibroxanthogranulomatous inflammation
        Parasitic infection
        Others

Malignant Polyp
    Adenocarcinoma
    Miscellaneous
        Mucinous cystadenoma
        Squamous cell carcinoma
        Adenoacanthoma

① 간내담석증 역학

1) 서양보다 극동지역 아시아에서 호발
2) 1.5~4.9%의 상대발생빈도(전체 담석증 중 간내 담석의 빈도), 국내에서는 14.1% 까지도 보고됨
3) 좌측의 발생빈도가 높음(48.9%), 양측(35.9%), 우측(15.2%)
4) 식생활, 세균, 기생충감염 등의 환경적 요인
5) 여성에서 호발
6) 대부분 혼합석, 최근에는 콜레스테롤결석의 비율 증가

② 병인및 분류

1) 유전적 소인보다는 환경적요인
2) 답즙의 정체와 세균 감염 및 증식, 증식된 점액 분비선
3) 담도회충증, 간흡충증
4) 세계적으로 통일된 분류방법은 없지만 결석의 위치에 따라 좌측, 우측, 양측으로 나누고, 각각은 담도 협착이 간문부에 있는 a형과 분절 내에 있는 b형으로 나눔

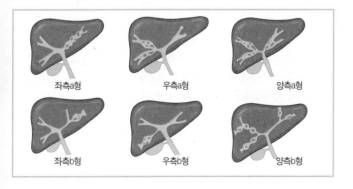

좌측a형   우측a형   양측a형

좌측b형   우측b형   양측b형

❸ 증상

1) 상복부 또는 우상복부 통증(70%)

2) 황달과 발열(10~30%)

3) 특이한 증상 없이 복부 불편감, 소화불량

❹ 진단 및 치료

1) 초음파검사

(1) 간내담석이 의심될 때 비침습적이며 일차적인 검사방법

(2) 담도폐쇄나 결석, 간농양과의 감별진단에 도움이 될 수 있음

(3) 특히 간실질의 위축이 있거나 장내 가스 또는 공기담관이 있는 경우에 진단이 어렵다는 단점

2) 전산화단층촬영

: 담석의 위치와 협착의 정도 및 범위를 보여주어 치료방법을 정하는데 중요한 정보를 제공. 전형적신 소견으로 확장된 담관 내 둥근 모양의 고밀도 음영이 보임.

3) 담관조영술

(1) 방법으로는 내시경적 역행성 담췌관조영술(ERCP), 경피경간 담관 조영술(PTC), 자기공명영상담도조영술(MRCP) 등이 있음

(2) 최근 간결석의 경우 초음파, 단층 촬영 뒤에 MRCP로 개복 또는 경피 경간 담도경을 통한 담석제거술을 시행할지 결정함

4) 경피경간담도경(PTCS)

결석이 우측 또는 양측 간에 존재 시 시행. 진단 목적보다는 담도경을 이용한 비수술적 치료에 더 많이 사용됨

5) 결석의 위치 및 협착 부위에 따른 치료

(1) 좌측 간내결석증

- 간절제술의 절제범위: b형 - 좌외구역절제술

  　　　　　　　　　　　 a형 - 좌간절제술

(2) 우측 간내결석증

- 협착이 있는 부위에 따라: b형 - 전구역 또는 후구역 절제술

  　　　　　　　　　　　　 a형 - 우간절제술

(3) 양측 간내결석증
- 간절제범위의 한계성으로 치료하기 어려움
  - b형: 담도협착이 심한 쪽이나 간위축이 있는 부위를 절제하며 대개 좌외구역절제술또는 좌간절제술을 시행
  - a형: 대개 좌간 쪽이 심하므로 좌간절제술과 함께 우측에 남아있는 협착부위를 제거하고 결석을 가능한 많이 제거한 후 간관공장 문합술을 시행

IV. 간내 담관암

1 정의
: 간내담관암은 담관의 제2분지 근위부(말초부)의 간내담관에 발생하는 암

2 빈도
: 원발성 간암에서 간세포암 다음으로 흔한 빈도 약 5~10%

3 역학
: 전체 담관암의 약 10%, 동양과 남성에게 흔함(남 : 여 = 2 : 1) 50세 이상에서 호발

4 분류
1) 종괴형성형
   (1) 가장 흔한 형태
   (2) 간내의 주요 담관과는 관계없이 종괴를 형성해서 간세포암과 모양유사
   (3) 확장형으로 증식되며 피막은 보통 없고 주위에 위성결절이 있음
   (4) 혈관전이 및 간내전이가 흔함 , 림프절 전이 드묾

2) 담관침윤형

    (1) 주담관을 중심으로 문맥계를 따라 담관을 길게 침윤

    (2) 림프관을 통한 전이가 흔함

    (3) 간내 결석 동반하는 경우가 많음

3) 담관내 성장형

    (1) 가장 빈도가 낮은 형태

    (2) 담관내강 안에서 내강을 따라서 성장

    (3) 문맥침윤, 간내 전이는 거의 없고 기타 전이도 낮음

    (4) 예후가 좋은 종양

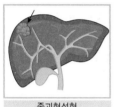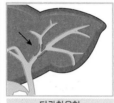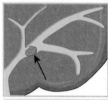

| 종괴형성형 | 담관침윤형 | 담관내 성장형 |

5 동반된 원인질환

1) 간내담석증(가장 흔한 동반질환)

    : 혈중 종양표지가 상승되었으면 반드시 악성 종양에 대한 검사가 필요

2) 간의 기생충증(간흡충증)

3) Caroli's disease

4) 다발성 간내낭종

5) B형, C형 간염

6 임상양상

1) 특징적인 임상증상이 없음

2) 복부통증, 체중감소, 식욕부진 및 발열

3) 황달(20~30%에서 나타남)

7 검사

1) CA-19-9: 50%에서 증가
2) 초음파
3) 전산화단층촬영
4) 자기공명영상
5) 경피경간 혹은 내시경적 역행성 담도조영술
6) 혈관조영술

8 치료

1) 완전한 절제: 가장 좋은 치료방법
2) 방사선치료, 화학요법: 큰 효과 없음

9 예후

1) 근치절제율 : 약 70%
2) 1년, 3년, 5년 생존율 : 75.6%, 47.4%, 37.2%

V. 간문부 담관암

1 개요

1) 간문부 담관의 생기는 암으로 Klatskin 종양이라고도 부름
2) 간문부 담관은 해부학적으로 좌우 양측 간관과 이들이 합류하는 부위. 과거에는 높은 합병증과 사망률을 보고하였으나 최근 정확한 술전 진단 및 암종의 범위를 파악하고 수술을 시행하여 현재는 비교적 안전한 수술로 인식됨

❷ 간문부의 해부, 간문부암의 분류 및 암침윤 양상의 특성

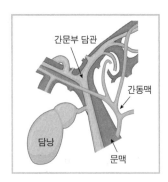

1) 간문부의 해부학적 구조
   (1) 간문부는 관상구조물들이 복잡하게 얽혀 있고 각각의 변이 심함
   (2) 술 전 해부학적 구조를 미리 파악하는 것이 중요
   (3) 드물게 종양의 심한 정도보다 해부학적 변이에 따라 수술 가능 여부가 결정될 수 있는 부위이기도 함
2) Hilar cholangiocarcinoma (Bismuth-Corlette classification)

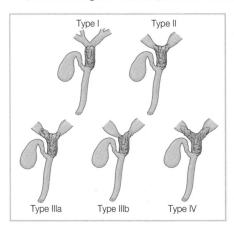

: 간문부암은 담관의 침습범위에 따라 5가지 형태로 분류(Bismuth-Corlette classification)

(1) I형: 주합류부 침습이 없는 형

(2) II형: 주합류부 침습이 있어 양측 간관이 서로 분리된 형

(3) IIIa, IIIb형: 각각 우측 또는 좌측으로 구역담관 합류부 이상으로 침습이 된 경우

(4) IV형: 양측 모두 심한 침습이 있는 경우

3) 암침윤 양상의 특성

(1) 성장속도가 느리고 원격전이가 드물다고 알려져 있지만 국소적으로는 상당히 진행하여서 담관, 간십이지장인대에 미만성 침윤, 심한 영역 림프절전이 등은 적지 않아서 수술을 받지 못하는 경우가 흔함

(2) 담관벽이 간외담관에 비해 얇아 침습의 가능성이 높고 특히 간실질에 침습 가능성이 높음

(3) 간문부와 가까운 미상엽 담관(B1)의 합류부는 거의 예외없이 침윤

❸ 술전 간문부암의 범위 진단

1) 종양표지자 검사: CA 19-9, CEA

2) 전산화단층촬영(CT; computed tomography)

(1) MDCT로 촬영하는 것이 바람직함

(2) 간절제를 필요로 하는 환자에서 절단면을 계획하고 간용적을 측정하는 데도 유용

3) 담관조영촬영

(1) 자기공명영상담도조영술(MRCP)

   ① 장점

     a. 비침습적으로 담관의 상태를 파악할 수 있음

     b. 황달이 없고 담관확장이 되지 않아 PTBD 시행이 어려운 경우 좋은 대안

     c. 간문부, 간내담관을 입체적으로 파악할 수 있는 장점

② 단점

　　a. PTBD보다 세부 영상의 질이 다소 떨어짐

(2) 내시경적 역행성 담도조영술(ERCP)

　: 원위부 침습범위를 파악하는데 도움이 되며 조직검사, 세포검사, 담즙검사 등을 시행할 수 있음. 황달이 심할 경우 내시경적 비담도배액술(endoscopic nasobiliary drainage, ENBD) 혹은 내시경적 역행성 담도배액술(endosopic retrograde biliary drainage, ERBD)등을 통해 감황 시도할 수 있으나 근위부 담관에 염증을 야기하는 단점이 있음.

(3) 경피경간 담관 배액술(PTBD)

　: 양질의 담도조영 사진을 얻는 데 ERCP보다 성공률이 훨씬 높으며 수술 후 문합부 감압을 위해 사용할 수도 있어 선호됨

④ 치료 및 추적관찰

1) 수술적 치료

(1) 치료방법(절제 가능성)을 판단하는 것이 어려움

① 담도, 혈관계에 해부학적 구조가 다양

② 수술 전, 심지어 수술 중에도 정확한 종양침습범위를 판단하기 어려움

③ 근치적 수술 시 수술법이 매우 복잡하고 시간이 많이 소요되며 위험부담이 상당히 큰 수술이 필요

(2) 일반적 수술 금기증

① Bismuth IV형에 해당하여 양측 간내담관으로 모두 분절담관 합류부 이상 침윤이 있는 경우

② 주문맥이나 간동맥, 특히 보존되어야 할 반간측 주요혈관 침습이 있는 경우

③ 원격전이가 있는 경우

④ 간경변을 포함한 만성간질환이나 고령, 심폐질환 등 전신적인 수술 위험도가 높은 환자

(3) 수술방법

: 근위부 담관의 절제선은 일률적으로 정하기 어렵지만 적어도 주 합류부 정도의 선, 즉 좌우 간관이 만나는 부위가 나올 정도까지 되어야 함

① Bismuth type I: 간문부 담관절제＋영역림프절 곽청＋미상엽 포함 간절제

② Bismuth type II: 간문부 담관절제＋영역림프절 곽청＋미상엽 포함 간절제

③ Bismuth type IIIa/b: 간문부 담관절제＋영역림프절 곽청＋미상엽 포함 확대 간절제

④ Bismuth type IV: 양측 담도 침범 범위에 따라 절제가능 또는 절제 불가능

(4) 수술 전처치

① indocyanine green (ICG) test

a. retention rate 15 min after IV injection of ICG (0.5mg/kg)

b. 20% 이내일 때 대량 간절제를 고려해 볼 수 있는 참고치임

② 잔여간 용적 측정: CT volumetric measurement

③ 경피경간 문맥 색전술

a. 잔여 간 용적이 25% 이상인 경우 적극적으로 간 절제를 시행

b. 잔여 간 용적이 25% 이하인 경우 경피경간 문맥 색전술을 고려

④ 경피경간 담도 배액술

: Bilirubin level을 가능한 3.0mg/dl 이하로 낮추어 간 절제를 시행

2) 화학방사선요법

(1) 보조적 화학방사선요법(adjuvant therapy)

① CCRT with capecitabine Indication

a. tumor invades beyond the wall of the bile duct (more than T2)

b. lymph node (+)

c. resection margin (+)

(2) 근치적 방사선요법(definitive Radiotherapy)

　① indication: locally advanced unresectable case

3) 대증적 치료

(1) 담즙 배액 유지

　① Biliary stent

　② ERBD (endoscopic retrograde biliary drainage)

　③ PTBD (percutaneous transhepatic biliary drainage)

(2) 증세치료

4) 추적관찰

	3개월	6개월	9개월	12개월	16개월	20개월	24개월	q 6개월 (for 3년)	q 1년 (5년후)
CBC	매번								→
LFT	매번								→
PT	매번								→
US		+		+		+		+	
CT	+		+		+		+		+
CEA	수술전 상승 시 매번								
CA19-9	매번								→
CPA	+			+		+	+	+	+

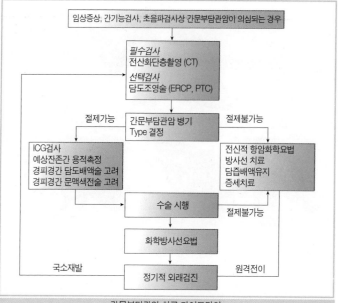

```
┌──────────────────────────────────────────────┐
│ 임상증상, 간기능검사, 초음파검사상 간문부담관암이 의심되는 경우 │
└──────────────────────────────────────────────┘
```

필수검사
전산화단층촬영 (CT)
선택검사
담도조영술 (ERCP, PTC)

절제가능 → 간문부담관암 병기 Type 결정 ← 절제불가능

ICG검사
예상잔존간 용적측정
경피경간 담도배액술 고려
경피경간 문맥색전술 고려

전신적 항암화학요법
방사선 치료
담즙배액유지
증세치료

수술 시행 → 절제불가능

화학방사선요법

국소재발 ← 정기적 외래검진 → 원격전이

간문부담관암 치료 가이드라인

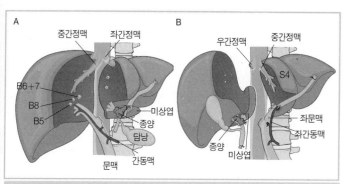

간문부 담관암시 간절제술. (A) extended Lt.hemihepatectomy, (B) extended Rt.hemihepatectomy, With caudate lobectomy

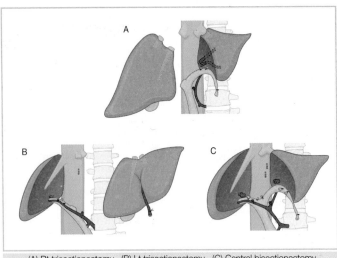

(A) Rt. trisectionectomy, (B) Lt. trisectionectomy, (C) Central bisectionectomy

1 개요 및 진료 흐름도

1) 정의

: 원위부는 팽대부 직전까지의 총수담관에 발생하는 담관암을 말함

2) 남녀 발생비

: 1.35 : 1로 남성이 다소 많고 연령은 50-70대가 많음. 2002년 한국인 암등록통계에 의하면 1.5%를 차지함

3) 원인

: 담석증, 간흡충증, 담관낭, 궤양성 대장염, 원발성 경화성 담관염, 선천성 간섬유증, 만성 장티푸스 보균자 등이 보고되지만 아직 확실한 원인을 알 수 없음

4) 병리학적 분류

: 조직학적으로는 거의 대부분 선암이고 매우 드물게 편평상피암, 림프종 등이 있을 수 있음. 육안적으로 경화형, 결절형, 유두형 등이 있음. 그중 경화형이 가장 흔한 형태이고 유두형이 비교적 예후가 양호하고 경화형이 가장 불량함

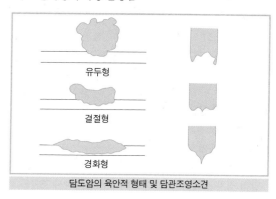

유두형

결절형

경화형

담도암의 육안적 형태 및 담관조영소견

5) **간외 담관암은 발생부위에 따라** 약간의 임상양상, 치료방법, 예후 등에 차이가 있음. 발생부위에 따라 상부(근위부), 중부, 하부(원위부) 담관암으로 구분. 진단과 수술적 치료가 중·하부 담관암이 같고, 상부 담관암과 Klatskin종양이 유사함

6) **진료 흐름도**

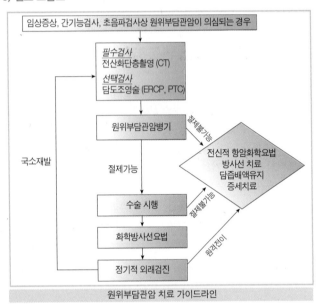

임상증상, 간기능검사, 초음파검사상 원위부담관암이 의심되는 경우

필수검사
전산화단층촬영 (CT)

선택검사
담도조영술 (ERCP, PTC)

원위부담관암병기

절제불가능

전신적 항암화학요법
방사선 치료
담즙배액유지
증세치료

국소재발

절제가능

수술 시행

절제불가능

화학방사선요법

원격전이

정기적 외래검진

원위부담관암 치료 가이드라인

❷ 임상증상, 검사 및 진단

1) **임상증상**

(1) 황달(가장 흔한 증상)

: 특히 총수담관결석증 시에는 간헐적으로 경한 황달이 있는 것과 달리 점차 심해지며 그 정도가 매우 심해져서 조치를 취하지 않을 시 빌리 루빈이 20~30 mg/dl 이상으로 상승될 수 있음

(2) 전신 소양감

(3) 갈색뇨

(4) 복통, 무통성 진행성 황달도 올 수 있음

(5) 담관염 증상: 발열, 오한 등

(6) 일반증상: 체중감소, 식욕부진 등

2) 검사 및 진단

(1) 혈액검사 및 종양표지자 검사

① 담도폐쇄에 의한 혈청빌리루빈 상승 및 간기능 지표검사 이상 특히 ALP, GGT 등의 현격한 상승 등이 있음

② 종양표지자로 CEA, CA 19-9 검사가 다소 도움을 줄 수 있음

③ 조기에는 대개 정상 소견을 보이다가 진행된 종양의 일부에서 증가가 되어 특히 CA 19-9인 경우 매우 민감한 검사이지만 가양성도 있어 유의해야 함

(2) 영상의학적 검사

① 초음파: 황달의 원인 감별검사로 유용. 특히 폐쇄의 개략적 위치, 췌두부의 종괴 유무, 간전이, 복수의 유무 확인의 유용

② 전산화단층촬영: 작은 크기의 병변을 확인함은 물론 주위 장기와의 관계, 특히 혈관과의 관계를 잘 파악. 병변이 진행되어 나타나는 림프절전이, 원격전이 유무

③ 내시경적 역행성 담췌관조영술: 팽대부주위암의 확인과 감별진단 및 조직생검, 세포검사, 담즙검사 등을 할 수 있음. 특히 황달이 심하고 수술이 곧 시행될 수 없을 때 내시경적 비담도배액술(ENBD; endoscopic nasobiliary drainage)이나 내시경적 역행성 담도배액술(ERBD; endoscopic retrograde biliary drainage)을 통해 스텐트 삽입을 시행할 수 있음

④ 경피경간 담도조영술: ERCP 담도조영 실패 또는 담도암의 근위부 침습범위의 확인 잘 안 될 때 시행할 수 있음

⑤ 자기공명영상 및 자기공명 담관 조영술: 비침습성 담도조영술

(3) 기타 시행될 수 있는 검사

: 내시경적 초음파검사, 담관 내 초음파검사, 복강경하 초음파검
사, 문맥내강 초음파검사 등이 있으며 양전자 방출 단층촬영으
로 양성과 악성질환을 감별하고, 원격전이나 심한 림프절 전이
를 확인하는 데 도움을 줄 수 있음

❸ 치료 및 추적관찰

1) 근치적 수술법

: 담관암은 위치에 따라 근치적 수술방법이 달라짐. 하부 담관암과 대
부분의 중부 담관암에 경우 췌십이지장절제술과 림프절 곽청술, 대
부분 유문보존절제술을 시행하는 경향임

- 수술금기증
  ① 원격전이가 있는 경우
  ② common hepatic a. 침윤이 있는 경우

2) 근치적 수술이 불가능할 경우

: 고식적 수술로는 중하부 담관암의 경우에는 근위부 담관에 공장을
Roux-en Y로 연결하는 담즙배액술을 시행할 수 있음. 십이지장 폐
색이 있으면 위공장문합술 시도해 볼 수 있으나 예방적으로 시행하
지는 않음

3) 비수술적 치료

: 경피경간 담관배액술, 내시경을 이용하여 스텐트삽입을 시행할 수
있음

4) 추적관찰

	3개월	6개월	9개월	12개월	16개월	20개월	24개월	q 6개월 (for 3년)	q 1년 (5년후)
CBC	매번								→
LFT	매번								→
PT	매번								→
US		+		+		+		+	
CT	+		+		+		+		+
CEA	수술전 상승 시 매번								
CA19–9	매번								→
CPA	+			+		+	+	+	+

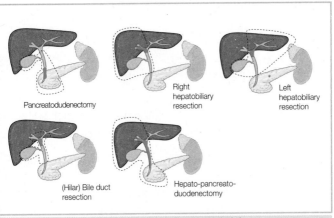

Pancreatodudenectomy

Right hepatobiliary resection

Left hepatobiliary resection

(Hilar) Bile duct resection

Hepato-pancreato-duodenectomy

담도암의 발생부위에 따른 절제술식의 선택

① 개요

: 원발성 담낭암은 담도계에서 발생하는 종양 중 가장 흔하며 전체 위장
관에서 발생하는 암종의 3~4%를 차지함. 성별로는 여성에서 2~3배
더 호발하며 60세 이상의 고령층에서 자주 발견됨. 결석과의 관계에서
70~90%가 동반되며 3cm 이상의 크기에서 그렇지 않은 경우에 비하
여 10배로 증가한다는 보고도 있음. 도재 담낭(porcelain gallbladder)도
담낭암 발생에 연관이 있음
다른 담낭암의 위험인자로는 췌담관 합류이상, 담관낭, 티프스 보균자,
에 스트로겐 과다 노출, 아조톨루엔 및 니트로사아민의 노출 등이 있음

② 진단

1) 필수검사

(1) 병력 및 이학적 소견
: 동통, 체중감소, 소화불량, 촉지되는 종물, 황달, 발열 등의 증상
이 있으나 진단에 특이하다고 할 만한 증상은 없음

(2) 종양표지자 검사 CA 19-9, CEA
: 영상진단에 보조적으로 종양표지자를 이용한 진단을 목적으로
검사. 상기 3종의 표식자의 증가가 담낭암 환자에서도 관찰되며
특히 CA19-9는 임상적 유의성이 높은 편임

(3) 영상의학적 검사
: 전산화 단층촬영, 자기공명영상, 초음파검사 등이 진단의 주축
을 이루는 검사들로, 초음파의 경우 복부종물을 진단할 때에는
높은 민감도를 보이지만 담낭 용종이나 슬러지에 의한 가성 종
물, 기타 담낭벽의 비후를 동반한 담낭염이나 해부학적 기형과
의 감별 진단이 어려워 초기 진단에서의 특이도는 높지 않음

2) 선택검사

(1) 담도조영술
: 간십이지장인대로의 침윤, 담도 폐쇄 및 문맥침윤 등을 확인 위

하여 선택적으로 시행할 경우 시행

① ERCP: endoscopic retrograde cholangiopancreatography

② PTC: percutaneous transhepatic cholangiography

③ MRCP: magnetic resonance cholangiopancreatography

(2) 내시경적 초음파검사(EUS; endoscopic ultrasound)

: 담낭암의 침윤 정도나 주위 림프절의 종대를 보다 잘 관찰할 수 있음. 또한 큰 크기의 담낭용종 등으로 인하여 악성 변화의 가능성이 있는 경우에도 유용하게 시행할 수 있음

(3) 폐기능검사, 심초음파검사, VDRL, HIV, HBsAg/Ab, HCV Ab

③ 치료 및 추적관찰

1) 수술적 치료

: 담낭은 다른 소화기 장관과는 다르게 점막하층이 없기 때문에 점막층을 침윤한 종양은 바로 근육층에 도달하게 됨. 이는 적절한 치료방법을 선택하기 위해서는 침윤양상이 매우 중요한 이유임. 담낭암자체는 상당히 진행될 때까지 증상이 발현되지 않는 경우가 흔하기때문에 진단이 되는 시점에서 수술적 절제가 불가능한 경우도 적지않음

(1) 수술금기증

① 보존되어야 할 간엽측 주요혈관 침습이 있는 경우

② 원격전이가 있는 경우

(2) 조기 담낭암

: 암세포의 침윤이 담낭의 점막이나 근육층에 국한된 경우로 정의되며 TNM분류상 0기 및 1기에 해당. 그러나 암침윤이 근육층까지 도달해 있는 T1b에서 림프절 전이가 13~16%까지 발견된다는 보고도 있음

(3) 진행성 담낭암

: 암종의 벽침윤도가 T2 이상 및 림프절 전이 또는 원격 전이가 있는 경우를 총괄하여 정의. 국내에서는 원발성 담낭암으로 진단받은 환자의 80% 이상이 진행성 담낭암의 단계에서 수술적 치

료를 받는다고 보고되고 있음

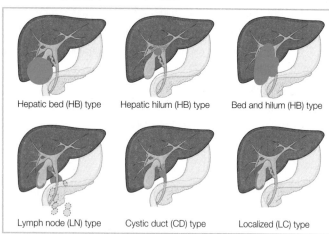

Hepatic bed (HB) type　　Hepatic hilum (HB) type　　Bed and hilum (HB) type

Lymph node (LN) type　　Cystic duct (CD) type　　Localized (LC) type

진행성 담낭암의 진전 양상에 따른 분류

(4) 수술방법

① 수술전 담낭암이 의심되는 경우

  a. T1a: 담낭절제술

  b. T1b: 담낭절제술과 림프절곽청술 ± IVb. V segmentectomy

  c. T2~T3: IVb. V segmentectomy with LN dissection

  d. T4: IVb. V segmentectomy with LN dissection + adjacent organ resection

② 복강경하 담낭절제술 후 우연히 담낭암으로 확진된 경우

  a. T1a: 경과관찰

  b. T1b: 림프절곽청 ± 간절제술

  c. T2 이상: 간절제술 + 림프절 곽청

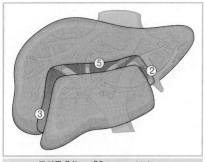

모식도 S4b + S5 segmentectomy

2) 화학방사선요법

(1) 보조적 화학방사선요법(adjuvant therapy)

: 일반적인 수술 후 보조요법으로서의 항암약물요법이나 방사선 치료 요법은 그 치료 효과가 대부분이 다른 악성종양보다 열악하다고 보고되고 있음. 항암약물요법은 소수에서만 반응률을 보이고 대부분의 보고에서 10% 이하의 약물반응률을 보고하고 있어 치료효과를 기대하기가 어려움

(2) 방사선치료요법

: 담낭암의 대부분을 차지하는 선암에 대한 치료조사량이 주위 정상 조직의 내구량을 훨씬 넘기 때문에 정상 조직을 보존하는 조사량으로는 치료효과를 거두기 어렵다는 견해가 있었으나 최근에는 수술 중 방사선치료나 관내 근접치료로 주위 장기를 보존하면서 종양에 선택적으로 유효한 양의 방사선을 조사하여 좋은 결과를 도출한다는 보고도 있음. 근치적 방사선요법 적응증으로는 국소적으로 진행된 절제 불가한 경우 시행

3) 고식적 치료

: 비록 치유절제가 되지 않아도 환자가 암종 자체로부터 갖는 증상보다 담도 폐쇄로 인하여 생기는 각종 증상이 월등할 경우에 치료적 의미가 있음. 시행될 수 있는 방법으로는 단순담낭절제술과 도관을 이용한 담즙 외배액술이나 간관공장문합술 등의 우회로 조성, 경피

경 간 담도배액술 스탠트 삽입 및 내시경적 도관삽입 등이 있음

4) 추적관찰

	3개월	6개월	9개월	12개월	16개월	20개월	24개월	q 6개월 (for 3년)	q 1년 (5년후)
CBC	매번								➜
LFT	매번								➜
PT	매번								➜
US		+		+		+		+	
CT	+		+		+		+		+
CEA	수술전 상승시 매번								
CA19-9	매번								➜
CPA	+			+		+	+	+	+

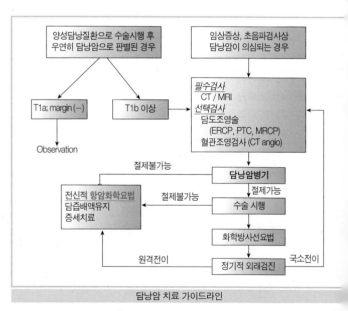

담낭암 치료 가이드라인

| Handbook of Surge

1 정의및 빈도

: 담도에 병적인 확장 상태로 원인으로 췌담관 합류기형(APBDU; anomalous pancreato biliary ductal union)으로 인한 답즙의 역류가 낭을 형성되는 것으로 정의됨. 빈도는 신생아 13,000명당 1명, 종족, 성비(여성에서 4-5배 호발), 약 60%에서 10세 이하에서 진단됨

2 분류(Todani classification)

1) I형

: Ia (낭포형, cystic), Ib (분절형, segmental), Ic (원통형, diffuse or cylindrical) 세부적으로 나뉘며 간내담관의 확장이 없음. 그중 Ia과 Ib형이 보편형

2) II형(diverticular type)

: 간외 담관 게실형, 간혹 매우 드물게 간내 담관에서도 생긴다는 보고가 있음

3) III형(choledochocele type)

: 담관류형(choledochocele)이며 십이지장벽내의 총수담관 원위부에 낭 또는 게실의 형태로 췌담관합류기형을 동반하는 경우가 적음

4) IV형(multiple type)

: IVa형과 IVb형으로 나눔. 거의 100%로 췌담관합류기형과 동반됨. I형과 구분이 어려운 경우가 많으며 구분점으로 간문부 또는 제대부의 담관 협착의 유무가 결정

5) V형(Caroli 's disease)

: 간내 담관만 확장된 형태. 췌담관 합류기형을 동반하는 경우는 없고 일부 환자에서 선천성 간섬유증과 연관이 있음

❸ 임상증상

: 황달, 복부 종괴, 복통, 신생아의 경우 복부종괴와 황달이 주 증상. 성인의 경우 담관낭의 합병증인 담관염, 담석증, 췌장염, 췌석, 간내농양, 간경 병증, 문맥압항진증 및 담관낭 내 암발생

❹ 진단

: 복부초음파, ERCP, PTC (Caroli's disease 진단에 도움), CT, DISIDA 스캔 등이 있으며 영상진단으로 ERCP는 반드시 시행해야 함. 그 이유로 췌담관 합류부가 oddi 괄약근에 영향을 안 받는다는 것을 입증해야되기 때문임. 최근에는 MRCP가 ERCP을 대신하는 1차 검사로서 유용하게 사용되지만 합류 기형을 진단하는 데는 아직까지 ERCP가 우수함

❺ 치료

: 담관낭의 치료는 수술. 수술은 각 형별로 다름

1) I형과 IVb형: 간외담관 절제 및 담도재건
2) II형: 게실절제
3) III형: 유두 성형술
4) IVa형: 간외담관절제, 간관성형, 담도재건 또는 간절제
5) V형: 간엽절제, 간관 소화관 문합, 간이식

Type I	Type II	Type III
EXCISION, ROUX-Y HEPATICOJEJUNOSTOMY EXCISION, HEPATICO-DUODENOSTOMY Roux-Y choledocho-cystojejunostomy Choledochocystoduodenostomy	EXCISION	TRANSDUODENAL EXCISION Transduodenal sphincteroplasty Endoscopic sphincterotomy

Type IVA	Type IVB	Type V (Caroli's disease)
Extrahepatic component EXCISION, ROUX-Y HEPATICOJEJUNOSTOMY EXCISION, HEPATICO-DUODENOSTOMY Intrahepatic component Hepatic resection ± Roux-Y hepatico-jejunostomy Transhepatic intubation	EXCISION, ROUX-Y HEPATICOJEJUNOSTOMY OR HEPATICO-DUODENOSTOMY ± transduodenal sphincteroplasty	HEPATIC RESECTION Roux-Y intrahepatic cholangiojejunostomy Transhepatic intubation Orthotopic liver transplant

1 개요

: 췌장의 낭성종양은 비교적 드물고 전체 췌장종양의 1%를 차지함. 하지만 최근 건강검진의 증가로 그 수가 늘고 있는 추세이며 대부분 췌장에서 발생한 낭성질환은 가성낭종으로 약 85% 정도를 차지하고 나머지는 아래와 같은 낭성종양이 차지함. 가장 흔한 4가지 종양에 대한 특징은 아래의 표 참고

췌장 낭성종양의 비교				
	장액성 낭선종	점액성 낭선종	고형 가유두상종양	췌관내 유두상 점액종
호발 연령	50~60대	40~50대	20대	60대
호발 성별	여성	여성	여성	유사
낭성 종양에서 차지하는 비율(%)	32-39	10-45	<10	21-33
췌관과의 연결	드묾	종종	종종	항상
악성도	낮음	높음	중간	다양

2 췌장 낭성종양의 감별진단

: 가성낭종은 췌장에서 발생하는 낭성병변 중 가장 흔하며 특별한 경우를 제외하고는 수술적 치료를 요하지 않음. 가성 낭종을 제외한 진성 췌장낭성 종양의 감별에 있어 특징적인 주췌관형 IPMT를 제외하고 위 표에서 나열된 특징으로 감별진단이 중요함

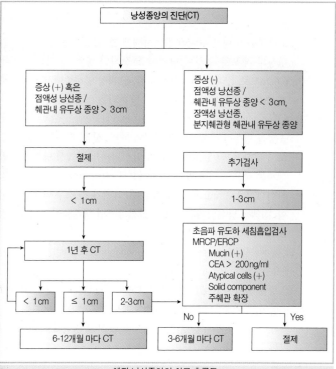

췌장 낭성종양의 치료 흐름도

1) 장액성 낭선종

　(1) 개요

　　: 호발평균 연령은 50대 중반에서 60대로 여자(3 : 1)에게 호발. 대
　　부분 양성종양으로 여겨져 수술을 요하는 경우가 점액성 낭선종
　　에 비해 낮음. 대부분 우연이 발견되며 종양의 크기는 평균 5cm
　　에서 8cm 정도임

　(2) 예후

　　: 예후는 매우 좋은 것으로 알려져 있음

2) 점액성 낭선종

(1) 개요

: 호발평균 연령은 40~50대 여성에게 호발. 점액을 분비하는 원주상피 세포로 구성된 낭벽이 특징적인 종양. 종양의 크기는 6.6cm으로 1.5~17cm까지 다양함. 장액성 낭선종에서와 유사하게 증상이 비특이적이고, 우연히 발견되는 경우가 많음

(2) 예후

: 종양을 형성하는 세포의 이형성에 따라, 선종, 경계성종양, 암으로 구별하고, 약 5~30% 정도로 악성형태의 점액성 낭선암이 발생하는 것으로 되어 있음. 일반적으로 60세 이상 발견되거나, 방사선학적으로 mural nodule이 존재, 크기가 큰 경우 악성을 시사함. 점액성 낭선암의 경우에는 절제 후 5년 생존율이 37~70% 정도로 예후가 좋지 않음

3) 고형가유두상종양(solid pseudopapillary tumor of pancreas)

(1) 개요

① 평균 연령은 10~70대까지 다양하게 발생할 수 있지만 20세 중반이 호발연령으로 80~90%정도에서 여자에게 발생

② 대부분 상복부 무증상 종괴를 주소로 오고 평균 8.3cm으로 다른 종양에 비해 크기가 큼

(2) 예후

수술적 절제 후에는 대부분 예후가 좋음

4) 췌관내 유두상 점액종(intraductal papillary mucinous tumor)

(1) 개요

: 점액의 과다분비로 인한 췌관의 미만성 혹은 부분 확장, 췌관과 연결된 낭성병변, 점액에 의해 열린 십이지장 팽대부와 임상적으로 반복되는 폐쇄성 췌장염의 증상이 특징적인 종양

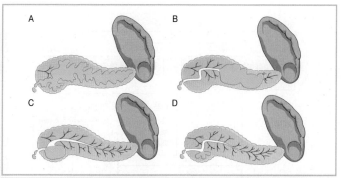

췌관내 유두상 점액종양의 분류 (A) 주췌관이 전반적으로 확장된 형태, (B) 주췌관이 국소적으로 확장된 형태, (C) 분지관이 낭성변화된 형태, (D) 분지췌관이 확장된 형태

(2) 특징

① 종양은 주로 췌두부에서 발생하며(61%), 췌미부에 발생한 것이 29%였고, 췌장에 미만성으로 발생한 경우 10% 정도임

② 임상적으로 다른 낭성 종양에 비해 복통을 포함한 췌장염 증상을 흔히 유발하는 것으로 보고되고 있음

③ 그 외에 연관된 증상으로 황달, 만성적인 췌장염에 의한 소화불량 및 당뇨 등이 있음

(3) 예후

① 최근 들어 수술 전 양악성에 따라 예후가 달라짐

② 일반적으로 췌장암에 비해서 예후가 양호한 것으로 보고되지만 종양의 악성도에 따라 5년 생존율은 선종, 경계성종양, 비침습성암, 침습성암이 각각 93.5%, 91.4%, 84.7%, 52.1%으로 나타남

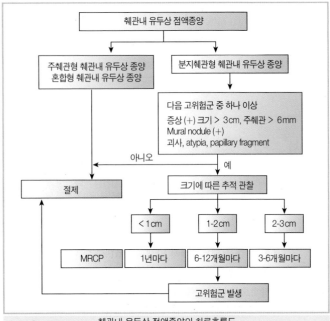

췌관내 유두상 점액종양의 치료흐름도

(4) 치료

① 종양의 조직형태에 따라 예후가 다르므로 수술전 종양의 양악
성 감별이 중요함

② 가장 좋은 것은 췌관내 내시경적 조직검사를 통한 조직진단의
확보

③ 수술절제범위는 논란이 많지만 악성의 가능성이 많을 경우에
는 림프절절제를 포함한 좀 더 적극적인 절제가 필요할 것으로
생각됨

3 치료방법의 선택

1) 경과 관찰이 가능한 경우

① 췌장 낭성종양 중 증상이 없는 전형적인 장액성 낭선종

② 종양의 크기가 작은 분지췌관형의 IPMT

2) 위에 언급한 경우 외엔 악성의 위험도가 있으므로 전신적인 상태가 허락한다면 가능한 한 수술적 절제가 필요함

(1) 장기 보존적인 수술방법

: 대부분의 경우 췌장의 낭성 종양은 비교적 예후가 좋고 림프절을 포함한 주변장기의 침윤이 적으므로 시행될 수 있음

(2) 종양이 취장두부에 있는 경우

: 십이지장보존췌두부절제술, 췌두부십이지장제2부절제술, 복측췌절제술, 배측췌장두부절제술을 시행할 수 있음

(3) 종양이 췌체부에 있는 경우

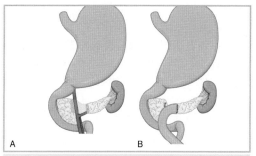

췌중앙절제술 Central pancreatectomy with distal P-J

(4) 종양이 췌미부에 있는 경우

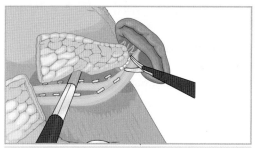

췌미부절제술 및 비장보존술식
Laparoscopic distal pancreatectomy (spleen preserving)

1 개요

1) 역학

(1) 세계적으로 전체 암의 2.1%로 발생순위 13위

(2) 우리나라의 경우

① 소화기암 중 위암, 간암, 대장암 다음으로 흔한 암

② 2011년 한국 중앙 암 등록건수 2.3%로 9위

③ 연령별로 60대 이후가 총 67.9%

④ 성별로는 남성에서 1.4배 많이 발생하나 노령으로 갈수록 남녀 비가 비슷

2) 원인 및 위험인자

: 췌장암은 주위 환경, 사회경제적 및 교육 정도와 같은 여러 요인들과의 상관관계에서 다른 암에 비해 뚜렷한 관련성은 갖지 못하고 있음

(1) 음식물

: 일본에서 연구에 의하면 육류나 지방 소비량과 췌장암 발생이 상대적 위험성은 2.54라고 주장

(2) 알코올, 커피

① 최근의 여러 보고들은 알코올과 췌장암 발생 사이에 유의한 관계가 없다고 결론짓고 있음

② 연관된 만성췌장염이 췌장암 발생의 주 위험인자라는 증거는 없음

③ 커피 또한 위험인자가 아니라는 결론을 짓고 있음

(3) 흡연

① 흡연은 거의 모든 보고에서 일정하게 관찰되는 췌장암 발생의 잘 알려진 독립적 위험인자임

② 상대적 발생 위험도는 비흡연자에 비해 2~3배, 위험성은 흡연량에 비례함

(4) 화학물질

: 확실하게 확인된 것들은 없으나 용매제, 휘발유 및 관련물질, DDT와 β-naphthylamine 및 benzidine에 10년간 노출 시 상대적인 위험성은 5배임

(5) 방사선

: 확실한 증거는 없으나 연관성이 높다는 보고가 있음

(6) 위험성 있는 기존질환

① 위절제술을 받은 환자에서 수술의 원인과 관계없이 췌장암 발생의 위험이 높다는 보고가 있음(위험도 5-7)

② 당뇨병의 경우 논란이 많지만 50세 이상에서 발병한 당뇨병 환자는 일반인보다 위험도가 10배 높다는 보고가 있으며, 고령에서 발병하고 비교적 일찍 인슐린이 필요하거나 당뇨병 가족력이 없거나 비교적 마른 체형 등의 비전형적인 임상상을 보이는 경우 췌장암의 가능성을 염두에 두어야 한다는 보고가 있음

③ 만성췌장염의 경우 5년 이상 추적 관찰한 경우 췌장암의 위험도는 13-14배이며, 10년마다 약 2%의 누적위험도가 보고되며 20년간 4-5%의 누적위험도 보고되어 있음

(7) 유전자 이상

① 5-10% 유전적 소인이 있음

② 1대 친족의 가족력이 있으면 3-6배의 위험도 및 일생 동안 5%의 위험도를 가짐

③ 원발암유전자: K-ras

④ 종양억제유전자: P53, DPC4/SMAD4

⑤ BRCA2, AKT2, LKB1/STK11, MLH1 유전자 변이

3) 임상증상

(1) 췌장암의 징후 및 증상은 비특이적임. 여러가지 비췌장질환이나 췌장염에서 췌장암 환자에서 볼 수 있는 증상이 나타날 수 있음

(2) 췌장암을 시사하는 증상(복통, 체중감소, 황달)을 가진 환자의 40-70%에서만 췌장암이 발견됨

(3) 다른 임상양상으로 대변(회색변 약 62%)과 배변습관의 변화가
흔함. 그 외 구역, 구토, 쇠약감, 식욕부진 등이 있음

(4) 병력

: 폐쇄성황달, 설명되지 않는(상복부 허리통증, 소화불량, 지방변,
10% 이상의 체중감소), 유발요인 없이 갑작스런 당뇨발생, 특발
성 췌장염의 반복적인 발생

2 진단

1) 일반화학검사

: 특이도가 떨어지며 대부분 이차적으로 상승되는 간기능 검사, 황달
및 혈청아밀라제 상승을 볼 수 있음

2) 종양표시자

: CA19-9가 현재까지 나온 종양표지자 중 가장 우수하며, 그 외에
CEA, CA 242 등이 있음

3) 영상의학검사

(1) 초음파검사

: 간담췌장계 질환을 감별하기 위해서 일차적으로 시행하는 검사

(2) 전산화단층촬영(CT; computed tomography)

: 초음파보다 췌장암을 진단 병기 측정하는 데 유용

(3) 자기공명영상

: 전산화단층촬영으로 진단이 애매할 경우 추가적인 도움을 줄 수
있음

(4) ERCP (endoscopic retrograde cholangiopancreatography)

① 장점으로 십이지장과 Vater유두의 종양 유무를 눈으로 확인할
수 있고, 췌관조영상을 얻을 수 있으며 췌액을 채취하여 세포
검사를 시행할 수 있음

② CT만으로도 췌장암의 진단하는 데 어려움이 없으므로 단순히
췌장암의 진단 목적으로는 잘 이용되지 않으며 CT상 종괴가
보이지 않고, 의심될 때 시행함

(5) 내시경적 초음파검사(EUS; endoscopic ultrasound)

: 복부 초음파에 비해 고주파를 사용하고 췌장과 가까운 곳에서 관찰하여 고해상도의 정밀한 영상을 얻을 수 있음. 하지만 숙련도에 따라 진단율이 많은 차이가 날 수 있음

(6) 양전자방출 단층촬영(PET-CT)

: 암조직에서는 정상조직에 비하여 일반적으로 포도당 대사가 항진되어 있고 암의 악성도가 높을수록 그 정도가 심하다고 알려져 있음. 이를 기초로 방사성 당 유사물질인 F-18-fluorodeoxy-glucose (FDG) 섭취를 비교함으로써 종양을 찾아내는 검사임. 췌장의 양성과 악성 병변을 감별하는 데 예민도는 71~100%, 특이도는 64~100%로 알려져 있음

4) 조직병리학적 진단

: 근치적 절제가 가능한 췌장암에서는 시술로 인한 파종이 보고 되어 있어 시행되지 않음

③ 치료 및 추적관찰

1) 수술적 치료

(1) 근치적 절제가 불가능한 경우

① 원격전이

② 진행된 국소병변: mesenteric root의 encasement

③ Celiac axis 또는 SMA 침윤이 있는 종양

④ AJCC stage IV

⑤ 대동맥주위 림프절 전이

(2) 수술방법

- 근치적 절제술

a. 췌십이지장절제술

b. 유문보존췌십이지장절제술

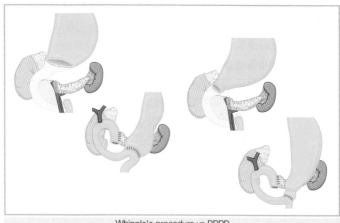

Whipple's procedure vs PPPD

c. 췌전절제술
d. 원위췌절제술

- Distal pancreatectosplenectomy
- RAMPS (radical antegrade modular pancreatosplenectomy)

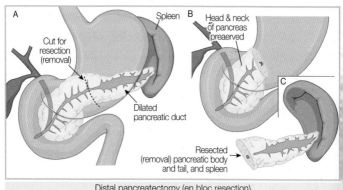

Distal pancreatectomy (en bloc resection)

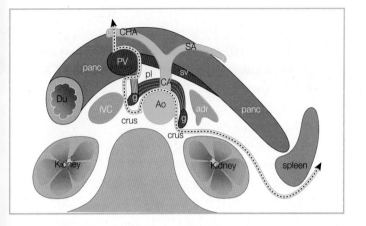

e. Appleby 수술

(Distal pancreatectomy with en bloc resection of the celiac axis)

2) 화학방사선치료

- 선행 항암화학방사선요법(Neoadjuvant therapy)

: CCRT or Chemotherapy only ⇨ 종양 size 감소 후 수술여부 재 결정

① Borderline resectable

② Major vessel invasion

- 보조적 항암화학방사선요법(adjuvant therapy)

: CCRT with capecitabine followed by gemcitabine for 6 cycles indications (i.e. except stage I)

① extrapancreatic soft tissue (+) (more than T3)

② LN (+)

③ resection margin (+)

3) 대증적 치료(inoperable case)

(1) 폐쇄성 황달이 있는 경우

① 내시경을 통한 ERBD (endoscopic retrograde biliary drainage) 를 시행하여 감황 및 황달의 완화 목적으로 시행함

② 담도종양으로 인한 협착이 있는 경우 담도스텐트를 삽입하여 대증적 증상 완화에 도움을 줄 수 있음

③ ERBD나 스텐트가 불가능할 경우-PTBD (percutaneous transhepatic biliary drainage)를 삽입하여 외부 배액통로를 만들어 줌

(2) 십이지장폐쇄의 치료

: 위공장문합술

(3) 통증의 치료

: 진통제 투여, 경피복강 신경총 차단

4) 기타 치료방법

(1) 국소적으로 진행된 절제 불가능한 경우 방사선치료와 5-FU 단일 화학 요법을 시도해볼 수 있음

(2) 복합화학요법으로는 FAM (5-FU, doxorubicin, mitomycin-C), SMF (5- FU, streptozotocin, mitomycin-C)이 있다.

5) 추적관찰

	3개월	6개월	9개월	12개월	16개월	20개월	24개월	q 6개월 (for 3년)	q 1년 (5년후)
CBC	매번								→
LFT	매번								→
PT	매번								→
US		+		+		+		+	
CT	+		+		+		+		+
CEA	수술전 상승시 매번								
CA19-9	매번								→
CPA	+			+		+	+	+	+

1 개요

1) 역학

전체 췌장의 1% 미만 존재하는 랑게르한스 세포에서 기원하는 종양
으로 10만 명당 5.25명의 빈도를 보임

2) 분류

- 펩타이드 분비여부에 따라 기능성 vs 비기능성
- 조직학적 및 임상적으로 악성여부
- 유전적 양상을 보이는 다발성 내분비 종양의 여부(MEN)

췌장 재분비종양의 세포형태 및 빈도, 임상적 분류

	세포종류	(%세포)	주임상증상	주호르몬	악성률	췌장외 병소
인슐린종	B	65	공복시 저혈당	인슐린	10%	1%(위, 십이지장, 장간맥)
가스트린종	A	–	위산과다, 재발성 소화성 궤양, 설사	가스트린	75-100%	20%:십이지장, 1% : 위
글루카곤종	G	15	괴사용해성 이동성 홍반증, 제2형 당뇨, 빈혈	글루카곤	50-80%	드물다
VIP종	D2	⟨!	설사, 저칼륨증, 위상분비 저하	VIP	50-75%	흔하다 (십이지장)
소마토스타틴종	D	5	당뇨, 지방변, 담석, 위산분비↓	소마토스타틴	80-100%	흔하다 (십이지장)
PPoma	PP	15		PP	–	
GRFoma			말단비대증	GRH	30%	
ACTHoma			쿠싱병	ACTH	⟩90%	
비기능성 내분비종양			국소압박증상		60-90%	

WHO 2017 Grading system		
	Ki 67 index	Mitotic index
Well-differentiated NETs		
Neuroendocrine Tumor Grade 1	<3%	<2/10 HPF
Neuroendocrine Tumor Grade 2	3-20%	2-20/10HPF
Neuroendocrine Tumor Grade 3	>20%	>20/10HPF
Poorly-differentiated NETs		
Neuroendocrine Carcinoma Grade3	>20%	>20/10HPF

2 진단

1) 임상양상

- 종양이 분비하는 호르몬에 따라 다양함(**표 참고**)

2) 검사실 소견

- 크로모그라닌 A : 인체 신경내분비세포에서 생성되는 펩타이드들
  의 전구체
- 24hr Urine : 세로토닌, 5-HIAA
- 생물학적 표지자 : 인슐린, 가스트린, 글루카곤, 소마토스타틴,
  Substance P, Pancreatic polypeptide

3) 진단 방사선적 검사

(1) 복부초음파
  : 민감도 25%정도 내외, 정상 췌장에 비해 음영이 떨어짐, 수술중
    초음파로 위치 확인 도움

(2) 전산화단층촬영
  :10~40%정도의 민감도, 전이암 선별 및 크기 큰 병변에 도움

(3) 자기공명 영상
  : 전산화단층촬영 소견을 보조하는 영상, 췌관과의 관계 확인

(4) 소마토스타틴 수용체 신티그라피
  : 위치확인 및 전이상 종양에서 80% 이상의 좋은 발견율 도움

(5) PET, Ga-DOTA-Tyr-octreotide PET

(6) 경피경간 간문맥 및 비장정맥 도자법

: 비침습적인 검사에서 위치 확인 못한 경우, 췌장의 각 부분에서 유출되는 간문맥 분지에 도관을 유치시킨 후 혈액 채취하여 인슐린 농도 측정

3 치료

1) 수술적 치료

(1) 가장 좋은 치료는 완전한 외과적 절제 : 정상 췌장은 최대한 보존하며 종양 완전 절제

(2) 크기 및 위치에, 악성도 여부에 따라 다양하게 접근

-단순 종양 적출술(enucleation)

-비장보전 원위췌장절제술(췌미부)

-췌중앙구역절제술(췌체부)

-유문보존췌장십이지장절제술(췌두부)

2) 재발 및 전이

(1) 병변 제거, 최대한 병변 줄이는 방법(Cytoreduction)이 권유됨

(2) 간전이 : 간절제, TACE, RFA

3) 약물적 치료

(1) 소마토스타틴 유사체

(2) 인터페론이나 5-FU등의 항암요법 : 유의한 효과는 없음

4 예후

• 절제된 인슐린종의 겨우 95% 이상의 장기 생존율, 가스트린종의 경우 절제된 경우 100% 가까운 생존율을 보이며 비기능성 종양의 경우 25-70% 정도의 5년 생존율을 보임

1 개요

1) 팽대부는 담관과 췌관이 합류하면서 십이지장과 만나는 부분으로, 선종-암종이행에 의해서 발생하는 경우가 많아서 선종이라도 발견되면 절제술을 시행받아야 함

2) 다른 팽대부주위암과 치료법은 유사하지만, 조직학적으로 대부분 선암이지만 드물게 유암종, 신경내분비종양, 육종등 다양하며, 대부분은 융모선종 같은 양성 종양도 많음

2 진단

1) 임상양상

- 남녀 발생빈도 차이 없으며 평균 발생연령은 57세
- 70-80%에서 황달이 발생하여 제일 흔한 증상으로 보고되며 일단 발생되면 심해지지만, 다른 팽대부주위암에 비하여 황달이 경하거나 없는 경우가 많음
- 8~16%에서는 특징적인 증상으로 황달이 악화와 호전을 반복하는 양상을 나타낼 수도 있음
- 그외 증상으로 전신 허약감, 식욕부진, 체중감소, 복통, 빈혈, 대변 잠혈 등이 있음
- 일부 환자에서는 급성췌장염의 증상을 호소하기도 함
- 팽대부암 환자의 약 30%까지 담낭 또는 담관 결석을 동반되는 경우가 있어 담낭결석과 상기 증상이 동반되면 술전 담도내시경을 시행하는 것이 좋음

2) 검사실 소견

- 간기능 검사 및 황달 없이 알카리성 포스파타제의 증가
- 소구성 저색소성 빈혈
- 대변 잠혈반응 양성
- CEA, CA 19-9, K-ras, P53, DPC4 등 종양표지자 및 유전자변이 검사는 진단에 크게 도움이 안 됨

3) 진단 방사선적 검사

(1) 복부초음파

: 선별검사로 사용되며 담도확장, 간전이 여부 확인, 그러나 팽대부 종양 자체를 확인하기는 어려움

(2) 전산화단층촬영

① 진단과 병기 결정을 위한 중요한 검사임

② 소견으로 담관, 특히 췌두부 내 담관 및 췌관의 확장, 드물게 종양이 보이기도 함

(3) 자기공명 영상

① 전산화단층촬영 소견을 보조하는 영상

② 비침습적 영상인 MRCP 영상을 얻기 위해 시행

(4) 담관 조영술(ERCP, PTC)

① ERCP 시행중 육안적 진단, 삽관이 가능하면 담관이 모두 확장되어 있고 담도의 끝부분에 폐쇄성 충만 결손이 보임

② 필요에 따라 술전 또는 고식적 치료 스텐트 삽관할 수 있음

③ ERCP가 불가능한 경우 PTC를 시행할 수 있지만 상기의 장점을 얻지 못함

4) 내시경 검사

(1) 내시경소견

① 육안적으로 팽대부선종과 팽대부암을 완전히 구별할 수는 없지만, 조직검사를 통한 진단 가능

② 20~30%는 조직검사의 결과가 치료방침의 어려움을 줄 수 있음. 특히 팽대부 안쪽에 있는 작은 종괴의 경우 내시경적 괄약근절제술을 시행하고 확실한 조직 채취가 중요. 하지만 앞에서 언급하였듯이 전암성 병변이 가능성이 있어 악성에 준하여 치료방침을 적용하는 것이 중요함

(2) 내시경적 초음파검사(endoscopic ultrasonography)

① 2cm 이하의 작은 종양유무의 진단에 있어 CT에 비해 민감도가 높음

② 단점으로 원격전이를 진단할 수 없고 시술자의 재량에 따라

차이가 남

③ 치료

- 팽대부암의 표준적 절제술은 유문보존췌십이지장절제술임
- 선종 및 일부 초기 팽대부암에서 보존적 수술 즉 경십이지장 팽대부 절제술, 췌장보존-십이지장절제술, 췌두-십이지장2부절제술 등이 있음
- 보존적 수술은 충분한 절제연을 확보할 수 있는 경우에만 시행하며 아직 논란이 있음

1) 내시경적 유두부 절제술

(1) 불완전한 절제연으로 인한 재발의 위험성이 있다. 특히 2~3cm 이상의 종양이 클 경우 한번에 절제 못하는 경우가 있어 안정성이 충분히 검증되지 않았음

(2) 수술 자체가 위험 부담이 크고 고령인 환자에서 선종이면서 크기가 작은 종양에서 고려할 수 있는 시술임

2) 팽대부절제술

(1) 확실한 절제연을 얻는다면 국소적으로 팽대부를 완전히 제거함으로써 효과적인 치료법임

(2) EUS와 조직검사에서 양성을 시사하거나 T1 이면서 크기가 1cm 이하라면 국소 팽대부절제 후 동결생검으로 확인하는 순서로 시행해 볼 만함

3) 췌십이지장절제술

(1) 팽대부암의 표준 수술법

(2) 림프절 곽청에 대하여 생존기간 연장의 효과는 아직 불확실함

④ 예후

- 다른 팽대부주위암에 비해 매우 양호함
- 근치적 절제가 된 경우의 완치율은 40~60%

1 Gallbladder staging form

Primary tumor (T)	
TX	Primary tumor cannot be assessed
T0	No evidence of primary tumor
Tis	Carcinoma in situ
T1	Tumor invades lamina propria or muscular layer
T1a	Tumor invades lamina propria
T1b	Tumor invades muscular layer
T2	Tumor invades perimuscular connective tissue; no extension beyond serosa or into liver
T2a	Tumor invades the perimuscular connective tissue on the peritoneal side, without involvement of the serosa(visceral peritoneum)
T2b	Tumor invades the perimuscular connective tissue on the hepatic side, with no extension into the liver
T3	Tumor perforates the serosa (visceral peritoneum) and / or directly invades the liver and/or one other adjacent organ or structure, such as the stomach, duodenum, colon, pancreas, omentum, or extrahepatic bile ducts
T4	Tumor invades main portal vein or hepatic artery or invades two or more extrahepatic organs or structures

Regional lymph nodes (N)	
NX	Regional lymph nodes cannot be assessed
N0	No regional lymph node metastasis
N1	Metastases to one to three regional lymph nodes
N2	Metastases to four or more regional lymph nodes

Distant metastasis (M)	
M0	No distant metastasis (no pathologic M0; use clinical M to complete stage group)
M1	Distant metastasis M1

GROUP	T	N	M
0	Tis	N0	M0
I	T1	N0	M0
IIA	T2a	N0	M0
IIB	T2b	N0	M0
IIIA	T3	N0	M0
IIIB	T1–3	N1	M0
IVA	T4	N0–1	M0
IVB	Any T Any T	N2 Any N	M0 M1

2 Perihilar bile ducts staging form

Primary tumor (T)	
TX	Primary tumor cannot be assessed
T0	No evidence of primary tumor
Tis	Carcinoma in situ/ High–grade dysplasia
T1	Tumor confined to the bile duct, with extension up to the muscle layer or fibrous tissue
T2a	Tumor invades beyond the wall of the bile duct to surrounding adipose tissue
T2b	Tumor invades adjacent hepatic parenchyma
T3	Tumor invades unilateral branches of the portal vein or hepatic artery
T4	Tumor invades main portal vein or its branches bilaterally; or the common hepatic artery; or unilateral second–order biliary radicals with contralateral portal vein or hepatic artery involvement

Regional lymph nodes (N)	
NX	Regional lymph nodes cannot be assessed
N0	No regional lymph node metastasis
N1	Metastases to one to three lymph nodes typically involving the hilar, cystic duct, common bile duct, hepatic artery, posterior pancreatoduodenal, and portal vein lymph nodes
N2	Four or more positive lymph nodes from the sites described for N1

Distant metastasis (M)	
M0	No distant metastasis (no pathologic M0; use clinical M to complete stage group)
M1	Distant metastasis M1

Clinical / Pathologic			
GROUP	T	N	M
0	Tis	N0	M0
I	T1	N0	M0
II	T2a–b	N0	M0
IIIA	T3	N0	M0
IIIB	T4	N0	M0
IIIC	Any T	N1	M0
IVA	Any T	N2	M0
IVB	Any T	Any N	M1

3 Distal bile duct staging form

Primary tumor (T)	
TX	Primary tumor cannot be assessed
T0	No evidence of primary tumor
Tis	Carcinoma in situ/High-grade dysplasia
T1	Tumor Invades the bile duct wall with a depth less than 5mm
T2	Tumor invades the bile duct wall with a depth less than 5mm
T3	Tumor invades the bile duct wall with a depth greater than 12mm
T4	Tumor involves the celiac axis, the superior mesenteric artery, and/or common hepatic artery

Regional lymph nodes (N)	
NX	Regional lymph nodes cannot be assessed
N0	No regional lymph node metastasis
N1	Metastasis in one to three regional lymph nodes
N2	Metastasis in four or more regional lymph nodes

Distant metastasis (M)	
M0	No distant metastasis (no pathologic M0; use clinical M to complete stage group)
M1	Distant metastasis M1

Clinical / Pathologic			
GROUP	T	N	M
0	Tis	N0	M0
I	T1	N0	M0
IIA	T1	N1	M0
	T2	N0	M0
IIB	T2	N1	M0
	T3	N0	M0
	T3	N1	M0
IIIA	T1,2,3	N2	M0
IIIB	T4	Any N	M0
IV	Any T	Any N	M1

4 Ampulla of vater staging form

Primary tumor (T)	
TX	Primary tumor cannot be assessed
T0	No evidence of primary tumor
Tis	Carcinoma in situ
T1a	Tumor limited to ampulla of Vater or sphincter of Oddi
T1b	Tumor invades duodenal aubmucosa
T2	Tumor invades duodenal muscularis propria
T3a	Tumor invades pancreas, depth ≤ 0.5cm
T3b	Tumor invades pancreas, depth 〉 0.5cm, peripancreatic fat or invades serosa of duodenum
T4	Tumor invades peripancreatic soft tissues or other adjacent organs or structures other than pancreas

Regional lymph nodes (N)	
NX	Regional lymph nodes cannot be assessed
N0	No regional lymph node metastasis
N1	Metastasis in one to three regional lymph nodes
N2	Metastasis in four or more regional lymph nodes

Distant metastasis (M)	
M0	No distant metastasis (no pathologic M0; use clinical M to complete stage group)
M1	Distant metastasis M1

Clinical / Pathologic			
GROUP	T	N	M
0	Tis	N0	M0
IA	T1a	N0	M0
IB	T1b	N0	M0
	T2	N0	M0
IIA	T3a	N0	M0
IIB	T3b	N0	M0
IIB	T1	N1	M0
	T2	N1	M0
	T3	N1	M0
III	T4	Any N	M0
	Any T	N2	M0
IV	Any T	Any N	M1

⑤ Pancreatic cancer staging form

Primary tumor (T)	
TX	Primary tumor cannot be assessed
T0	No evidence of primary tumor
Tis	Carcinoma in situ *
T1	Tumor size 2 cm or less in greatest dimension
T1a	Tumor size 0.5cm or less in greatest dimension
T1b	0.5cm〈tumor size〈1cm in greatest dimension
T1c	Tumor size, 1–2cm in greatest dimension
T2	Tumor 〉2cm and ≤4cm in greatest dimension
T3	Tumor 〉4cm in greatest dimension
T4	Tumor involves the celiac axis or the superior mesenteric artery (unresectable primary tumor)

*Note: This also includes the "PanInIII" classification

Regional lymph nodes (N)	
NX	Regional lymph nodes cannot be assessed
N0	No regional lymph node metastasis
N1	Metastasis in one to three regional lymph nodes
N2	Metastasis in four or more regional lymph nodes

Distant metastasis (M)	
M0	No distant metastasis (no pathologic M0; use clinical M to complete stage group)
M1	Distant metastasis M1

Clinical / Pathologic			
GROUP	T	N	M
0	Tis	N0	M0
IA	T1	N0	M0
IB	T2	N0	M0
IIA	T3	N0	M0
IIB	T1	N1	M0
	T2	N1	M0
	T3	N1	M0
III	Any T	N2	M0
	T4	Any N	M0
IV	Any T	Any N	M1

⑥ Pancreas NET staging form

Primary tumor (T)	
TX	Primary tumor cannot be assessed
T1	Tumor limited to the pancreas, 〈 2cm
T2	Tumor limited to the pancreas, 2–4cm
T3	Tumor limited to the pancreas , 〉 4cm; or tumor invading the duodenum or bile duct
T4	Tumor invades the adjacent organs or the wall of large vessels

Regional lymph nodes (N)	
NX	Regional lymph nodes cannot be assessed
N0	No regional lymph node metastasis
N1	Regional lymph node involvement

Distant metastasis (M)	
M0	No distant metastasis (no pathologic M0; use clinical M to complete stage group)
M1	Distant metastasis M1
M1a	Metastasis confined to liver
M1b	Metastases in at least on extrahepatic site
M1c	Both hepatic and extrahepatic metastases

Clinical / Pathologic			
GROUP	T	N	M
I	T1	N0	M0
II	T2 T3	N0 N0	M0 M0
III	T4 Any T	N0 N1	M0 M0
IV	Any T	Any N	M1

? Intrahepatic bile duct cancer staging form

Primary tumor (T)	
TX	Primary tumor cannot be assessed
T0	No evidence of primary tumor
Tis	Carcinoma in situ (intraductal tumor)
T1a	Solitary tumor without vascular invasion, size ≤ 5cm
T2b	Solitary tumor without vascular invasion, size 〉5cm
T2	Solitary tumor with intrahepatic vascular invasion or multiple with or without vascular invasion
T3	Tumor perforating the visceral peritoneum
T4	Tumor direct invasion of local extrahepatic structures

Regional lymph nodes (N)	
NX	Regional lymph nodes cannot be assessed
N0	No regional lymph node metastasis
N1	Regional lymph node metastasis present

Distant metastasis (M)	
M0	No distant metastasis (no pathologic M0; use clinical M to complete stage group)
M1	Distant metastasis M1

Clinical / Pathologic			
GROUP	T	N	M
0	Tis	N0	M0
IA	T1a	N0	M0
IB	T1b	N0	M0
II	T2	N0	M0
IIIA	T3	N0	M0
IIIB	T4 Any T	N0 N1 N1	M0 M0 M0
IV	Any T	Any N	M1

14

혈 관

I. 두개강외 뇌혈관 질환

- 뇌졸중(stroke):
- 위험인자: 두개강외 경동맥의 죽상경화성 병변
- 뇌졸중의 25%-35% 원인

1 임상양상

1) Amaurosis fugax

   (1) 시야결손: 수초-수분간 지속 후 정상 회복

   (2) 경동맥 경화반의 색전증에 의한 망막동맥 폐쇄

2) Transient ischemic attack (TIA)

   (1) 두개내 경동맥과 주 분지(전대뇌동맥, 중대뇌동맥) 영역의 신경학적 증상

   (2) 24시간 이내 신경학적 증상의 회복

   (3) 24시간 이내 회복되는 가역적인 신경 증상, 반대측 운동 또는 감각 이상, 언어장애

   (4) crescendo TIAs: 지저분한 경동맥 경화반의 반복적인 색전증에 의한 반복적이고 점차 악화되는 신경 결손

3) 뇌졸중(stroke)

: 24시간 이상 지속되어 주요 신경학적 결손이 남아 신체적인 후유증을 남기는 허혈성 뇌 병변

4) Stroke in evolution ("waving and waning")

: 지속적이고 점차 악화되는 반복적인 신경 손상, 뇌허혈 선상부 가장자리(penumbra*)의 기능이상

* penumbra: 명암의 경계부분, 경계영역, 뇌허혈손상부 가장자리

② 병태생리

1) 색전증(Atheroembolism)

2) 뇌혈류량 감소(Reduction of cerebral blood flow)

③ 진단

1) 혈관조영술(Arteriography)

(1) 혈관조영술의 문제점

① 동맥벽 자체 병변 또는 변화여부를 알기 힘듦

② 합병증: 서혜부 혈종, 가성동맥류, 조영제 부작용, 신 독성, 시술 관련 뇌졸중 위험(1.2%)

2) 이중조사 혈관 초음파(Duplex ultrasonography)

(1) 최초 스크리닝 검사

(2) 단점

① 검사자간 오류, 숙련도 문제

② 좌측 총경동맥 및 무명동맥의 근위부 병변을 보기 어려움

3) CT Angiography (CTA)와 MR angiography (MRA)

(1) 뇌병변을 직접 확인 가능

(2) 허혈성 병변과 출혈성 병변을 구별 가능

④ 치료

1) 미국혈관외과학회 임상 진료 지침

(J vasc surg 2008;48:480-6)

경동맥 협착정도	증상 유무	권장 치료
〈 50%	유증상	약물 치료
≥50%	유증상 수술 고위험군*	경동맥 내막절제술 + 약물 치료 경동맥 스텐트
〈 60%	무증상	약물 치료
≥ 60%	무증상	경동맥 내막절제술 + 약물 치료

  (1) 수술 고위험군*

    ① 경동맥 내막절제술후 재협착

    ② 동측 경부의 방사선 치료 과거력 및 이로 인한 피부의 경화성 변화가 동반된 경우

    ③ 동측 경부 수술 과거력(림프절 청소술, 후두절제)

    ④ 쇄골 아래 총경동맥의 협착

    ⑤ 반대측 성대 마비

    ⑥ 기관절개술(tracheostomy stoma)

2) 약물 치료(AHA/ASA Guideline, Stroke 2006;37:577-617)

  (1) 혈압 조절 : 목표 혈압<120/80mmHg

  (2) 당뇨 환자: HbA1c < 7%

  (3) 고지혈증

    : 생활습관 개선 우선

    스타틴 복용시 목표 LDL 수치

    ① 관상동맥, 하지동맥 질환자: LDL cholesterol < 100 mg/dL

    ② 2개 이상 위험인자인 경우: LDL cholesterol < 70 mg/dL

  (4) 금연

  (5) 항혈소판제: 아스피린, 클로피도그렐

3) 경동맥 내막절제술(Carotid Endarterectomy, CEA)

  (1) 수술의 목적

    : 죽상경화성 경화반의 제거로 뇌졸중의 위험 예방

(2) 수술 적응증

Level	Symptomatic stenosis	Asymptomatic stenosis
Proven	70%~99% stenosis Peri-procedural risk 〈 7%	60% stenosis Peri-procedural risk 〈 3% Life expectancy 〉 5 years
Acceptable	50%~69% stenosis Peri-procedural risk 〈 3%	60% stenosis with significant contralateral occlusion Peri-procedural risk 〈 3% Require cardiac surgery
Unacceptable	〈 49% stenosis or Peri-procedural risk 〉 7%	Peri-procedural risk 〉 3%

(3) 수술 방법: 아래 사진과 같음

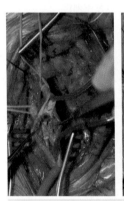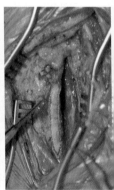

경동맥 내막 절제술

(4) 수술 중 모니터링과 뇌 혈류 유지에 따른 분류

① 부위 마취(regional* anesthesia) + 션트(carotid shunt) 사용

* 부위마취(regional anesthesia)는 국소 마취 또는 경추신경 마취(cervical block)를 의미하며 환자가 의식이 있는 상태에서 경동맥 내막절제술을 시행하는 방법으로 환자에게 고무공 등을 쥐어 주고 이것을 계속 주무르게 하며 수술 중 의사소통을 하다가 만약 의식이 떨어지면 션트(carotid shunt)를 시행하는 방법을 의미함

② 전신마취 + no shunt

③ 전신마취 + 선택적 션트 사용(selective carotid shunt): 뇌관류 상태 모니터링(EEG, TCD, ICA stump 압력 측정, 산소포화도)

④ 전신마취 + routine carotid shunting

(5) 수술 관련 controversies

① 전신마취 vs. 국소 또는 부위마취

(GALA trial, Lancet 2008;372:2132-42)

  a. 수술 전후 뇌졸중, 심근경색, 사망률 차이 없음

  b. 재원기간, QOL 차이 없음

② primary closure vs. patch angioplasty during CEA (Cochrane Database Syst Rev 2000)

  a. the potential benefit of routine patching

    (up to 40 strokes prevented per 1000 patients treated)

  b. 수술 결과에 차이 없음, 수술자가 익숙한 방법이 중요

(6) 합병증

① 수술 후 뇌졸중/ 사망

② 과관류 증후군(hyperperfusion syndrome)/뇌출혈

③ 뇌신경 손상(cranial nerve injury)

  a. 미주신경, 설하신경, 안면신경, 혀인두신경

  b. 기타: superior laryngeal nerve, inferior symphathetic ganglion, spinal accessory nerve, grater auricular nerve

④ 수술 부위 출혈(혈종)/ 감염

⑤ 저혈압 및 서맥(sudden distension of baroreceptor)

⑥ 심근경색

⑦ 재협착, 가성동맥류

(7) 수술 전후 처치

① 철저한 혈압 조절: 과관류증후군/ 뇌출혈 예방

② 항혈전제

  a. 항혈소판제(아스피린 또는 클로피도그렐)

  : 수술 후 혈적색전증의 예방

　　　　b. 허혈성 심질환 평가 및 치료
　　③ 신경학적 평가
　　　　: 뇌 허혈 증상 및 뇌신경 손상 여부 평가

> • 경동맥 내막 절제술 후 잊지 말아야 할 사항
> 　1) 혈압 조절이 대단히 중요
> 　2) 수술 상처 혈종은 기도 폐쇄 가능성 있으므로 재수술 요할 수 있음
> 　3) 기타 혈관 수술 후 흔한 합병증(예: 심근경색)
> 　4) 신경학적 증상 있을 시: 응급 경동맥 초음파 시행 → 신경과 협진→
> 　　　　　　　　　　　　　필요 시 Brain DW-MRI

---

4) 경동맥 스텐트(Carotid artery stenting, CAS)

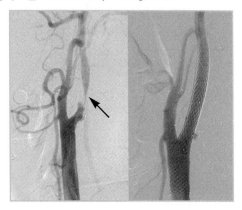

(1) 경동맥 스텐트의 장점
　① 비침습적: 수술 상처가 없음, 재원기간 단축, 통증이 적음
　② 국소 마취하에 시술: 시술 도중 신경학적 증상 변화 관찰 가능
　③ 뇌신경 손상 없음
(2) 경동맥 스텐트의 단점
　① 시술 중 색전증 위험(유도철선, 카테터, 풍선 확장 시)
　② 대동맥궁 III형 또는 IV형, 경동맥이 구불구불한 경우 시술 불
　　가능

③ 스텐트 내 급성 혈전증

④ 동맥 경련(spasm), 석회화가 심한 병변 치료 힘듦

⑤ 뇌졸중의 원인이 되는 병변의 제거가 아닌 물리적 압박: 재협
   착 가능성

(3) 합병증

① 색전증: 뇌졸중

② 급작스런 혈역학적 변화: 저혈압, 서맥

③ 스텐트 변형, 경동맥 박리 및 파열

④ 스텐트내 혈전, 스텐트 부러짐(fracture)

⑤ 호너증후군(Horner's syndrome)

⑥ 과관류 증후군, 간질발작, 편측 두통, 드물게 뇌출혈 유발 가능

II. 동맥류(Arterial aneurysm)

1 정의

1) 동맥류(Aneurysm)

: 정상 혈관직경의 1.5배 이상으로 국소적으로 늘어나는 경우

2) Ectasia

: 국소적으로 늘어난 혈관이 정상 혈관직경의 1.5배 이하

3) Arteriomegaly

: 여러 부위에 걸쳐 전반적인 혈관의 팽창

❷ 동맥류의 분류

정의	진성동맥류(True aneurysm): 동맥벽의 전층이 늘어남 가성동맥류(False aneurysm): 동맥벽의 일부만 늘어남
모양	Fusiform (spindle-shaped) Saccular
원인	Degenerative; non-specific"(atherosclerotic"), fibromuscular dysplasia Connective tissue disorder; Marfan syndrome, Ehler's Danlos syndrome, Cystic medial necrosis, Berry (cerebral) Infectious; bacterial, fungal, syphilis Inflammatory; Takayasu's arteritis, Beccet's disease, Kawasaki's disease, polyarteritis nodosa, giant cell arteritis, periarterial (e.g., pancreatitis) Post-dissection; idiopathic, cystic medial necrosis, trauma Post-stenotic; thoracic outlet syndrome, coarctation Pseudoaneurysm; trauma, anastomotic disruption Congenital; Idiopathic, tuberous sclerosis, Turner's syndrome, Menkes' syndrome, persistent sciatic artery Miscellaneous; pregnancy-associated, inflammatory AAA

Quiz: Inflammatory aneurysm과 Infected aneurysm의 차이는 무엇인가요?

❸ 임상양상

1) 무증상: 대부분
2) 박동성 종괴
3) 파열(rupture)
4) fistula with vein or other organ: aorto-enteric or aorto-vena cava
5) 주위 장기 압박: SMA 증후군
6) 혈전성 동맥 폐색(thrombotic occlusion)
7) 원위부 색전증(distal embolization)
8) 패혈증(sepsis in infectious aneurysm)

- 복부대동맥류(abdominal aortic aneurysm, AAA): 가장 흔한 동맥류
  ※ 위치에 따른 분류

1) 대동맥(Aorta)

① ascending thoracic

② arch

③ descending thoracic

④ thoracoabdominal (types I to IV)

⑤ abdominal aortic aneurysm (AAA)

   suprarenal AAA: extend above the renal arteries

   splanchnic and renal arterial involvement only

   renal artery involvement

   juxtarenal or pararenal AAA (no normal aorta between upper extent of aneurysm and renal arteries)

AAA			
Infrarenal AAA	Juxtarenal AAA	Suprarenal AAA	type IV TAAA
신동맥 하방에 위치하며 신동맥과 대동맥류 사이 경부가 존재	신동맥과 대동맥류사이 정상 대동맥 구간이 없으며, 수술 시 신동맥 상부 대동맥 차단이 필요	대동맥류가 신동맥 상방까지 미침	횡격막(12th ICA) 하방부터 장골동맥 기시부까지 복부대동맥 전체를 침범한 대동맥류

2) 장골동맥(Iliac): common iliac, external iliac, internal iliac (hypogastric)

❶ 위험인자

1) 흡연력
2) 가족력
3) 고령
4) 남자>여자
5) 만성폐쇄성 폐질환(COPD)
6) 다른 죽상동맥경화성 질환
7) 고혈압
8) 고지혈증

❷ 파열 위험성과 1년 예측 파열 위험성

	저위험군	중등도	고위험군
직경	〈 5cm	5~6cm	〉 6cm
팽창속도	〈 0.3cm/y	0.3~0.6 cm/y	〉 0.6cm/y
흡연/COPD	None/mild	Moderate	Severe/steroids
가족력	No relatives	One relative	Numerous relatives
고혈압	정상혈압	Controlled	Poorly controlled
모양	Fusiform	Saccular	Very eccentric
성별		남성	여성

❸ 크기에 따른 파열 위험성

크기(cm)	Rupture risk (%/y)
〈 4	0
4~5	0.5~5
5~6	3~15
6~7	10~20
7~8	20~40
〉 8	30~50

4 진단

  1) 신체 검사

  2) 초음파(Duplex scan)

    : 스크리닝 또는 크기 변화 추적 검사

  3) CT

    : 동맥류의 모양, 석회화, 혈전 유무 등 해부학적 정보를 알 수 있는 가장 정확한 검사

  4) MRI

    : 신 기능 저하 환자

  5) 혈관조영술(Angiography)

    : 혈관내 치료(EVAR)를 위한 검사, 단독으로 시행하지는 않음

  6) Plain X-ray

    : 동맥류벽에 석회화가 심한 경우 특징적인 "egg-shell"

5 치료지침(J Vasc surg 2003;37:1106-17)

  1) 적응증

    ① 크기: 5-5.5cm 이상

    ② 빨리 자라는 경우: >1cm/년 또는 >0.5cm/6개월

    ③ 관련 증상(통증, 색전증, 혈전성 폐색, 십이지장 폐색 증상 등)이 있는 경우

    ④ 파열(rupture)

    ⑤ 감염(Infection)

    ⑥ Aorto-enteric fistula

⑤ 개복수술(Open AAA repair)

1) 인조혈관 치환술(PTFE or dacron)

2) Approach: transperitoneal or retroperitoneal

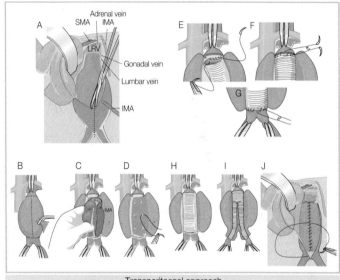

Transperitoenal approach

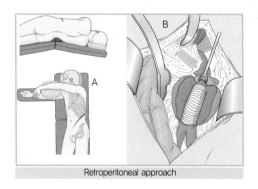

Retroperitoneal approach

3) Independent risk factors for operative mortality after elective AAA repair

Risk factor	odds ratio	95% CI
Creatinine 〉 1.8mg/dL	3.3	1.5〜7.5
Congestive heart failure	2.3	1.1〜5.2
ECG ischemia	2.2	1.0〜5.1
Pulmonary dysfunction	1.9	1.0〜3.8
Older age (per decade)	1.5	1.2〜1.8
Female gender	1.5	0.7〜3.0

4) 수술 위험도 평가

저위험	중등도 위험	고위험
Age 〈 70 y Physically active No clinically overt cardiac disease No other significant comorbidities	Age 70〜80 y Active Stable coronary disease; remote MI; EF 〉 35%	Age 〉80 y Inactive, poor stamina Significant coronary disease; MI; frequent angina; CHF; EF 〈 25% Limiting COPD; dyspnea at rest; O₂ dependency; FEV1 〈 1 L/sec
Normal anatomy	Creatinine 2.0〜3.0 Adverse anatomy or AAA characteristics	Creatinine 〉 3
No adverse AAA characteristics Anticipated operative mortality, 1〜3%	Anticipated operative mortality, 3〜7%	Liver disease (↑ PT; albumin 〈2) Anticipated operative mortality, at least 5〜10%; each comorbid condition adding approximately 3〜5% mortality risk

5) 합병증

(1) 조기합병증(30일 이내)

① 심혈관계	15%	
심근경색	2~8%	
② 호흡기계	8~12%	
폐렴	5%	
③ 신장기능 저하	5~12%	
투석	1~6%	
④ DVT	8%	
⑤ 출혈	2~5%	
⑥ 요관손상	<1%	
⑦ 뇌졸중	1%	
⑧ 하지 허혈	1~4%	
⑨ colon ischemia	1~2%	
⑩ spinal cord ischemia	<1%	
⑪ 창상감염	<5%	
⑫ graft infection	<1%	
⑬ graft thrombosis	<1%	

(2) 후기합병증

① 가성동맥류	0.2~3%
② graft infection	0.5%
③ aorto-enteric fistula	0.9%
④ graft thrombosis	3%
⑤ secondary aneurysm	<5%

7 Endovascular aneurysm repair (EVAR)

1) 시술방법: stent graft in introduced by the femoral route and fixed to the aorta and / or iliac arteries

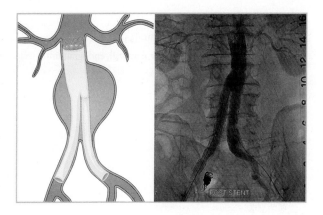

- Patient selection for EVAR
  A. adequate iliac/femoral access compatible with the required introduction systems
  B. proximal neck (non-aneurysmal infrarenal aortic segment proximal to the aneurysm)
     - length: 〉 15 mm
     - diameter: 18~32 mm
     - angulation: 〈 60 degrees relative to the axis of the aneurysm
                   〈 45 degrees relative to the axis of the suprarenal aorta
  C. iliac artery
     - diameter: 7.5~20 mm in diameter (measured outer wall to outer wall)
     - length of distal fixation site〉10 mm

2) 합병증

(1) 시술 관련 합병증

시술 실패/ 개복 전환

동맥 박리(dissection)/파열(perforation)

동맥 급성 혈전/ 원위부 색전증

천자부위 출혈/ 혈종/ 가성 동맥류/ 감염

천자부위 lymphocele, lymphorrhea, lymphedema

(2) 기구 관련 합병증

동맥류 파열, migration (> 10 mm), 감염

device erosion through aortic or iliac wall, endograft limb occlusion

(3) 전신합병증

fever of unknown origin

심혈관

호흡기

신부전

뇌부전

심부정맥혈전증

폐색전증

지혈이상

(4) 기타

buttock/leg claudication/ischemia bowel ischemia

spinal cord ischemia erectile dysfunction

(5) Endoleak

** Classification of endoleak

Infrarenal AAA	
Type	Cause of perigraft flow
I	Inadequate seal at proximal end of endograft Inadequate seal at distal end of endograft Inadequate seal at iliac occluder plug
II	Flow from visceral vessel (lumbar, IMA, accessory renal, hypogastric) without attachment site connection
III	Flow from module disconnection Flow from fabric disruption Minor (< 2mm) Major (≥ 2mm)
IV	Flow from porous fabric (< 30 days after graft placement)
Endoleak of undefined origin	Flow visualized but source unidentified

1 특징

1) 발생률

: 말초동맥에 발생하는 가장 흔한 동맥류(하지 동맥류의70%)

2) 양측: 45~68%

3) 호발연령: 60-70대

4) 남성: > 90%

5) 복부대동맥류와 관련성: 30~60%

2 임상양상

1) 무증상: 37.2% (5~58%), 2 cm 이하의 경우 대개 무증상

2) 하지 허혈: 55% (38~90%)

   (1) 동맥류의 혈전성 폐색

   (2) 원위부 색전증

3) 국소 압박증상: 6.5% (0~23%)

   : venous pseudothrombosis, neurological condition affecting the sciatic
   nerve

4) 파열: 1.4% (0-7%)

3 진단: USG, CT, MRI

4 치료

1) 적응증

   : 증상이 있는 경우, 크기 2cm 이상

2) 수술방법

   proximal and distal ligation and arterial reconstruction ("gold standard")

3) 혈전용해술(Thrombolysis)

   동맥류의 급성 혈전성 폐쇄 또는 원위부 색전증 동반한 경우

- Inter-society consensus for the management of peripheral arterial disease (TASC II)

① 원인: 죽상경화증이 가장 흔한 원인

죽상경화증
동맥염
대동맥 축착
바깥엉덩동맥의 섬유화
섬유근육 이형성증
말초동맥 색전증
슬와동맥 동맥류
슬와동맥 외막낭
슬와동맥 포착증후군
혈관 종양
탄력섬유거짓황색종
외상 또는 방사선 손상
타카야수 혈관염
폐쇄 혈전혈관염(버거씨병)
좌골신경동맥 혈전증

❷ 위험인자

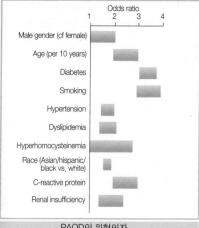

PAOD의 위험인자

❸ 용어

1) 급성 사지 허혈증(Acute limb ischemia, ALI)

(1) 급작스런 상하지 혈류 감소로 인해 사지 절단을 초래할 수 있는
   상황(sudden decrease in limb perfusion causing a potential threat
   to limb viability)

(2) 대개 2주 이내의 증상

2) 간헐적 파행증(Intermittent Claudication)

exercise → increased demand of muscle blood supply → leg pain (muscle pain) → rest → pain relieved → reproducible symptom by a given degree of exercise

3) 중증 하지 허혈증(Critical limb ischemia, CLI)

(1) 간헐적 파행증보다 심한 만성 동맥 폐쇄증상

(2) 임상증상: 하지 동맥 폐쇄가 있으면서 안정 시에도 허혈성 통증,
   발가락의 궤양 또는 괴저(gangrene)를 동반

(3) 발목-상완 지수(ABI) 또는 발가락-상완 지수(TBI) 감소

4) 대동맥-장골 동맥 폐쇄성 질환(Aortoiliac occlusive disease, AIOD)
- 신동맥 하방 복부대동맥 또는 장골 동맥의 만성 협착 또는 폐쇄
- Leriche's syndrome: 양측 하지 파행증 + 대퇴동맥 맥압 소실 + 발기부전

5) 발목-상완 지수(ankle brachial index, ABI)
: (수축기 발목 혈압/높은 쪽 수축기 상완 혈압) × 100 (%)

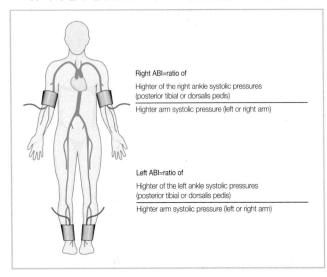

Right ABI=ratio of

Highter of the right ankle systolic pressures
(posterior tibial or dorsalis pedis)
—————————————————————————
Higher arm systolic pressure (left or right arm)

Left ABI=ratio of

Highter of the left ankle systolic pressures
(posterior tibial or dorsalis pedis)
—————————————————————————
Higher arm systolic pressure (left or right arm)

④ 만성 폐쇄성 말초혈관질환의 예후

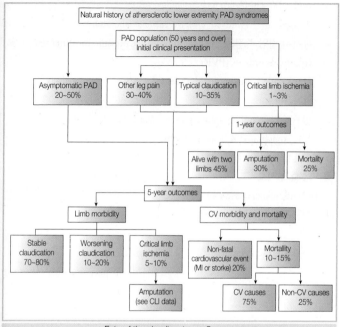

```
Natural history of athersclerotic lower extremity PAD syndromes
                              │
                  ┌───────────┴───────────┐
                  PAD population (50 years and over)
                  Initial clinical presentation
```

| Asymptomatic PAD 20~50% | Other leg pain 30~40% | Typical claudication 10~35% | Critical limb ischemia 1~3% |

1-year outcomes

| Alive with two limbs 45% | Amputation 30% | Mortality 25% |

5-year outcomes

Limb morbidity

| Stable claudication 70~80% | Worsening claudication 10~20% | Critical limb ischemia 5~10% |

Amputation (see CLI data)

CV morbidity and mortality

| Non-fatal cardiovascular event (MI or storke) 20% | Mortality 10~15% |

| CV causes 75% | Non-CV causes 25% |

Fate of the claudicant over 5 years

⑤ 동반된 다른 죽상경화성 질환 빈도

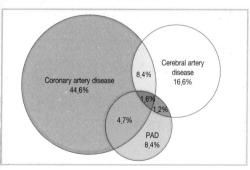

Coronary artery disease 44.6%

Cerebral artery disease 16.6%

8.4%

1.6%

1.2%

4.7%

PAD 8.4%

6 진단

1) 발목-상완 지수(Ankle-brachial Index, ABI)
2) 비침습적 혈관 검사(Non-invasive vascular laboratory)

   하지 분절압 측정(segmental limb systolic pressure measurement) Pulse
   volume recordings (PVR)

   Duplex ultrasonography: doppler velocity wave form analysis

3) 영상검사

   혈관조영술(angiography):"gold standard" Duplex USG

   MR angiography CT angiography

7 비수술적 치료

1) 금연(Smoking cessation)
2) 체중 조절(Weight reduction)
3) 고지혈증 관리

   목표 LDL-cholesterol   < 100 mg/dL

            < 70 mg/dL in patients with other site
   atherosclerotic lesion

4) 고혈압

   목표 혈압< 140/90 mmHg   < 130/80mmHg in the patients with
   DM or renal insufficiency

5) 당뇨

   목표HbA1C < 7.0%

6) 항혈소판제(Antiplatelet therapy)

   (1) 심혈관계 합병증 및 사망률 감소
   (2) Aspirin (ASA): 심-뇌혈관 질환 동반한 말초 혈관질환 환자에서
   심-뇌혈관 관련 사망률 감소 효과 증명
   (3) Clopidogrel: 심-뇌혈관 질환 동반 환자는 물론 동반되지 않은 말
   초 혈관질환 환자에서 심-뇌혈관 관련 사망률 감소 효과 증명

III-1. 급성 하지 허혈증(Acute limb ischemia, ALI)

1 원인: 급성 색전증, 혈전증, 외상

2 임상양상: 5 P sign

1) Pain, Pallor, Pulselessness, Paresthesia, Paralysis

2) 6 P: 5P + Poikilothermia (cold sense)

Clinical categories of acute limb ischemia					
Category	Description/prognosis	Findings		Doppler signals*	
		Sensory loss	Muscle weakness	Arterial	Venous
I. Viable	Not immediately threatened	None	None	Audible	Audible
II. Threatened					
a. Marginal	Salvageable if promptly treated	Minimal (toes) or none	None	(Often) inaudible	Audible
b. Immediate	Salvageable withe immediate revascularization	More than toes, associated with rest pain	Mild, moderat	(Usually) inaudible	Audible
III. Irreversible	Major tissue loss or Permanent nerve damage inevitable	Profound, anesthetic	Profound, Inaudible paralysis (rigor)	Inaudible	

급성 색전증과 혈전증의 감별진단		
	색전증	혈전증
호발 연령	상관없음	고령
과거병력	심장질환 (심방세동, 심근경색, 판막질환)	죽상경화증 위험인자(+) 간헐적 파행증 과거력
원인질환	흔히 발견됨	없음
과거 색전증 병력	흔함	드뭄
파행증	드뭄	흔함
증상	보다 급성	
이학적 소견	근위부 및 반대쪽 동맥 정상 원위부 다리의 위축 없음	환측 또는 반대쪽 말초혈관 질환 동반
혈관조영 소견	미미한 동맥경화소견 sharp cutoff, multiple occlusions 측부혈관 발달없음	광범위한 동맥경화소견 taperd and irregular cutoff 측부혈관 발달

(1) 급성 동맥 색전증(acute arterial embolism)

① 원인 및 호발부위

말초동맥 색전증의 원인	
원인	비율(%)
심장	80
심방세동	50
심근 경색	25
기타 판막질환	5
심장 외	10
동맥류질환	6
근위부 동맥	3
Paradoxical emboli	1
원인 미상	10

말초동맥 색전증의 호발부위	
부위	비율(%)
대동맥 분지부	10~15
장골동맥 분지부	15
대퇴동맥분지부	40
오금동맥	10
상지 동맥	10
뇌혈관	10~15
장간막 동맥 등	5

② 치료

    a. 항응고 치료(anticoagulation): 진단 즉시 전신 항응고 치료 시작

       • 항응고 치료의 목표:

       -추가적인 혈전의 진행 예방

       -색전증의 재발 방지

    b. 심장 초음파: 경흉부 또는 경식도, 원인 감별

    c. Embolectomy with Fogarty balloon catheter: treatment of choice

    d. 혈관내 치료(Endovascular procedures)

       • 혈전용해술(thrombolysis)

       • 흡인혈전제거술(percutaneous aspiration thrombectomy)

       • 기계적 혈전제거술(percutaneous mechanical thrombectomy)

③ 혈전용해술의 금기증

절대적 금기증
1. Established cerebrovascular event (excluding TIA within previous 2 months)
2. Active bleeding diathesis
3. recent gastrointestinal bleeding (within previous 10 days)
4. Neurosurgery (intracranial, spinal) within revious 3 months
5. Intracranial trauma within previous 3 months

상대적 금기증
1. Cardiopulmonary resuscitation within previous 10 days
2. Major nonvascular surgery or trauma within previous 10 days
3. Uncontrolled hypertension (systolic >180 mmHg or diastolic > 110 mmHg)
4. Puncture of noncompressible vessel
5. Intracranial tumor
6. Recent eye surgery

기타 금기증
1. Hepatic failure, particularly those with coagulopathy
2. Bacterial endocarditis
3. Pregnancy
4. Active diabetic proliferative retinopathy

④ 급성 하지 허혈증의 치료 알고리즘

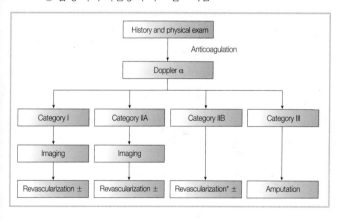

⑤ 허혈정도에 따른 선호 치료방법

허혈 정도	치료 방법
I	헤파린 + 계획 수술
II-A	헤파린 + 혈전용해술
II-B	헤파린 + 풍선 색전혈전제거술
III	절단술

⑥ 합병증
  a. 재관류 관련 합병증
    • 재관류증후군(reperfusion syndrome)
      -저혈압
      -고칼륨혈증
      -마이오글로불린요증
      -급성신부전
    • 구획증후군(compartment syndrome)
    • 허혈성 신경병증(ischemic neuropathy)
    • 재폐색: 6-45%
  b. 수술관련 합병증
    • 내막박리증(intimal dissection)
    • 동맥 파열(arterial perforation)
    • 동정맥류(A-V fistula)

III-2. 만성 하지 허혈증

• 가장 흔한 원인: 죽상경화증

① Overall treatment strategy

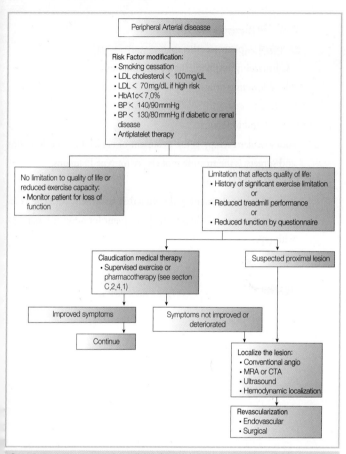

Overall treatment strategy for peripheral arterial disease. BP-blood pressure; HbAlc-hemoglobin Alc; LDL-low density lipoprotein; MRA-magnetic resonance angiography; CTA-computed tomographic angiography.

1) 간헐적 파행증의 치료
   (1) 비수술적 치료
      ① 운동요법(exercise therapy)
      ② 약물치료(pharmacotherapy):
         Cilostazol (phosphodiesterase III inhibitor)
      ③ lipid lowering drugs: 스타틴
2) Treatment according to TASC classification
   (1) TASC A and D lesions
      : endovascular therapy is the treatment of choice for type A lesions
        and surgery is the treatment of choice for type D lesions
   (2) TASC B and C lesions
      : endovascular treatment is the preferred treatment for type B le-
        sions and surgery is the preferred treatment for good-risk patients
        with type C lesions

(3) 무릎 아래 슬와동맥 또는 보다 원위부 동맥 우회술 시에 인조혈관
보다는 대복재정맥 이용

② TASC Classification of aorto-iliac lesions

Type A lesions

- Unilateral or bilateral stenoses of CIA
- Unilateral or bilateral single short (≤3 cm)
  stenosis of EIA

Type B lesions

- Short (≤3 cm) stenosis of infrarenal aorta
- Unilateral CIa occlusion
- Single or multiple stenosis totaling 3~10 cm
  involving the EIA not extending into the CFA
- Unilateral EIA occlusion not involving the origins
  of internal iliac or CFA

Type C lesions

- Bilateral CIA occlusions
- Bilateral EIA stenoses 3~10 cm long not extending
  into the CFA
- Unilateral EIA stenosis extending into the CFA
- Unilateral EIA occlusion that involves the origins of
  internal iliac and/or CFA
- Heavily calcified unilateral EIA occlusion with or
  without involvement of origins of internal iliac and/or cfa

Type D lesions

- Infra-renal aortoiliac occlusion
- Diffuse disease involving the aorta and both iliac
  arteries requiring treatment
- Diffuse multiple sttenoses involving the unilateral CIA,
  EIA, and CFA
- Unilateral occlusions of both CIA and Ela
- Bilateral occlusions EIA
- Iliac stenoses in patients with AAA requiring
  treatment and not amenable to endograft placement
  or other lesions requiring open aortic or iliac surgery

TASC classification of aorto-iliac lesions. CLA-common iliac artery; Ela-external iliac
artery; CFA-common femoral artery; AAA-abdominal aortic aneurysm

🔢 TASC Classification of femoro-popliteal lesions

Type A lesions

- Single stenosis ≤ 10 cm in length
- Single occlusion ≤ 5 cm in length

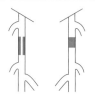

Type B lesions

- Multiple lesions (stenoses or occlusions), each ≤ 5 cm
- Single stenosis or occlusion ≤ 15 cm not involving the infrageniculate popliteal artery
- Single or multiple lesions in the absence of continuous tibial vessels to improve inflow for a distal bypass
- Heavily calcified occlusion ≤ 5 cm in length
- Single popliteal stenosis

Type C lesions

- Multiple stenoses or occlusions totaling > 15 cm with or without heavy calcification
- Recurrent stenoses or occlusions that need treatment after two endovascular interventions

Type D lesions

- Chronic total occlusions of CFA or SFA > 20 cm, involving the popliteal artery
- Chronic total occlusion of popliteal artery and proximal trifurcation vessels

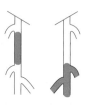

TASC classification of femoral popliteal lesions

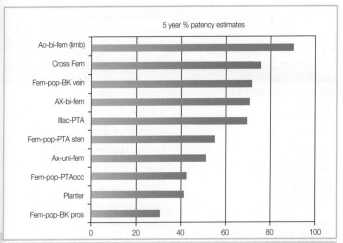

Results summary: Average results for surgical treatment. Ao-bi-fem-Aortobifemoral bypass; Fem-pop-femoropopliteal; BK-below knee; Ax-bi-fem-Axillobifemoral; PTA-Pcrcutanc-ous Transluminal Angioplasty; Ax-uni-fem-Axillounifemoral by-pass; pros-prosthetic.

IV. 내장 혈관 질환(splanchnic vascular disease)

원인

Underlying cause of intestinal ischemia

Disease and Condition That May Result in intestinal Ischemia	
Atherosclerosis	Embolism
Hypercoagulable status	Polyarteritis nodosa
Visceral artery dissection	Systemic lupus erythematosis
Fibromuscular disease	Rheumatoid arteritis
Ergot poisoning	Cocaine overuse
Radiation injury	Neurofibromatosis
Buerger's diesase	Aortic coarctation repair
Cogan syndrome	Mesenteric venous thrombosis

❶ 해부학적 구조 및 병태 생리

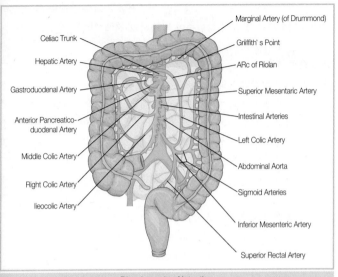

Blood supply of intestine

Celiac trunk	SMA	IMA	Int. iliac a.
• Lt. gastric a.	• inf. pancreaticoduodenal a.	• Lt. colic a.	• middle colic a.
• splenic a.	• iliocolic a.	• sigmoid a.	• inf. colic a.
• common hepatic a.	• Rt. Colic a.	• sup. hemorrhoidal a.	
	• middle colin a.		

장간막 허혈(intestine ischemia) 의 병태 생리(Pathophysiology)

- 세 개의 major visceral vessel 로부터 collateral network를 통해 blood supply 를 받기 때문에 광범위한 atherosclerotic disease 가 있는 경우에도 비교적 증상을 일으키지 않음.
- 만성 허혈 증상을 일으키는 경우는 대개 2개 이상의 major vessel 에 severe stenosis 나 occlusion 이 있는 경우임
- 상장간막 혹은 하장간막 동맥의 급성 폐색의 경우에는 경색(infarction) 과 같은 급성 증상을 일으킬 수 있음

❶ 급성 장간막 허혈증(Acute mesenteric ischemia)

1) 급성 장간막 허혈증은 드물지만 치명적인 결과를 초래할 수 있으며 비가역적인 장관의 허혈증이 발생하기 전에 신속한 진단과 치료를 하는 것이 중요

2) **병태 생리**

- 급성 장간막 동맥의 폐색은 측부 혈관의 발달할 시간 없이 갑작스럽게 발생하기 때문에 문제를 야기하고 심각한 결과를 가져옴
- 급성 동맥 폐색은 세포 내 물질과 혐기성 대사에 의한 부산물을 전신 순환계로 발산하면서 조직 손상을 일으키고 이 물질들은 장관 내부에서 혈중으로 흡수되어 전신적인 영향을 일으킴
- 장관 전층이 괴사되면 장관 천공과 복막염이 발생

3) **원인**

- 동맥 색전증(arterial embolism): 40% to 50%
- 동맥 혈전증(arterial thrombosis): 25% to 30%
- 비폐쇄성 장간막 허혈(nonocclusive mesenteric ischemia): 20%
- 장간막 정맥의 혈전증(mesenteric venous thrombosis)

(1) 장간막 동맥 색전증(mesenteric arterial embolism)

① 급성 장간막 허혈증의 가장 빈번한 원인으로 40-50%에 해당

② 장간막 색전은 대부분 심장 기원(cardiac source)인 경우가 많음. (급성 심근 경색, 심방 세동, 심내막염, 심근병증, 심실 동맥류, 판막 질환 등)

③ 대개 장간막 동맥 색전은 상장간막동맥(superior mesenteric artery, SMA)에 많이 발생함. 15% at the origin of the SMA 50% distal to the origin of the middle colic artery

(2) 장간막 동맥 혈전증(arterial mesenteric thrombosis)

① 급성 장간막 허혈증의 약 25% to 30%

② 심한 동맥 경화가 동반된 환자에서 발생하며 대개 SMA 기시부에서 1-2cm 떨어진 부위에서 좁아지는 소견을 보이며 주변 동맥인 대동맥, 신동맥의 협착성 병변을 동반한 경우가 많음

③ 수술 전후 사망률 : 70% to 100%

(3) 비 폐쇄성 장간막 허혈(nonocclusive mesenteric ischemia, NOMI)

    ① 급성 장간막 허혈증의 약 20%

    ② 주로 심한 심장 기능 저하 혹은 패혈증 등 위중한 질환으로 중환자실 치료를 받은 환자에서 나타남

    ③ 고령의 환자에서 심근경색, 울혈성 심부전, 저혈량증, 출혈성 쇼크, 패혈증, 췌장염, 에피네프린과 같은 혈관 수축제의 사용과 같은 위험 요소를 동반하면서 급성 복통을 호소하면 의심하여야 함

(4) 장간막 정맥의 혈전증(acute mesenteric venous thrombosis)

    ① 주로 간질환, 문맥압 항진증, 췌장염, 복강내 염증성 질환, 과응고 질환, 전신적인 mesenteric 저혈류 상태 등이 동반된 환자에서 발생

    ② 임상 증상이 저명하지 않아 조기 진단이 힘들고 복통은 보통 경미하고 압통은 경하거나 모호한 경우가 많음

4) 진단

(1) 급성 장간막 허혈증의 가장 중요한 점은 장 전체가 괴사되기 전에 조기 진단과 치료임

(2) 임상 증상 : 심한 복통이 급작스럽게 나타남. 초기에는 복통은 매우 심하지만 복부 검진상 압통이 없거나 미약한 것이 특징임. 시간이 경과하여 장 괴사 및 복막염이 발생 시 압통이 나타날 수 있음. 허혈에 의한 점막의 파괴로 혈변이 동반될 수 있고 장관 경련 및 설사가 자주 발생

Clinical triad : severe abdominal pain with minimal findings on examination (pain out of proportion to clinical signs), bowel emptying, the presence of a source of embolus, most often atrial fibrillation.

(3) 혈액학적 검사 :

    ① D-dimer : 급성 복증 환자에서 급성 장간막 허혈증을 배제하기 위한 도구로 사용될 수 있음

    ② lactate : 급성 장간막 허혈증의 진단 및 rule out을 위한 도구로는 적합하지 않음

(4) contrast-enhanced CT: sensitivity to 64% and specificity to 92%

(5) mesenteric angiography는 thrombotic arterial occlusion 과 embolic occlusion을 감별하거나 치료적인 목적으로 시행해 볼 수 있음

Clinical features of acute mesenteric ischemia				
Cause	Incidence	Presentation	Risk factors	Treatment
Arterial embolism	40–50	Acute catastrophe	Arrhythmia, myocardial infarction, rheumatic valve disease, endocarditis, cardiomyopathies, ventricular aneurysms, history of embolic events, recent angiography	Embolectomy, papaverine, excise infarction
Arterial thrombosis	25	Insidious onset with progression to constant pain	Atherosclerosis, prolonged hypotension, estrogen, hypercoagulability	Papaverine, thrombectomy, excise infarction, revascularization
Nonocclusive	20	Acute or subacute	Hypovolemia, hypotension, low cardiac output status, α–adrenergic agonists, digoxin, β–receptor blocking agents	Treat cause first, papaverine, excise dead bowel
Venous thrombosis	10	Subacute	Right–sided heart failure, previous deep vein thrombosis, hepatosplenomegaly, primary clotting disorder, malignancy, hepatitis, pancreatitis, recent abdominal surgery or infection, estrogen, polycythemia, sickle cell disease	Thrombectomy, excise dead bowel, heparinize, long–term complication

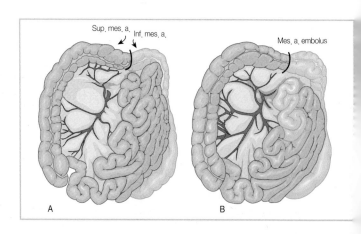

5) 치료

(1) active resuscitation with intravenous fluid resuscitation treatment of the underlying condition

(2) contraindication이 아니라면 therapeutic intravenous heparin을 이용한 anticoagulation을 시행하여 intravascular clotting의 propagation을 예방

(3) 급성 장간막 허혈증이 의심되나 bowel infarction 진단이 애매한 경우는 laparotomy를 고려

(4) SMA recanalization : Open surgical treatment (SMA embolectomy) vs Endovascular treatment (aspiration embolectomy of SMA)

(5) Bowel resection

① viability of bowel : return of normal color, presence off mesenteric pulsation & peristalsis → often misleading

② doppler sono, dye injection, surface oximetry가 도움이 될 수 있음

③ preservation of bowel length is important

④ bowel의 viability가 애매한 경우는 24-48hr 이내에 second look laparotomy를 시행할 수 있음

❸ 만성 장간막 허혈(Chronic mesenteric ischemia)
1) 병인

Etiology of chronic mesenteric ischemia	
Atherosclerosis and atheroma	Heritable disorders of coagulation
Diabetes, hyperlipidemia, smoking	Pancreatitis
Celiac artery compression syndrome	Inflammatory bowel disease
Fibrovascular dysplasia	Cirrhosis
Takayasu's arteritis	Portal hypertension
Thromboangiitis obliterans	Paraneoplastic disorders
Radiation-induced vascular injury	Postoperative states
Mesenteric venous thrombosis	Trauma

2) 병태생리

① 혈류량은 금식할 때와 식후에 다양하게 변함

② 대개 장간막 허혈 증상은 식후 소장으로의 혈류 요규량이 증가할 때 발생함

③ 대부분의 경우에서 세 개의 주요 혈관 중 두 개 이상의 혈관의 폐색이나 심한 협착이 있을 때 증상이 나타남

3) 임상 양상

① postprandial abdominal pain :

mid-abdominal or epigastric area,

dull, usually beginning 20-30 minutes after eating and lasting 1-2 hours

② 심한 경우 food aversion, weight loss

4) 진단적 검사

① conventional interventional angiography

② duplex ultrasonography

③ CT angiography

④ MR angiography

5) 치료

① medical management : There is no role for a conservative approach with long-term chronic parenteral nutrition and non-interventional therapy

② mesenteric revascularization : 만성 장간막 허혈 증상을 가진 multi-vessel occlusive disease 환자는 mesenteric revascularization이 recommend 됨.

③ Endovascular revascularization : SMA stenting

④ Open surgery

- Antegrade bypass

- Retrograde bypass

- Retrograde open mesenteric stenting (ROMS)

- Endarterectomy.

1 **버거씨병**(Buerger's disease , thromboangitis obliterans, TAO)

1) 역학

   (1) 아시아(인도, 한국, 일본)에서 흔함

   (2) 젊은 남성에서 흔히 발생(median age at onset, 34 years)

   (3) male : female sex ratio is 7.5 : 1

2) 원인

   (1) still unknown

   (2) 흡연력

   (3) 동맥 경화의 위험인자 없음

3) 임상 양상 및 진단 기준

   (1) ischemic rest pain and ulceration of the forefoot : 가장 흔함

   (2) upper extremity involvement is more common

     - 30% to 40% exhibit both lower and upper extremity ischemia

     - 10% the signs and symptoms are confined to the upper extremity

   (3) distal occlusive disease confined to the small and medium-sized distal extremity arteries

   (4) the 5 clinical diagnostic criteria suggested by Shionoya from Nagoya, Japan

     ① smoking history

     ③ onset before the age of 50 years

     ③ infrapopliteal arterial occlusions

     ④ either upper limb involvement or phlebitis migrans

     ⑤ absence of atherosclerotic risk factors other than smoking

(5) Strict diagnostic criteria of Buerger's disease (Oregon)

Major criteria
  Onset of distal extremity ischemic symptoms before 45 years of age
  Tobacco abuse
  Exclusion of:
    1) Proximal embolic source
    2) Trauma and local lesions
    3) Autoimmune disease
    4) Hypercoagulable state
    5) Atherosclerosis
      (a) Diabetes
      (b) Hyperlipidemia
      (c) Hypertension
      (d) Renal failure
  Undiseased arteries proximal to the popliteal or distal brachial level
  Objective documentation of distal occlusive disease by means of:
    1) Segmental arterial Doppler studies and 4-limb plethysmography;
    2) Arteriography; or
    3) Histopathology
Minor criteria
  Migratory superficial phlebitis
  Raynaud's syndrome Upper
  limb involvement Instep
  claudication

4) 진단

: 다른 원인의 배제가 중요

(1) 말단 사지 허혈 및 흡연력

(2) 색전이나 증상경화 소견 없음

(3) 과응집 상태 아님

(4) 동맥 조영술 : Corkscrew 모양의 우회 혈관(collateral vessel)

(5) 치료

① smoking cessation : 가장 중요

② 효과적인 약물 치료는 거의 없음

③ 해부학적으로 가능한 경우는 infrainguinal bypass 혹은 endovascular treatment를 시도해 볼 수 있음

④ 예후

- 동맥 경화성 하지 혈관 폐색 환자에 비하여 예후가 더 나쁘며 대략 1/3의 환자에서 궁극적으로 절단 수술이 필요함

2 타카야수 혈관염(Takayasu's Arteritis)

1) 정의 및 역학

타카야수 동맥염(Takayasu's Arteritis)은 대동맥과 그 분지에 생기는 드문 육아종성 동맥염으로 비교적 젊은 30세 이전의 여성에서 호발하며 동맥의 협착 또는 동맥류의 원인이 됨

2) 병태 생리

two stages

-acute stage : acute period of large vessel vasculitis

-chronic stage : fibrosis and scarring, aneurysmal formation

3) 임상 양상

(1) fever, breathlessness, haemoptysis, headache, dizziness, vertigo, angina, chest wall pain and claudicant pain

(2) reduced or absent pulses, resulting in discrepancies of blood pressure in 1/2

(3) hypertension: renovascular disease in up to two-thirds

(4) vascular bruits over carotid arteries

(5) the aortic regurgitation

(6) congestive cardiac failure

(7) pulmonary arterial involvement

(8) coronary arterial disease is found in one-tenth

(9) major neurological events occur in one-half (TIA cebral infarction, hypertensive encephalopathy, seizures, and even moyamoya phenomenon)

(10) hypertensive retinopathy

(11) Raynaud's syndrome

4) 진단 기준

The American College of Rheumatology 1990 criterions for the diagnosis of Takayasu arteritis	
Criterion Definition	
Age onset ⟨ 40 years	Development of symptoms or findings related to Takayasu's arteritis at age ⟨ 40 years
Claudication of limbs	Development and worsening of fatigue and discomfort in muscles of 1 or more limb while in use, especially the arms
Decreased brachial arterial pulse	Decreased pulsation of one or both brachial arteries
BP difference	Difference of more than 10 mmHg in systolic blood pressure between arms
⟩10 mmHg	Bruit audible on auscultation over 1 or both subclavian arteries or abdominal aorta
Bruit over subclavian arteries or aorta	Arteriographic narrowing or occlusion of the entire aorta, its primary branches, abnormality or large arteries in the proximal limbs, not caused by arteriosclerosis, fibromuscular dysplasia, or similar causes; changes usually focal or segmental

5) 치료

치료는 크게 remission 유도와 complication management로 나누어 생각할 수 있음

(1) medical Tx
  ① glucocorticoid therapy : first line treatment
  ② second-line agents : cyclophosphamide, azathioprine, and methotrexate etc

(2) endovascular and surgical Tx
  ① 뇌관류 저하, 신동맥 협착에 의한 고혈압, 심각한 허혈을 유발하는 고정화된 혈관 병변, 또는 동맥류나 심장판막부전 등에서 외과적 수술이나 혈관 중재술을 고려할 수 있음.
  ② 수술은 급성 염증 조절 후(ESR 정상화) 시행 : 재협착, 동맥류 형성 가능성이 있음

1 정맥계의 해부 및 병태 생리(Anatomy and physiology of the venous system)

1) **표재 정맥**(Superficial veins) :
- 대복재 정맥 및 소복재 정맥(greater and lesser saphenous veins)
- drain the area between the skin and muscle fascia

2) **심부정맥**(Deep veins)
- 오금정맥 및 대퇴정맥(popliteal and femoral veins)
- located close to the arteries
- drain 90% of the blood in the legs

3) **관통정맥**(Perforating veins)
- venae perforantes or communicantes
- link the superficial and deep venous systems

2 정의

1) Chronic venous disease (CVD)
: 치료나 진단을 위한 검사를 필요로 하는 증상 및 징후를 보이는 장기간의 정맥계(venous system)의 형태학적 및 기능적 이상소견을 보이는 상태

2) 만성 정맥 기능 부전 Chronic venous insufficiency (C3-C6)
: 정맥의 흐름이 원활하지 않아 다리 부종, 통증, 경련, 피부변화, 정맥 궤양 등의 증상을 일으키는 상태

> **CEAP classification of chronic venous disease**
>
> **Clinical classification**
>
> C_0: no visible or palpable signs of venous disease C1: telangiectasies or reticular veins
>
> C_2: varicose veins
>
> C_3: edema
>
> C_{4a}: pigmentation or eczema
>
> C_{4b}: lipodermatosclerosis or atrophic blanche C5: healed venous ulcer
>
> C_6: active venous ulcer
>
> S: symptomatic, including ache, pain, tightness, skin irritation, heaviness, and muscle cramps, and other complaints attributable to venous dysfunction
>
> A: Asymptomatic
>
> **Etiologic classification**
>
> Ec: congenital
>
> Ep: primary
>
> Es: secondary (post-thrombotic)
>
> En: no venous cause identified
>
> **Anatomic classification**
>
> As: superficial veins
>
> Ap: perforator veins
>
> Ad: deep veins
>
> An: no venous location identified
>
> **Pathophysiologic**
>
> Pr: reflux
>
> Po: obstruction
>
> Pr, o: reflux and obstruction
>
> Pn: no venous pathophysiology identifiable

③ 역학

1) Primary varices: m/c (95%)

2) Secondary varices

   : develop as collateral pathways and essentially as a result of deep venous thrombosis

3) Prevalence of CVI: 10~35% of the general population

4) Female dominant

4 증상

1) **정맥 정체(Venous stasis)**: 부종(edema) / 통증(aching) / 무거움(heaviness) / swelling

2) Skin lesions

   : hyperpigmentation / eczematoid dermatitis / ulceration, m/c at the medial side of the lower leg

3) Diffuse leg pain

   : cramping like pain, the pain can be decreased by elevating the leg
   증상은 활동하고 나 오후, 밤에 심하고 아침에는 덜한 특성을 보임

4) External hemorrhage

5 진단

1) **기능검사(Traditional functional test)**

   : trendelenberg test, Perthes'test - not used currently

2) Duplex scan:

   정맥 역류 진단에 가장 정확함 preoperative standard diagnostic procedure
   역류의 위치, 역류의 심한 정도 확인 가능

3) Ascending venography

4) Plethysmography: quantitative estimate of venous reflux

6 치료

1) **보존적 치료(Conservative therapy)**

   (1) 오래 앉거나 서있지 말 것

   (2) 압박 스타킹 : elastic stocking (20~40mmHg)

   (3) leg elevation

2) 수술적 치료 : 모든 증상이 있는 정맥류는 치료 대상

Indication for operation
Cosmesis
symptoms refractory to conservative therapy
bleeding from varix
Superficial thrombophlebitis
Lipodermatosclerosis
venous stasis ulcer

3) Endovascular management

: 고주파(Radio frequency ablation) 혹은 레이저 정맥 폐색(Endovascular laser ablation) transluminal phlebectomy

4) Sclerotherapy

VII. 급성 심부 정맥 혈전증(Acute deep venous thrombosis, DVT)

1 역학 및 병태생리

1) Virchow's triad

(1) 혈관벽의 손상(injury of vessel wall)

(2) 과응고 상태(abnormalities of blood, coagulation disorders)

(3) 혈류 정체(abnormalities of blood flow ,stasis)

2) 위험 인자

(1) old age

(2) cancer

(3) hypercoagulability

- factor V Leiden mutation

- prothrombin gene mutation

- protein C deficiency

- Protein S deficiency

- antithrombin III deficiency

- homocysteinemia

- antiphospholipid syndrome
(4) smoking
(5) obesity
(6) estrogen substitution, pregnancy
(7) surgery (hip or knee arthroplasty, cancer surgery in abdomino-pelvic area, neurosurgery)
(8) trauma
(9) immobilization
(cast immobilization, flight-related, long-time computer work)
(10) previous DVT

❷ 증상
1) 전형적인 증상은 종아리 통증 및 부종(pitting edema)
2) 약 50%의 환자에서는 무증상으로 우연히 발견될 수 있음.
특히 postoperative patients
3) 폐 색전증으로 발견되는 경우도 있음

❸ 진단
1) 임상 증상 및 징후
(1) 종아리 부종이 전형적인 증상
(2) massive DVT의 경우 모든 collateral veins이 막히거나 DVT로 인하여 artery flow에도 장애를 초래하는 경우 청색증 또는 창백한 color를 보이는 경우도 있음(phlegmasia cerulean dolens, phlegmasia cerulea alba)
2) D-dimer
(1) 혈전 내 섬유소가 분해되어 발생하는 부산물로 혈관 내 섬유소를 매우 민감하게 반영하나 특이성이 낮음
(2) 심근경색, 악성 종양, 수술 후, 신질환, 급/만성 신부전, 임신, 감염, DIC 등에서도 상승
(3) D-dimer (+) : 확진 검사가 필요

(4) D-dimer (-) : DVT 진단에서 배제 가능(high negative predictive value)

3) Imaging study

(1) 듀플렉스 초음파: Current diagnostic test of choice

- 압축성 소실 : 초음파 탐촉자로 정맥을 눌렀을 때 눌리지 않는 소견
- 호흡에 따른 혈류 변화 소실
- 혈관 내 저에코 물질
- 혈관 내 색조충만 소실
- 정맥의 팽창

(2) ascending venography

- 심부정맥이 조영되지 않거나 정맥 내 충만 결손
- 단점 : 침습적, 조영제 사용에 의한 부작용
- 가장 정확한 검사이나 수술 전 검사를 위해서만 제한적으로 사용됨

④ **치료**(ACCP guidelines chest 2016)

(1) 항응고 요법

- DVT and No cancer: Use NOAC(Rivaroxaban, Apixaban, Dabigatran, Edoxaban etc)
- Cancer Associated thrombosis : Use LMWH(Enoxaparin, Nadroparin, etc)
- Duration : provoked의 경우 3months, unprovoked proximal DVT 의 경우 3~6months의 extended therapy가 recommend 됨

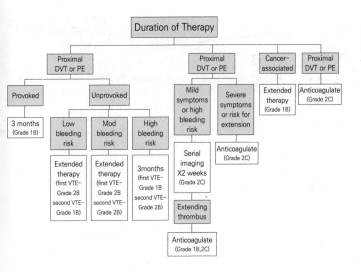

(2) Elastic compression stocking : 새 prevent postthrombotic syndrome (PTS)

(3) catheter-directed thrombolysis (CDT)

   Bleeding risk와 benefit을 고려할 때 impending venous gangrene 이 아니라면 CDT가 anticoagulation에 비하여 더 우월하다는 증거는 없음

   - iliofemoral DVT, symptoms for <14 days, good functional status, life expectancy of > 1 year, and a low risk of bleeding

Contraindication	
절대적 금기	상대적 금기
– Structural intracranial disease – Previous intracranial hemorrhage – Ischemic stroke within 3 months – Active bleeding – Recent brain or spinal surgery – Recent head trauma with fracture or brain injury – Bleeding diathesis	– Systolic BP >180 – Diastolic BP >110 – Recent bleeding (nonintracranial) – Recent surgery – Recent invasive procedure – Ischemic stroke more than 3 mo previously – Anticoagulated (eg, VKA therapy) – Traumatic cardiopulmonary resuscitation – Pericarditis or pericardial fluid – Diabetic retinopathy – Pregnancy – Age >75 y – Low body weight (eg, <60 kg) – Female – Black race

(4) IVC filter insertion

① anticoagulation의 contraindication

② 적절한 항응고치료에도 재발하는 경우

③ 항응고요법의 complication 발생으로 사용하지 못하는 경우

Chapter 15

이식

I. Donor evaluation & management

1 Donor criteria (deceased)

1) 뇌사자에서 장기별 특정 선정/제외 기준

(1) general exclusion criteria

① Evidence of HIV or active hepatitis B infection

② Presence of history of extracranial malignancy

③ Severe systemic sepsis

④ Disease of unknown etiology

(2) liver

① Acceptable criteria

a. age ≤ 60 years

b. no evidence of active hepatitis (no upper limit of AST/ALT)

(3) kidney

① Acceptable criteria

a. no evidence of primary renal disease

b. no history of long-standing hypertension or diabetes

c. normal urinalysis

　　　　d. urine output >0.5 mL/kg/hr

　　　　e. normal BUN & creatinine

　　② Ideal donor criteria

　　　　a. age 10~39 years

　　　　b. cause of death: no cerebrovascular disease

　　　　c. creatinine ≤1.5mg/dL

　(4) pancreas

　　① Acceptable criteria

　　　　a. age 10~45 years

　　　　b. no history of diabetes mellitus

　　　　c. no history of chronic pancreatitis

　　　　d. no upper limit of serum amylase

　　② Relative contraindications

　　　　a. gross obesity: BMI > 30 kg/m^2

　　　　b. peripheral vascular disease

　　　　c. ischemic heart disease

2) 뇌사자에서 장기별 특정 검사 Protocol

　(1) routine general examination

　　① Laboratory exam

　　　　a. blood: CBC, Chemistry profile (LFT, e', BUN/Cr), PT
　　　　　 aPTT, γ- GT, direct-bilirubin, ABGA, amylase/lipase, CK
　　　　　 CK-MB/LDH, troponin, gram stain and culture (blood
　　　　　 sputum, urine, stool including fungus)

　　　　b. urine: urinalysis with micro, urine-e', urine-osm

　　　　c. serologic assay: HBsAg, anti-HBs, anti-HBc (IgG/IgM), ant
　　　　　 HCV, anti-HAV (IgG/IgM), anti-HIV, CMV (IgG/IgM
　　　　　 EBV (IgG/IgM), EBV-EA, EBNA

　　② Radiologic exam.: chest x-ray, brain non-contrast CT, abdomen U!

　　③ Physiologic exam.: EKG, 2D-echocardiography, EEG

(2) kidney

① Urinalysis: albuminuria (+) 시 12 hr urine collection for proteinuria

② serum creatinine: Cr<3.0인 경우라도 수일(일주일)에 걸쳐 조금씩 계속 증가하는 경우 예후가 안 좋음

③ Creatinine clearance

    a. Relative indication for intraoperative kidney biopsy (usually not performed)

- age > 65 years
- creatinine level > 3.0 mg/dL
- DM, hypertension Hx가 있을 때
- abnormal urinalysis: albuminuria (+)

(3) liver

① Blood sampling: chemistry profile, PT (INR), HBsAg, anti-HBs, anti- HBc (IgG/IgM), anti-HCV, anti-HAV (IgG/IgM)

② Abdomen US (Liver)

③ Intraoperative biopsy: macrovesicular fatty change / microvesicluar fatty change: donor harvest 시 frozen biopsy 시행

(4) pancreas

① Serum amylase

② Intra operative inspection and palpation

❷ 뇌사판정 절차 - 2014.2.27 개정

시점	Check list	체크	Etc
ICU 입실	ventilator setting		이송팀과 사전 통화후
	sampling, monitoring위한 A-line, C-line ins.		

	뇌사자 기본검사 처방(코디네이터 입력)
	• 키와 몸무게
	• ABO& Rh, ABGA, CBC, PT/aPTT
	• Chem, r-GTT, D-bil, E'& T-CO2 amyl/lipase,
	• CK/CK-MB/LDH
	• UA c micro & U-e'/U-osmal
	• HLA typing (ACD tube/plain tube: 5/1개)
	• serology: HBsAg/Ab, HBcAb (IgG/M), VDRL,
	    anti-HIV, anti-HCV (IgG), CMV (IgG/M),
	    EMV (IgG/M), HAVAb (IgG/M)-핵의학 검사
	• Culture: 혈액(C-lines1, PPHs1), 소변, 가래
	• chest X-ray, 12 lead EKG, EEG (Br.desth),
	    Br.non-contrast CT (2차 조사 후 push)
			영상의학과 초음파실,
			심초음파 선생님께 직접
			의뢰
			
			1차 뇌사조사 준비

	환자 상태 파악 및 약물조정 Target baseline : MAP〉75mmHg, UO〉1ml/kg/ hr, P/F〉200 (Lung donation시 P/F〉300)유지		Donor Mx protocol참고 항생제 사용 고려
1차 조사	PCO2 35~45, SBP 100mmHg 이상 FiO$_2$ 100% 10분이상 apply로 base line조정 mm		HLA typing후 1차 조사 후 각 장기별 수혜자 선정됨
	1차 조사 시행(뇌간 검사, apnea test) : apnea test fail시 TCD로 대체 (1~2차간격:2개월-1세:48시간/1세-6세:24시 간/6세이상:6시간)		Apnea test 이후 환자상태 close obs. (CO$_2$ retention, Acidosis)
장기 평가	Heart	EKG, 2-D echo		선정 시 prn cardiac lab
	Lung	Chest X-ray, ABGA (bronchoscopy)		선정 시 prn O2 full ABGA
	Liver	Doppler sono, S-lap		
	Pancreas & kidney	Doppler sono, HLA, S-lap		췌장 선정 시 prn Amy/lipase lab
	Cornea	S-lap, 각막 수술여부		dura-tears 처방
2차 조사	PCO$_2$ 35~45, SBP 100mmHg 이상 FiO$_2$ 100% 100% 10분 이상 apply로 base line 조정		
EEG			
뇌사판정위원회 개최			
검시 전 적출 승인(병사가 아닌 경우)후 harvest OP : 수술 들어가기 전 사망진단서 작성			ICU 주치의 동반Car in

❸ Brain-dead donor organ management

1) Intensive monitoring and management at ICU

2) Review all medications previously ordered

: Anti-convulsant, pain medication, laxatives GI motility agent, heparin, anti-hypertensive, anti-nausea agent, osmotic agent, diuretics are not necessary and should be discontinued

3) Vital sign & hemodynamic monitoring & management

: 저혈압이 지속되는 경우 dopamine (5~10μg/kg/min), norepinephrine (0.5~2.5μg/kg/min), 또는 epinephrine 등의 inotropic agent가 혈역학적 유지를 위한 최우선의 선택이었으나 최근에는 저용량의 vasopressin의 사용이 늘고 있음. vasopressin은 요붕증에 대한 치료 외에 동맥혈압을 올려 inotropic agent의 요구량을 줄이며 신장, 간, 심장의 기능향상에 연관 있음

(1) mean arterial pressure (MAP) via A-line ≥ 70mmHg

(2) systolic blood pressure (SBP) ≤ 160~170 mmHg

   ① Standard inotropic or vasopressor support

     a. dopamine 5~10 μg/kg/min

     b. norepinephrine 0.5~2.5μg/min

     c. arginine vasopressin 1~2 U/hr

     d. epinephrine 0.10~0.15μg/kg/min

     e. thyroid hormone

   ② SBP>160 mmHg 또는 MAP>90 mmHg인 경우 고혈압의 치료가 이루어져야 함

     a. labetalol 10 mg IV bolus q 20 min 또는 micardipine 5mg/hr IV

     b. nitroprusside 0.5~5.0μg/kg/min 또는 esmolol 100~300μg/kg/min 투약 후 100~500μg/kg bolus 투약

(3) heart rate (HR) 60~120 beats/min

(4) body temperature (BT) 36.5~37.8℃

   warm blanket apply to avoid hypothermia

(5) urine output 0.5~3mL/kg/hr

(6) central venous pressure (CVP) 6~10mmHg

4) Mechanical ventilation

> Tidal Volume 8~10ml/kg
> PEEP = 5cmH₂O
> Peak Inspiratory Pressure (PIP) ≤ 30cmH₂O
> FiO₂ 1.0

(1) $PaCO_2$ 35~45 유지. PaO_2 > 70 mmHg, O_2 sat > 95%

(2) 폐 이식을 고려하는 경우 FiO_2를 낮추고 PEEP을 5~10 cmH_2O으로 유지하고 methylprednisolone 15mg/kg (maximum 1g) 정맥 투여가 권장됨

5) BT maintenance

: warmed intravenous fluids, warming blanket, heated & humidified inspired gas

6) Head elevation

: 약 30℃ 상승(안정적인 혈압 유지 시)

7) Frequent tracheal suction & position change

8) Nasogastric tube의 유지 및 흡인

9) Maintenance fluid therapy

: 5DW in NaCl 0.45% (X5DHN) 1L IV with 75mL/h KCL 20mEq

10) Fluid & electrolyte management

- 혈청 potassium은 3.5 mEq/L 이하로 떨어지지 않도록 유지
- 혈청 sodium은 130~150 mEq/L (>150 mEq/L 시 0.2% NaCl fluid로)
- 소변량은 0.5~3mL/hr으로 유지
- 요붕증 치료의 목적은 hypovolemia을 교정하고 혈청 sodium을 정상 수준으로 되돌리는 데 있음
- low dose vasopressin infusion (1~2U/hr, 최대 용량 2.4 U/hr)은 소변량을 조절 가능한 수준으로 낮출 수 있음. 그러나 심한 경우 합성체인 1-D-amino-8-D-arginine vasopressin (DDAVP)를 투약하는 것이 필요함

(1) low dose vasopressin infusion (0.5~0.6U/hr, 최대용량 2.4 U/hr)

(2) 요붕증에 대한 DDAVP의 용량

  : DDAVP는 arginine vasopressin의 synthetic analogue로 비교적 순수한 항 이뇨작용이 있으며 vasopressor 작용은 미약함

  - 성인: 1~4μg IV then 1~2μg IV every 6 h: 목표 소변량 <4mL/kg/h
  - 소아: 0.25~1μg IV every 6 h: 목표 소변량 <4mL/kg/h

- diabetes insipidus의 정의

  a. urine output > 4mL/kg per h
  b. associated with rising serum sodium (≥145mmol/L)
  c. associated with rising serum osmolarity (≥300mOsm)
  d. and decreasing urine osmolarity (≤200mOsm)

11) Glycemic control

 : 매 2시간마다 BST 측정하여 90~180 mg/dL로 유지함

 고혈당이 생기면 insulin 정맥투여(1U/hr IV infusion)를 시작하여 혈당치에 따라 용량을 조절함(target range 120~180mg/dL). 혈당의 조절은 특히 췌장 islet cell 구득 시에 중요한데 β-세포에 과도한 스트레스를 피하는 것이 좋음

12) Routine enteral feeding should be initiated or continued

Fatty acid, amino acid supply

13) Hormonal resuscitation (HR)

 : 호르몬 소생술(hormonal resuscitation)은 최근에 뇌사 장기 기증 자 관리의 한 부분으로 권장됨

(1) 심초음파상에 EF≤40%이거나

(2) 혈역학적으로 불안정하여 고용량의 dopamine (>10μg/kg/min)을 투약하거나

(3) vasopressor를 쓰는 경우 호르몬 소생술(hormonal resuscitation)을 적용함

levothyroxine (T4) 100μg bolus followed 50μg IV q 12 hr 또는 levothyroxine (T4) 20 μg bolus followed 10 μg/hr IV continuous infusion

> • Hormonal resuscitation
> Methylprednisolone 15mg/kg bolus q 24 hr
> Triiodothyronine (T3) 4μg/hr bolus followed by infusion of 3μg/hr
> Arginine vasopressin 1U bolus followed by 0.5~4U/hour

14) Infection control

   (1) intial baseline blood culture를 시행하고 24시간 후에 반복

   (2) 경험적인 광범위 항생제는 적응증이 아님

   (3) 수술 전·후 항생제 사용에 대해서는 이식 팀과 상의

   (4) 혈액배양 양성이나 확인된 감염이 장기 기증의 금기증은 아님

   (5) 확인된 감염에 대해서는 항생제를 투약

15) 수혈 지침

> Target Hemoglobin 9~10 g/dL
> Hematocrit 25~30% 이상

   적혈구 용적률이 25% 미만인 경우 충전 적혈구(packed RBC)를 수혈
   함. 혈소판, 신선 냉동 혈장 등은 혈액응고장애의 정도에 따라 수혈함

   • Hb > 8 유지

16) CBC, chemistry profile (LFT, BUN/Cr, glucose), e', U/A q 6 hr,
   ABGA q 4 hr, CCr

   treponine level q 12 hr, 2-D Echo., EKG, abdomen US blood
   Culture × 2, urine culture

   : UA-Albuminuria (+) → 12 hr urine collection for proteinuria

4 Evaluation of living donor for liver transplantation

1) Volumetry (donor): CT angiography – vascular anatomy & liver volume

(1) standard liver volume (SLV) of recipient = $706.2 \times (BSA) + 2.4 = cm^3$

$(BSA^2 = weight (kg) \times height (cm)/3,600)$

(2) B.Wt of recipient: Kg   Height: cm

(3) B.Wt of donor: Kg   Height: cm

• Example

	공여자		수여자	
	Volume	%	GRWR	GV/SLV
Whole liver	cm³			
Right lobe (excluding MHV)	cm³	%		%
Left lobe (including MHV)	cm³	%		%

GRWR: Graft to Recipient Body Weight Ratio () 0.8)
GV/SLV: SLV에 대한 Graft Volume의 ratio () 40%)

2) Evaluation for fatty change

(1) US: mild, moderate, severe

(2) intra Op. liver biopsy (frozen): < 30% (macrovascular fatty change)

3) Pre-transplant living liver donor evaluation

(1) routine lab

① CBC with diff, chemistry, electrolyte, UA c micro., stool exam

② PT/aPTT, protein C activity

③ Chest PA, abdomen S/E, EKG, PFT

④ CT angiography, US

⑤ MRCP

(2) evaluation for infectious disease

① Hepatitis: HBsAg, anti-HBs, anti-HBc (IgG/IgM), anti-HCV, anti-HAV (IgG)

② Others: anti-HIV

(3) viral serologic status: CMV (IgG), EBV-VCA (IgG/IgM), EBV-EA, EBNA

⑤ Evaluation of living donor for kidney transplantation

1) Laboratory examination

(1) routine Lab

① ABO/Rh typing & Ab screening (T&S)

② HLA-A, B, DR, DQ DNA Typing

③ HLA Crossmatch, donor

④ CBC with diff, chemistry, electrolyte, PT/aPTT, HbA1C

⑤ UA c micro., Urine culture, 24hrs urine chemistry, stool exam, Protein/Creatinine ratio, Albumin/Creatinine ratio, Urine

⑥ Chest PA, abdomen E/S, EKG

⑦ If DM, Insulin, C-peptide

(2) evaluation for infectious disease

① Hepatitis: HBsAg, anti-HBs, anti-HBc (IgG), anti-HCV

② Others: RPR, Quantitative, anti-HIV, Quantiferon-TB

③ viral serologic status: CMV (IgG), EBV-VCA (IgG), EBV-EA, EBNA,

VZV Antibody (IgG), Toxoplasma Antibody (IgG),

HSV (Herpes Simplex Virus type 1&2) Antibody IgG

2) CT angiography

① Renal stone 유무

② Vasculature→ Rt/Lt nephrectomy 결정, open or laparoscopic

3) Kidney DTPA GFR 시행 Rt/Lt nephrectomy 결정에도 참고

4) 협진

① 정신과:「장기 등 기증자 및 장기 등 이식대기자의 신체검사 항목」 중 살아있는 사람으로서 장기 등 기증 시 정신건강의학과 진료항목 신설. 2012년 8월 22일부터 시행

② 부인과 : 여성인 경우에 해당

③ 사회복지실 : 순수성평가를 위한 상담 필수

5) 기증자 지문등록

장기 등 이식에 관한 법률 제 19조에 따라 순수성 평가 및 본인 여부 확인을 위해 시행하며 장기이식센터, 사회 복지팀, 수술장에서 확인

6) 국립장기이식관리센터(KONOS)로부터 수술 전 승인을 받는다.

II. Recipient evaluation

1 Liver transplantation

1) Indication & contraindication

(1) indication

: End-stage liver disease를 유발하는 질환으로 인한 합병증으로 variceal hemorrhage, intractable ascites, encephalopathy, intractable pruritus, poor synthetic function인 경우

① Liver transplantation의 가장 흔한 적응증

a. adults

- chronic hepatitis B
- hepatocellular carcinoma
- alcoholic liver disease
- chronic hepatitis C
- primary biliary cirrhosis
- primary sclerosing cholangitis
- autoimmune hepatitis
- fulminant hepatic failure

b. children

- biliary atresia

(2) contraindication

: multisystem organ failure, extrahepatic malignancy, poor cardiac or pulmonary reserve, refractory pulmonary artery hypertension, severe infection, ongoing substance abuse이며 renal insufficiency

는 liver transplantation 시 morbidity는 증가시키나 contraindication은 아님

2) Evaluation of liver transplant recipient

(1) past medical history: cause of liver transplantation

① Liver cirrhosis - complications

Varix: endoscopic finding, EVL Hx., bleeding Hx. ascites: ascites control (diuretics/tapping), SBP hepatic encephalopathy

② HBV related: anti-viral agent, drug resistance mutation

③ HCV related: anti-viral therapy, HCV genotype

④ HCC-previous treatment: TAE, TACE, RFA, resection recent F/U

⑤ co-morbid condition

: R/O hepato-renal syndrome, R/O hepato-pulmonary syndrome

(2) current status of liver

① Liver function test including coagulation profile and platelet count

② MELD score

③ Hepatitis profile with HBV DNA quantitation

④ Doppler US

⑤ Liver CT: HCC, vasculature-R/O PV thrombosis

(3) examination of current infection

① history: 최근 1년간 여행력 조사

② Chest PA / Chest CT

R/O pneumonia, R/O Pul. Tbc, R/O fungal infection

③ TB Specific Interferon-Gamma(QTF)

④ Viral status: anti-HAV (IgG/IgM), automated RPR, anti-HIV CMV (IgG/IgM), EBV-VCA (IgG/IgM), EBV-EA, EBNA V-zoster Ab

(IgG/IgM), HSV2 Ab (IgG), HSV (1 + 2) Ab (IgM) toxoplasma Ab (IgG/IgM)

⑤ PNS series / OMU CT

⑥ confirm vaccination-pneumococcal, influenza

⑦ Blood culture, sputum & urine

: Gram stain and culture, stool culture, stool exam

Throat, nasal swab (for MRSA), and rectal swab (for VRE)

(4) examination of malignancy (or metastasis)

: Liver CT, chest CT (metastasis protocol), bone scan, PET (필요시), tumor marker (CEA, AFP), mammography (F), cervicovaginal smear (F)

(5) consultation

: 감염내과, 치과, 이비인후과, 정신과, 사회복지실, 순환기내과, 산부인과(여성)

2 Clinical stages of hepatic encephalopathy

Impairment	
0단계	정상임
1단계	지나치게 졸려 함 또는 불면증, 상황에 맞지 않는 행복감, 불안, 집중을 하지 못함, 안절부절함.
2단계	기운이 없음, 사람이나 장소, 시간을 헷갈려 함, 부적절한 행동, 발음이 어눌해짐, 손발이 휘청거리거나 떨림.
3단계	사람을 잘 알아보지 못하고 장소와 시간을 모름, 계속 의식이 없음, 아플 정도로 자극을 해야만 눈을 뜸.
4단계	아프도록 자극을 하여도 반응을 하지 않는 혼수 상태임.

3 HCC in LT

1) Milan criteria (N Engl J Med 1996;334:693)

(1) single HCC ≤ 5cm in diameter

(2) multiple tumors ≤ 3 tumor nodules (each ≤ 3cm in diameter)

2) UCSF criteria (Hepatology 2001;33:1394)

(1) solitary tumor ≤ 6.5cm

(2) ≤3 nodules with the largest ≤4.5cm (total tumor diameter ≤ 8cm)

4 Model for end-stage liver disease: MELD score - www.unos.org

  1) MELD score = $9.57 \times \log_e$ creatinine mg/dL

                      $+ 3.78 \times \log_e$ bilirubin mg/dL

                      $+ 11.20 \times \log_e$ INR

                      $+ 6.43$ (constant for liver disease etiology)

    : three month - survival possibility in waiting list

  2) PELD score = $0.436 \times$ (age)

                     $- 0.687 \times \log_e$ albumin g/dL

                     $+ 0.480 \times \log_e$ bilirubin mg/dL

                     $+ 1.857 \times \log_e$ INR $+ 0.667 \times$ (growth failure)

  (Age <1 : score 1; Age > 1 : score 0

  Growth failure - 2 standard deviations below mean for age: score 1

                ≤2 SD below mean for age: score 0)

5 LT in acute liver failure King's college criteria

  1) Paracetamol (acetaminophen) overdose

    ① H + >50 nmol/L or all of the following:

    ② Prothrombin time > 100 seconds

    ③ Creatinine > 300 umol/L

    ④ grade III-IV encephalopathy

  2) Non-paracetamol (acetaminophen)

    ① Prothrombin time > 100 seconds Or three of the following:

    ② Age < 10 years or > 40 years

    ③ Prothrombin time > 50 seconds

    ④ Bilirubin > 300 umol/L

    ⑤ Time from jaundice to encephalopathy > 2 days

    ⑥ Non-A, non-B hepatitis, halothane or drug-induced acute liver failure

6 Kidney transplantation

1) Indication and contraindication

(1) Indication : irreversible GFR < 20 mL/min인 ESRD

(2) contraindication

① Recent or metastatic malignancy

Cancer 치료 후 2-5년 disease free interval이 있거나 early stage skin cancer, in situ cancer는 contraindication이 아님

② Chronic infection

Active, life-threatening infection이거나 HIV infection은 contraindication

③ Severe extrarenal disease

Chronic liver disease, chronic lung disease, advanced uncorrectable heart disease인 경우 이식 후 사용하는 면역억제제에 의해 악화될 수 있음

④ Noncompliance

⑤ Psychiatric illness

Organic mental syndromes, psychosis, mental retardation

2) Preoperative evaluation

(1) past medical Hx

① Cause of renal failure: CGN, IgA nephropathy, DM nephropathy, HTN nephropathy, PCKD

② Dialysis: HD / PD 여부, patency of vascular access

③ Daily urine volume

④ Previous KT

⑤ co-morbid disease and current medication

: DM, hypertension, HBV/HCV status

(2) laboratory analysis

① CBC, PT, PTT, serum electrolyte, total protein, albumin, cholesterol, glucose, calcium, magnesium, phosphorus, LFT

② Viral serology: HSV, EBV, VZV, CMV, HAV, HBV, HCV, HIV

③ Urinalysis and culture, panel reactive antibody (PRA), ABO and human leukocyte antigen typing

(3) evaluation of native kidney or bladder

① VCUG: reflux 유무(nephrectomy 고려), bladder capacity 확인

② Abdomen CT: polycystic disease (nephrectomy고려)

❓ Indication of native nephrectomy

1) Chronic renal parenchymal infection

2) Infected renal calculi

3) Heavy proteinuria

4) Intractable hypertension

5) Massive polycystic kidney disease with pain or bleeding

6) Carcinoma가 의심되는 renal cystic disease

7) Infected reflux nephropathy

1 면역억제제의 종류

- calcineurin inhibitors (CNI): cyclosporine and tacrolimus
- anti-proliferative agents: azathioprine, mycophenolate mofetil (Cellcept®, Roche), mycophenolic acid (Myfortic®, Novartis)
- steroids
- antilymphocyte antibodies: Thymoglobulin®, OKT3
- IL-2 receptor antibodies: basiliximab (Simulect®, Novartis), daclizumab (Zenapax®, Roche)
- others: everolimus (Certican®), sirolimus (Rapamycin®)

1) Cyclosporine

: Calcineurin inhibitor로서 T-cell activation을 막아서 T-lymphocyte proliferation, IL-2 production, IL-2 receptor expression, IFN-r release 를 억제. 부작용으로는 nephrotoxicity, hypertension, tremors, seizures, hyperkalemia, hyperuricemia, hypercholesterolemia, gingival hyperplasia, hirsutism이며 liver에서 대사됨

2) Tacrolimus

: Cyclosporine과 작용이 비슷하면서 약 100배 더 potent함. 부작용 은 hirsutism, gingival hyperplasia를 제외한 cyclosporine과 비슷하며 alopecia, posttransplant diabetes mellitus가 더 많이 발생

3) Steroid

: Antigen processing, presentation을 조정해서 lymphocyte, cytokine, prostaglandin production을 억제. 이식 후에는 steroid 용량을 점차 줄여서 낮은 용량으로 사용하다가 끊음

부작용으로는 당뇨, 감염증, cataract, hypertension, weight gain, bone disease가 있음

4) Mycophenolate mofetil (Cellcept®) and mycophenolic acid (Myfortic®)

: T & B lymphocyte proliferation, cytotoxic T-cell generation, antibody formation을 선택적으로 억제함. Azathioprine 대신 많이 사용되며 부

작용으로는 leukopenia, diarrhea, abdominal pain, CMV infection의 증가가 있음. Myfortic®은 GI trouble이 심한 환자에서 사용 가능함

5) Monoclonal antibodies

(1) OKT3

: Murine monoclonal antibody로서 T-cell receptor를 인식하고 항원 인식을 막아서 T-cell의 기능을 방해하면서 T-cell lysis를 유도함. OKT3 는 steroid resistant, severe rejection시 투여되며 부작용으로는 fever, chill, hypotension, respiratory distress, pulmonary edema가 발생함

(2) daclizumab & basiliximab

: IL-2 receptor specific monoclonal antibody로서 induction therapy로 주로 사용됨

6) Polyclonal antithymocyte antibodies

: Thymoglobulin과 Atgam이 있으며 induction therapy나 acute rejection에 따른 rescue therapy로 사용됨

7) Sirolimus, Everolimus

: mTOR inhibitor로서 T-cell signal transduction을 block함. 부작용으로는 thrombocytopenia, hyperlipidemia 등이 있음

8) Azathioprine

: DNA, RNA의 synthesis 또는 function을 변화시켜서 T & B lymphocyte proliferation을 억제함

2 Treatment for acute rejection

1) Steroid (SPT; steroid pulse therapy)

(1) adults (> 40 kg)

bolus (3 days) - 500mg IV qd

then taper to 250, 125, 75, 60mg IV qd resume oral MPD a maintenance dose

(2) children (< 40 kg)

bolus (3 days) 10~20mg/kg IV, and then taper (daily half dose) re sume oral PD at maintenance

2) Second rescue: steroid unresponse group - XRATG or OKT3

> • Ganciclovir start (CMV prophylaxis)
> 예) 500-500-500-250-125-75-60mg (solu-medrol IV)으로 감량한 후 8일째
> 부터 MPD 16 mg bid 3일간, 8mg 3일간 정도로 tapering하면서 가장 최근
> dose에 도달하도록 함

(1) XRATG 1.5 or 2.5mg/kg을 N/S 250cc에 mix하여 12시간 이상 동
안 투여
: 투여기간은 10~14일간 투여함

(2) solumedrol
① Day 1, 2, 3: 500mg (IV, mixed with N/S 50cc)을 XRATG 투여.
30 분 전에 투여
② Day 4: 동일 시간에 투여하고 250mg으로 감량
③ Day 5~: 이후 투여는 rejection therapy에 따라 1/2씩 감량

(3) acetaminophen
① Day 1: acet-Y 125mg (×5)를 XRATG 주기 15~30분 전에 per-
rectal로 투여
② Day 2, 3: oral dose 325mg q 4hr로 투여
③ Day 4~: 환자상태에 따라 투여 여부를 결정
만일 체온이 37.5℃ 이상이면 325 mg q 4hr로 투여

(4) avil
① Day 1, 2, 3: XRATG 투여 30분 전에 1 ample을 IV로 투여
② Day 4~: 환자상태에 따라 투여 여부를 결정

(5) solucortef
① Day 1, 2, 3: 100mg IV XRATG 투여 직전
② Day 4~: 환자상태에 따라 투여 여부를 결정

(6) ganciclovir schedule을 동시에 start

Ganciclovir (DHPG)				
Ccr (ml/min)	용량(mg/kg)	Dosing Interval (hrs)	유지용량(mg/kg)	투여간격(hrs)
〉70	5	12	5.0	24
50~69	2.5	12	2.5	24
25~49	2.5	24	1.25	24
10~24	1.25	24	0.625	24
〈 10	1.25	투석 후 주3회	0.625	투석 후 주3회

** granulocyte 〈 1,000/mm3 or platelet 〈 20,000/mm3: discontinue ganciclovir

3) Intravenous immunoglobulin (IVIG) therapy

XIVGL (0.5g/10 ml)   XIVG2.5 (2.5g/50 ml)

① Humoral rejection (C4d positive) 시

② Highly sensitized patient의 induction 시에 투여 고려

③ Severe anemia with parvovirus infection in kidney recipients

(1) premedication

: avil 1A ivs

(2) start with 0.001~0.002ml/kg/min for 30 min (0.6~1.2mL/kg/hr)

→ increase up to 0.02~0.04ml/kg/min (1.2~2.4mL/kg/hr)

(3) side effect

: Shock, flushing, fever, dizziness, nausea, headache, hypotension, elevated AST/ALT, BUN/Cr

→ Close observation: vital sign

→ prepare epinephrine injection for anaphylaxis

1 Postoperative routine surveillance

1) Ordinary bacteria and fungus

    (1) urine, sputum (or throat), drains, bile, wounds, blood culture for bacteria and fungus twice a week

    (2) infection의 증거나, FUO 등이 있으면 수시로 F/U culture를 함

2) CMV

    (1) CMV antigenemia surveilance

       ① Immediate post-Op recipient, high risk recipients, antigenemia positive recipients or CMV disease recipients

       ② weekly while hospitalized

       ③ After discharge, at every visit (q 4 weeks) till postop. 12 months

       ④ In case of fever or leukopenia of unknown cause

    (2) CMV PCR

3) EBV

    (1) EBV-VCA (IgG/IgM), EBV-EA, EBNA

      : Less reliable for post-transplant surveillance

    (2) EBV quantitative PCR

       ① High risk patients

         a. transplant from EBV Ig G (+) donor to EBV Ig G (−) recipient

         b. all children < 1 year regardless of pretransplant serology

       ② PreOp - postOp 1 year - every 1 month

         - PostOp 2 years - q 2 months

             이후 - q 4 months

4) HBV: hepatitis profile, HBV DNA quantitation

5) HCV: HCV RNA detection, HCV RNA quantitation

6) HHV-6 detection PCR

❷ Prevention and treatment of infection

1) Bacterial and protozoa infection

(1) bacterial prophylaxis

① Systemic antibiotics

a. LT: cefotaxime 1.0 g IV q 8 hr (AST) and Ubacillin® (대표명 Unasyn®) 1.5g IV q 8 hr (AST)

b. KT: LT와 동일

c. start with induction

d. reinjection intraoperatively in case of prolonged surgery

e. duration: POD #2까지(ATG induction일 경우 POD#4까지)

f. sepsis 등으로 수술 전에 쓰던 항생제가 있다면 지속해서 사용

② SBD (selective bowel decontamination)

a. gentamicin 80 mg P.O. qid erythromycin 500mg P.O.qid

b. duration: begin the days before operation

c. continue for 7 days after transplantation

③ Prophylactic antibiotics during procedures

• cefotaxime and ubacillin with invasive procedures q 8 hr (for 2~3 days)

e.g.,) cholangiography, PTBD, ERBD, ENBD, angiography, balloon dilatation, stent insertion, biopsy, PCD, etc

(2) pneumocystis infection prophylaxis (pneumocystis jiroveci)

① LT: Bactrim® (U Prin®) 2T PO bid

Start at the beginning of oral intake. 매주 토, 일요일(6개월간)

② KT: Bactrim® (U Prin®) 1T qd - POD#6 이후 매일(1년간)

③ resume for ATG and OKT3 therapy

(2T bid during therapy and another 2 days after last dose)

2) Prevention for fungal infection

(1) LT, SPK

① Itraconazole syrup 200mg PLT or PO bid (during NPO)

② Diet 시작 후부터 itraconazole cap. 100mg PO bid (till POD#30)

(2) infection이 의심될 때, empirical antibiotics와 같이 anti-fungal coverage 시행(itraconazole)

(3) risk factors for asperogillosis: consider for pre-emptive therapy (Am J Transplant 2004; (S10):110)(Liver Transpl 2002;8:1065)

① Pretransplant fulminant hepatic failure

② Primary allograft failure or severe dysfunction

③ retransplantation

④ High transfusion requirement

⑤ Use of OKT3

⑥ Dialysis requirements

⑦ Aspergillus antigenemia

3) Viral infection

(1) CMV (Am J transplant 2004;4 (S10):51)

① CMV infection: replicative infection diagnosed by intra-cytoplasmic or intra-nuclear inclusions or by antibody-based staining technique

② CMV disease: defined by evidence of CMV infection with attributable symptoms

③ CMV syndrome

a. evidence of CMV in blood by viral culture, antigenemia or a DNA/RNA-based assay

b. plus one or more of the following

- fever > 38℃ for at least 2 days

- new or increased malaise

- leukopenia

- ≥5% atypical lymphocytes

- thrombocytopenia

- elevation of hepatic transaminases (ALT or AST) to 2 × upper limit of normal (applicable to nonliver transplant recipients)

④ No prophylaxis

⑤ Pre-emptive (if indicated)

    a. indication (high risk recipients)

       : Transplant from CMV Ig G (+) donor to CMV Ig G (−) recipient

    b. ganciclovir for 2 weeks

       CMV immunoglobulin (cytogam)

⑥ Prophylaxis during ATG, OKT3 therapy, SPT (in pediatric)

⑦ Pre-emptive therapy according to CMV antigenemia with ganciclovir for 10~14 days

    a. CMV antigenemia: > 10/400,000 (in LT)

       50/400,000 (in KT)

    b. ganciclovir (IV) for 10~14 days

    c. Valacyclovir (Valtrex®) 1T (500 mg) tid for 3 months

⑧ Treatment of established CMV disease

    a. ganciclovir (IV) for 2~4 weeks

    b. F/U CMV disease: EGD, sigmoidoscopy, biopsy ···

    c. other agents: ganciclovir-resistant CMV - forscarnet

(2) EBV (Am J Transplant 2004;4 (S10):59)

  ① No prophylaxis

  ② Pre-emptive in high risk recipients

    a. ganciclovir (IV) for POD 2 weeks and then acyclovir (PO) for 2 years

    b. high risk patients

      • transplant from EBV IgG (+) donor to EBV IgG (−) recipient

      • all children < 1 year regardless of pretransplant serology

  ③ Acyclovir dose (04. 4. 6 이후)

    a. aldult-200mg q 4 hr (5회): 2세 이상은 성인에 준함

b. child-100mg q 4 hr (5회): 2세 이하

- A high EBV DNA load (EBV PCR 〉 2000 copies/5μL whole blood) in the peripheral blood has been associated with an increased risk on PTLD
  -Reduction of immunosuppression
  -Antiviral medication ± IVIG
  -Monoclonal B-cell antibody therapy
  -Surgical resection

- Baseline study in pediatric LT
  -EBV PCR: preOp − PostOp 1 year ∼ every 1 month
                  − PostOp 2 years ∼ q 2 months
                    이후 ∼ q 4 months

④ PTLD (post transplant lymphoproliferative disorder)

  a. risk factors of PTLD

- OKT3 또는 ATG와 같은 면역억제제 사용자
- EBV D+/R- status
- fewer HLA matching
- CMV D+/R- and CMV disease
  → 이러한 risk factor가 있는 환자에서 fever, lymphadenopathy, diarrhea, allograft dysfunction 등의 증상이 있으면 PTLD 에 대한 aggressive work up

  b. PTLD 의심 및 진단 후 management

- reduction of immunosuppression
  - ↓ cyclosporine / tacrolimus to 1/2 or less
  - stop azathioprine/MMF
  - maintain oral steroid
  Time to response: 2~4 weeks
- anti-CD20 antibodies (rituximab - 375mg/m^2)
  -neutralizing the B-cells expressing CD20
  -abort the lytic-replicative phase of EBV driven lymphoproliferation

(3) VZV, HSV

    ① No prophylaxis

    ② Treatment for herpes infection: acyclovir 10~14 days

Dose of intravenous acyclovir		
Ccr (ml/min)	Induction Dose (mg/kg)	Dosing Interval (hrs)
〉50	10	8
25~50	10	12
10~24	10	24
〈 10	5	24

Dose of oral acyclovir		
Ccr (ml/min)	Induction Dose (mg/kg)	Dosing Interval (hrs)
〉50	800mg	6
10~50	800mg	8
〈 10	800mg	24

4) HBV infection in LT

    (1) HBV prophylaxis in HBsAg (+) recipient: HBIG + entecavir PO

        ① hepabig 10,000 U (소아는 100 IU/kg (30 kg 이하), 10,000 U (30kg 이상))+ 5% DW 100 cc mix IV

        ② intra-op 시 anhepatic phase에 주고, 수술 후 6일째까지 총 7번을 준 후 일주일 간격으로 3번을 더 주고(첫 한 달은 10번) 두 번째 달부터 1년까지 매달 10,000U IVS

        ③ 그 이후는 HBs-Ab titier check 후 보통 1개월 혹은 2개월 간격으로 줌(HBsAb titer>200 기준)

        ④ entecavir를 POD#6부터 같이 투여

            dose: Pre-LT drug resistance mutation (−): 0.5mg qd

                    Pre-LT drug resistance mutation (+): 1.0mg qd

(2) de novo hepatitis B prophylaxis in HBcAb (+) donor

① hepabig 10,000U (소아는 100IU/kg) ivs + 5% DW 100 cc mix IV

② Intraop 시 anhepatic phase에 주고, 수술 후 6일째까지 총 7번을 줌

③ 이후 HBs-Ab titier>200 되도록 HBIG 10,000U (성인) / 100U/ Kg IV (소아) IVS

④ 소아의 경우 POD 1 year 후 active vaccination (hepavax, euvax) 으로 전환(HBs-Ab titer 100 이상 유지)

(3) treatment of recurrent HBV

① F/U 중 HBsAg (+)로 positive conversion

② Hepatitis profile check, HBV DNA quantitation, HBV drug resistance mutation check

③ entecavir 시작 mutation (−) 0.5 mg qd, mutation (+) 1.0mg qd

(4) HBcAb (+) group이 아닌 소아환자(HBsAg (−) 환아 포함)

① Hepatitis profile 6개월마다 f/u

② HBs-Ab titier 10 이상 유지

5) HBsAg (+) in kidney recipient

- post-transplant: start previous medicine or entecavir

6) HCV infection in LT

① Pre-transplant check: HCV RNA quantitation (PCR), HCV geno-typing

② Consult to hepatologists for recently developed medicine(sofosbuvir, daclatasvir, velpatasvir...)

③ HCV RNA quantitation (PCR) F/U (post-transplant)

④ do not change immunosuppression.

⑤ avoid steroid bolus

⑥ consider steroid-free immunosuppression

⑦ consider post-transplant combination antiviral therapy

7) Polyomavirus (BK virus)−KT patients

① Tubulointerstitial nephritis

② screening/monitoring for unexplained serum Cr elevation

③ Algorithm for BK virus

Urine BK virus DNA PCR detection at

POD#1, 5, 9, 16, 24, 36, 48 weeks

→ (if positive) Check urine BK virus DNS PCR quantitation

→ (if uBK DNA≥7 log copies/mL)

Hold MMF, Check plasma BK virus DNA PCR

→ (if sBK DNA≥4 log copies/mL with Cr elevation)

Consider changing CNI to sirolimus, Allograft Biopsy

8) Tuberculosis

(1) prophylaxis

① 전염성 결핵 환자와 최근 접촉이 있었던 환자

② chest PA에서 stable Tb. 병변이 있으면서 이전에 결핵 치료력이 없거나 부적절하게 치료를 받았다고 여겨지는 환자에서 PPD skin test 양성(경결의 크기가 10mm 이상) 또는 TB Specific Interferon-Gamma(QTF) 양성 환자

→ Regimen: INH 300mg (9개월) + B6 50mg

３ Fever in the transplant recipients

(*Surg clin north am* 2006;86(5):1127)

1) Fever without localizing findings

(1) chest PA

(2) blood culture (including fungus)

(3) U/A and urine culture

(4) CMV antigenemia

2) Pneumonia: R/O

(1) chest PA

(2) blood culture (including fungus)

(3) sputum gram stain and culture (including fungus)

(4) sputum AFB smear and culture

    (5) CMV antigenemia

    (6) aspergillosis Ag

    (7) noncontrast chest CT

    (8) consider bronchoscopy with BAL (bacterial, viral, AFB and fungal culture)

    (9) consider anti-fungal agent administration if not improved with antibiotics

3) UTI (for kidney transplant recipient)

    (1) urine gram stain and culture

    (2) blood gram stain and culture

    (3) consider VCUG, if recurrent: R/O reflex

4) Cholangitis (For liver transplant recipient)

    (1) blood and bile gram stain and culture

    (2) Doppler US or liver CT: R/O biliary complications

      : consider intervention - PTBD, PCD

5) Diarrhea

    (1) stool culture (salmonella, shigella, campylobacter)

    (2) stool exam: parasite, protozoa (cryptosporidium, microsporidium)

    (3) clostridium difficile toxin

    (4) CMV antigenemia: R/O CMV enteritis

    (5) consider sigmoidoscopy in prolonged and severe diarrhea

    (6) abdomen-Pelvis CT: R/O PTLD

1) Post-operative management of LT

1) Donor management

(1) transfusion

① 가급적 혈액 제제(RBC, FFP포함)의 수혈은 하지 않음

② autologous transfusion (수술 전 준비된 것이 있는지 확인)은 필요 시 할 수 있음

(2) L-tube: POD#1 아침에 제거

(3) Foley catheter는 수술 후 3일째 제거

2) Recipient management (immediate post-Op at ICU)

(1) fluid management

① 소변양은 수술 전 신장기능, 수술 중 수혈의 정도나 anhepatic phase 기간, 이식간의 기능 여부, 체내의 volume status에 따라 다를 수 있으나, 수술 후 초기는 일반 환자와 달리 소변량을 늘리기 위해 여러 가지 조작을 하는 것보다, 위의 여러 가지 상황들이 호전되어 저절로 소변량이 늘기를 기다려 봄. 과도한 volume challenge는 폐부종 등 부작용을 유발할 수 있음

② CVP: 10mmHg 이하로 유지

③ JP replace: main fluid와 CVP replace를 함께 고려하여 결정하되, 일반적으로 replace 안 하나, 체내 volume을 유지하고 싶을 때는 나오는 양의 70%를 albumin 50%, H/S 20%로 replace하고, 체내 volume을 늘리고 싶을 때에는 나오는 양의 100%를 albumin 70%, H/S 30% 로 replace하고, 체내의 volume을 줄이고 싶으면 나오는 양의 50% 정도를 albumin으로 replace함

④ CRRT의 적용

⑤ central pontine myelinosis (CPM) 주의(Clin transplan 2000;14:1)

a. Na을 10mmol/L per 24 hr (4mmol/L per hr) 이상 급상승 교정하지 않음

b. 급격히 교정된 경우 가능한 다시 낮춤

c. aggrevive management of post-Op hyperosmolarity due to hyperglycemia and possibly uremia

(2) transfusion

① RBC replacement

a. Pre-storage leukocyte reduced RBC(ML11154)로 보충함

b. hematocrit 30 정도, hemoglobin 8~10 정도를 목표로 함 (Hb 7 이하일 때 transfusion 고려. Hb 10 이상 올라가지 않도록 유지)

② platelet: 3만 개 이하일 때 replace를 함(LD-PC or ESP)

③ Cryoprecipitate: Fibrinogen이 100 이하일 때 replace함

④ FFP: PT의 추이를 보면서 간기능의 회복이 느릴 때 사용

PT가 INR 3.0 이상으로 prolongation되어있을 때 사용하나 간기능 회복 정도를 비교해야 하고, 지나친 교정은 thrombosis를 유발할 수도 있으므로, FFP투여는 신중히 결정

cf) in children: do not give any procoaggulants (FFP, cryoprecipitates, platlets, or Vit. K) routinly

(3) 기타 약제

① PGE (보험허용량과 관련)

a. insurance coverage: Total 12 (PGE1+PGE10)

b. PGE1 (Prostandin®, alprostadil 20μg): reperfusion 직후부터 시작(수술실)해서 POD#3

(17.5 ug/kg in 5DW 50 ml) mivs c 4cc/hr for 3 days

: 50 vial per day 보험허용량에 맞춘 것

PGE10 (Eglandin®, alprostadil 10μg): POD#4일 이후 POD#6까지

: PGE1의 1/2 용량으로 8.75 ug/kg in NS 50 ml c 4 cc/hr for another 3 days

② Foy® (XGABE): 6 vial (6×100mg) per day for 7 days (POD#6 까지) (수술실)

a. Foy® 600mg (in 5DW 50 ml) mivs c 2cc/hr

b. reperfusion 직후부터 시작

③ Fragmin® (dalteparin)-low Molecular heparin

a. 50 u/kg/day for 7 days (POD#6까지)

b. Fragmin® 50 u/kg (in N/S 50ml) mivs c 2cc/hr

예) fragmin (500u + N/S 50 cc mivs with 2cc/hr (10 kg 기준)

c. hepatic artery anastomosis 끝날 때쯤 시작(OR)

④ Antithrombin III

a. anti-thrombin III 500u ivs q 6 hr for 7 days (POD#6까지)

b. 소아에서는 감량(1/5 정도)

⑤ Aspirin coated 100 mg PO qd: POD#5부터 시작

- Post-op studies
  1. doppler USG: POD#1, 3, (5), 7
     ① hepatic vein, graft vein, portal vein의 flow check
     ② hepatic artery 의 flow: RI
     ③ 전반적인 liver 의 echogenicity
     ④ fluid collection and hematoma
     ⑤ 이상이 있는 경우 CT 등의 검사 시행 여부를 결정함
     ⑥ deceased LT 시 intraoperative doppler 필요없음
  2. CT: POD#14일경에 routine check
  3. DISIDA: CT와 같은 시기에
  4. tubogram: I tube 있는 환자는 POD#14일경에 routine check해서 leakage 또는 obstruction 소견 없으면 clamping
     → 2~3일 뒤 bilirubin 상승 소견 없으면 removal
  5. protocol Bx: POD #7~14일 사이 LFT상승 환자 대상
  6. chest X-ray는 ICU에 있는 동안에는 daily check하고, L-tube나 drain 등의 위치 확인을 위해서 simple abdomen도 가능한 확인을 한다.
- Interpretation of Doppler US: hepatic vasculatures
  (*RadioGraphics 2004;24:657*)
  −Blue: away from the transducer
  −Red: toward the transducer
  −RI (Resistive Index) = (peak systolic−end diastolic)/peak systolic velocity

3) Recipient management (early post-Op at ward)

(1) sustained ascites

Doppler US F/U: esp. HV

Consider diuretics (furosemide, spironolactone) or propranolol
administration

(2) sustained hyperbilirubinemia

: R/O biliary complication vs. R/O graft dysfunction

Doppler US F/U: esp. intrahepatic duct dilatation or fluid collec-
tion liver CT F/U

DISIDA

Consider biopsy

4) Management of re-admission recipient

(1) evaluation

    ① Cause of Re-admission

        a. elevation of AST/ALT

        b. elevation of total Bilirubin

        c. infection: fever, CMV antigenemia, herpes zoster

        d. R/O recurrence of primary disease

        e. R/O PTLD or other malignancy

        f. others: nutritional problem

          For intervention (PTBD or ERCP) for immunosuppressant change

    ② Op. date

    ③ Primary cause of LT: HCC, HBV, HCV

        a. HCC: alpha-FP, recent liver CT

        b. HBV related: current medication (HBIG/lamivudine/ adefovir…) HBsAg/anti-HBs titer 확인

          HBV DNA quantitation 확인

          HBV drug resistance mutation (recur시) 확인

        c. HCV related: HCV RNA quantitation 확인, HCV genotype 확인

    ④ Operative procedures

      : deceased/living Donor LT,

      Duct reconstruction: hepaticojejunostomy/duct to duct anastomosis, single/double, stent 여부

      PTBD indwelling: route, tip placement ERBD

      기타 특이사항 확인: HA, HV, PV 등

    ⑤ Previous problems: previous intervention

    ⑥ Recent laboratory or radiologic findings

      : CBC, LFT, CRP, CMV antigenemia, Doppler US, liver CT

- Abnormal LFT recipient의 W/U: re-admission
  : Hx, Sx & sign, primary disease, operative findings & procedures, additional intervention에 따라 다음과 같은 검사를 고려해 볼 수 있음
  1) R/O biliary complication, R/O cholangitis
  2) R/O primary disease recur: viral hepatitis, autoimmune hepatitis, HCC
     : esp. R/O HBV recur, R/O HCV active replication
  3) R/O rejection, R/O graft failure
  4) R/O viral infection
     - CBC with diff. LFT with bil (direct), GGT, CRP, AFP (HCC)
     - doppler US: HA/PV/HV/bile duct evaluation
     - liver CT: R/O perihepatic Fluid collection
       R/O bile duct dilatation
       R/O insufficient perfusion
     - DISIDA: R/O biliary leakage,
       R/O biliary obstruction,
       R/O hepatic dysfunction
     - culture (ordinary bacteria and fungus)
       : blood, urine, sputum, bile (PTBD), ascites (PCD)
     - PTBD re-check (PTBD indwelling)
     - hepatitis profile/HBV DNA Quan./HBV YMDD mutation (HBsAs (+)일 때)
     - HCV RNA detection /quan. (PCR)
     - CMV antigenemia
     - EBV PCR (high risk recipient)
     - FANA, quan./smooth muscle antibodies/motochondrial antibodies
     - Biopsy: R/O acute rejection vs graft failure (chronic rejection)
               R/O hepatitis (HBV,HCV)
               R/O viral infection - CMV, EBV, HSV

(2) management

① Doppler USG, DISIDA, CT 등의 검사

② Biopsy

③ ERCP

   a. 입원 1주일 전부터 anti-platelet D/C

   b. ulinastatin 5,000unit/5% DW 500cc mix iv bid

④ PTBD

⑤ PCD

⑥ T-tube removal

   a. 중국 간이식 환자인 경우

b. 이식 후 첫 방문 시 T-tube check

c. 이식 후 6개월 때 T-tube check하고 removal 시행

⑦ I-tube removal

a. 이식 후 2주째 tubogram 시행

b. 검사상 leakage 또는 obstruction 소견 없으면 clamping 시행

c. clamping 후 2~3일 동안 bilirubin 상승 없으면 removal

⑧ H-J conversion OP 후 PTBD removal

H-J conversion OP 후 3개월째 cholangiography 시행 후 입원해서 removal

5) 퇴원 후 일상생활에서의 감염관리(공통): 퇴원교육(이식센터)

① 집 안에서 마스크는 3개월까지 착용

② 병원 방문 시 최소한 6개월까지는 마스크를 착용

③ 모든 음식은 익혀서 먹음

단 채소는 깨끗하게 씻어서 익히지 않고 먹어도 됨

④ 애완동물을 키우는 것은 금함

⑤ 생선회 또한 먹지 않는 것을 원칙으로 하나 먹는다면 활어회는 금하고 숙성 및 살균 처리된 선어회를 먹도록 함

⑥ 껍질을 벗기고 먹는 과일은 먹어도 좋음

⑦ 김치는 젓갈이 첨가되지 않도록 하고 생김치보다는 맛있게 잘 익힌 신김치를 먹도록 함

② Post-operative management of KT

1) Fluid management

(1) CVP replacement : 가능한 CVP 10 mmHg 이상 유지

(2) urine replacement

2) immediate postOp. 검사

(1) Doppler sonography는 POD#1일째 시행하고 특별한 소견이 있는 경우 다시 시행함

(2) DTPA는 POD#5~7일째 시행함으로 미리 schedule을 confirm함

(3) POD#7 검사

CBC with differential, Chemistry profile, electrolyte, lipid profile, routine U/A, microscopy urine, CMV antigenemia, parvovirus B19 Quan. PCR,

polyomavirus type BK DNA, detection, urine

urine (voided)-check decoy cell

HHV-6 detection (PCR), PRA screening, HLA class I&II

(4) KT 환자에서 수술 후 2주이내 rejection이 생긴 경우 PRA identification, HLA class I, II를 시행함

(5) In case of anemia (Hb<7g/dL), check parvovirus B19

3) Management of re-admission recipient

(1) Differential diagnosis

① r/o UTI

② r/o Dehydration with co-morbid disease

③ r/o Acute rejection

④ r/o Viral infection (involving graft)

(2) Examinations : 임상 상황에 맞춰 적절한 검사 시행

① CBC with diff, BUN/Cr, electrolyte, CRP

② UA with micro, urine gram stain and culture

③ Transplanted Renal Doppler US

④ CMV antigenemia

⑤ Urine: decoy cell (for BK virus detection)

⑥ Parvovirus B19 Quan. PCD (blood)

⑦ Polyomavirus type BK (Urine)

⑧ HHV-6 detection PCR

⑨ Kidney biopsy : r/o rejection, r/o viral infection

⑩ Non-contrast CT : Chest, abdomen

4) OPD follow up

(1) ~1 month : every 1~2 weeks/ after 1 month : every 1 month f/u

(2) Routine lab at OPD

① CBC with diff, chemistry, electrolyte, lipid profile

② UA with micro

③ FK506 (Tacrolimus) or Cyclosporine, Mycophenolic acid

④ CMV antigenemia

⑤ Urine: decoy cell (for BK virus detection)

⑥ Protein/Creatinine Ratio, Urine

   Albumin/Creatinine Ratio, Urine

⑦ Protein, 24 hr Urine, Ccr (Creatinine Clearance)

   (Check at 12 weeks, 20 weeks, 6 months, 1 year, then yearly)

(3) PRA

① Check at pre-op, postop 1 week, 4 week, 1 year

   : PRA screening, HLA class I&II

② PRA screening(+) or DSA(+) or High PRA&DSA(-)

   : HLA Ab single identification, PRA class I & class II

5) Virus panels: check at postop 1, 5, 9, 16, 24 weeks

(1) HHV-6 detection PCR

(2) Parvovirus B19 DNA, detection

   If positive→Parvovirus B19 DNA, Quantitation

(3) Polyomavirus type BK DNA, detection, urine [PCR]

   If positive→Polyomavirus type BK DNA, quantitation, Urine

6) Postop 1 year exam

① Hepatitis profile/anti-HCV Antibody

② Protein, 24hr Urine, CCr (Creatinine Clearance)

③ EGD/Colonoscopy

④ Bone Whole body scan

⑤ Bone Densitometry

⑥ Transplanted Renal Doppler

⑦ PRA screening, HLA class I&II

⑧ Chest PA & lateral, EKG

⑨ In females, breast US & mammo, OBGY for cancer screening

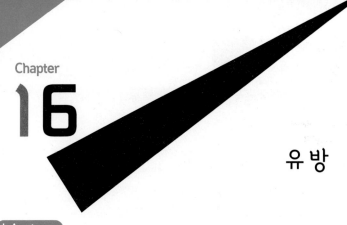

Chapter

16

유방

I. Anatomy

1 유방

- 유방조직의 경계: 쇄골(clavicle), 액와 스펜서 꼬리(axillary tail of Spence), 광배근(latissimus dorsi), 복직근(rectus muscle)의 상부
- 후유방공간(retromammary space): 유방조직의 뒤, 흉근막(pectoralis fascia)의 앞, 작은림프관과 혈관을 포함하고 있으므로 유방암 수술 시 함께 완전히 절제함

1) 혈관의 분포

(1) 동맥분포

: 내흉동맥(internal thoracic artery)의 관통분지(perforating branches), 액와정맥(axillary artery)에서 분지된 장흉동맥(long thoracic)과 견봉흉부동맥(thoracoacromial branches)

(2) 정맥배액

: 액와정맥(axillary vein), 내흉정맥(internal thoracic vein), 외흉정맥(lateral thoracic vein), 늑간정맥(intercostal vein)

2) 림프의 흐름

(1) 유선내 림프관(interlobular lymphatic vessels) → 유륜하얼기(subareolar plexus) → 액와림프절(axillary lymph node(75%)),내유림프절(internal mammary lymph node(25%))

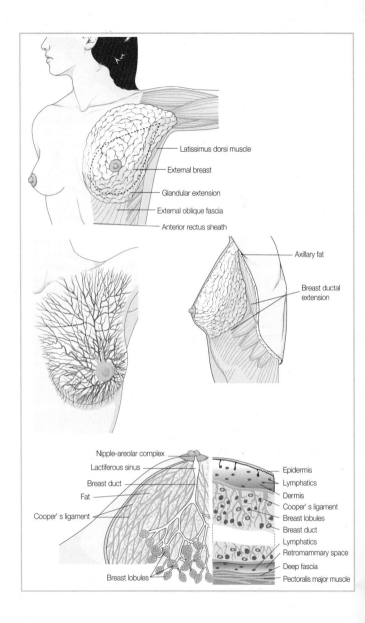

Latissimus dorsi muscle
External breast
Glandular extension
External oblique fascia
Anterior rectus sheath

Axillary fat
Breast ductal extension

Nipple-areolar complex
Lactiferous sinus
Breast duct
Fat
Cooper's ligament
Breast lobules

Epidermis
Lymphatics
Dermis
Cooper's ligament
Breast lobules
Breast duct
Lymphatics
Retromammary space
Deep fascia
Pectoralis major muscle

❷ 액와

- 액와부(axillary area)의 경계
  : 상방-액와정맥(axillary vein), 외측-광배근(latissimus dorsi muscle),
  내측-전거근(serratus anterior muscle)

1) 액와림프절

(1) level I: 소흉근(pectoralis minor m.)의 외측(lateral)

(2) level II: 소흉근(pectoralis minor m.)의 후방(posterior)

(3) level III: 소흉근(pectoralis minor m.)의 내측(medial)

(4) 흉근간림프절(Rotter's node): 대흉근(pectoralis major m.)과 소흉
근(pectoralis minor m.)의 사이

2) 액와신경: 3개의 운동신경, 몇 개의 감각신경

(1) 장흉신경(long thoracic nerve): 전거근(serratus ant m.)에 분포
(손상 시 견갑골이 흉벽에 고정이 안 되는 익상견갑골변형)

(2) 흉배신경(thoracodorsal nerve): 광배근(latissimus dorsi m.)에 분포
(손상 시 팔의 외전(abduction), 내전(internal rotation)에 장애)

(3) 내흉신경(medial pectoral nerve): 대흉근(pectoralis major m.)의 외
측 1/3에 분포(손상 시 대흉근의 위축)

(4) 늑간신경(intercostal brachial nerve)

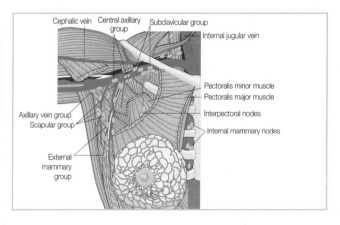

: 감각신경절단 시 상완(upper arm)의 후방(posterior) 내측(me-dial) 쪽에 무감각

II. Clinical assessment

❶ 문진

- 비정상 유방촬영술 소견(abnormal mammogram), 유방종괴(breast mass), 통증, 유두분비물(nipple discharge), 피부 변화, 무감각 또는 이상감각
- 증상, 기간 , 임신 or 생리주기와 연관성, 외상력(trauma history)
- 폐경 또는 외인성 폐경(surgical menopause) 나이
- 유방조직검사(breast biopsy) 또는 암 과거력(유방, 부인과암, 대장, 전립선, 위암, 췌장암 등)
- 유방촬영술 검사력(mammography history)
- 경구피임약 또는 호르몬 대체요법 과거력
- 가족력(family history)
- 진단 당시 나이

1) 암의 위험요소 평가

(1) 위험요소 평가항목

① 이전 생검에서 비정형 또는 암의 과거력

a. 유두종(papillomatosis), 복합성 섬유선종(complex fibroadenomas)

b. 비정형 유관증식증(atypical ductal hyperplasia), 비정형 유엽증식증(atypical lobular hyperplasia): 4-5배 증가

c. 소엽상피내암(lobular carcinoma in situ)

e. 이전의 관상피내암(ductal carcinoma in situ) 또는 침윤성 유방암(invasive breast cancer) 과거력

② 가족력

a. 유전자변이(gene mutation)가 있는 경우

b. 젊은 나이(< 40세) 발생, 양측성 유방암: 위험성 더 증가

c. 유방암과 난소암이 같이 있는 경우

d. 남성유방암(1촌 관계 유방암 가족력: 2배, 1촌 관계 2명의 가족력: 위험성↑)

③ reproductive risk factors

    a. 여성호르몬제 복용력(estrogen, progesterone)

    b. 초경 < 12세

    c. 미산부

    d. 초산> 30세

    e. 폐경>55세

④ BRCA1 & BRCA2: 전체 유방암의 5%는 유전성유방암, 유전성 유방암에서 50-70%는 BRCA 유전자 이상에 의한 것

    a. BRCA1 변이: (70세까지 살 경우) 유방암에 걸릴 확률 70%, 반대편 유방암 발생 위험 60%, 난소암 발생위험 40%

    b. BRCA2 변이: (70세까지 살 경우) 유방암에 걸릴 확률 50%, 난소암 발생 위험 10%, 남성 보인자 6%에서 유방암 위험

⑤ 기타

    a. 흉부 방사선 치료력(< 30세)

    b. 폐경 후 높은 체질량지수(body mass index)

❷ 신체검사

1) 유방: 비대칭(asymmetry), 결손(deformity), 피부변화(발적erythema, 부종edema, 함몰dimpling)

  (1) 종괴: 크기, 모양, 단단함(tenderness), 위치, 고정성(fixation)

  (2) 유두: 함몰, 색깔변화, 내전(inversion), 궤양성변화(ulceration), 습진성변화(eczematous changes), 분비물(색깔, 단일관에서 분비여부)

2) 액와(Axillary), 쇄골상부(supraclavicular), 쇄골하부(infraclavicular) 림프절: 크기, 수, 고정성(fixation)

❸ 유방 영상검사

1) 검진성 유방촬영술

: CC, MLO view > 40세 매년 검사 권고, 유방암의 사망률(mortality) 감소

(1) 유방촬영술의 악성 소견

① 새로운 종괴 or 침상형(speculated) 종괴

② 선형의(linear) 군집성미세석회화(clustered microcalcifications)

③ 구조의 변형(architectural distortion)

- BI–RADS (Breast Imaging Reporting and Database System) 점수
  0 = 추가검사 혹은 이전 검사와 비교가 필요한 경우
  1 = 정상 : 아무런 이상소견이 없는 경우
  2 = 양성: 석회화된 선유선종, 분비성 석회화, 지방종, 과오종, 지방낭종, 혈관석회화,
  3 = 양성 추정 : 2% 미만의 악성 가능성을 완전히 배제할 수 없어 6개월 간격으로 추적검진이 필요한 경우
  4 = 악성의심: 2~94% 악성위험도
    4a (2~10% 악성가능성)
    4b (11~50% 악성가능성)
    4c (50~94% 악성가능성),
  5 = 95% 이상의 악성가능성이 있는 병변으로 반드시 조직검사를 시행해야 하는 경우
  6 = 확진된 유방암

---

(2) 유방촬영술의 양성소견

① 방사선반흔(radial scar): 섬유낭종성(fibrocystic) 유방 때문에 발생, 악성과 감별이 어려워 배제 위해 조직검사 필요

② 지방괴사(fat necrosis): 외상(trauma) 때문, 악성 감별 위해 조직검사 필요

③ 우유석회(milk of calcium): 섬유낭종성변화와 관련, 특징적인 원반, 낫 모양의 석회화, 조직검사 필요 없음

④ 낭종(cyst): 유방촬영영상상 종괴와 구별 안 되어 초음파 검사 필요

(3) 고위험군 환자에서 검진(screening)

① BRCA 변이

: 매년 유방촬영술, 2년에 한 번 신체 검진, 25~30세에 시작

② 고위험가족력(알려지지 않은 유전자 변이)

: 매년 유방촬영술, 2년에 한 번 신체검진, 가족 중 유방암 진단
된 가장 어린 나이보다 10년 일찍 시작, 40세를 넘지 않도록 함

(4) MRI: 일부 고위험군에서 검진, 유방보형물이 있는 경우

2) Diagnostic imaging

(1) diagnostic mammogram: magnification view or spot compression
view가 도움이 될 수도, false negative/positive: 각각 10%

(2) ultrasonography

: mammogram과 같이 검사해야 sensitivity > 90%, 특히 젊은 여성

(3) MRI

: disease의 extent를 결정, multicentric disease 발견, 반대측 breast
를 평가, unknown primary에 axillary metastasis가 있는 환자를
evaluation, chest wall invasion을 평가

④ Breast biopsy

1) Palpable masses

(1) fine needle aspiration (FNA): sensitivity 90% 이상, malignant cell
진단 가능. ER, PR status 평가, tumor grade or invasion 여부는 알
수 없음

(2) core biopsy

: FNA보다 선호, invasiveness 여부, tumor grade, receptor status 결정

(3) excisional biopsy: core biopsy가 안 될 때 시행, incision 계획은
mastectomy incision을 고려, orientation을 표시해 두어야 함

(4) incisional biopsy: FNA나 core biopsy로 정확한 진단이 안 되는
malignancy가 의심되는 large mass의 평가를 위해 시행, skin in-
volvement가 있는 inflammatory breast cancer에서는 skin punch
biopsy를 할 수 있음

2) Nonpalpable lesions

- pathologic results와 imaging finding 사이에 correlation이 요망됨
- image-guided biopsy에서 high-Risk lesion (ADH, ALH, LCI,

radial scar)가 있을 시 malignancy가 함께 있을 가능성이 있으므로 surgical biopsy가 요망됨

(1) stereotactic core biopsy

   ① US상에서 안보이고, mammogram에서 발견된 non palpable lesion (microcalcification)

   ② 조직을 얻은 뒤, breast와 specimen의 image를 찍어 확인

   ③ contraindication

     : lesion이 chest wall에 가깝거나 axillary tail에 있는 경우, thin breast, superficial lesion 또는 nipple-areolar complex 아래에 있는 경우

   ④ non diagnostic, insufficient specimen은 needle localized excisional biopsy를 해야 함

(2) US-guided core biopsy

   : US상 보이는 lesion, stereotactic biopsy보다 쉬워 선호됨

(3) vacuum-assisted biopsy

   : large needle (9~14 gauge), multiple contiguous sampling

(4) needle localization excisional biopsy

   : 의심되는 부위에 mammogram guide하에 needle과 hook-wire를 위치시킨 후 수술실에서 excisional biopsy를 시행

   : specimen mammogram을 찍어 lesion이 잘 포함되었는지 확인

1 섬유낭종성 변화 [Fibrocystic breast change (FCC)]

: stromal fibrosis, macro-microcyst, apocrine metaplasia, hyperplasia, adenosis

1) 흔하고 breast pain, mass, nipple discharge, mammogram에서 이상 소견 등으로 나타남

2) breast mass나 thickening, 그리고 FCC가 의심 시에는 short interval로 re-exammination함(호르몬 영향이 적은 생리주기 10일쯤, 가끔 mass size가 줄어듦)

3) 지속되는 mass는 암을 배제하기 위해 추가적인 radiologic evaluation, biopsy 등이 요구됨

2 유방 낭종 [Breast cysts]

- tender mass 또는 smooth, mobile, well-defined mass로 나타남
- aspiration이 진단에 도움이 되지만 항상 필요한 것은 아님

1) mammogram상 발견된, US상 simple cyst로 판명된 cyst는 무증상일 경우 지켜봄

2) symptomatic simple cyst는 aspiration함. drainage 후 no palpable일 경우 3~4주 후 평가하여 재발하였거나, aspiration으로 완전히 제거 가 안 되거나, bloody fluid가 나올 경우는 intracystic tumor를 배제하 기 위해 추가검사를 시행: non bloody clear fluid는 cytology 검사를 할 필요 없음

3 섬유선종 [Fibroadenoma]

- <30세, most common, smooth, firm, mobile mass

1) 임신하는 동안 커지고, 폐경 후 원래대로 돌아감

2) 임상적, 영상의학적 모양이 fibroadenoma에 합당하고, 크기가 2cm 미만일 경우 conservative treatment함

3) 증상이 있고, 2cm 이상, 크기가 커질 경우 excision함

❹ 유방통 [Mastalgia]

- 대부분의 여성(70%)에서 경험, 대부분 benign 관련, cancer와 관련 있을 수도(10%)
- cancer 의심되는 양상: 국소적인 noncyclic pain, mass 또는 bloody nipple discharge와 관련된 pain
- cancer가 일단 r/o 되면 증상치료와 안심을 시켜줌
- well-fitting supportive bra: 통증완화의 1st 단계

1) Cyclic breast pain

    (1) menstrual cycle 전에 심해짐

    (2) 20~30%에서 저절로 없어짐, 60%에서 재발

    (3) 카페인 섭취↓, 비타민E 섭취↑ : 증상 완화↑

2) Noncyclic breast pain

    : 치료에 반응↓, 하지만 50%에서 저절로 없어짐

3) Treatment of mastalgia

    (1) topical NSAIDs (diclofenac gel)

        : 1st line treatment (significant efficacy with minimal side effect)

    (2) tamoxifen

        : good pain relief with tolerable side effect (endometrial cancer의 risk로 long term use에는 제한)

    (3) danazol (derivative of testosterone)

        : 효과는 있으나 significant side effect로 사용제한

        (hirsutism, voice change, acne, amenorrhea, liver enzyme↑)

    (4) bromocriptine, gonadorelin analogs

        : significant side effect로 severe refractory mastalgia를 위해 남겨두어야 함

    (5) evening primrose oil

        : 효과는 확실하지 않음

4) Superficial thrombophlebitis (mondor disease) breast pain, cord like lesion

: NSAIDs, hot compress가 증상완화에 도움, antibiotics는 적응되지 않음

5) Breast pain in pregnancy and lactation

: warm compress, soak, massage로 치료

6) Tietze syndrome or costochondritis

: parasternal 부위 통증, breast pain으로 혼동 가능

7) Cervical radiculopathy

: breast로 referred pain을 야기할 수도 있음

⑤ 유두 분비 [Nipple discharge]

1) Lactation

: 수유 중지 후 2년까지도 계속될 수 있음. 비수유기 여성에서 적은 양의 multiple duct로부터의 milk는 나올 수 있으며 치료가 필요 없음

2) Galactorrhea

(1) drug-related galactorrhea

: 대개 양측성, no bloody, medication의 영향 때문(tricyclic anti-depressant, reserpine, methyldoma, cimetidine, benzodiazepine, phenothiazine, metoclopramide, haloperidol, digitalis)

(2) spontaneous galactorrhea

① pituitary prolactinoma, amenorrhea가 동반될 수도

② 진단: serum prolactin level, pituitary CT or MRI

③ 치료: bromocriptine 또는 prolactinoma resection

3) Pathologic nipple discharge

: bloody, spontaneous, unilateral, single duct origin

(1) pathologic discharge: serous, serosanguinous, bloody, watery blood는 guaiac test로 confirm가능

(2) cytologic evaluation은 일반적으로 도움이 되지 않음

(3) malignancy는 10% 정도에서 원인이 됨

(4) 대개 benign intraductal papilloma, duct ectasia, fibrocystic change
가 원인: 수유기 여성에게는 duct trauma, infection, breast enlarge-
ment와 관련된 epithelial proliferation이 원인

(5) solitary papilloma

약간 breast cancer risk↑, single duct에서 persistent, spontaneous
discharge는 surgical microdochectomy, ductoscopy, major duct
excision이 요망됨

① microdochectomy: involved duct와 associated lobule을 excision.
수술 전 involved duct를 cannulation하여 ductogram을 찍어
filling defect를 확인

② ductoscopy: 1mm rigid videoscope로 duct를 exploration함

③ major duct excision: multiple duct에서 bloody discharge 또는
bloody discharge가 있는 postmenopausal 여성에서 도움
; circumareolar incision, retroareolar의 모든 duct를 transect해서
nipple아래 몇 cm까지 cone 모양으로 excision

⑥ 유방의 염증성 질환

1) Lactational mastitis

(1) staphylococcus aureus (m/c)

(2) swollen, erythematous, tender breast: purulent discharge는 드묾

(3) 초기에 antibiotics, 약 25%는 abscess로 진행

(4) breast abscess
: antibiotics에 호전 없고, cavity 보이고, pus aspiration 시 진단
surgical drainage 시행

2) Nonpuerperal abscess

• 원인: duct ectasia with periductal mastitis, infected cyst, infecte
hematoma, hematogenous spread

(1) peri/retroareolar area에 위치

(2) anaerobe (m/c), anaerobic & aerobic organism을 cover하는 antib
otics를 사용해야 함

(3) 치료: surgical drainage

(4) 해결되지 않거나 재발되는 infection은 cancer 배제를 위해 biopsy 를 해야 함

(5) 반복된 infection은 만성적으로 drain되는 periareolar lesion 또는 mammary fistula를 일으킬 수도, 치료는 fistula가 있는 central duct 를 excision함

⑦ 여성형 유방 [Gynecomastia]

1) Pubertal hypertrophy

: adolescent, 대개 bilateral, 6~12개월 후 자연 소실

2) Senescent: 70세 이상 노인, testosterone 수치 ↓

3) Drug

: galactorrhea를 일으키는 약물과 유사, digoxin, spironolactone, methyldopa, cimetidine, tricyclic antidepressant, phenothiazine, reserpine, marijuana

4) Tumor

: estogen을 과잉분비하는 종양, testicular teratoma, seminoma, bronchogenic carcinoma, adrenal tumor, pituitary & hypothalamus tumor

5) Systemic disease의 증상으로 발현

: hepatic cirrhosis, renal failure, malnutrition

6) Gynecomastia w/u 과정에서 cancer는 배제돼야, medical로 치료 가 능한 원인이 없고 작아지지 않으면 periareolar incision으로 breast tissue를 excision 해 줌

1 역학(Epidemiology)

　1) 미국에서는 가장 흔한 여성암(lifetime risk : 1 / 8)

　2) 우리나라의 유방암 발생

　　(1) 보건복지부의 중앙암등록 보고서에 따르면 2013년에는 유방암이
　　　　전체 여성암의 15.4%로 2위 차지

　　(2) 연령별 분포

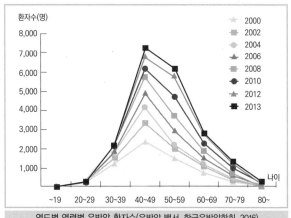

연도별 연령별 유방암 환자수(유방암 백서, 한국유방암학회, 2016)

(3) 병기별 분포

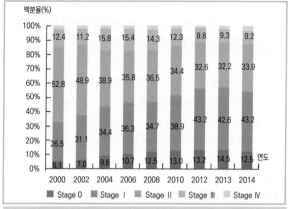

연도별 유방암의 병기 분포(유방암 백서, 한국유방암학회, 2016)

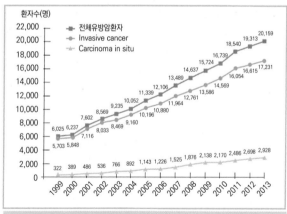

국내 여성 유방암의 연도별 발병추이(유방암 백서, 한국유방암학회, 2016)

2 진단(Diagosis)

1) 병력

: 산과력, 초경나이, 월경주기, 폐경나이, 수유 여부, 호르몬 대체요법

유무, 피임약 사용력, 유방암/난소암 가족력 등

2) 증상

: 유방통, 유두분비물, 종괴, 근골격계 통증, 호흡관련 증상, 체중감소 등

3) 신체검진: 앉은 자세, 누운 자세

(1) 시진

: 대칭성, 피부색 변화, 피부 함몰, 유두 함몰, 유두유륜 부위 습진
성 병변(Paget's disease), 피부 부종(Peau d'orange)

(2) 촉진

: breast, axilla, supraclavicular and infraclavicular space, mass (size,
shape, consistency, location)

4) 조직검사

(1) 세침흡입검사(fine needle aspiration biopsy)

: cytological examination으로 carcinoma cell의 존재여부는 알 수
있으나 invasion 여부는 확인할 수 없음

(2) 총조직검사(core needle biopsy)

: percutaneous ("through the skin") procedure that involves remov-
ing small samples of breast tissue using a hollow "core" needle
(a somewhat larger needle with a special cutting edge)

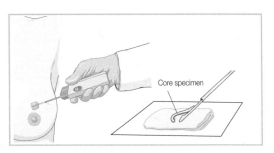

(3) 절제생검(excisional biopsy)

: core biopsy가 안 될 시 시행, 수술 시 incision line을 고려하여 시
행하여야 함

❸ 병기 설정을 위한 검사(Staging)

1) 유방에 대한 영상 검사

(1) 유방촬영 : mammography (MMG)

① MLO (mediolateral oblique view), CC (craniocaudal view)

② 결절(nodule), 석회화(calcification), 비대칭(asymmetry) 등을 파악

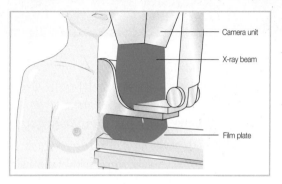

Camera unit

X-ray beam

Film plate

(2) 유방초음파 : breast ultrasonography (US)

① 낭종(cyst)과 결절(solid nodule)의 구분, 유방촬영에서 보이지
않는 병변, 유방촬영 검사가 제한적인 치밀유방(dense breast)의
경우, 젊은 여성에서 만져지는 breast mass의 검사, 임산부나 수
유부의 일차검사, nipple discharge, mammoplasty를 시행한 환
자, 유방촬영상의 focal asymmetry의 검사, benign과 malignancy
의 감별 등에 유용

② biopsy나 aspiration 등의 intervention 시 guide로 쓰임

③ nodule의 echogenicity, shape, margin과 calcification 동반 여부,
vascularity 등을 파악

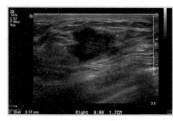 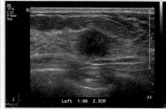

(3) 자기공명영상 : MRI

   ① 유방촬영이나 유방초음파에서 보이지 않거나 악성 혹은 양성
     여부를 평가하기 어려운 병변을 발견하고 판단하며, 다발성암
     의 유무를 확인할 수 있으므로 유방보존술을 계획하는 환자와
     neoadjuvant chemotherapy를 시행한 환자에서 유용

   ② 악성의 특징으로 irregular shape, spiculated margin, margin
     이 enhance되는 rim-enhancement, linear 혹은 segmental
     enhancement 등이 있음

   ③ 초기에 rapid enhancement되다가 정점 이후 wash out되는 양상
     이 malignancy를 시사. 생리 후 제 2주와 3주에 검사하는 것이
     적합

2) 원격전이에 대한 검사(metastasis work up)

  : 뼈, 간, 폐에 주로 전이. 수술 전 bone scan, 간초음파(혹은 복부 CT),
  chest PA (혹은 흉부 CT), CEA, CA 15-3 시행

3) 그 외 검사

  : 2D-echocardiography (왼쪽 breast bed의 radiotherapy 및 anthracy-
  cline과 herceptin 등의 chemotherapy로 인한 cardiotoxicity가 생길
  때를 대비한 baseline 검사로 시행)

Breast Cancer Staging (by AJCC 8th)

[AJCC 8th부터는 anatomic staging과 prognostic staging으로 나뉘어졌으나 prognostic staging의 적용은 추후 결정될 예정으로 본 매뉴얼에서는 anatomic staging 만 수록함]

Primary tumor (T)	
TX	Primary tumor cannot be assessed
T0	No evidence of primary tumor
Tis	Carcinoma in situ
Tis (DCIS)	Ductal carcinoma in situ
Tis (LCIS)	Lobular carcinoma in situ
Tis (Paget's)	Paget's disease of the nipple is NOT associated with invasive carcinoma and/or carcinoma in situ (DCIS and/or LCIS) in the underlying breast parenchyma. Carcinomas in the breast parenchyma associated with Paget's disease are categorized based on the size and characteristics of the parenchymal disease, although the presence of Paget's disease should still be noted
T1	Tumor ≤ 20mm in greatest dimension
T1mi	Tumor ≤ 1mm in greatest dimension
T1a	Tumor >1mm but ≤ 5mm in greatest dimension
T1b	Tumor > 5mm but ≤ 10mm in greatest dimension
T1c	Tumor > 10 mm but ≤ 20mm in greatest dimension
T2	Tumor> 20 mm but ≤ 50mm in greatest dimension
T3	Tumor > 50 mm in greatest dimension
T4	Tumor of any size with direct extension to the chest wall and/or to the skin (ulceration or skin nodules)*
T4a	Extension to the chest wall, not including only pectoralis muscle adherence/invasion
T4b	Ulceration and/or ipsilateral satellite nodules and/or edema (including peau d'orange) of the skin which do not meet the criteria for inflammatory carcinoma
T4c	Both T4a and T4b
T4d	Inflammatory carcinoma**

*Note: Invasion of the dermis alone does not qualify as T4.
**Note: Inflammatory carcinoma is restricted to cases with typical skin changes involving a third or more of the skin of the breast. While the histologic presence of invasive carcinoma invading dermal lymphatics is supportive of the diagnosis, it is not required, nor is dermal lymphatic invasion without typical clinical findings sufficient for a diagnosis of inflammatory breast cancer.

Regional lymph nodes (N)	
NX	Regional lymph nodes cannot be assessed (e.g., previously removed)
pNX	Regional lymph nodes cannot be assessed (e.g., previously removed, or not removed for pathologic study)
N0	No regional lymph node metastases
pN0	No regional lymph node metastasis identified histologically
pN0(i−)	No regional lymph node metastases histologically, negative IHC
pN0(i+)	Malignant cells in regional lymph node(s) no greater than 0.2mm (detected by H&E or IHC including ITC)
pN0(mol−)	No regional lymph node metastases histologically, negative molecular findings (RT−PCR)
pN0(mol+)	Positive molecular findings (RT−PCR), but no regional lymph node metastases detected by histology or IHC
N1	Metastases to movable ipsilateral level I, II axillary lymph node(s)
pN1	Micrometastases; or metastases in 1 to 3 axillary lymph nodes; and/or in internal mammary nodes with metastases detected by sentinel lymph node biopsy but not clinically detected**
pN1mi	Micrometastases (greater than 0.2mm and/or more than 200 cells, but none greater than 2.0mm)
pN1a	Metastases in 1 to 3 axillary lymph nodes, at least one metastasis greater than 2.0mm
pN1b	Metastases in internal mammary nodes with micrometastases or macrometastases detected by sentinel lymph node biopsy but not clinically detected**
pN1c	Metastases in 1 to 3 axillary lymph nodes and in internal mammary lymph nodes with micrometastases or macrometastases detected by sentinel lymph node biopsy but not clinically detected**
N2	Metastases in ipsilateral level I, II axillary lymph nodes that are clinically fixed or matted; or in clinically detected* ipsilateral internal mammary nodes in the absence of clinically evident axillary lymph node metastases
pN2	Metastases in 4 to 9 axillary lymph nodes; or in clinically detected*** internal mammary lymph nodes in the absence of axillary lymph node metastases
N2a	Metastases in ipsilateral axillary lymph nodes fixed to one another (matted) or to other structures
pN2a	Metastases in 4 to 9 axillary lymph nodes (at least one tumor deposit greater than 2.0mm)

N2b	Metastases only in clinically detected*** ipsilateral internal mammary nodes and in the absence of clinically evident axillary lymph node metastases
pN2b	Metastases in clinically detected*** internal mammary lymph nodes in the absence of axillary lymph node metastases
N3	Metastases in ipsilateral infraclavicular (level III axillary) lymph node(s) with or without level I, II axillary lymph node involvement; or in clinically detected* ipsilateral internal mammary lymph node(s) with clinically evident level I, II axillary lymph node metastases; or metastases in ipsilateral supraclavicular lymph node(s) with or without axillary or internal mammary lymph node involvement
pN3	Metastases in 10 or more axillary lymph nodes; or in infraclavicular (level III axillary) lymph nodes; or in clinically detected*** ipsilateral internal mammary lymph nodes in the presence of 1 or more positive level I, II axillary lymph nodes; or in more than 3 axillary lymph nodes and in internal mammary lymph nodes with micrometastases or macrometastases detected by sentinel lymph node biopsy but not clinically detected**; or in ipsilateral supraclavicular lymph nodes
N3a	Metastases in ipsilateral infraclavicular lymph node(s)
pN3a	Metastases in 10 or more axillary lymph nodes (at least one tumor deposit greater than 2.0mm); or metastases to the infraclavicular (level III axillary lymph) nodes
N3b	Metastases in ipsilateral internal mammary lymph node(s) and axillary lymph node(s)
pN3b	Metastases in clinically detected*** ipsilateral internal mammary lymph nodes in the presence of 1 or more positive axillary lymph nodes; or in more than 3 axillary lymph nodes and in internal mammary lymph nodes with micrometastases or macrometastases detected by sentinel lymph node biopsy but not clinically detected**
N3c	Metastases in ipsilateral supraclavicular lymph node(s)
pN3c	Metastases in ipsilateral supraclavicular lymph nodes *Classification is based on axillary lymph node dissection with or without sentinel lymph node biopsy. Classification based solely on sentinel lymph node biopsy without subsequent axillary lymph node dissection is designated (sn) for "sentinel node," for example, pN0(sn).

**Note: Not clinically detected is defined as not detected by imaging studies (excluding lymphoscintigraphy) or not detected by clinical examination.

***Note: Clinically detected is defined as detected by imaging studies (excluding lymphoscintigraphy) or by clinical examination and having characteristics highly suspicious for malignancy or a presumed pathologic macrometastasis based on fine needle aspiration biopsy with cytologic examination. Confirmation of clinically detected metastatic disease by fine needle aspiration without excision biopsy is designated with an (f) suffix, for example, cN3a(f). Excisional biopsy of a lymph node or biopsy of a sentinel node, in the absence of assignment of a pT, is classified as a clinical N, for example, cN1. Information regarding the confirmation of the nodal status will be designated in sitespecific factors as clinical, fine needle aspiration, core biopsy, or sentinel lymph node biopsy. Pathologic classification (pN) is used for excision or sentinel lymph node biopsy

Distant metastasis (M)	
M0	No clinical or radiographic evidence of distant metastases (no pathologic M0; use clinical M to complete stage group)
cM0(i+)	No clinical or radiographic evidence of distant metastases, but deposits of molecularly or microscopically detected tumor cells in circulating blood, bone marrow or other non-regional nodal tissue that are no larger than 0.2mm in a patient without symptoms or signs of metastases
M1	Distant detectable metastases as determined by classic clinical and radiographic means and/or histologically proven larger than 0.2mm

Anatomic Staging			
GROUP	T	N	M
IA	T1*	N0	M0
IB	T0	N1mi	M0
	T1*	N1mi	M0
IIA	T0	N1**	M0
	T1*	N1**	M0
	T2	N0	M0
IIB	T2	N1	M0
	T3	N0	M0
IIIA	T0	N2	M0
	T1*	N2	M0
	T2	N2	M0
	T3	N1	M0
	T3	N2	M0
IIIB	T4	N0	M0
	T4	N1	M0
	T4	N2	M0
Stage IIIC	Any T	N3	M0
Stage IV	Any T	Any N	M1

* T1 includes T1mi

** T0 and T1 tumors with nodal micrometastases only are excluded from Stage IIA and are classified Stage IB.

4 Tumor biomarkers and prognostic factors

1) 호르몬 수용체(Hormone receptors)

: 에스트로겐 수용체 [estrogen receptors (ERs)], 프로게스테론 수용체 [progesterone receptors (PRs)]: good prognostic factors

2) 표피성장인자 수용체 [Her2/neu (c-erbB-2)]

   (1) member of the epidermal growth factor family (involved in cell growth regulation)

   (2) overexpression: poor prognostic factor

3) Other negative markers

   (1) 삼중 음성(triple negative)

     : no expression of hormone receptors and Her2/neu (poor prognostic factor)

   (2) presence of lymphovascular invasion

   (3) > 20% Ki-67

5 비침윤성 유방암(Noninvasive [in situ] breast cancer)

1) 관상피내암(DCIS)

   • 보통 유방촬영상 clustered pleomorphic microcalcifications로 발견되기도 함

   • 많은 수에서 physical examination에서 이상소견이 없음

   • multifocal (two or more > 5mm apart within the same index quadrant), multicentric (in different quadrants)

   (1) histology

     ① five subtypes: 유두형(papillary), 미세유두형(micropapillary), 고형(solid), 사상형(cribriform), 면포형(comedo)

     ② high-grade subtype: microinvasion, higher proliferation rate, aneuploidy, gene amplification, a higher local recurrence와 관련됨

   (2) treatment

     ① surgical excision

       a. excision alone

        : local recurrence rate of 14% at 2 years (Am J Surg 2006;192:420)

b. excision and adjuvant radiation: local recurrence rate (2.5%)
- 유방부분절제술(partial mastectomy): for unicentric lesion
- 유방절제술(mastectomy): multicentric lesions, extensive involvement of the breast or persistently positive margins with partial mastectomy

② assessment of axillary lymph nodes

a. 액와림프절 곽청술(routine axillary dissection): not performed for pure DCIS

b. 감시림프절 생검[sentinel lymph node biopsy (SLNB)]: invasive cancer의 가능성이 있을 시(≥3cm, palpable lesion, mass forming lesion, high grade)

c. positive SLN: indicates invasive breast cancer

③ 보조요법(adjuvant therapy)

a. 에스트로겐 수용체 양성(ER positive) 관상피내암(DCIS)인 경우 tamoxifen 사용으로 recurrence rate를 5년에 37% 감소시킴(NSABP B-24 trial)

b. adjuvant radiotherapy: partial mastectomy 시행한 경우 local recurrence rate 감소시킴(NSABP B-17)

④ Van Nuys prognostic index

Predictor	Score		
	1	2	3
Size of tumour (mm)	≤15	16~40	〉40
Margin width (mm)	〉10	1~10	〈1
Grade	Non high grade, no comedo necrosis	Non high with comedo necrosis	High grade with or without comedo necrosis

a. low-scoring group: may be treated with partial mastectomy only

b. intermediate-scoring group: benefit from adjuvant radiation therapy

c. high-scoring group: consider mastectomy because of the risk of recurrence

2) 소엽상피내암(LCIS)

(1) not a preinvasive lesion

(2) indicator for increased breast cancer risk

(3) lifelong close surveillance, prophylaxis with tamoxifen or bilateral total mastectomy with immediate reconstruction

6 침윤성 유방암(Invasive breast cancer)

1) Histology

ductal (75~80%)	medullary (5~7%)	tubular (1~2%)
lobular (5~10%)	mucinous (3%)	

2) 유방암의 외과적 치료

(1) 유방보존술(breast conservation surgery)

① 유방절제술(mastectomy)의 대안으로 유방보존술 후 방사선요법을 시행함. 미용적으로 만족할 만한 breast 유지할 수 있는 경우 시행. 만족할 만한 미용효과를 기대할 수 없는 환자, 만성 방사선의 부작용의 위험이 높은 환자, 국소재발위험이 높은 환자에게는 적용할 수 없음

② absolute contraindication

a. 다른 분역에 두 개 이상의 원발성 종양이 있거나 광범위한 악성 미세석회화 소견이 있을 때

b. 유방 내 방사선요법을 받은 기왕력이 있어서 향후 방사선요법을 더 받으면 일정 부분에 조사되는 방사선의 총량이 과다해질 경우

c. 임신한 여성(하지만 많은 경우 임신 3기의 여성은 유방보존술을 시행하고 출산 후 방사선요법을 할 수도 있음)

d. 적절한 수술적 절제를 시도했음에도 불구하고 계속 절제연의 침범이 확인되는 경우

③ relative contraindication

    a. 교원성 혈관 질환(collagen vascular disease)-irradiation에 poorly tolerate

    b. multiple gross tumor in the same quadrant and indeterminate calcifications

    c. 종양 대 유방 비율이 커서 미용적으로 좋지 않은 결과가 예상될 때

    d. 유방의 크기가 너무 큰 경우

    그러나 방사선 조사를 할 때마다 같은 형태를 유지하여 유방조직 내에 골고루 적절한 선량이 조사될 수 있다면 금기가 아님

④ operative procedure

    a. incision: 주로 피부주름선(Langerhans' line)을 따라 절개

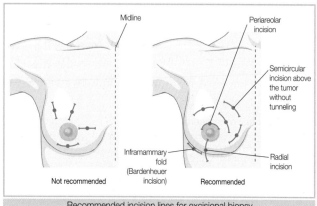

Recommended incision lines for excisional biopsy

    b. flap을 들어올릴 때 subcutaneous fat을 유지하고 얇은 flap이 생기지 않도록 주의

    c. 절제연(margin)은 0.5~1.0cm의 정상조직을 포함하여 절제. 만일 광범위 관내상피병소(extensive intraductal components, EIC)가 있거나 invasive lobular carcinoma인 경우는 더 큰 절제연이 필요

d. frozen section biopsy로 mass의 병리학적 성상(invasive cancer, in situ carcinoma 등) 및 절제연의 cancer 침윤 여부를 확인. froze section biopsy의 정확도는 90~95%

e. incision은 subcutaneous fat layer approximation 후 subcuticular interrupted suture로 close

(2) 유방전절제수술(mastectomy)

① 근치적 유방절제술을 위한 flap의 범위

a. upper: clavicle의 lower border

b. lower: rectus sheath

c. medial: sternum의 중앙선

d. lateral: latissimus dorsi muscle의 앞쪽 경계

② deep pectoral fascia를 pectoralis major로부터 분리

3) Management of the axilla

- lymph node of axilla - cancer가 systemic하게 퍼지기 전에 거치는 filter의 개념

- axilla lymph node의 전이가 있을 경우 dissection은 treatment 및 staging의 의미가 있음

(1) 감시림프절 생검(sentinel lymph node biopsy)

① sentinel lymph node란 tumor에서 drain되는 lymphatics가 첫 번째로 도달하는 lymph node를 말함. sentinel lymph node에 metastasis가 발견되지 않는다면, axilla lymph node로의 metastasis가 없다고 예측할 수 있음

② 불필요한 axilla dissection을 피하여 axilla dissection 시 발생하는 합병증(lymphedema, shoulder dysfunction, nerve injury, axilla vein thrombosis)을 최소화

③ indication

: 임상적으로 axilla lymph node metastasis가 없는 환자에게 적용

⑤ 방법

a. periareolar 혹은 peritumoral area에 blue dye(예: indigocarmine) 내지는 isotope을 injection blue dye: 1~3cc를 injection하고 5분간 기다림

isotope: lymphatic scintigraphy에서 sentinel lymph node를 확인 gamma probe로 high count 되는 지점을 확인

 b. 절개 후 high count되는 지점의 lymph node를 excision 하거나, blue lymphatics를 trace하여 염색된 lymph node를 찾음

 c. frozen biopsy로 metastasis 여부를 확인하고, metastasis가 있을 경우 axillary lymph node dissection시행을 결정

(2) 겨드랑이 림프절 곽청술(axilla lymph node dissection (ALND))

- 범위(액와 삼각형): axilla vein, latissimus dorsi, serratus anterior가 그 border를 이루고 있으며, 그 내용물은 level I (pectoralis minor의 lateral), II (petoralis minor의 posterior), III (pectoralis minor의 medial)로 나뉨

- 수술전 검사 및 신체검진상 림프절 전이가 없는 경우이면서 T stage가 T1-2이고 유방보존수술이 시행된 경우, 수술 전 전신치료를 받지 않은 경우에는 수술 후 림프절 전이가 1~2개 이내로 결과가 나온 경우에 Axillary lymph node dissection을 추가로 시행하지 않는 경우도 있음

4) Adjuvant treatment

 (1) radiotherapy: locoregional recurrence의 예방

  ① indication

   a. breast conserving surgery를 시행한 환자

   b. mastectomy를 시행한 경우: axilla 4개 이상의 lymph node에 metastasis가 있거나 tumor size가 5cm 이상일 때, 1-3개 사이의 axillary lymph node 전이가 있는 경우에는 선택적으로 시행하기도 함

 (2) adjuvant chemotherapy

  - 수술 후 6주 내에 투여를 시작. 보통 3주 간격으로 시행

  ① node negative: pathologic feature를 고려하여 AC#4, CMF#6 FAC#6 중 선택하여 투여

  ② node positive: AC#4 → T#4 regimen이 주로 투여

A: doxorubicin
M: methotrexate
F: 5-FU
C: cyclophospaphamide
T: Docetaxel

(3) adjuvant antihormonal therapy

- estrogen receptor (ER)를 target으로 함. progesterone receptor (PR)
  은 ER의 기능을 나타내는 지표. 따라서 ER 혹은 PR positive인
  환자를 대상으로 시행

① selective estrogen receptor modulator (SERM)

　　a. tamoxifen: estrogen과 경쟁적으로 ER에 결합하여 estrogen
　　　의 antagonist로서 역할. 심혈관계, endometrium, bone, liver,
　　　breast의 일부 조직에서는 estrogen과 같은 역할을 함. 낮은
　　　빈도이나 venous thrombosis, endometrial cancer 등의 발생
　　　가능성이 있고, 골밀도는 증가시키는 경향도 있음.

　　b. toremifen: 부작용과 항암효과는 tamoxifen과 유사

② LHRH agonist

- goserelin: 비영구적, 가역적으로 난소기능을 억제. 폐경 전
  hormone receptor positive 환자에서 보조항암요법의 대체요
  법으로 사용(3.6 mg SC every 4 week)

③ aromatase inhibitor (AI): letrozole 2.5mg p.o. qd, anastrozole 1mg
  p.o. qd, exemestane 25mg p.o. qd : estrogen 합성과정에 관여하
  는 aromatase를 억제. 폐경 후 여성에서 난소 외 조직(지방, 부
  신 등)의 aromatase 활성을 억제하는 데 효과적

(4) other targeted therapy

- trastuzumab

  : recombinant monoclonal antibody that binds to Her2/neu receptor to prevent cell proliferation. 3주에 한 번씩 12개월간 투여

5) Evaluation of patient after primary therapy

(1) 원격전이의 감시 목적으로 간기능검사, 종양표지자(CA 15-3, CEA), 골스캔, 흉부 단순 촬영, 간 초음파 검사 등을 시행

(2) 재발감시 권고안

① 문진 및 이학적 진찰: 첫 3년간은 매 3-6개월 간격, 이어서 2년 간은 매 6-12개월 간격, 이후 1년 간격 시행

② 유방 자가 검진: 매월 1회 시행

③ 유방촬영술 또는 유방초음파 검사 : 6-12개월 간격으로 시행

④ tamoxifen요법 여성 : 1년마다 산부인과 진찰 권고. aromatase억제제 사용 여성: 투여 전 기준 골밀도 검사, 정기적인 골밀도 추적 검사를 시행, 골다공증이 진단되면 bisphosphonate 제제 사용을 권고

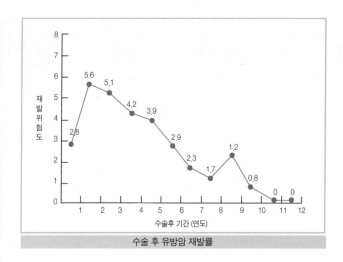

수술 후 유방암 재발률

유방암환자의 추적관찰				
절차	추적관찰간격			
	1년	2년	3~5년	5년 이후
병력 청취와 진찰	3mo	3mo	6mo	12mo
CBC†, SMA†, 종양표지자	6mo	6mo	6mo	필요할 때
흉부방사선촬영	12mo	12mo	12mo	필요할 때
유방촬영술* (초음파촬영술)	12mo	12mo	12mo	12mo
골스캔	필요할 때§	필요할 때§	필요할 때§	필요할 때§
간 초음파 또는 CT	필요할 때§	필요할 때§	필요할 때§	필요할 때§

*유방 촬영술 또는 초음파촬영술은 6~12개월 간격으로 실시한다.
† CBC (complete blood count)는 ESR을 포함한다.
‡ SMA (sequential multiple analysis)는 간기능 검사를 포함한다. '§필요할 때'는 재발의 증상이나
　징후가 있는 경우를 의미한다.

6) Prognosis of breast cancer

병기	환자수(명)	사망수(명)	5년 전체생존율
0	12,285	266	98.3%
1기	39,284	1,557	96.6%
2기	40,024	3,951	91.8%
3기	13,774	3,544	75.8%
4기	1,619	1,029	34.0%
unknown	2,998	343	
전체	109,988	10,690	91.2%

유방암 병기별 5년 전체생존율(2001~2012 수술환자 대상)

유방암 백서, 한국유방암학회,2016

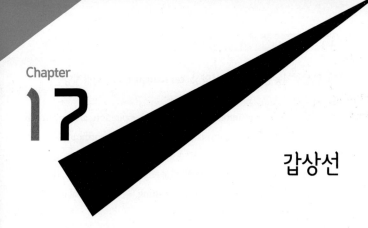

갑상선

I. Embryonic development and physiology

- thyroid gland: primitive midgut의 endoderm에서 발달 → neck으로 하강
  → pyramidal lobe, thyroglossal duct cyst, undescended thyroid와 같은 finding이 나타날 수 있음
- thyroid-stimulating hormone (TSH): anterior pituitary gland
  thyrotropin-releasing hormone (TRH): hypothalamus
- thyroid hormone 합성
  : dietary iodide → iodine → monoiodotyrosine (MIT), diiodotyrosine (DIT) → triiodothyronine (T3), thyroxine (T4-active, unbound or free hormone)
- thyroid tissue에 있을 때 thyroglobulin에 결합, plasma에 release될 때 thyroid binding globulin (TBG)에 결합

1 갑상선기능항진증의 임상양상: catabolism↑, 교감신경계항진↑

1) 증상

: 체중감소, heat intolerance, excessive perspiration, anxiety, irritability, palpitation, fatigue, muscle weakness, oligomenorrhea

2) 징후

: goiter, sinus tachycardia, 심방세동, tremor, hyperreflexia, fine or thinning hair, thyroid bruit, muscle wasting (특히 proximal thigh)

3) Presentation: 나이에 따라 상이함

(1) young: hypermetabolism

(2) older: tachyarrhythmia, cardiac failure

(3) elder: wasting, apathy, confusion, depression-apathetic hyperthyroidism

2 갑상선 기능검사

- TSH, free T4: 가장 좋은, 유효한 blood test

1) TSH (0.3~5 ml U/L): most useful test

(1) TSH ↑ - hypothyroidism, TSH ↓ - hyperthyroidism, normal TSH - euthyroid state

(2) critically ill, hospitalized patients, drugs (dopamine, glucocorticoid) - transient TSH ↑

2) T4 농도측정

(1) TSH 이상 소견을 확증, thyroid dysfunction의 severity 정도를 알려줌

(2) T4 (3~12mg/dL): bound + unbound hormone의 양을 나타냄, free or active T4 비율을 반영하지는 않음

(3) TGB 증가시키는 요인: estrogen, pregnancy, liver disease 등 → total T4, T3 ↑

(4) TGB 감소시키는 요인: androgen, sever hypoproteinemia, chronic

liver disease, acromegaly

3) FT4 index [FT4I = total T4 × RT3U (resin T3 uptake)]

: (0.85~3.5) FT4 수치와 밀접, thyroglobulin 수치에 의한 모호함을 배제, FT4 평가에 사용됨

4) Resin T3 uptake (RT3U)

(1) (20~40%) TBG에 결합되지 않은 thyroid hormone-binding site를 평가, indirect FT4 평가에 도움

(2) hyperthyroidism: RT3U ↑

5) T3측정

: (80~200 ng/dL) hypothyroidism에서는 unreliable test, suspected hyper-thyroidism, TSH ↓, normal FT4I (T3 thyrotoxicosis)에서는 도움이 됨

6) Antithyroid microsomal Ab

(1) antoimmune thyroiditis (Hashimoto's thyroiditis)에서 발견, hypo-thyroidism 의 원인을 진단하는 데 도움

(2) anti-TSH receptor Ab: autoimmune hyperthyroidism (Graves' dis-ease) 에서 detect, > 90%

7) Thyroid function test algorithm

(1) TSH 정상: 더 이상의 검사 필요 없음

(2) TSH ↑ : FT4I, microsomal Ab check (hypothyroidism)

(3) TSH ↓ : FT4I check (hyperthyroidism)

(4) TSH low, FT4I 정상: T3 check (T3 thyrotoxicosis)

❸ 영상학적 검사

1) 초음파: high-frequency (7.5~10MHz) transducer

(1) malignancy 시사소견: hypoechoic, incomplete peripheral halo, ir-regular margin, microcalcification

(2) FNA, cyst aspiration에 유용, > 3cm cyst-total malignancy 14% 가능성

2) Technetium thyroid scanning

(1) solitary functioning nodule, multinodular goiter, Graves' disease을

감별하는 데 유용

(2) hypofunctioning area
: cold (cyst, neoplasm, autonomous nodule 주변 suppressed tissue)

(3) 그 외 increased synthesis area: hot

(4) benign, malignant nodule을 감별 못 함, routine workup에 도움이 안 됨

(5) radioactive iodine scanning: oral iodine-131 (131I)을 먹고 4~24시간 후 check, metastatic differentiated thyroid tumor를 확인, Graves' disease를 진단, 131I radioablation에 반응을 예측하는 데 도움

3) CT / MRI scanning

: goiter로 의심되는 substernal or retrosternal mass를 평가

III. Specific thyroid disorder

1 Autoimmune diffuse toxic goiter (Graves' disease)

- hyperthyroidism의 가장 흔한 원인
- TSH receptor에 대한 stimulating immunoglobulin이 원인
- 치료: antithyroid drug, ablation with radioactive iodine (RAI), surgery

1) Ablation with RAI

(1) 미국에서는 treatment of choice, 국내에서는 널리 보급되지 않음

(2) 5~10 mCi, 경구복용, 치료 4~12주 후 75%에서 효과

(3) 25%는 persistent thyrotoxicosis → initial dose의 2배를 반복

(4) 치료 후 70%는 permanent hypothyroidism으로 진행 → replacement therapy로 쉽게 치료됨

(5) RAI의 long term side effect (thyroid cancer, leukemia, teratogenicity): 없음

(6) contraindication
: 임신, 신생아, 치료를 원치 않는 환자, low RAI uptake (<20%)

(7) child 또는 young adult (<30세)의 RAI 치료

　　: controversial (long-term oncogenic risk)

2) 갑상선 절제술

(1) 적응증: children, adolescent, pregnant women, medical 치료에도 반응이 없거나 협조가 안되는 경우

(2) bilateral subtotal thyroidectomy (each side 1~2 g 남김) or total thyroidectomy

(3) long term recurrent hyperthyroidism: 약 10% (남아있는 tissue 양에 따라), 재발 시 RAI로 치료를 고려(재수술 시 합병증 위험)

(4) total/near total thyroidectomy 후 영구적 갑상선호르몬 요법을 시행하는 편이 환자의 quality of life나 의료비용면에서 바람직하다고 생각됨

3) Thionamide drug (propylthiouracil (PTU) or methimazole): antithyroid drug

(1) PTU: 100~300mg 경구 3번/일, euthyroid가 될 때까지 4-6주 복용, 이후 감량(100 mg)

(2) 경험적으로 6-18주 치료 후 중단

(3) remission을 시사하는 소견: small gland size, mild hyperthyroidism

(4) long term remission: < 20~30%

(5) 수술 혹은 RAI 치료 전처치로 사용

(6) PTU: 임신 기간 중에 용량을 줄여 사용 가능, 특히 2nd trimester에 thyroidectomy가 필요한 경우

(7) minor adverse reaction

　　: 드물게 rash, hepatitis, arthralgia, lupus like syndrome

(8) 임신 기간 중에 사용하고 분만 후 definite treatment는 받음

② Multinodular goiter

1) large goiter 혹은 retrosternal extension: trachea를 compression할 수 있음

2) subtotal/total thyroidectomy: compression symptom, suspicious malignancy, 의심되는 nodule, 미용적으로 안 좋을 때

③ Toxic adenoma

1) 자발적인 functioning thyroid nodule-hyperthyroidism 야기

2) surgical resection 또는 RAI로 치료

④ Rare cause of hyperthyroidism

: 자가 복용으로 인한 과잉 호르몬, iodine-induced hyperthyroidism, pituitary TSH-secreting adenoma, chorionic gonadotropin을 분비하는 trophoblastic tumor, struma ovarii, thyroiditis

IV. Hypothyroidism

① 대개 thyroid gland의 primary hypofunction

② Goiter 없는 hypothyroidism (primary atrophy)

- goitrous hypothyroidism (Hashimoto's thyroiditis, drug-induced hypothyroidism, iodine deficiency, congenital dyshormonogenesis)
- postablative hypothyroidism

③ Hashimoto's thyroiditis, postablative hypothyroidism

: 가장 중요한 원인

④ Clinical feature of hypothyroidism

: cold intolerance, weight gain, constipation, edema (eyelid & feet), dry skin, dry and thinning hair, weakness, somnolence, menorrhagia

⑤ 진단

: 특징적인 임상양상, 검사 수치(TSH↑ (일반적으로 <15units/mL), FT4↓)

⑥ TSH↓, FT4↓: pituitary 또는 hypothalamic failure

- thyroid에 염증세포의 infiltration, subsequent fibrosis를 특징으로 하는 autoimmune, inflammatory disorder

1 Hashimoto's thyroiditis

1) 여성에서 15배 흔함, 90% 이상에서 microsomal Ab, thyroglobulin Ab (+)
2) 초기에는 euthyroid, 후에 hypothyroidism, firm, palpable, nontender (not always) goiter
3) Cervical lymphadenopathy: uncommon
4) Euthyroid 환자는 치료 필요 없음. thyroid hormone은 hypothyroid 환자에게 공급과 TSH suppression 목적으로 줌
5) 수술: compressive symptom, malignancy가 의심되는 nodule, cosmetic

2 Acute suppurative thyroiditis

: rare, streptococcus, staphylococcus의 감염, 항생제 치료 및 배농으로 치료

3 Subacute (de Quervain) thyroiditis

1) 드묾. 상기도감염 후 젊은 여자에게 발생
2) 증상: fatigue, weakness, 턱, 귀 쪽으로 뻗치는 painful thyroid enlargement
3) 치료: NSAID, steroid 등 보존적 치료. 대부분 자연적 호전. 실패 시 갑상선절제술

갑상선결절은 매우 흔하며 결절의 5~10%가 암이라는 점에서 그 임상적 중요성을 가짐. 최근 10여 년간 고해상도 초음파의 전국적 보급에 힘입어 갑상선결절을 가진 환자를 외래에서 흔하게 접할 수 있게 됨. 이에 대한 갑상선학회에서는 갑상선결절 및 암 진료 권고안을 제정하여 진료의 기준을 제시

2015년 미국갑상선학회(ATA guideline) 갑상선결절에 대한 진료권고안이 대폭 수정되었고 대한갑상선학회의 진료권고안 또한 이를 근거로 개정되었으므로 진료 시 반드시 참고 요망

❶ 병력청취 및 신체검사

1) 갑상선 결절이 발견되면 갑상선과 주위 경부 림프절에 관심을 둔 면밀한 병력청취 및 신체검사를 시행
2) 두경부 방사선 조사, 골수 이식을 위한 전신 방사선 조사, 갑상선 암의 가족력, 결절의 급격한 크기 증가 및 쉰 목소리는 암을 시사하는 병력들임
3) 성대 마비, 동측 경부 림프절 종대, 결절이 주위 조직에 고정되어 있음 등은 암을 시사하는 신체검진 소견들임

❷ 미세침흡인검사(Fine Needle Aspiration Cytology, FNAC)

: FNAC는 갑상선 결절을 진단하는 데 가장 정확하고 비용-효율적인 방법. 전통적으로 FNAC의 결과는 비진단적, 악성, 미결정, 양성 세포소견과 같은 네 가지 범주로 분류. 2016년 대한갑상선학회는 미국갑상선학회에서 제시한 Bethesda classification 도입하여 진단 기준으로 삼음

K-TIRADS에 기초한 갑상선결절의 암 위험도 및 세침흡인검사 기준[a]

카테고리	초음파 유형	암위험도(%)	계산된 암 위험도(%)	세침흡인검사[c]
5 높은의심	암 의심 초음파 소견[b]이 있는 저에코 고형결절	>60	79 (61~85)	>1 cm (선택적으로 >0.5 cm[d])
4 중간의심	1) 암 의심 초음파 소견이 없는 저에코 고형결절 혹은 2) 암 의심 초음파 소견이 있는 부분 낭성 혹은 등고에코 결절	15~50	25 (15~34)	≥1 cm
3 낮은의심	암 의심 초음파 소견이 없는 부분 낭성 혹은 등/고에코 결절	3~15	8 (6~10)	≥1.5 cm
2 양성	1) 해면모양 2) comet tail artifact 보이는 부분 낭성 결절 혹은 순수 낭종	<3 <1	0 0	≥2 cm
1 무결절		−		

K-TIRADS = Korean Thyroid Imaging Reporting Data System
미세석회화, 침상 혹은 소엽성 경계, 비평행 방향성(nonparallel orientation) 혹은 앞뒤가 긴 모양(taller than wide)
원격전이 혹은 경부 림프절전이가 의심되는 경우에는 결절 크기와 무관하게 의심 결절과 림프절에서 세침흡인검사를 시행한다
1 cm 미만의 결절에서는 환자 선호도 및 상태를 고려하여 시행한다.

갑상선 세침흡인세포검사의 Bethesda system: 진단 범주와 악성도

진단 범주	Bethesda system의 예측 악성도, %	수술적 절제를 시행한 결절에서 실제 악성도, 중간값(범위) %
비진단적(nondiagnostic or unsatisfactory)	1~4	20 (9~23)
양성(benign)	0~3	2.5 (1~10)
비정형(atypia of undetermined significance or follicular lesion of undetermined significance)	5~15	14 (6~48)
여포종양 혹은 여포종양 의심(follicular neoplasm or suspicious for follicular neoplasm)	15~30	25 (14~34)
악성 의심(suspicious for malignancy)	60~75	70 (53~97)
악성(malignant)	97~99	99 (94~100)

1) 비진단적결과(nondiagnostic aspirates)

: 반복적인 FNAC에도 비진단적인 낭성 결절은 주의 깊은 추적관찰 혹은 수술적 절제를 필요로 함. 특히 세포학적으로 비진단적인 결절이 고형결절이라면 수술을 더욱 적극적으로 고려함

2) 양성

(1) 세포학적으로 양성인 경우 즉각적인 추가검사 및 일상적인 치료는 필요하지 않음

(2) 결절의 크기가 증가되어 반복 시행한 세포검사에서 양성을 보인 경우에는 증상이나 임상적 염려에 근거하여 지속적인 추적관찰 혹은 수술적 개입을 고려할 수 있음. 하지만 이러한 환자군에서 갑상선호르몬 요법이 도움된다는 증거는 없음

3) 비정형(atypia of undetermined significance or follicular lesion of undetermined significance;AUS/FLUS):

가. 비정형(atypia of undetermined significance or follicular lesion of undetermined significance, AUS/FLUS) 세포결과를 보이는 결절의 경우, 임상 또는 초음파 소견에서 의심되는 소견을 고려하여 경과 관찰을 하거나 진단적 수술을 하기 전에, 악성도 평가에 도움을 얻기 위해 반복적인 FNA 또는 분자표지자 검사를 시행해 볼 수 있다. 이때 임상적인 의사 결정에 환자의 선호도와 실행 가능성이 고려되어야 한다. 권고수준 3

나. FNA 재검이나, 분자표지자 검사 또는 두 가지 모두 시행되지 않았거나 결론에 이르지 못했을 경우, 임상적인 위험 인자, 초음파 소견, 환자의 선호도에 따라 경과 관찰 또는 진단적 수술이 시행될 수 있다. 권고수준 2

4) 여포종양 혹은 여포종양 의심(follicular neoplasm/suspicious for follicular neoplasm)

가. 세포학적 판독이 여포종양 혹은 여포종양 의심인 경우 진단을 위한 수술적 절제가 표준치료이다. 그러나 임상적인 소견과 초음파 소견을 고려한 후 수술을 하기 전에 악성도 평가를 위해 분자표지자 검사를 이용해 볼 수 있다. 임상적인 의사 결정에 환자의 선호도와 실행 가능성이 고려되어야 한다. 권고수준 3

나. 만약 분자표지자 검사가 시행되지 않았거나 결론적이지 않다면, 수술적 절제가 고려될 수 있다. 권고수준 2

5) 악성 의심(suspicious for malignancy)

가. 세포학적 판독이 갑상선유두암 의심(악성 의심)인 경우에는 악성으로 진단된 경우와 유사하게 임상적인 위험요소, 초음파 소견, 환자의 선호도, 유전자 변이 검사 결과를 고령하여 수술적 절제를 시행한다. 권고수준 2

나. 임상적인 소견과 초음파 소견을 고려한 후 만약 유전자 검사 결과가 수술적 절제에 관한 의사 결정을 바꿀 수 있을 것으로 기대된다면 *BRAF*검사나 7개의 유전자 변이 패널 검사를 고려해 볼 수 있다. 권고수준 3

6) 악성(malignancy)

• 세포학적 결과가 악성인 경우 일반적으로 수술을 권고한다. 권고수준 1

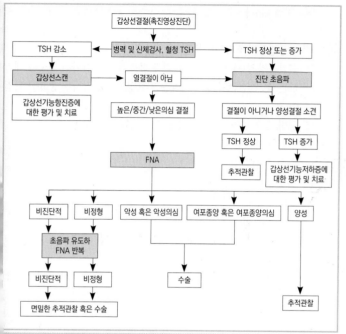

하나 혹은 그 이상의 갑상선결절을 가진 환자의 평가 알고리듬

- 분화 갑상선암이라 함은 갑상선 여포세포 기원의 갑상선 유두암과 여포암을 일컫는 것

1 분화 갑상선암의 초기치료 목적

(1) 원발종양의 제거와 피막 및 경부 림프절 등에 전이된 병소를 제거하는 것. 완전한 수술적 절제는 치료성과를 결정하는 중요한 관건이 됨

(2) 질병 및 치료와 연관된 이환율의 최소화

(3) 정확한 병기결정

(4) 수술 후 방사성요오드 치료를 용이하게 함

(5) 재발에 대한 적절한 장기적 관리

(6) 재발과 전이의 최소화

2 진단적 영상검사와 검사실 검사를 통한 수술 전 병기결정

1) 경부 영상검사

(1) 표준 병리학적 기법을 이용하였을 때, 수술을 시행한 분화 갑상선암(특히 갑상선 유두암) 환자의 20~50%에서 경부 림프절 전이가 발견

(2) 20~31%의 환자에서 수술 전 초음파로 의심스러운 경부 림프절 병변이 발견되며, 그런 경우에는 수술 범위가 변할 수 있음

(3) 초음파 검사가 검사자에 의존하는 특성을 고려하여 CT, MRI PET 스캔의 민감도가 알려져 있지 않았음에도 불구하고, 필요에 따라 초음파 외의 다른 영상기법들이 사용될 수 있음

2) 혈청 Tg 농도 측정

: 수술 전의 혈청 Tg 농도의 측정이 환자의 치료나 치료결과에 영향을 준다는 증거는 아직 없으므로, 수술 전 일상적인 혈청 thyroglobulin 측정은 권고되지 않음

❸ 분화 갑상선암에 대한 적절한 수술

: 갑상선 수술의 목적은 비진단적이거나 미결정 세포 소견을 보이는 경우의 확진, 갑상선암의 제거, 병기결정, 방사성 요오드 치료의 준비, 갑상선암의 수술은 갑상선 엽절제술(lobectomy), 갑상선 근전절제술 (near total thyroidectomy), 반회후두신경이 cricothyroid 근육으로 들어가는 부위에 약 1g의 갑상선 조직만을 남기고 눈에 보이는 모든 갑상선을 제거하는 것), 그리고 갑상선 전절제술(total thyroidectomy, 육안적으로 보이는 모든 갑상선 조직을 제거하는 것)의 세 가지로 진행

1) 비진단적이거나 비정형, 여포종양 혹은 여포종양 의심, 또는 악성의심의 세포 소견을 보이는 경우

(1) 반복 검사에서도 세포 소견이 비진단적인 경우, 높은의심 초음파 소견 또는 추적 초음파검사에서 결절의 크기 증가(두 방향으로 20% 이상의 증가) 또는 암 발생의 임상적 위험 요인이 있는 경우 진단적 갑상선절제를 고려한다. 악성 가능성이 높지 않은 초음파 소견이면 주의 깊게 경과를 관찰하거나 진단적 갑상선절제가 필요할 수 있다.

(2) 단일 결절이고 미결정 세포 소견을 보이는 갑상선결절에서 수술을 고려할 때, 처음 수술로 엽절제술이 추천된다. 그러나 이런 접근은 임상 또는 초음파 소견, 환자의 선호도, 분자검사(시행하였다면) 결과 등을 바탕으로 변경될 수 있다.

(3) 미결정 세포 소견의 갑상선결절 중 세포 소견이 악성 의심인 경우, 알려진 특정 암 유전자 돌연변이가 있는 경우, 높은의심 초음파 소견을 보이는 경우, 크기가 4cm보다 큰 경우, 또는 갑상선암의 가족력이나, 방사선 조사의 과거력이 있는 경우 등에서는, 악성의 가능성이 높고, 엽절제술 후 암으로 진단된다면 잔존갑상선절제술이 필요하므로 갑상선 전절제술이 적합할 수 있다.

(4) 미결정 세포 소견의 갑상선결절로 엽절제술 후 암으로 진단된다면 잔존갑상선절제술이 필요하다는 전제하에, 미결정 세포 소견의 양측 갑상선결절이거나, 심각한 내과 질환이 동반되었거나, 나중에 반대쪽 엽의 수술이 필요할 가능성을 없애기를 원하는 환자

에서는 갑상선(근)전절제술이 시행될 수 있다.

2) 세포검사상 암이 진단적인 경우의 수술

(1) 갑상선암의 크기에 상관없이 육안적 갑상선 외 침윤, 또는 임상적으로 경부 림프절전이나 원격전이가 분명한 경우, 또는 크기가 4 cm를 초과하는 갑상선암에서는 특별한 금기가 없는 한 처음 수술 시 갑상선(근)전절제와 원발암의 완전한 육안적 제거를 시행하여야 한다.

(2) 갑상선암의 크기가 1cm 초과 4cm 미만이면서 갑상선 외 침윤이 없고, 임상적으로 경부 림프절전이의 증거가 없는 경우에는 처음 수술로 엽절제술을 적용할 수도 있다. 그러나 수술 후 방사성요오드 치료 계획, 추적 검사의 효율, 환자의 선호도 등을 고려하여 갑상선(근)전절제술을 선택할 수도 있다.

(3) 갑상선암의 크기가 1cm 미만이고 갑상선 외 침윤이 없으며, 임상적으로 경부 림프절전이의 증거가 없는 경우, 반대쪽 엽을 절제해야 하는 분명한 이유가 없다면 처음 수술로 갑상선 엽절제술을 적극 권고한다. 두경부 방사선 조사의 과거력이 없고 가족성 갑상선암이 아니면서 경부 림프절전이가 없는 갑상선 내에 국한된 단일 병소의 작은 갑상선암의 경우 일반적으로 초기 수술은 갑상선 엽절제술로 충분하다.

3) 림프절 절제술

(1) 임상적으로 중앙경부 림프절전이가 확인된 경우에는 치료적 중앙경부(level VI) 림프절절제술을 시행한다.

(2) 임상적으로 중앙경부 림프절전이가 없는 갑상선유두암 환자에서도, 진행된 원발암(T3 혹은 T4) 또는 임상적으로 확인된 측경부 림프절전이(cN1b)가 있는 경우
또는 향후의 치료 전략 수립에 필요한 추가적인 정보를 얻기 원하는 경우에는 예방적 중앙경부(level VI) 림프절절제술을 고려한다.

(3) 대부분의 갑상선여포암의 경우에는 예방적 중앙경부(level VI) 림프절절제술이 불필요하다.

(4) 측경부 림프절전이가 조직검사로 확인된 경우에는 치료적 측경

부 림프절절제술을 시행한다. Level II-V 절제술이 추천된다.

④ 수술 후 병기결정

1) 수술 후 병기결정의 역할

(1) 분화 갑상선암 환자 각각의 예후를 예측

(2) 방사성요오드 치료나 TSH 억제와 같은 수술 후 치료방침을 결정

(3) 수술 후 추적의 빈도와 강도를 결정하기 위해

(4) 의료진 간의 의사소통을 위해 수술 후 병기 결정이 필요

2) AJCC/UICC TNM 병기

(1) pTNM에 근거한 AJCC/UICC 병기분류를 적용하는 것이 갑상선암을 비롯한 모든 암에 권장되고 있음

(2) 갑상선암에서는 AJCC/UICC 병기가 몇몇 추가적인 독립적 예후인자를 고려하지 않기 때문에, 일부 환자는 잘못 분류될 가능성이 있음

(3) 보다 정확하게 위험인자를 이용하여 예후에 따라 환자군을 나누기 위해 CAEORTC, AGES, AMES, U of C, MACIS, OSU, MSKCC, NTCTCS 등 수많은 분류 시스템이 개발되었는데, 예후인자들 중 가장 강력한 것으로는 원격전이 여부, 환자의 연령, 종양의 국소진행 정도 등

T 원발종양

T1	원발종양 크기가 2cm 이하이며 갑상선 외 침범이 없음
T1a	1cm 이하
T1b	1cm 초과 2cm 이하
T2	원발종양 크기가 2cm 초과 4cm 이하
T3	원발종양 크기가 4cm 초과하거나 현미경적 갑상선 외 침범(주변 근육 및 연부조직)이 있는 경우
T4a	원발종양의 크기에 상관없이 피하 연부조직, 후두, 기관, 식도 또는 반회후두신경 침범 시
T4b	Prevertebral fascia를 침범하거나 경동맥/종격동 혈관을 둘러싸고 있는 경우
TX	원발 종양의 크기를 모르지만 갑상선 외 침범이 없을 때

N	국소 림프절(N)
N0	림프절전이가 없는 경우
N1a	Level Ⅳ 림프절전이(기관전, 기관주위, 전후두/ Delphian 림프절)
N1b	일측성, 양측성, 반대편 경부 림프절(level Ⅰ,Ⅱ,Ⅲ,Ⅳ,Ⅴ), 후인두 혹은 상종격동 림프절(level Ⅶ) 전이
NX	수술 당시 림프절전이를 평가하지 않은 경우

M	원격전이(M)
M0	원격전이가 없는 경우
M1	원격전이가 있는 경우
MX	원격전이 여부를 알 수 없는 경우

45세 미만			
Stage I	Any T	Any N	M0
Stage II	Any T	Any N	M1
45세 이상			
Stage I	T1	N0	M0
Stage II	T2	N0	M0
Stage III	T3	N0	M0
StageⅣA	T1–T3	N1a	M0
StageⅣB	T4a	N0, N1a	M0
StageⅣC	T1–T4a	N1b	M0
	T4b	Any N	M0
	Any T	Any N	M1

3) 잔존병소의 존재나 재발의 위험에 따른 초기 분류: 저, 중간, 고위험군

AJCC/UICC 병기 분류는 사망을 예측하는 분류이므로 추적 검사의 종류와 빈도를 결정하는 용도로 사용하는 것은 부적절하다. 재발 위험도에 따른 환자의 분류는 다음(Table 8)과 같은 분류 기준을 따르는데, 큰 틀은 기존의 2010 대한갑상선학회 권고안과 동일하다. 기존의 가이드라인에 포함되지 않았던 예후 인자들(림프절 침범 정도, 유전자 변이 여부, 여포암에서 혈관 침범 정도 등)을 이용하면 예후를 좀 더 세분하여 예측할 수 있다.

재발 위험도에 따른 환자의 분류	
저위험군	• 유두함(아래 항목을 모두 충족하는 경우) 1) 국소 및 원격전이가 없고 2) 수술로 육안적 병소가 모두 제거되었으며 3) 주위조직으로의 침윤이 없고 4) 나쁜 예후를 갖는 조직형(키큰세포 변이종, 원주형세포 변이종, hobnail 변이종)이 아니며 5) 방사성요오드 잔여갑상선제거술 이후에 시행한 첫 번째 치료 후 전신 스캔에서 갑상선 부위(thyroid bed) 외에는 섭취가 없는 경우 6) 혈관 침범이 없는 경우 7) 림프절전이가 없거나 미세 림프절전이(<0.2 cm)가 5개 이하인 경우* • 갑상선 내에 국한된 피막에 둘러싸인 여포 변이종 유두암* • 갑상선 내에 국한된 여포암의 경우 혈관 침범이 없거나 경미한(4부위 이하) 경우* • 갑상선 내에 국한된 미세유두암(다발성이거나 *BRAF*^V600E 돌연변이 양성 포함됨)
중간위험군	1) 수술 후 병리조직검사에서 갑상선 주위 연조직으로 현미경적 침윤 소견 2) 첫 번째 방사성요오드 잔여갑상선제거술 후 전신스캔에서 갑상선 부위 이외의 경부 섭취가 있는 경우 3) 원발 종양이 나쁜 예후를 갖는 조직형이거나, 혈관 침범 소견이 있는 경우 4) 임상적으로 림프절전이가 있거나(clinical N1) 3 cm 미만 크기의 림프절 전이(pathologic N1)가 5개를 초과하거나*, 5) 갑상선 외 침범이 있고 *BRAF*^V600E 돌연변이가 양성인 다발성 미세유두암*
고위험군	1) 종양이 육안적으로 주위 조직을 침범하였거나, 2) 종양을 완전히 제거하지 못하였거나, 3) 원격전이가 있거나 4) 수술 후 혈중 갑상선글로불린 농도가 높아서 전이가 의심되거나 5) 경부 림프절전이의 최대 직경이 3 cm 이상인 경우* 6) 광범위한 혈관 침범(4 부위 초과)이 있는 여포암*

*의 항목을 제외한 모든 항목들은 권고수준 1에 해당하며, *은 권고수준 3임

5 갑상선절제술 후 방사성요오드 잔여갑상선 제거술

: 갑상선 절제술 후 방사성요오드 투여로 잔여갑상선 조직을 제거하는 목적은 잔여갑상선 조직을 완전히 제거함으로써 국소적 재발의 위험을 줄이고 장기적 생존률을 향상시키기 위함임. 그러나 사망률이 낮은 저위험군의 갑상선 유두암에서는 이러한 효과를 관찰하지 못하였다는 보고도 있음. 방사성요오드 잔여갑상선 제거술은 다음의 환자에 권장

- 고위험군 갑상선분화암 환자에게 갑상선전절제술 후 방사성요오드 치료를 일률적으로 권고한다.
- 중간위험군 갑상선분화암 환자에게 갑상선전절제술 후 방사성요오드 보조치료를 고려한다.
- 저위험군 갑상선분화암 환자에서 갑상선전절제술 후 방사성요오드 잔여갑상선제거술은 일률적으로는 권고되지 않으나, 재발 위험에 영향을 미치는 각 환자의 특성, 질병 추적에의 영향, 환자의 선호도를 고려하여 의사결정을 한다.

VIII. 갑상선 수질암

1) Thyroid C cell에서 유래, calcitonin 분비
   (1) 산발적으로 또는 유전되어, 홀로 또는 multiple endocrine neoplasia (MEN) type 2A, 2B의 형태로 나타남
   (2) sporadic MTC
      : firm, palpable, unilateral nodule (cervical LN involvement)로 발견됨
   (3) hereditary MTC
      : bilateral, multifocal tumor로 나타냄, family screening으로 진단되기도
   (4) plain x-ray상 tumor calcification이 보인다면 또는 심한 diarrhea와 episodic flushing (calcitonin 분비과다 원인)이 있다면 MTC를 의심해 볼 수도 있음

2) 초기에 cervical LN, liver, lung, bone으로 전이

    (1) MTC가 의심되거나 진단된 환자는 세심한 family history 조사, thyroidectomy 전에 pheochromocytoma에 대한 검사, 유전적으로 tyrosine kinase receptor RET proto-oncogene에 DNA mutation을 검사해야 함

    (2) plasma calcitonin 상승소견으로 발견될 수도 있음

    (3) 치료: total thyroidectomy + central LN dissection

    (4) initial thyroidectomy 후 calcitonin이 상승되어 있던 환자들 중 28%는 bilateral cervical LN dissection 후 calcitonin 정상화

    (5) 증명된 chemotherapy option은 없음

    (6) in vitro, tyrosine kinase inhibitor로 MTC cell growth ↓, RET tyrosine kinase activity ↓

IX. 미분화암 또는 갑상선 역형성암

: 1~2%, 매우 불량한 예후

    (1) 일반적으로 fixed, painful goiter 증상, 50세 이상

    (2) local structure에 invasion 결과로 생기는 dysphagia, respiratory compromise, hoarseness

      : curative resection이 불가능하게 할 수 있음

    (3) external irradiation 또는 chemotherapy

      : 제한된 일시적 완화를 줄 수도 있음

X. 원발성 갑상선 림프종

: Hashimoto's thyroiditis와 관련, 일단 진단이 되면 surgical resection은 적응되지 않음

AJCC 8th Edition (2018년 1월부터 적용)

Major changes to the AJCC/TNM staging of differentiated and anaplastic thyroid cancers in the 8th edition		
DTC	1.	The age cutoff used for staging was increased from 45 to 55 years of age at diagnosis
	2.	Minor extrathyroidal extension detected only on histological examination was removed from the definition of T3 disease and therefore has no impact on either T category or overall stage
	3.	N1 disease no longer upstages a patient to stage III. If<55 years of age at diagnosis, N1 disease is stage I . If ≥55 years of age, N1 disease is stage II
	4.	T3a is a new category for tumors >4 cm confined to the thyroid gland
	5.	T3b is a new category for tumors of and size demonstrating gross extrathyroidal extension into strap muscles (sternohyoid, sternothyroid, thyrohyoid, or omohyoid muscles)
	6.	Level VII lymph nodes, previously classified as lateral neck lymph nodes (N1b) were re-classified as central neck lymph nodes (N1a) to be more anatomically consistent and because level VII presented significant coding difficulties for tumor registrars, clinicans, and researchers
	7.	In differentiated thyroid cancer, the presence of distant metastases in older patients is classified as IVB disease rather than IVC disease. Distant metastasis in anaplastic thyroid cancer continues to be classified as IVC disease.
Anaplaastic	1.	Unlike previous editions where al anaplastic thyroid cancers were classified as T4 disease, anaplastic cancers will now use the same T difinitions as differentiated thyroid cancer
	2.	Intrathyroidal disease is stage IVA, gross extrathyroidal extension or cervical lymph node metastases is stage IVB, and distant metastases are stage IVC

	Stage	7th Edition Description	7th Edidion 10yr DSS	8th Edition Description	8th Edition Expected 10 yr DSS
Younger patients	I	<45 years old All patients without distant metastases regardless of tumor size, lymph node status or extrathyroidal extension	97–100%	<55 years old All patients without distant metastases regardless of tumor size, lymph node status or extrathyroidal extension	98–100%
	II	<45 years old Distant metastases	95–99%	<55 years old Distant metastases	85–95%
Older patients	I	≥45 years old ≤2 cm tumor Confined to the thyroid	97–100%	≥55 years old ≤4 cm tumor Confined to the thyroid	98–100%
	II	≥45 years old 2–4 cm tumor Confined to the thyroid	97–100%	≥55 years old Tumors > 4 cm, Or tumors of any size with central or lateral neck lymph nodes, Or gross extrathyroidal extension into strap muscles	85–95%
	III	≥45 years old >4 cm tumor, Or minimal extrathyroidal extension, Or central neck lymph node metastasis	88–95%	≥55 years old Tumors of any size with gross extrathyroidal extension into subcutaneous tissue, larynx, trachea, esophagus, recurrent laryngeal nerve	60–70%
	IV	≥45 years old Gross extrathyroidal extension, Or lateral neck lymph node metastasis, Or distant metastasis	50–75%	≥55 years old Tumors of any size or lymph node status with gross extrathyroidal extension into prevertebral fascia, encasing major vessels Or distant metastasis	

	Distant Metastasis	Gross ETE present?	Structures involved with gross ETE	T category	N Category	Stage
<55 yrs	NO	Yes or No	Any or None	Any	Any	I
	Yes	Yes or No	Any or None	Any	Any	II
≥55 yrs	No	No	None	≤4 cm(T1–2)	N0/Nx N1a/N1b	I II
				>4 cm(T3a)	N0/Nx/N1a/N1b	II
		Yes	Only strap muscle (T3b)	Any	Any	II
			Subcutaneous, larynx, trachea, esophagus, recurrent laryngeal nerve (T4a)	Any	Any	III
			Preverebral fascia, encasing major vessels (T4b)	Any	Any	IVA
	Yes	Yes or No	Any or None	Any	Any	IVB

❶ 출혈

1) 드물지만 심각한 합병증, 대개 수술 후 6시간 안에 발생
2) 빠른 intubation, incision을 빨리 open, hematoma evacuation 후 수술장에서 wound irrigation, bleeding point ligation함

❷ Transient hypocalcemia

1) 대개 수술 후 24-48시간에 발생
2) 심한 증상이 있거나 serum calcium < 7mg/dL일 때 10% calcium gluconate, 1~2 ample (10~20mL), 1~2회 IV 후에 calcium carbonate 경구 투여(500mg 2~3번/day)+calcitriol(1C bid)또는 alpha-calcidol (2~3T bid)
3) Prolonged intravenous replacement
   : calcium gluconate 6 ample + 5DW, 1mL/kg/hour 속도로 주입
4) Permanent hypoparathyroidism은 드묾
5) Autotransplantation
   : 적출되거나 devascularized 되었을 경우, 1~3mm 조각으로 나누어 SCM muscle에 심어줌

❸ Recurrent laryngeal nerve (RLN) injury

1) <1%, unilateral injury: hoarseness, bilateral injury: airway 장애, tracheostomy가 필요
2) Repeat exploration, extensive goiter, graves'disease, fixed, locally advanced cancer 수술 시 RLN injury 받기 쉬움
3) Invasive cancer로 의도적이거나 혹은 의도하지 않게 RLN를 잘랐을 경우 효과는 확실하지 않지만 primary 혹은 nerve graft로 repair할 수 있음
4) 일시적인 RLN palsy는 일반적으로 4~6주 후 해결

④ External branch of superior laryngeal nerve

sup. pole 혈관을 ligation하는 동안 확인하지 않으면 손상을 줄 수 있음. high pitch 목소리에 weakness가 올 수 있음

XII. Hereditary endocrine tumor syndromes

① Multiple endocrine neoplasia syndromes

1) Multiple endocrine neoplasia type1 (MEN-1)

- autosomal dominant syndrome, parathyroid gland, pancreatic islet cell, pituitary gland의 tumor
- hyperparathyroidism 거의 모든 환자에게 나타나고 pancreatic islet cell (50%), pituitary tumor (25%)
- lipoma, thymic 또는 bronchial carcinoid tumor, thyroid, adrenal cortex, CNS tumor가 함께 동반될 수 있음
- MEN-1, MENIN gene: chromosome 11q13에 위치, genetic testing이 가능
- 가능하지 않다면 10대 초반에 plasma calcium, glucose, gastrin, fasting insulin, vasoactive intestinal polypeptide, pancreatic polypeptide, prolactin, growth hormone, β-human gonadotropin hormone 등으로 screening을 함

  (1) Hyperparathyroidism (HPT)

  ① MEN-1에서 first detectable abnormality, 전반적으로 커져 있는 parathyroid gland

  ② 수술: 3.5개 gland parathyroidectomy 또는 total parathyroidectomy + autotransplantation (forearm에)

  → 90% 이상에서 치료 가능, 5% 미만에서 hypoparathyroidism 을 일으킴

  ③ graft-dependent recurrent HPT

  : 50%에서 발견, autografted material의 부분을 resection 해주면 됨

(2) Pituitary tumor

 ① MEN-1 중 25%에서 발생, benign prolactin-producing adenoma (m/c)

 ② growth hormone, adrenocorticotropic hormone-producing, nonfunctioning tumor가 있을 수도 있음

 ③ headache, diplopia, hormone 과다 분비와 관련된 증상이 있을 수도 있음

 ④ bromocriptine
 : prolactin 생성 ↓, tumor 크기 ↓, surgical intervention의 필요성 ↓

 ⑤ transsphenoidal hypophysectomy
 : medical 치료가 실패한 경우 필요할 수도 있음

(3) pancreatic islet cell tumor

 ① 가장 어려움. morbidity, mortality의 원인

 ② gastrinoma (Zollinger-Ellison syndrome, m/c), vasoactive intestinal polypeptide-secreting tumors, insulinoma, glucagonoma, somatostatinoma

 ③ pancreas
 : islet cell hyperplasia, multifocal tumor와 같이 diffusely involve 됨

 ④ proximal duodenum, peripancreatic area (gastrinoma triangle)
 : 언제나 malignant

 ⑤ 치료목표: excessive hormone 분비와 관련된 증상을 호전, malignant process 과정을 치료

 ⑥ medical/surgical 치료를 필요로 하는데, 수술전 urinary glucocorticoid, mineralocorticoid, sex hormone, plasma metanephrine을 측정하여 adrenal tumor를 조사

2) Multiple eneocrine neoplasia type-2 (MEN-2)

- MTC 특징, MEN-2A, MEN-2B, familial, non-MEN MTC (familial MTC)를 포함

- autosomal dominant syndrome, RET proto-oncogene의 mutation

- 의심되는 경우 genetic testing을 해봐야 됨

- MEN-2 variant에서 MTC가 발생하므로 모든 RET-mutation carrier는 prophylactic thyroidectomy가 적응증이 됨
- RET-mutation carrier에서 MTC 빈도는 나이에 따라 증가
- (age specific progression: C-cell hyperplasia → MTC, node metastasis)
- 현재 guideline: MEN-2B mutation carrier-1세 미만, MEN-2A mutation-5세 미만에 thyroidectomy해 줌
- MTC 환자의 50% 이상: primary surgical resection 후 재발

(1) MEN-2A

① MTC (100%), pheochromocytoma (40~50%), parathyroid gland hyperplasia (25~35%)

② GI 증상: abdominal pain, distention, constipation, hirschsprung disease

③ MEN-2A, hirschsprung disease (MEN-2A-HD)
: exon 10 RET proto-oncogene에 common mutation

④ MTC는 pheochromocytoma 또는 hyperparathyroidism보다 일찍 발생

⑤ 그럼에도 불구하고 pheochromocytoma를 배제하기 위한 biochemical testing은 MTC 환자에게서 thyroidectomy 시행 전에 시행

(2) MEN-2B

① MTC, pheochromocytoma (hyperparathyroidism은 아님)로 발전하는 MEN-2의 variant

② ganglioneuromatosis, 특징적인 외모
(hypergnathism, marfanoid body habitus, multiple mucosa neuroma)

③ MTC는 이 환자들에게서 aggressive

④ MEN-2B: multiple GI symptom, megacolon을 보임

(3) familial medullary thyroid carcinoma (FMTC)

① hereditary MTC without other endocrinopathy

② MTC는 이 환자들에게서 진행이 더딤

Chapter

18

부갑상선

Actions of Major Calcium-Regulating Hormones			
	골격계	신장	장
부갑상선 호르몬	칼슘과 인산염의 흡수 (resorption) 촉진	칼슘의 흡수(resorption)와 25 (OH)D3로의 변환 촉진; 인산염과 중탄산염의 흡수(resorption) 억제	직접적 영향 없음
비타민 D	칼슘의 이동 촉진	칼슘의 흡수(resorption) 억제	칼슘과 인산염의 흡수(absorption) 억제
칼시토닌	칼슘과 인산염의 흡수(resorption) 억제	칼슘과 인산염의 흡수 (resorption) 억제	직접적 영향 없음

From Gauger PG, Doherty GM: Parathyroid gland. In Townsend CM, Beauchamp RD, Evers BM,
Mattox KL (eds): Sabiston Textbook of Surgery. Philadelphia, Elsevier Saunders, 2004, p 987.

I. 부갑상선기능항진증 (HPT)

- Hypercalcemia caused by inappropriate parathyroid hormone (PTH)

① Primary HPT-autonomous release of PTH from parathyroid

1) Incidence

0.25~1/1,000, postmenopausal women, 대부분 sporadically 발생하나 드물게 MEN type 1 or 2A와 관련하여 발생

2) Clinical findings

nephrolithiasis, osteoporosis, hypertension, emotional disturbances, muscle weakness, polyuria, anorexia and nausea

3) Diagnosis

(1) elevated Ca^{2+} (iCa^{2+}), PTH, ALP

(2) hyperchloremic metabolic acidosis (PTH가 HCO_3의 excretion 촉진)

(3) 그 외 bone densitometry, radial aspect of the phalanges of the second or third digits of the hand (subperiosteal bone resorption 확인 위해) 검사 등이 도움이 될 수 있음

4) Preoperative localization

(1) Tc-99m Sestamibi scan이 가장 유용한 국소화 방법이며 초음파검 사에서 보이는 병변과 일치할 경우 추가적 국소화 없이 수술 진행 가능. 기타 ultrasound guided, videoscopic exploration and intraoperative intact PTH-level monitoring(IPM)의 방법 등으로 selective 하게 exploration을 시행할 수 있으나, 현재 IPM의 국내 보급 미비 함

(2) preoperative localization scan이 도움이 되지 않는 경우, standard four-gland exploration도 가능

5) Op. indication

(1) Age ≤ 50

(2) those who cannot participate in appropriate F/U

(3) 정상 범위의 상한치보다 > 1mg/dl 높은 심각한 hypercalcemia

(4) 24 hr urine Ca^{2+} excretion > 400mg/d

(5) renal function의 30% 이상의 감소

(6) all patients with symptomatic HPT

6) Neck exploration & parathyroidectomy

(1) 95%에서 수술 후 calcium level의 정상화

(2) minimally invasive parathyroidectomy

: preoperative localization으로 selective, directed unilateral neck exploration (single adenomatous gland만 제거)

(3) adenomatous parathyroid를 찾을 수 없거나, parathyroid를 모두 찾을 수 없을 때는 ectopic parathyroid나 supernumerary glands를 찾아야 함

Parathyroid의 위치		
	Superior parathyroid glands	Inferior parathyroid glands
Embryology	Develop from the 4th pharyngeal pouch	Develop in conjunction with the thymus from the 3rd pharyngeal pouch
Common location	Located dorsally along the middle or upper thyroid lobe, near the intersection of the inferior thyroid artery and recurrent laryngeal nerve, dorsal and superior to the nerve.	Medial and ventral to the recurrent laryngeal nerve at the inf. thyroid pole within the thyrothymic ligament
Ectopic location	• Posterior and deep to the thyroid, in the • tracheoesophageal groove, posterior to the • inferior thyroid vessels, between the • carotid artery and the esophagus. • Undescended: cranial to the Sup. thyroid lobe • Excessive migration: in the middle mediastinum	• The thymus in the anterior mediastinum • Undescended: the superior neck between the carotid and the larynx

❷ Secondary & tertiary HPT

results from a defect in mineral homeostasis with a compensatory increase in parathyroid function

❸ Tertiary HPT

results from the development of autonomous, calcium-insensitive parathyroid after prolonged secondary stimulation

- 대부분의 경우 missed parathyroid에 의한 것

1 Preoperative localization

1) Non invasive studies

: 99mTc-sestamibi scintigraphy, USG, CT scanning

2) Invasive studies

: angiography (helpful for identifying rare glands located outside the patient's neck)

2 Operative strategy

1) 전수술의 절개선으로 occult cervical adenoma를 찾아나감

(1) missed parathyroid glands

: anatomy와 embryology를 바탕으로 exploration 시행함

(2) mediastinal adenomas

: managed by resecting the cranial portion of the thymus by gentle traction on the thyrothymic ligament or by a complete transcervical thymectomy

① **Total parathyroidectomy & heterotopic parathyroid autotrans-plantation**

   1) Indication: HPT with renal failure, four-gland parathyroid hyperplasia

   2) Site of autotransplantation: SCM muscle or brachioradialis muscle

② **Technique**

   1) 1mm × 1mm × 2mm로 자른 후 muscle의 fiber를 벌려 공간을 확보한 후 한 site에 4~5개의 조각을 위치시킴(total 100mg 정도)

   2) Spinal needle을 사용하여 forearm에 주사할 수도 있음

   3) 14~21일 후 function을 하게 됨

IV. Postoperative hypocalcemia

① **Transient hypocalcemia: common**

severe hypocalcemia (<7.5 mg/dl) or symptomatic hypocalcemia의 경우 치료 필요

② **Persistent hypocalcemia**

Calcium+Vit.D(calcitriol or alpha-calcidol) 평생 복용

Ca/P, iCa level monitoring하면서 용량 조절

③ **Hypocalcemic tetany: medical emergency**

rapid IV administration of 10% calcium gluconate until the patient recovers

- rare (HPT의 1% 이하의 원인)

1 Diagnosis

by histologic finding of vascular or capsular invasion, lymph node or distant metastases, or gross invasion of local structures

임상적으로 매우 높은 PTH level과 심한 고칼슘혈증의 경우 의심할 수 있음

2 Surgical treatment

수술중 부갑상선암이 의심될 경우 capsular rupture가 생기지 않도록 최대한 en-bloc parathyroidectomy 시행. Prophylactic central or lateral neck dissection은 권고되지 않음

3 Hyperparathyroid crisis

1) First line therapy

infusion of 300~500 ml/hr of 0.9% sodium chloride to restore intravascular volume

(1) U/O>100ml/hr로 되돌아오면 furosemide 투여

(renal sodium, calcium excretion 촉진 위해. thiazide 금기)

(2) other calcium lowering agents

: bisphosphonates pamidronate, etidronate, mithramycin, calcitonin, orthophosphate, gallium nitrate, glucocorticoids

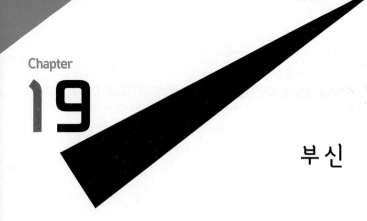

Chapter

19

부 신

❶ 부신 종양의 수술 적응증

1) 임상적으로 분명한 호르몬 과다분비가 있는 경우 - 갈색세포종(pheo-chromocytoma), 코티졸 분비 종양(adrenal Cushing), 알도스테론 분비 종양

2) 암이 의심되는 경우- 부신 종양에서 크기 6cm 이상의 종양, 4-6cm 크기의 종양 중 악성을 시사하는 영상소견을 보일 때

❷ 수술 전후의 corticosteroid 투여의 적응증, 이유 및 방법

1) 부신기원성 쿠싱 : 코티졸 분비 부신종양

2) 외인성 스테로이드 과다 투여 중인 환자

3) 양측 부신 절제 환자

- 이유: 1), 2)의 경우 ACTH의 분비가 억제되어 있으며 남은 부신은 atrophy 상태이므로, 수술 전후 corticosteroid를 투여하지 않을 경우 adrenal insufficiency에 의한 shock이나 증상이 유발됨. 알도스테론 분비 종양, 갈색세포종 또는 비기능성 종양에서는 이의 투여는 필요 없다.

- 수술 전
    (1) on call : Cortisol 100mg IV - 투약 후 수술 시작
- 수술 후
    (1) op day : Cortisol 100mg IV – 매 8시간마다 투약
    (2) POD1 : Cortisol 100mg IV – 매 12시간마다 투약
    (3) POD2 : Prednisolone 15mg – 매 12시간마다 투약
    (4) POD3 : Prednisolone 10mg – 매 12시간마다 투약
    ⇨ POD2 혹은 3일 퇴원 시, Prednisolone 10mg(2P) 15일간 처방
       하여 퇴원

❸ 부신의 복강경 수술 방법
  1) Lateral transabdominal(transperitoneal) approach의 장단점

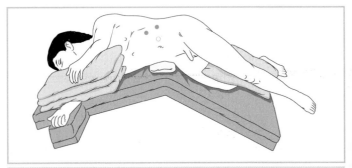

⟨ Positioning for Lateral Transabdominal (Transperitoneal) Approach – Right adrenalectomy ⟩

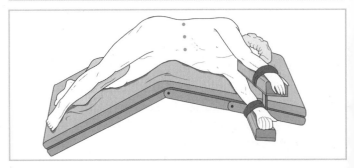

- 해부학적인 구조가 익숙하다.
- 복강내로 접근하므로 수술 공간이 넓다. 따라서 큰 종양을 수술하는 데 유리하다.
- 양측을 수술하는 경우 새로운 자세와 draping이 필요하다.
- 장운동의 회복이 종종 늦어지기도 한다.

2) Posterior retroperitoneal approach(Walz)

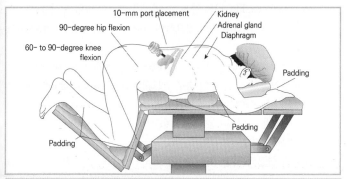

〈 Positioning for Posterior Retroperitoneal Approach - Right Adrenalectomy 〉

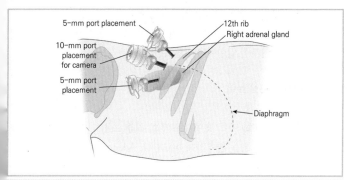

〈 Trocar Insertion Sites for Posterior Retroperitoneal Approach 〉

- 해부학적인 구조가 익숙하지 않다.
- 복강을 열지 않고 후복막강안에서만 수술하므로 수술 시야가 좁다.
- 장운동의 회복이 빠르다. 통증이 적다.
- 이전에 복강 수술을 하였거나, 양쪽 부신절제술 시 유리하다.

4 pheochromocytoma의 전처치와 그 이유, ICU 준비

- 기능성 갈색세포종이나 부신경절종(Pheochromocytoma and Paraganglioma, PPGL)의 경우, 수술 전후 급격한 혈압의 상승을 예방하기 위해 수술 전 처치가 필요하며, α-adrenergic receptor blockers를 사용한다.
- 수술 전 tachycardia를 조절하기 위해 β-adrenergic receptor blocker를 함께 투여할 수 있는데 이 경우 반드시 α-adrenergic receptor blockers를 먼저 사용하여야 한다. 왜냐하면 α-adrenergic receptor 자극이 억제되지 않은 상태에서는 고혈압 위기(hypertensive crisis)가 발생할 수 있기 때문이다.
- 수술 전 혈압과 심장 박동수를 정상화하기 위해 수술 전 7~14일간(α-adrenergic receptor blockers)의 약물치료가 필요하며, 고염식이 및 충분한 수분 공급(2~3L/day)은 카테콜라민에 의한 혈액량 감소를 보상하고, 종양제거 후의 심각한 저혈압을 예방할 수 있다.
- 수술후에는 혈압, 심장 박동수의 이상과 같이 혈역학적으로 불안정할 때는 중환자실 입실이 필요할 수 있다.

5 부신 질환 검사의 의미

1) adrenal CT

일반 복부 CT와 달리 조영제를 주입 직후 early phase 촬영하고, 15분 후 delay phase를 촬영하여 비교한다. Adenoma는 early phase에 비해 delay phase의 enhance 정도가 매우 감소하지만 malignancy에서는 vascularity가 더 많으므로 적게 감소하는 성질을 이용한다. 양성과 악성을 구별하는 정확도가 높다.

2) adrenal vein sampling(부신정맥혈채혈, AVS)

양측 부신정맥에서 각각의 호르몬을 측정하여 원인이 되는 부위 (dominant side)를 결정한다. CT에서 보이는 결절 중 비기능성 결절이 존재할 수 있으며 이를 배제하기 위해서 또는 양측에 결절이 있는 경우 필요하다. 비교적 종양의 크기가 작고 양측인 경우(idiopathic bilateral hyperplasia)가 흔한 알도스테론증 환자의 수술결정에 있어서 제일 흔히 사용된다. 양측 부신정맥 간의 cannulation 정도를 보정하기 위해 다른 부신 호르몬 한 가지를 더 측정하여 이용한다(부신 정맥에서 조금 떨어져 있는 곳에서 채취하면 호르몬이 낮게 나옴. 정확한 정맥입구에서 측정하면 높게 나옴).

1 Cushing's syndrome

results from exogenous steroid administration or excess endogenous corti-sol secretion

1) pathophysiology

　(1) m/c cause

　　: iatrogenic excess of exogenous glucocorticoids or ACTH

부신피질자극(ACTH) 의존성(80%)	양측성 부신 증식증 동반 • 쿠싱증후군(ACTH 생산 뇌하수체 종양) • 이소성 부신피질자극(ACTH) 증후군(예: 소세포암종) • 이소성 부신피질자극호르몬방출호르몬(CRH) syndrome
부신피질자극(ACTH) 비의존성(20%)	• 부신 선종 • 부신 암 • 부신 피질 증식증
가성 쿠싱 증후군	우울증, 알코올 중독증

　(2) Cushing's disease

　　: hypersecretion of ACTH from the anterior pituitary gland

2) diagnosis

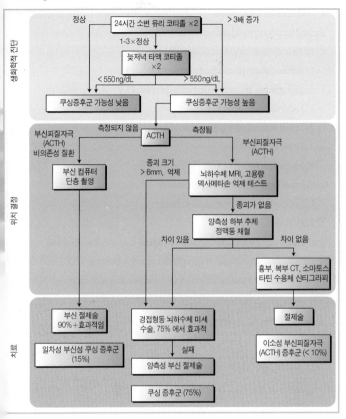

3) surgical treatment of Cushing's syndrome

(1) perioperative and postoperative glucocorticoid administration is obviously essential (hydrocortisone, 100mg IV every 8 hours for 24 hours)

(2) removing the cause of cortisol excess (a primary adrenal lesion or pituitary or ectopic tumors secreting excessive ACTH)

2 **Primary aldosteronism** (Conn syndrome)

a syndrome of hypertension and hypokalemia caused by hypersecretion of the mineralocorticoid aldosterone

1) cause of primary aldosteronism

    (1) aldosterone-producing adenoma (65~70%)

    (2) idiopathic bilateral adrenal hyperplasia (30%)

    (3) adrenal carcinoma (1%)

    (4) glucocorticoid-suppressible aldosteronism

2) clinical features

    (1) hypokalemia

    (2) moderate diastolic hypertension

    (3) edema is characteristically absent

3) treatment

    (1) aldosterone-producing adrenal adenoma: surgical removal

    (2) idiopathic adrenal hyperplasia: spironolactone (200~400 mg/d), potassium sparing diuretics (amiloride), calcium channel blockers

4) diagnosis

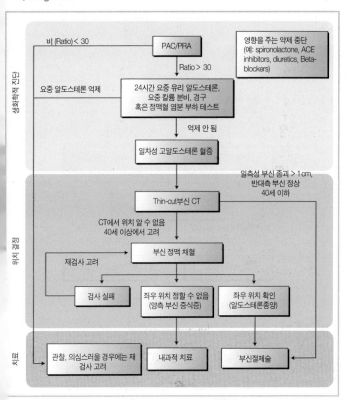

③ Acute adrenal insufficiency

1) signs & symptoms

    (1) fever, nausea, vomiting, severe hypotension and lethargy

    (2) hyponatremia, hyperkalemia, azotemia, hypoglycemia

2) diagnosis

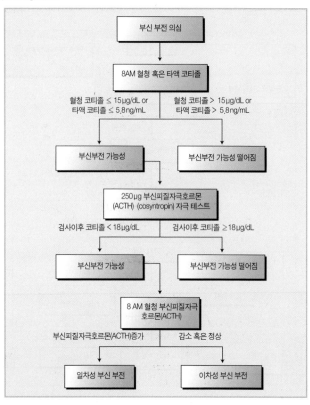

3) treatment

(1) must be immediate, based on clinical suspicion

(2) IV volume replacement with normal or hypertonic saline and dex
trose

(3) IV steroid replacement

: 4mg of dexamethasone → 100 mg of hydrocortisone (every 6~
hours) → tapering based on patient's condition

4) prevention

Degree of surgical stress	Examples	Daily glucocorticoid dose
Minor	Procedures under local anesthesia, most outpatient procedures, inguinal hernia repair	Hydrocortisone, 25mg or equivalent
Moderate	Routine abdominal, peripheral, vascular, or orthopedic surgery	Hydrocortisone, 50~75mg or equivalent
Major	Resection of gastrointestinal cancer, cardiopulmonary bypass	Hydrocortisone, 100~ 150 mg or equivalent

Adapted from Salem M, Tainsh RE Jr, Bromberg J, et al: Perioperative glucocorticoid coverage. A reassessment 42 years after emergence of a problem. Ann Surg 219:416-425, 1994.

III. Adrenal medulla

pheochromocytoma

affects approximately 0.2% of hypertensive individuals

1 Pathophysiology

neoplasm derived from the chromaffin cells of the sympathoadrenal system

2 Clinical features

(1) classic triad: headache, diaphoresis, and palpitations

(2) differential diagnosis: hyperthyroidism, hypoglycemia, coronary artery disease, heart failure, stroke, drug-related effects and panic disorder

3 Treatment

(1) control of hypertension: administration of an alpha-adrenergic blocker (phenoxybenzamine: 10mg orally twice a day and increased to 20~40mg → end point: postural hypertension)

(2) re-expansion of intravascular volume

(3) surgery: invasive hemodynamic monitoring is required, and fluid management must be meticulous. manipulation of the tumor needs to be minimized

(4) intraoperative pressure control: nitroprusside (0.5~10μg/kg/min) or phentolamine (5mg)

4 Diagnosis

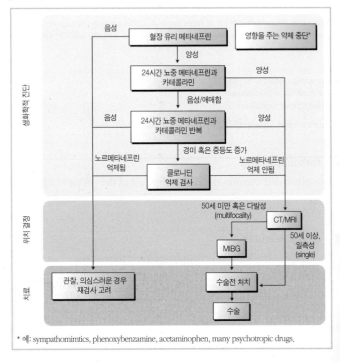

* 예: sympathomimtics, phenoxybenzamine, acetaminophen, many psychotropic drugs.

IV. Adrenocortical carcinoma

1) Large (>6 cm) adrenal masses that extend to nearby structure on scanning likely represent carcinoma
2) Syndrome of adrenal hormone overproduction
3) Complete surgical resection: only chance for cure
4) Poor prognosis

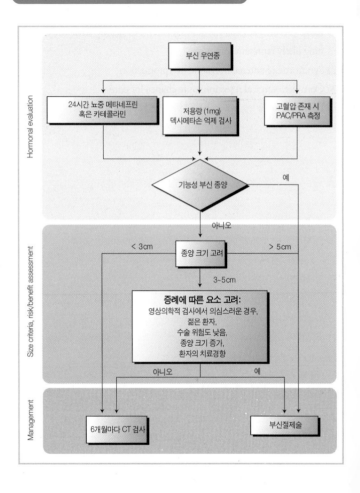

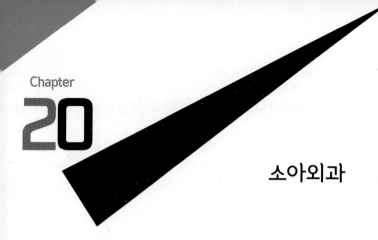

Chapter 20

소아외과

I. 신생아의 생리

1 심혈관계

1) 신생아에게 저산소증, 패혈증, 산혈증은 지속성 폐동맥고혈압(persis-tent pulmonary hypertension, PPHN)을 유발하여 동맥관개존(persis-tent ductus arteriosus, PDA)을 초래. 이 때문에 indomethacin 치료 내지는 외과적 결찰이 필요할 수 있음

2) 말초혈액관류(peripheral perfusion)는 모세혈관 재충전(capillary refill)을 통해 임상적으로 그 정도를 추정해 볼 수 있음. 정상적으로는 1초 미만으로 나타나야 하지만, 1~2초 이상으로 늘어나면 말초기관에 서 중심 기관으로의 상당한 혈류량의 단락(shunting)이 있음을 의미. 이런 소견은 주로 심인성 쇽, 저혈량증(탈수, 출혈) 등에서 관찰

3) 신생아에서는 간 용적이 혈관내 용적을 잘 반영

4) 신생아의 심박출량은 심박동수와 직접 비례. 즉 서맥은 심박출량의 감소를 의미

2 호흡기계

1) 해부학적으로 비강이 좁고, 비호흡을 하며, glottis와 trachea의 직경이

작고, 혀가 상대적으로 크며, 임파조직이 비교적 많기 때문에 성인에 비해 기도 폐쇄가 잘 됨
2) 주된 호흡근은 횡격막
3) 미숙아에서 미성숙한 폐는 신생아의 이환율 내지는 사망률의 주된 원인
4) 신생아의 기도는 매우 작음(정상 기관 직경 2.5~4 mm). 따라서 각종 분비물로 쉽게 막힐 수 있으며, 또한 4mm 기관에서의 1mm 기관 부종은 직경의 50%를 감소시키고, 기관 면적의 75%를 감소시키는 결과를 초래
5) 신생아의 정상 호흡수는 분당 40~60회 정도
6) 호흡 부전이 있을 때 코벌렁임(nasal flaring), 그르렁대는 소리(grunting), 늑간 함몰(intercostal and substernal retraction), 청색증 등의 소견이 관찰
7) 신생아는 입보다 코로 호흡

신생아 및 성인의 동맥혈 가스분석 소견 비교		
	신생아	성인
pH	7.38	7.38
PaO_2 (mmHg)	60~80	80~100
$PaCO_2$ (mmHg)	32~35	38~40
HCO_3 (mEq/L)	17~22	24~28

연령별 기관내 튜브 직경	
나이	내경(mm)
미숙아	2.5
0~3개월	3.0
3~7개월	3.5
7~15개월	4.0
15~24개월	4.5
2~10세	(16 + age (yr)) / 4
10~19세	6.0~8.0 (cuff)

3 체온 조절

1) 피하지방층이 얇고 체중에 비해 체표면적이 넓으며 대사가 활발하여 체온이 떨어지기 아주 쉬움. 신생아의 정상 체온(체표면 측정)은 36~36.5℃

2) 갈색 지방(brown fat)을 연소시켜 몸떨림 없는 열생산(nonshivering thermogenesis)을 통해 체온을 유지. 이때 대사량과 산소 소모량이 증가

3) 저체온이 계속될 경우, 말초 순환 감소와 산혈증이 발생하며, 더 심해지면 청색증, 호흡감소, 서맥, 저혈당증, 고칼륨혈증을 초래

> • 수술장에서 저체온증을 막기 위한 구체적 예방 조치
> ① heating transport units 사용
> ② 수술장 내부: overhead heating lamps, heating blanket, warming of inspired gas, coverage of extremity and head with occlusive materials
> ③ 수술 중: adhesive plastic sheet 사용, warm irrigation fluid 사용, constant monitoring of temperature

4 신기능

1) 신생아의 소변을 희석(dilute)하는 능력은 성인과 비슷하지만, 사구체 여과율이 낮기 때문에 소변을 농축시키는 기능은 아직 제한. 세뇨관 기능이 미숙하기 때문에 sodium, potassium, phosphate 이온을 배설하는 능력도 떨어짐

2) 정상 신생아 소변량: 1~2ml/kg/hr

3) Urine osmolality: < 150 mOsm: overhydration
                       > 400 mOsm: dehydration

5 대사 및 내분비계 기능

1) 간기능은 완전하지 못하며 효소계의 발달이 미숙. 따라서 미숙아일수록 고빌리루빈혈증이 잘 생김

2) 신생아기에 보이는 경련(seizure)의 원인
   (1) 저혈당증: < 40 mg/dL
   (2) 저칼슘혈증: < 7mg/dL

(3) 저마그네슘혈증

(4) pyridoxine 결핍증

Ⅱ. 소아에서의 수액 및 전해질요법

1 유지 용액(maintenance fluid)으로 D10WNa17K10을 사용

1) 미숙아인 경우 fluid를 더 많이 줌(150 cc/kg)

2) 출생 직후 수액 요구량은 아래와 같음

(1) 1 day: 65 cc/kg (dextrose only)

(2) 2 day: 75 cc/kg (dextrose + Na)

(3) 3 day: 85 cc/kg (dextrose + Na$^+$K)

(4) 4 day: 95 cc/kg

소아에서의 일일 수액 요구량	
몸무게	요구량
미숙아 < 2.0kg	140~150 mL/kg/day
신생아 및 영아 2~10kg	100 mL/kg/day for first 10kg
10~20kg	1,000 mL + 50 mL/kg/day for weight 10~20kg
> 20 kg	1,500 mL + 20 mL/kg/day for weight > 20 kg

3) 일일 전해질 요구량

: Na: 2~3 mEq/kg, K: 1~2mEq/kg

2 수액 요구량의 계산

1) 총 수분 및 전해질 요구량 = 손실량 + 유지량

2) 손실량 보충: 환자가 가진 질환으로 인한 수분 및 전해질 손실에 대한 보충

3) 유지량 보충: 정상 상태에서의 지속적인 수분 및 전해질 소실에 대한 보충

❸ 임상 관찰 지표

1) 이학적 검진

2) 몸무게: 갑자기 늘거나 빠지지는 않는지

3) I/O 체크

4) 검사소견: 전해질, BUN/Cr

❹ 유지량(maintenance therapy)

1) 정상적인 수분 및 전해질 소실에 대한 보충

(소아에서의 일일 수액요구량 표 참조)

2) Na: 2~3 mEq/kg, K: 1~2 mEq/kg

3) 유지량에 대한 조절이 필요한 경우

(1) 유지량을 줄여야 하는 경우

: 핍뇨 혹은 무뇨상태, high humidified condition (incubator, croup tent), CHF, SIADH

(2) 유지량을 늘려야 하는 경우

: 위장관소실, 과호흡상태, 요붕증, heat stress

4) 특정 상태에서의 특성 성분의 지속적 소실에 대한 보충

지속적 수분 소실에 대한 성분별 보충(mEq)			
	Na	K	Cl	HCO₃
위액	60 (20~80)	15 (5~20)	125 (100~150)	
담즙	130 (120~140)	10 (5~15)	100 (80~120)	40 (30~50)
소장액	120 (100~140)	10 (5~15)	110 (90~130)	30 (20~40)
설사	50 (40~65)	35 (25~50)	45 (25~55)	40

⑤ 손실량

탈수증에 있어서 수분 및 전해질 손실량					
단위		경증	중등도	중증
수분(mL/kg)	영아	50	100	150
	소아	30	60	90
Na (mEq/kg)		3~6	7~10	10~15

III. CPR 대처사항

① E-tube size 및 깊이

Bwt	5kg	10kg	15kg	20kg
E-tube size (mm)	3.5	4.0	5.5	5.5
깊이(cm)	9.5~10.5	11~12	14~15	15.5~16.5

② Drug

1) Epinephrine: 0.01~0.03 mg/kg

    (1) 1 : 10.000 (0.1 mg/cc일 때) 0.1~0.3 cc/kg

    (2) 1 : 1.000 (1 mg/cc일 때) 0.01~0.03 cc/kg

2) Atropine (0.5 mg/mL)

    : 0.01~0.03 mg/kg (0.02~0.06cc/kg) (repeat q 10~15 min)

3) Bivon (sodium bicarbonate, 8.4% 20mEq/20mL): 1cc/kg (1 mEq/kg)

4) Calcose (calcium gluconate, 2g/20mL): 1cc/kg/dose

IV. 임파관 낭종(Cystic lymphangioma)

❶ 임상상

1) 선천적인 임파계의 기형으로 임파관이 정상적으로 발달하지 못하여 생긴 임파액이 국소적으로 고인 경우
2) 대부분(75%) 후경부(posterior neck region)에 위치
3) 50~65%는 출생 후 바로 육안적으로 진단되며, 늦어도 2세 이전에 발견되어 진단받게 됨
4) 낭종 내부로의 출혈과 낭종 감염이 종종 발생

❷ 진단

: 대부분 육안진찰 소견만으로 진단이 가능하나, 수술 전에는 MRI로 낭종의 범위를 확인해 볼 수도 있음

❸ 치료

1) 수술적 치료
   (1) 완전 절제가 가장 바람직하긴 하지만 크기가 크거나 인접한 주요 장기들 때문에 불가능한 경우가 많음
   (2) 양성 병변이며 대개의 경우 외관상의 이유가 수술의 주 목적이므로, 주요 혈관, 신경을 모두 제거하면서까지 광범위 절제는 하지 않음
   (3) 수술의 합병증으로 낭종의 재발, 림프액의 누출, 감염, 혈관-신경 손상 등이 있을 수 있음
2) 경화요법
   (1) picibanil → derivative of S.pyogenes (OK-432)
   (2) 단일 낭종 내지는 몇 개의 큰 낭종으로 이루어진 경우에 주로 효과가 있으며, 2-3회에 걸쳐서 시행하게 되는 경우가 많음
   (3) 시술 후 1~2일간 열이 날 수 있으나, 항생제는 필요없으며 해열제로 충분. 이로 인해 발생할 수 있는 열성 경련을 예방하기 위해 보통 생후 10개월 이후에 경화요법을 시도

(4) 미세 낭종으로 이루어진 유형에서는 거의 효과가 없음

V. 갑상 설관 낭종(Thyroglossal duct cyst)

1 임상상
1) 학령전기의 아동에서 경부 정중앙의 종괴로 종종 발견
2) 대부분 설골(hyoid bone) 아래에서 발견

2 진단
1) 대부분 특징적인 위치와 이학적 소견으로 진단이 가능
2) 초음파로 낭종에서 foramen cecum까지 이어진 관(tract)을 확인하기도 하며, 이소성 갑상선 조직의 확인을 위해 초음파 검사시 갑상선을 같이 확인하고 갑상선이 정상 위치에 없을 경우 핵의학적 검사가 이용되기도 함

3 치료
1) Sistrunk operation
    (1) tract을 포함해서 낭종을 박리 후 foramen cecum에서 결찰, 절제
    (2) 설골의 중앙부와 혀 기저부까지 연장되어 있는 조직을 모두 제거
2) 이러한 조직을 모두 제거하지 못하면 재발의 원인
    (seeding of ductal epithelium)

VI. 선천성 식도 폐색증(Esophageal atresia)

1 임상상
1) 과도한 타액 분비, 사레 들림, 기침, 수유 시 청색증이 관찰
2) 1/3에서 출생 시 저체중, 2/3에서 동반기형이 존재
3) 동반기형: VATER (VACTERL)

- V: vertebral
- A: anorectal
- C: cardiac
- TE: tracheoesophageal
- R: renal
- L: limb

2 진단

1) 식도 내로 비위관이 통과하지 못함(95%에서 진단 가능)

흉부 엑스선 촬영 상 상부 식도에서 비위관이 꼬여 있는 것이 관찰됨

2) 횡격막 하방 GI tract에 gas가 찰된다면

(1) 동반된 기관-식도루의 진단이 가능

(2) gross type C, D, H (E) 중 하나임을 의미

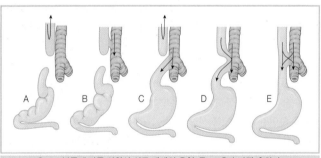

Gross 분류에 따른 선천성 식도 폐색의 유형. Type C가 가장 흔하다.

3 선천성 식도 폐색에서의 응급 처치

1) 비위관 삽입을 통한 근위부 식도 폐쇄에 대한 감압

2) 기관 내 도관의 말단은 기관 식도루보다 원위부에 거치하여, 위장관 으로 공기가 들어가지 않도록 함

4 동반 기형에 대한 수술 전 평가

→ VATER (VACTERL)가 흔히 동반되어 있음

1) 심초음파

   (1) aortic arch의 위치를 확인. 수술 시 aortic arch(정상적으로는 왼쪽에 위치)의 반대편 흉부 절개를 통해 진입

   (2) 동반 심 기형의 유무를 확인할 수 있음

2) 척추, 신장에 대한 초음파 검사

5 치료

1) 흉막외 접근을 통해(extrapleural approach) 기관-식도루를 결찰, 절제 후 식도를 단-단 문합함. 이때 접근은 보통 우측 제4늑간을 통해 이루어짐. 최근에는 개흉술 없이 흉강경을 이용한 수술이 시도되기도 함

2) 식도가 단-단 문합하기 어려울 정도로 양 끝단이 멀리 떨어져 있는 경우(wide gap; 주로 Gross type A)는 신생아기에 위루술(gastrostomy)을 한 후 향후에 식도치환술을 하게 됨

3) 식도 폐쇄를 동반하지 않은 기관-식도루(Gross type E)의 경우, 기관-식도루는 대개 쇄골 정도의 높이에 존재하므로 경부 절개를 통해 접근

6 수술 후 처치

1) 수술 후 2일간 충분한 근육 이완제를 사용하여 진정(sedation)시킴

2) 수술 후 7일간 금식 후 식도 조영술을 실시하여 문합부 누출 및 협착을 확인한 후 식이를 시작

3) 문합부 누출이 있을 경우 1주일 더 금식 후 다시 식도조영술을 시행. 이때 위-식도 역류에 주의하며 기존의 비위관을 통해 경관식이를 진행할 수 있음

VII. 비후성 유문 협착증(Hypertrophic pyloric stenosis)

1 임상상

1) 생후 2-3주부터 점차로 심해지는, 분사성의, 담즙이 섞이지 않은 구토 증세를 보임
2) 구토 후에도 자꾸 먹으려 하여 구토가 반복

2 검사 소견상 hypochloremic hypokalemic metabolic alkalosis이 보임

3 진단

1) 이학적 검진상 우 상복부에서 올리브 모양의 종괴가 촉지되면 다른 검사는 필요 없음
2) 종괴가 만져지지 않거나 의심스러우면 초음파나 상부위장관 조영술을 해볼 수 있음. 초음파(쉽고, 더 자주 이용) 소견상, 유문부 길이가 > 15~18 mm, 유문부 근육층 두께가 > 3~4mm이면 진단이 가능

4 치료

1) 수술 전 치료
   (1) 질환 자체가 외과적 응급이라기보다는 내과적 응급에 속함. 따라서 동반되어 있는 탈수 및 전해질 이상(hypochloremic hypokalemic metabolic alkalosis)을 먼저 교정하는 것이 시급
   (2) 금식시키며 비위관을 삽입. 탈수와 전해질 교정은 시간당 소변량을 체크하며 D10Na17K10용액을 이용하여 교정
2) 수술: 유문근 절개술(개복 또는 복강경 술식)

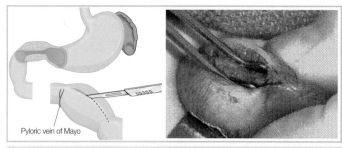

유문근 절개술.
원위부로는 Vein of Mayo까지, 근위부로는 위 전정부(antrum)까지 절개해 준다.

VIII. 선천성 십이지장 폐쇄증(Duodenal atresia)

- 초기 배아 발육 기간에 십이지장의 공포화(vacuolization)의 실패에 의해 생기는 질환
- ampulla of vater의 원위부에 가장 흔하다(85%). 폐색의 형태에 따라 완전 폐색도 있으며, 격막(duodenal web) 형태의 폐색도 가능. 윤상 췌장(annular pancreas)의 경우도 임상상은 십이지장 폐쇄증과 유사

① 임상상

1) 특징: 신생아 시기의 담즙성 구토
2) 임상 양상이 중장염전증과 유사

② 진단

1) 단순복부촬영상에서 이중기포음영(double-bubble sign)이 관찰
2) 완전 폐색이 아닌 경우 원위부 소화관 내 공기 음영이 관찰될 수 있음. 이때 초음파 또는 상부위장관 조영술로 즉각 수술이 필요한 중장염전증과 감별할 수 있음

❸ 치료

1) 십이지장-십이지장 문합술

    (1) 폐쇄부를 중심으로 근위부와 원위부의 십이지장을 문합

    (2) 늘어난 근위부를 횡으로 절개하고, 위축된 원위부를 종으로 절개하여 문합하면 문합부가 다이아몬드 모양으로 넓게 유지되며 (diamond- shaped duodeno-duodenostomy) 흔히 사용되는 방식

2) 수술 중 ampulla of vater를 확인하여 다치지 않도록 유의

3) 최근에는 복강경 술식으로 이루어지기도 함

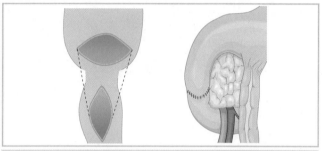

다이아몬드형 십이지장-십이지장 문합술. 문합부가 넓게 유지되는 장점이 있다.

❶ 원인

: 재태기간 중 장간막 혈관의 혈행 장애에 의해 장의 일부가 괴사되면서 발생되는 것으로 추측

❷ 분류

: type C (V-형태의 장간막 결손을 동반한 폐쇄증)이 가장 흔함

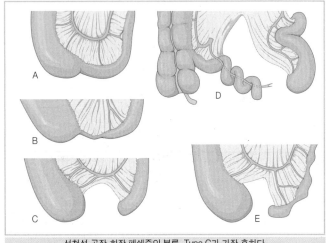

선천성 공장-회장 폐쇄증의 분류. Type C가 가장 흔하다.

❸ 증상

1) 폐색의 위치에 의해 결정
2) 근위부 폐색일 경우 주로 담즙성 구토를 보이며, 원위부 폐색일수록 복부 팽만을 주로 보임

4️⃣ 진단

단순복부촬영상 air-fluid level이 관찰되고 점차로 확장되는 맹관의 끝이 보임. 원위부 소화관 내 공기가 관찰되지 않음

5️⃣ 치료

1) 장의 연속성을 회복하되, 가능하면 장을 많이 살리기 위해 노력해야 함
2) 폐색 상부 장관의 확장이 심한 경우
   (1) 남은 장관의 길이가 적으면 장을 절제하지 않고 확장된 부분의 직경을 줄여준 후(tapering enteroplasty) 문합
   (2) 남은 bowel이 충분하면 확장된 부분을 절제한 후 문합

X. 신생아 괴사성 장염(Necrotizing enterocolitis)

1️⃣ 원인

정확한 원인은 알려져 있지 않으나 미숙아 자체가 가장 중요한 위험 인자

2️⃣ 임상상

1) 체온이 불안정하며, 작은 자극에도 민감한 반응을 보임(irritability)
2) 복부 팽만, 구토, 혈변 등의 증상을 보이며, 식이진행이 어려움
3) 패혈증, 심-폐기능 저하, 혈액응고장애 등의 합병증이 동반되며 심하면 사망에 이를 수 있음

3️⃣ 진단

1) 장벽 내 공기 음영(pneumatosis intestinalis)이 매우 특징적인 소견
2) 문맥 내 공기음영, 복수, 고정된 소장음영 등도 신생아 괴사성 장염을 시사하는 소견

4️⃣ 치료

1) 초기 치료로는 보존적 치료(금식, 비위관 삽입, 광범위 항생제)를 시행

2) 장 천공이 있을 경우 수술의 절대 적응증이 됨. 이외의 경우는 여러가지 소견을 종합하여 수술 여부를 결정하여야 함

3) 수술적 치료의 원칙

(1) 생존 불가능한 장을 모두 절제하되 소생 가능한 부분은 가능한 많이 남김

(2) 절제 후 장루 처리(남은 장에도 염증이 남아 있으므로 바로 문합할 경우, 문합부 누출 내지는 협착 등의 합병증이 많음)

XI. 장중첩증(Intussusception)

1 원인: leading point를 모르는 경우가 많음

2 회맹부에서 가장 흔히 발생(95%)

3 임상상

1) 심한 복통과 함께 통증이 있을 때 양다리를 위로 치켜듦
2) 구토 및 장허혈로 인해 어두운 응혈과 점액이 섞인 변(currant jelly stool)이 나타남
3) 우상복부에서 소시지 모양의 종괴가 만져짐(65%)

4 진단

복부초음파에서 "target sign", "pseudokidney sign"을 관찰하면 확진할 수 있음

5 치료

1) 공기정복술(120mmHg까지 해 볼 수 있음)

(1) 금기증

① 이미 복막염의 증상이 있을 때

② 혈역학적으로 불안정할 때

③ 소장-소장끼리 중첩되었을 때

④ leading point가 연관되어 있는 경우

(2) 재발(11%): 대개 24시간 이내에 발생하며, 다시 공기 정복술을 시도하고 세 번째 재발할 경우 수술을 시행

2) 수술적 치료

(1) 적응증

① 복막염의 증상이 이미 있을 때

② 장폐색 증상이 심할 때

③ 소장-소장끼리의 중첩인 경우

④ 공기정복술로 실패할 경우

⑤ 이미 공기정복술로 여러 차례 재발한 병력이 있을 경우

(2) 수술 방법

① 도수정복술: 원위부에서 근위부로 짜내듯이 정복(milking technique) 충수돌기 절제술을 함께 함

② leading point가 있는 경우, 도수 정복에 실패한 경우, 장이 이미 괴사된 경우 장을 절제

(3) operation 후의 재발률은 낮음(< 3%)

3) 수술 후 처치

(1) 충분한 수액공급을 유지

(2) 비위관을 거치

(3) 적정 기간 항생제를 사용

XII. 히르쉬스프룽씨 병(선천성 거대결장증, Hirschsprung's disease)

1 원인

: 장관 신경모세포의 원위부로의 이동이 정지되어 발생

2 빈도

: 남아가 80%로 많으나 전 대장 무신경절증의 경우 여아가 35%를 차지

❸ 동반 기형

: 3~5%에서 Down's syndrome이 동반

❹ 임상상

(1) 생후 첫 24시간 내에 태변 배출이 되지 않음(95%, 가장 중요한 증상)

(2) 유아의 경우 잘 먹지 못하며, 만성적인 복부 팽만, 심한 변비 등의 증상으로 내원

(3) 히르쉬스프룽씨 병에서의 위장관염(enterocolitis)
특징적으로 매우 심하며, 적절한 치료를 받지 못한 경우가 가장 흔한 사망원인

❺ 진단

1) 대장조영검사

진단을 위한 첫 번째 검사. 이 검사를 시행하기 전, 이행부위의 확인을 어렵게 만드는 직장수지 검사나 관장을 시행해서는 안됨

2) 직장내압검사

직장-항문 억제성 반사(recto-anal inhibitory reflex)가 관찰되지 않음

3) 직장 흡입 생검술(rectal suction biopsy): 직장 내압 검사 시 같이 시행

4) 직장 전층 조직검사

직장흡입 생검술에서 진단이 확실치 않은 경우 시행. 수술 전 조직검사로 신경세포가 없음을 확인하는 것이 원칙

❻ 수술 전 주요 처치

1) 비위관을 삽관

2) 수술 전날 금식을 하고 장관 내 변이 남아있지 않도록 장루와 항문을 통해 수술 전날 관장을 시행

❼ 치료

1) 조직검사(직장흡입생검술, 직장전층 조직검사)로 확진되면 바로 defini-

tive pull-through 수술을 시행하며, 본 병원에서는 laparoscopy- assisted transanal endorectal pull-through (LATEP)나 Duhamel 수술 시행함

2) Diverting colostomy를 하는 경우

관장으로 해결할 수 없는 심한 enterocolitis나 수술 전 대장의 감압이 불가능한 경우

3) 전 대장 무신경절증(total colonic aganglionosis)

진단이 매우 어려우나 일단 진단이 내려지면 ileostomy를 시행하고, 생후 2개월경에 ileostomy로 배출되는 변이 고형질로 변하면 Duhamel 수술을 시행

XIII. 쇄항(Imperforate anus)

① 발생빈도

1) 약 5,000명 출산에서 1명 정도이고 남아에서 약간 많음
2) 저위 기형에서는 남녀의 비가 1 : 1, 고위 기형은 2 : 1

② 동반기형

1) 고위형 기형일수록 동반기형이 많음
2) VACTERL 기형이 주로 동반

③ 분류

보다 흔한 형태의 직장-항문 기형	드문 형태의 직장-항문 기형
회음부 누공	직장 폐쇄증/직장 협착
직장-요도 누공	직장-질 누공
전립선 요도 누공	H 형 누공
구부(bulbar) 요도 누공	결장낭(pouch colon)
직장-방광 누공	
질 전정부 누공	
총 배설강 기형	
항문 협착	
누공이 없는 쇄항	

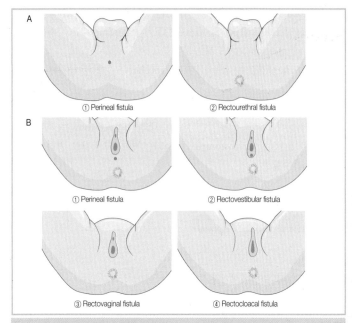

회음부 시진에 따른 쇄항의 분류
(A) 남아. ① 회음부 누공이 관찰되어 저위형, ② 저위형을 시사하는 소견이 없어 고위형 쇄항을 진단할 수 있다. (B) 여아. 회음부 개구부가 3개 보이면 저위형 쇄항 (① 회음부 누공, ② 직장-질 전정 누공), ③ 2개 보이면 직장-질 누공 (고위형), ④ 1개 보이면 총 배설강 기형으로 진단할 수 있다.

4 진단

회음부 시진만으로 남아의 80%, 여아의 90%에서 저위/고위형 쇄항을 구별할 수 있음

1) 남아

(1) 회음부에서 누공이 관찰될 경우 또는 저위형 쇄항을 시사하는 소견(bucket handle deformity, epithelial pearl)이 관찰될 경우 저위형 쇄항을 진단할 수 있음. 이 경우 장루를 형성하지 않고 회음부에서 바로 항문을 만들어 줄 수 있음(primary perineal repair)

(2) 이외의 경우는 고위형 쇄항. S-결장루 등의 장루 형성이 필요하며, 2개월 후 항문을 만들어주는 수술을 하게 됨

2) 여아

(1) 여아의 경우, 회음부의 개구부(opening) 개수로 쇄항의 유형을 판별할 수 있음

(2) 한 개일 경우 총배설강 기형, 두 개일 경우 직장-질 누공을 동반한 고위 형 쇄항을 의미

(3) 세 개일 경우 회음부 누공 내지는 직장-질 전정부 누공을 의미

3) 검사

(1) 복부 초음파

(2) 척추 초음파(spinal sonography)

(3) voiding cystourethrography (VCUG)

(4) distal fistulography via distal colostomy for recto-urethral fistula

❺ 수술적 치료

1) 수술을 시도하기에 앞서 VACTERL에 대한 동반 기형의 평가가 중요

2) 저위형 쇄항

(1) cut-back
회음부 누공이 있는 남아 및 여아(회음체, perineal body가 있는 경우)에서 시행

(2) jump-back
직장-질전정부 누공이 있어 회음체(perineal body)를 만들어야 하는 경우에 시행

(3) 수술 후 수개월 내지 1년까지 매일 항문을 확장하여 협착을 막으며 후방 항문 경계를 신장시킴

3) 고위형 쇄항: 3단계로 나누어 수술

(1) 1단계: 결장루(주로 S-결장루)

(2) 2단계: 3-6개월 후
① 결장루를 통한 장조영술(loopogram)을 통해 누공의 위치를 확인하는 것이 중요

② 수술방법: 페냐 술식(Pena operation; posterior sagittal anorectoplasty, PSARP)

③ 최근에는 복강경을 이용하여 2단계 수술을 시행하기도 함 (laparoscopy- assisted anorectoplasty; LAARP). 이 경우 복강 내 박리가 유리한 직 장-방광 누공의 유형에서 시행이 보다 용이하며, 직장-요도 누공에서는 복강경을 이용한 박리 및 누공 결찰이 어려울 수 있음

(3) 3단계: 수개월에 걸쳐 항문을 확장시킨 후 장루를 복원

항문 확장은 페냐 수술 2주 후부터 하게 되며 장루 복원 후 수개월까지 지속

6 수술 후 경과

1) 대부분 동반기형에 의해 결정

2) 적절한 배변자제능력을 획득하는 것이 치료의 가장 중요한 목표이며 이는 아래 두 가지 요인에 의해 결정

  (1) 기형의 높이(level of anomaly)

  (2) 천골의 결손(sacral bone defect)

3) 수술 후 가장 흔한 합병증은 변비이며, 이외에 항문협착, 항문 점막 탈출 등이 보일 수 있음

1 원인

: 초상돌기(processus vaginalis)가 완전히 막히지 않은 채로 태어난 경우
이를 통해 복강 내 장기가 탈출하여 발생

2 임상상

1) 탈장된 장이 서혜부에서 단단한 종괴로 촉지
2) Silk-glove sign
3) 남아에 많음(남 : 여 = 9 : 1)
4) 우측에 많음

3 치료: 고위결찰(high ligation)

1) 감돈된 경우는 먼저 환아를 진정시켜 복벽을 이완시키며, 그 후에
   manual reduction을 시도. 이 경우 보통 탈장낭에 부종이 동반되어 있
   어 즉시 수술하는 것이 이롭지 않으므로 약 48시간 경과 후 수술하도
   록 함
2) 교액된 경우(strangulated hernia)는 즉시 수술(극히 드묾)

4 수술 전·후 처치

1) 수술 전 6시간은 금식
2) 외래 수술장(day surgery center)에서 수술 후 4시간 동안 금식하며, 수
   술 당일 퇴원
3) 교정 주수 46주 미만인 신생아는 수술 전날 입원하여 수술 후 다음날
   퇴원
4) 항생제는 원칙적으로 사용치 않음. 단, 심장질환, 인공보형물(pros-
   thesis) 등이 있는 환아에서는 사용

XV. 선천성 횡격막 탈장(Congenital diaphragmatic hernia)

1 원인

태생 4~8주에 횡격막이 형성되며 태생 8주에 pleuroperitoneal canal이
막힘(좌측이 늦게 막힘). 이 과정의 이상에서 횡격막 탈장이 발생

2 빈도

1) 3,000~4,000명 출생당 1명
2) 85% 이상이 좌측에 생김

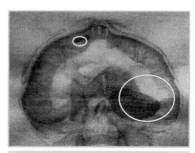

Bochdelek탈장(큰원)과 Morgagni 탈장(작은
원)이 발생하는 위치를 보여주고 있다. 대부분의
경우가 좌측에 발생하는 Bochdalek 탈장이다.

3 임상상

1) 위장관이 흉강내로 탈장되어 있으므로 배가 홀쭉함
2) 흉부의 전후 직경이 증가
3) 병변측에서 호흡음이 청진되지 않음
4) 호흡곤란의 징후(빈맥, 청색증, 늑간 함몰)가 관찰됨
5) 증상이 늦게 나타날수록 예후가 좋음

④ 진단

: 흉부 X-ray 촬영 상 흉강 내에 장 음영이 보이면 진단할 수 있음

⑤ 수술 전 처치

1) 비위관 삽입을 통해 위장관 감압을 시도
2) 체온 유지
3) 안면마스크 호흡은 장으로 공기가 들어가 반대편 폐를 압박, 호흡곤란을 악화시키게 되므로 금기
4) 대사성 산증을 교정
5) 이송중 환자의 체위는 탈장된 쪽을 아래로 함

⑥ 치료

1) 흉부 내지는 복부로 접근하여 교정을 시도. 어느 쪽이 더 유리한 방법이라고 확립된 바는 없음
2) defect의 크기에 따라 일차 봉합 내지는 인조막을 이용하여 횡격막을 복원
3) 대부분의 경우(약 80%)에서 탈장낭(sac)이 존재하지 않음
4) 최근에는 흉강경을 이용하여 개복, 내지는 개흉 없이 수술을 시행하기도 함

⑦ 수술 후 처치

1) 호흡 보조: postductal PaO_2 80~100 torr 유지
2) 흉관: 삽입은 시행하지 않음
3) 교정 후 12시간 정도는 상태가 좋다가 갑자기 나빠지는 경우가 흔함

1 원인: 잘 모름

2 임상상

1) 소아에서 황달을 일으키는 질환 중 가장 흔한 외과 질환
2) 생리적 황달과 연속하여 보이는 황달과 회백색변이 주 증상
3) 생후 1개월 이내에는 잘 발견하지 못하며, 2개월 검진 시 소아과 의사
   에 의해 발견되는 경우가 많음

3 진단

1) 생후 60일 이내에 진단하여 수술하는 것이 중요
   이후부터는 예후가 매우 불량해짐
2) 일반혈액검사, 소변검사
3) 초음파
4) 24시간 십이지장액 검사: 담즙의 유무를 검사
5) 핵의학적 검사: 동위원소가 간에서 배설되는가를 검사
6) 시험개복 및 수술 중 담도조영
   : 이상의 방법으로 진단이 불확실할 경우 시행

4 치료

1) 카사이 술식(Kasai procedure)
   (1) 간문부-공장 문합술을 의미
   (2) 간문부의 섬유화된 담관조직을 모두 절제 후 간 실질과 공장을 문합
2) 수술 후 관리(oral feeding 시작하면)
   (1) vitamin E 25 mg, UDCA 50 mg PO bid
   (2) alvityl 5~7 cc PO qd (vitamin A, B, C, D, E 복합체)
   (3) prednisolone PO qd
      : 2mg/kg for 7 days (tapering 1mg/kg for 7 days, then 0.5mg/kg for
      7 days)

Chapter

21

외과적 술기

1 Internal jugular approach

1) 적응증

대부분의 환자에서 쉽고 빠르게 approach 할 수 있는 방법으로 sub-clavian vein approach보다 기흉의 발생 빈도가 낮으면서 출혈 시 쉽게 압박이 가능

2) 술기

목의 중간 부위에서 SCM muscle의 안쪽 경계에서 common carotid artery의 pulse를 확인함. internal jugular vein은 common carotid artery의 바깥쪽에 위치하고 있음. 환자를 10-15도 정도 Trendelenburg position으로 위치시킨 후 머리를 시술하는 부위 반대쪽으로 돌림. 1% lidocaine으로 SCM의 바깥 경계 부분에 피하 주입한 후 21-G needle로 carotid pulse가 만져지는 바깥 1cm에서 45도 눕힌 후 같은 쪽 nipple을 향해서 천천히 찌름. 혈관의 위치를 확인하면 14-G needle을 이용해 같은 방향으로 찌름. 초음파 이용이 가능한 경우 US guided 하에서 IJV 의 위치와 guidewire가 정확히 들어간 것을 확인하는것이 좋음. catheter의 위치는 SVC와 우 심방의 경계부분에 위치

시키며 목의 두 군데에 고정시킴. chest X-ray 는 catheter tip의 위치와 기흉의 발생 유무를 알기 위해서 시행

3) 합병증

pneumothorax, carotid artery injury, arrhythmia, venous stenosis, air embolism

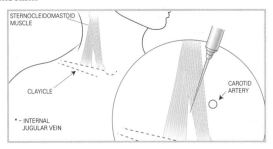

② Subclavian vein approach

1) 적응증

환자가 가장 편하고 쉽게 유지할 수 있음. femoral access, jugular access, subclavian access 순으로 감염의 위험성이 낮아져서 open wound, tracheostomy, 두경부암 환자인 경우 subclavian approach가 감염의 위험성을 최소화할 수 있다고 함

2) 술기

subclavian vein은 clavicle 뒤로 주행하며 subclavian artery, apical pleura가 subclavian vein 뒤에 위치하고 있음. 환자는 Trendelenburg position을 하면서 scapula 뒤에 타월을 넣어 어깨를 뒤쪽 아래로 떨굼. 1% lidocaine으로 clavicle의 중간 또는 바깥 1/3 부위에 주사하는데 이때 clavicle의 periosteum까지 injection 한다. 14-G needle로 clavicle의 중간 부위를 찌른 후 clavicle의 뒤로 수평하게 sternal notch를 향해서 천천히 전진함

3) 합병증

internal jugular approach의 합병증과 같으며 subclavian artery puncture시 지혈을 위해 직접 압박할 수 없어서 문제가 됨. 그래서 응고 장

Handbook of Surgery

애가 있는 환자에게서 피해야 할 procedure이며 만약 subclavian artery가 puncture되면 bleeding이 지속되지 않는다는 것을 확인하기 위해 30~45분 동안 monitoring이 필요함. subclavian artery puncture 후 cannulation 했을 때 catheter를 뽑지 말고 image 이용하여 평가한 뒤 angiogram을 시행해야 함. catheter removal은 catheter의 위치와 크기에 따라 혈관조영실에서 percutaneous suture mediated closure device를 이용하여 closure를 시행하거나 수술방에서 open arterotomy repair를 시행해야 할 수 있음. 좌측에 subclavian vein approach를 할 때 thoracic duct, brachiocephalic vein, SVC injury를 피하기 위해서 특히 주의를 더 기울여야 함

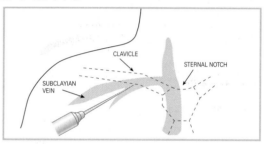

③ Femoral vein approach

1) 적응증

중심 정맥을 확보하는 가장 손쉬운 방법으로 trauma 또는 심폐소생술 시 선호되는 방법

2) 술기

femoral artery는 anterosuperior iliac spine과 pubic tubercle 사이의 중간 부분에서 inguinal ligament를 지나가며 femoral vein은 femoral artery의 내측으로 주행함. femoral artery의 pulse를 확인한 후 pulse의 내측 부위로 30도 정도 기울여서 14-gauge needle로 vein이 확인 될 때까지 지속적인 음압을 걸면서 찌름

3) 합병증

서혜부 또는 후복막 출혈, pseudoaneurysm, arteriovenous fistula, femoral nerve의 손상 등이 있음

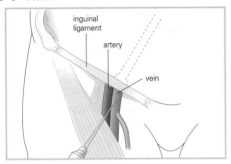

II. 기관내 삽관술(Orotracheal intubation)

1 Relative contraindication

maxillofacial trauma, laryngeal injury, cervical spine injury

2 술기

bag-valve-mask, 100% oxygen, suction, 적절한 sedation과 muscle relaxation을 통해서 preoxygenation를 시킴. laryngeal scope blade에는 straight blade (miller), curved blade (macintosh) 두 가지 종류가 있어서 straight blade는 소아에서, curved blade는 목이 짧고 굵은 환자에게 유용함. 환자의 머리와 목을 full extension 시킨 후 좌측 손으로 엄지와 검지를 이용해 환자의 입을 벌림. oropharynx를 살펴본 뒤 foreign body와 secretion을 제거. laryngoscope의 blade를 입안에 넣은 후 부드럽게 발쪽 방향으로 들어올림. epiglottis가 보이면 vocal cord를 확인한 후 endotracheal tube가 vocal cord를 통해 trachea로 들어갈 때까지 지켜보면서 삽관함. endotracheal tip이 carina 상방 2~4cm에 위치시킴

❸ 합병증

emesis, aspiration, vocal cord injury, laryngospasm

III. Thoracentesis

❶ 적응증

diagnostic thoracentesis는 원인 모르는 pleural effusion 시 적응증이 되며 pleural effusion에는 transudate와 exudate가 있음. therapeutic thoracentesis는 많은 양의 pleural effusion으로 호흡기 증상을 유발한다면 적응증이 됨. 반복적인 therapeutic thoracentesis가 필요하다면 chest tube drainage와 pleurosclerosis를 고려

❷ 술기

환자의 상체를 세우고 약간 앞으로 굽힘. 흉곽의 뒤쪽, spinal column의 4~6cm 외측 부위에서 천자. 이때 tactile fremitus가 없는 부분이나 percussion 시 dull 한 부위에서 1~2 intercostal space 아래 부위에 천자함. 1% lidocaine으로 국소 마취하며 rib의 periostium까지 깊게 찌르고 이때 신경, 혈관 손상을 피하기 위해서 rib의 upper margin을 지나가면서 찌름. pleura도 주사해서 마취시켜야 함

❸ 합병증

기흉이 가장 흔한 합병증이며 air leak이 봉합될 때까지 chest tube thoracostomy와 negative suction으로 치료해야 함

IV. 흉관 삽입술(chest tube insertion)

1 적응증

기흉, 혈흉, 반복적인 pleural effusion, chylothorax, empyema 등이 적응증이 되나 응고 장애가 있으면 relative contraindication임

2 Tubes

thoracostomy tube size는 배액해야 할 성질에 따라 다름. 일반적으로 hemothorax와 pleural effusion을 배액하는 경우 32~36 french tube가 많이 이용되며 pneumothorax인 경우 24~28 french tube가 이용됨

3 해부학적 구조

intercostal neurovascular bundle이 rib의 아래쪽으로 주행하기 때문에 tube는 rib의 upper margin을 지나가야 함. chest tube는 6번째 intercostals space 아래 부위에는 절대 insertion 하면 안 됨

4 술기

환자의 손상받지 않은 방향으로 돌려서 lateral position으로 유지한 채 머리 쪽 방향의 bed를 10-15도 정도 세움. 손상받은 폐 방향의 팔을 머리 뒤로 올림. 1% lidocaine으로 middle 또는 anterior axillary line의 위치에서 5번째와 6번째 rib 사이에 국소 마취함. 2~3cm 정도 피부를 절개한 뒤 curved clamp로 rib의 경사면까지 blunt dissection 함. rib의 top을 지나서 clamp로 parietal pleura를 puncture 함. 손가락으로 통로를 확보하고 폐가 유착이 없다는 것은 확인한 다음 chest tube를 pleural space에 위치시킴. tube의 방향은 effusion일 때는 posterior 방향으로, pneumothorax인 경우는 apical 방향으로 향함

5 합병증

chest tube를 낮은 위치에 insertion 하게 되면 횡경막 및 인접 장기에 손상을 줄 수 있으며 pleural space로 tube를 위치시키지 못하면 extrapleural plane의 dissection을 유발할 수 있음. 그 외에 subcutaneous emphysema, re- expansion pulmonary edema, phrenic nerve injury, esophageal perforation 등이 있음

V. Paracentesis

1 적응증
진단과 치료에 유용한 방법으로 surgical patients에서 diagnostic paracentesis의 가장 흔한 적응증은 복수의 감염 여부를 판단하는 방법. therapeutic paracentesis는 내과적 치료에 반응하지 않는 복수와 복수가 너무 많아서 호흡기 증상을 유발하는 경우. relative contraindication은 previous abdominal surgery, pregnancy, coagulopathy, 간성 혼수 및 hepatorenal syndrome이 있는 간부전인 경우

2 술기
환자를 supine position으로 위치시킨 후 방광은 비움. 우측 또는 좌측 하복부에서 천자 시 umbilicus와 anterior iliac spine 사이의 line과 anterior iliac spine과 pubis symphysis 사이의 line에 있는 rectus muscle의 외측 경계에 의해 만들어지는 삼각형 내에 천자하면 됨

3 합병증
bowel과 bladder의 손상, mesenteric vessel의 손상으로 인한 출혈

1 적응증

혈액종양 내과 환자에게 약물투입, 혈액검사, 수혈, 영양 보충을 위해서
오랫동안 intravenous line이 요구될 때 시행

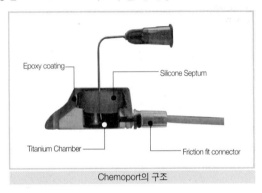

Chemoport의 구조

2 술기

환자를 supine position으로 하고 환자의 고개를 왼쪽으로 돌리고 오른
쪽 어깨 밑에 융포를 접어서 받침. 소독 후 환자는 Trendelenberg position을
취함. 1% lidocaine 국소 마취 후 피부 절개를 하는데 external jugular vein
이 prominent한 경우 clavicle에서 2 finger 위 위치에서 external jugular vein
바로 위 skin에 약 1cm 정도 incision 함. internal jugular vein을 이용할 때
는 SCM muscle 윗부분 또는 SCM의 두 head 사이쯤 incision 함. enternal
jugular vein을 사용할 때 우선 external jugular vein을 박리하여 black silk
2-0로 위, 아래로 걸어두며 internal jugular vein인 경우 SCM을 들어올리
거나 split하여 internal jugular vein을 박리해서 위아래로 vessel loop을 걸
어 둠. 우측 chest wall에서 clavicle에서 3 finger 아래이면서 neck incision보
다 약간 외측 부위에 1% lidocaine 주입 후 약 3cm 정도 skin incision을 함.
subcutaneous layer를 박리해서 pectoralis fascia와 피부 사이에 공간을 만
든 다음 chemoport를 거치시킴. 이때 chemoport가 incision line보다 위쪽

이면서 subclavicular fossa에 위치하도록 clavicle 바로 아래까지 손가락으로 dissection하여 충분한 space를 확보함. tunneler를 이용하여 catheter가 chest에서 subcutaneous layer를 통과하여 neck의 incision으로 나오도록 함. catheter 길이를 재서 보통 23~25cm 정도 길이만 남기고 catheter tip을 자름. 정맥에 cannulation 할 부분을 표시하고, prolene 6-0로 둥글게 연속적으로 suture한 뒤 정맥에 걸어둔 실을 위, 아래로 조여서 blood flow 차단함. 둥글게 연속적으로 suture한 원 안에 blade #11을 이용하여 정맥을 열고 아래쪽 실을 살짝 풀면서 catheter를 밀어 넣음. catheter가 저항 없이 들어가면 saline으로 저항이 없는지 function을 test 함. C-arm으로 catheter tip이 SVC에 위치하는지 확인하고 catheter가 제대로 들어갔으면 external jugular vein에 걸어둔 black silk를 tie 함. 이때 catheter를 너무 꽉 조이지 않도록 주의. bleeding 없음을 확인한 후 closure하는데 chemoport는 pectoralis fascia와 suture하여 anchoring시킨 후 layer by layer closure. chemoport는 heparin으로 locking 함

❸ 합병증

1) 초기 합병증

기흉, 동맥 손상, 공기 색전증, thoracic duct injury, 출혈, 신경 손상 등

2) 기계적 합병증

catheter malposition, inability to pass fluid, inability to withdraw blood

3) 혈전증(thrombosis)

가장 흔한 합병증으로 혈관 벽의 irritation 또는 손상으로 발생하며 4~10% 정도임. 초기 치료는 urokinase 5,000 IU을 사용하여 thrombolysis를 시도

4) 감염(infection)

두 번째로 흔히 발생하는 합병증으로 의심이 되면 catheter removal

❶ 적응증

장기적인 혈액 투석을 위해서 충분한 혈류를 유지할 수 있는 혈관을 확보하기 위해 시행함

❷ 술기

동정맥루 수술은 근접한 동맥과 정맥을 연결하는 수술로서 가능한 non-dominant arm의 원위부(forearm)에서 우선 고려하지만 수술 부위는 환자의 혈관 상태에 따라 달라짐. 동정맥루를 만드는 위치와 동맥과 정맥을 혈관 문합하는 방법은 아래 그림 참고

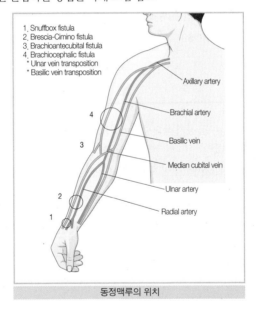

동정맥루의 위치

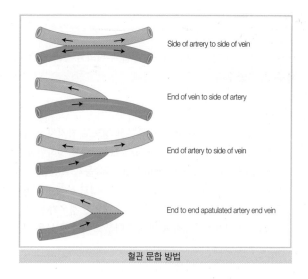

	Side of artrery to side of vein
	End of vein to side of artery
	End of artery to side of vein
	End to end apatulated artery end vein

혈관 문합 방법

수술하기 전에 duplex scan, doppler examination, 수술 중에 allen test를 시행해서 ulnar artery의 collateral flow가 적절한지 확인. 동정맥루 수술 시 가장 많이 사용하는 방법은 side to end 방법. side to side의 경우 수술 후 정맥성 고혈압을 일으킬 수 있으며 정맥성 고혈압 발생 시 anastomosis의 distal vein을 ligation하면 교정됨. end to end의 경우 collateral channel이 거의 없어서 수술 후 초기 혈전증이 잘 생겨서 수술 시 coronary dilator로 동맥과 정맥을 확장시키면 문합부 혈전증을 감소시킬 수 있음. 수술 과정은 동맥과 정맥 사이에 절개한 다음 cutaneous nerve를 정맥에서 박리. 정맥의 patency를 확인한 다음 동맥과 정맥을 side-to-end로 연결하고 thrill을 확인하면 됨. 수술 후 maturation을 돕기 위해서 fistula hand-arm exercise (squeezing a rubber ball)를 시행. 수술 한 팔은 무거운 물건은 들지 않도록 하며, 혈압을 측정하거나, intravenous line, blood sampling은 피함. 만약 수술 후 수술 부위 부종이 arm elevation에도 반응이 없거나 수술 후 2주 넘어서까지 지속되면 central venous outflow를 확인하기 위해 imaging study를 시행

❸ 합병증

1) 급성기 합병증

감염 및 발열, 출혈 및 혈종, 통증, 수술 부위의 부종과 발적, 주위 조직 손상, 수술 실패

2) 장기 합병증

(1) 동정맥루의 미숙

(즉, 투석을 위해 사용하기에 충분할 정도로 커지지 않음) - 가장 흔함 동정맥루의 미숙으로 primary failure가 발생하면 4주째 duplex scan을 하여 collateral branch, stenosis 등을 확인함. correctable lesion 없으면 3~4개월까지 기다림. 이후에도 투석에 사용할 만큼 동정맥루가 커지지 않으면 재수술이 필요한 경우가 많음. 처음에 maturation 되어 사용하게 된 동정맥루도 나중에 사용 못하게 되는 경우도 있음

(2) maturation된 후에 발생할 수 있는 합병증

① 동정맥루를 통한 혈류량이 많아지면서 원위부의 arterial supply 가 부족해지는 —동맥 혈류 이탈 증후군(arterial steal syndrome) 이 발생할 수 있음. 이는 arterial insufficiency 있는 경우에 흔히 발생. 그로 인한 증상으로는 원위부의 통증, 쇠약감, 이상감각, 근육 위축, 괴사 등이 발생. 그 빈도는 1.6% 정도로 알려져 있음

② 동정맥루를 장기적으로 사용하다 보면, 협착(48%), 동맥류 (7%), 혈전 형성(9%) 등이 발생하여 어느 시점이 되면, 더 이상 사용하지 못하는 상태가 됨. 이렇게 되면 협착부위를 넓히는 시술 또는 재수술이 필요. 연구에 따라 결과가 다양하지만 예상 개통률(patency rate)은 술 후 1년에 60~90%, 술 후 5년에 60~75%로 보고되어 있음

❶ 적응증

장기적인 혈액투석이 필요한 환자에서, 말초정맥이 동정맥루 수술에 적합하지 않은 경우에 인공물로 동맥과 정맥을 연결함으로써 혈액 투석의 경로를 확보하기 위한 수술

❷ 수술 방법

1) vascular access로 natural fistula를 만들기에 적합하지 않은 혈관인 경우에는 synthetic tube를 이식하여 vascular access를 확보할 수 있음

2) 수술 과정: 피부 절개를 가한 후 동맥과 정맥을 박리하여 동맥과 정맥 사이를 인공물(plastic tube; 주로 PTPE, -commercial name 'Goretex' 사용)로 연결. Artificial graft는 subcutaneous layer에 주로 forearm U shaped loop 혹은 upper arm straight type으로 놓이게 됨

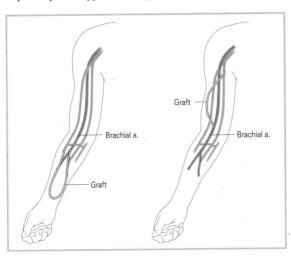

❸ 수술 후 관리

1) graft를 사용할 경우 primary AVF 보다 상지 부종과 통증 더 심함. foreign body에 대한 반응으로 염증이 발생하기 때문에 흔히 발열이 동반됨. arm elevation과 첫 1~2주는 tapping을 시원한 수건으로 하도록 함.

2) primary failure는 자가 동정맥루보다 적지만, 다른 장기 합병증들은 더 높음. 특히 감염이 발생하는 경우는 균혈증을 동반하기 쉽고, 대개 인조혈관의 제거가 필요

3) 수술후에는 수술한 상지로는 무거운 물건을 들지 않도록 하며, 혈압을 측정하거나 IV, blood sample은 피함. 또한 wrist or arm 주위를 압박하는 옷은 입지 않도록 하며 팔을 베고 눕지 않도록 함(이것은 혈전을 유발할 수 있음). 항상 thrill을 느낄 수 있어야 하는데, AVG 위의 피부에 손가락을 올렸을 때 slight vibration을 느낄 수 있어야 함

4) AVG는 maturation이 필요 없어 AVF 보다 더 빨리 사용할 수 있지만(2주 이후, ideally 3-6주 후에 사용), clotting이나 infection의 발생률이 더 높음. 인공물을 이용한 수술의 경우에는 개통률(patency rate)이 일반적으로 자가 동정맥루보다 낮은데, 연구에 따라 결과가 다양하지만 1년 개통률은 80%(polytetrafloroethylene을 사용한 경우), 2년 개통률은 69%로 보고되고 있음

IX. Continuous ambulatory peritoneal dialysis (CAPD)

❶ 적응증

혈관 상태가 안 좋고 불안정한 심혈관계, 출혈성 경향 등을 보이는 혈액투석 환자가 대상이 됨. 복막 투석을 통해 얻는 이점은 환자의 이동성 향상, 독립성, 환자의 만족도 증가, 항응고제가 필요 없으면서 식이 제한이 없어진다는 점. absolute contraindication은 전에 복부 수술로 복강내 공간이 없는 경우, 불충분한 peritoneal clearance, 횡경막의 손상이 있는 경우이며 relative contraindication은 투석액으로 인한 호흡 곤란 발생, 복부 탈장이 큰 경우, 복막내 암세포가 존재할 때임

② 술기

국소 마취 또는 정맥 마취로 수술을 진행하며 복부의 피부 절개 후 복막을 노출

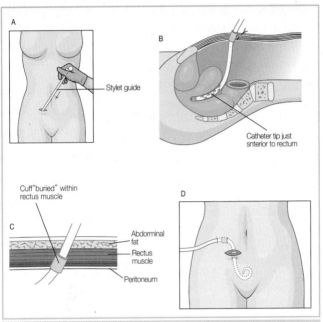

Stylet guide 하에(A) catheter를 골반 쪽으로 삽입하여 그림 B와 같이 위치시킨다. 이 때 bowel, bladder injury는 피하도록 주의해야 한다. Deep Dacron cuff는 posterior fascia 바로 위의 muscle layer에 위치시키고(C), anterior fascia closure 후에 sec ond cuff는 subcutaneous tunnel에 위치시킨다(D).

수술 후 24시간 동안은 복압의 상승을 막기 위해 되도록 supine position 을 유지하며 다음 날부터 ambulation 시킴. healing에는 약 2주가 소요

3 합병증

수술로 인한 합병증은 감염, 발열, 출혈, 통증 등이 있으며 카테터와 관련된 합병증으로는 투석액의 누출, 복막내 출혈, 장 또는 방광의 천공, 피하 출혈에 따른 혈종형성, 장폐쇄 등이 있다. 출구감염(0.8%/년), 복막염(1.2~1.4%/년), 카테터 기능장애(카테터의 전위나 폐쇄에 부적절한 투석 등의 합병증이 발생할 수 있음

예상 카테터 유지율은 술 후 3년에 80%로 보고되어 있음. 그러나 당뇨병이 있는 환자에서는 카테터 수명이 더 짧음

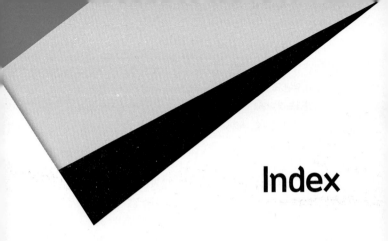

Index